afgeschreven

DE INDRINGERS

Van Michael Marshall zijn verschenen:

De Stromannen*
Het oudste offer*
Engelenbloed
De indringers

Onder de naam Michael Marshall Smith:

Enkele reis*
Vervangers
Onder ons

* In POEMA-POCKET verschenen

michael marshall
DE INDRINGERS

Uitgeverij Luitingh

ISBN 978 90 245 2243 9
NUR 332

www.boekenwereld.com

Voor Nathaniel
– ik heb het gedaan

Hoe kunnen we er zeker van zijn
dat we geen bedriegers zijn?
Jacques Lacan
De Vier Fundamentele Concepten van de Psychoanalyse

PROLOOG

Bonk, bonk, bonk. Je kon het halverwege de straat al horen. Het was een wonder dat de buren niet klaagden. Of in elk geval niet vaker, en harder. Gina zou dat absoluut wel doen – vooral als het zulke slechte muziek was. Ze wist dat ze eigenlijk meteen naar boven moest lopen zodra ze binnen was, om tegen Josh te blèren dat hij het geluid zachter moest zetten. Ze wist ook dat hij haar dan op zo'n typische tienermanier zou aankijken, alsof hij zich afvroeg wie ze was en wat haar het recht gaf om hem lastig te vallen en wat er in hemelsnaam in haar leven was voorgevallen dat ze nu zo saai en oud was. Maar in wezen was hij een beste jongen en daarom zou hij zijn ogen ten hemel slaan en de stereo een fractie zachter zetten. En het daaropvolgende halfuur zou het geluid langzaam maar zeker weer aanzwellen tot het nog harder stond dan eerst.

Normaal gesproken was Bill in de buurt om hem tot de orde te roepen – als hij zich ten minste niet in de kelder had opgesloten om te knutselen – maar die was vanavond uit met een stel collega's van de faculteit. Dat was goed, deels omdat hij zich dan eens helemaal kon uitleven op de bowlingbaan zonder dat Gina, die die stomme sport haatte, daar last van had, deels omdat hij maar heel zelden uitging. Gewoonlijk gingen ze eens in de zoveel weken ergens een hapje eten, met z'n tweetjes, maar dit jaar was hij bijna elke avond na het eten naar beneden vertrokken, met een schroevendraaier in de hand en een tevreden, enigszins afwezige blik in zijn ogen. Een tijdlang had hij daar beneden zijn eigen vreemde geluiden voortgebracht, lage, bonkende tonen die je onder in je maag voelde trillen, maar dat was gelukkig afgelopen. Het was goed voor een man om af en toe uit te gaan, om in het gezelschap van andere mannen te verkeren – zelfs als die mannen Pete Chen en Gerry Johnson heetten, de meest wereldvreemde figuren die Gina ooit had ontmoet. Ze kon zich niet voorstellen dat die kerels zich tijdens het bowlen of tijdens het drinken konden ontspannen, of bij om het even welke bezigheid die geen verband hield met UNIX en/of een soldeerbout. Het gaf Gina ook een beetje tijd voor zichzelf, wat af en toe heel prettig is, hoe veel je ook van je man houdt. Ze was van plan om een paar uur tv te kijken, naar programma's die *zij* leuk vond – geen documentaires dus. Ter voorbereiding was ze naar de grote supermarkt op Broadway gegaan, had boodschappen voor de hele week ingeslagen en een paar knabbeltjes voor vanavond.

Toen ze de voordeur opende en een zone betrad waar het lawaai nog oorverdovender was, vroeg ze zich af of Josh ooit overwoog of zijn doorsnee-moeder in haar tijd misschien ook van beukende muziek had gehouden. Wist hij dat ze, voordat ze verliefd werd op de jonge natuurkundedocent Bill Anderson en veranderde in een brave huisvrouw, heel wat uurtjes had doorgebracht in de duistere muzieklokalen van Seattle-Tacoma en omgeving, waar de muziek keihard had gestaan en het bier goedkoop was geweest, en dat ze regelmatig wakker was geworden met een hoofd dat aanvoelde alsof iemand het bewerkt had met een hamer? Wist hij dat ze bezweet op en neer had gesprongen op de muziek van Pearl Jam en Ideal Mausoleum, en zelfs op die van Nirvana, toen de bandleden nog lokale onbekendheden waren, scherp en gretig in plaats van hologig en op sterven na dood? Wist hij dat ze, om het meest gedenkwaardige feit te noemen, op een zomeravond tijdens het crowdsurfen moest overgeven, dat de mensen haar lieten vallen waarbij ze op haar hoofd terechtkwam en toch nog heel tevreden in de kletsnatte en naar drugs ruikende toiletten was geëindigd met een jongen die ze nooit eerder had ontmoet en ook nooit meer zou ontmoeten?

Waarschijnlijk niet. Ze glimlachte in zichzelf.

Waaruit maar weer blijkt dat kinderen niet alles weten, nietwaar.

Een uur later had ze er genoeg van. Het gedreun was draaglijk zolang ze het tv-programma maar met een half oog volgde – en het geluid was zowaar een poosje wat zachter geweest, wat misschien betekende dat hij zijn huiswerk deed, wat een opluchting zou zijn – maar het volume was inmiddels weer omhooggegaan en over tien minuten begon een herhaling van een aflevering van *West Wing* die ze nog nooit had gezien. Je had een helder hoofd en een rustige omgeving nodig om te kunnen volgen wat er allemaal gebeurde bij die lui, ze spraken zo snel. Bovendien, jezus, het was halftien, dit was niet grappig meer.

Ze probeerde door het plafond heen te schreeuwen (Josh' slaapkamer was precies boven haar), maar uit niets bleek dat hij haar had gehoord. Dus slaakte ze een diepe zucht, zette het bord waar de lekkernijen op hadden gelegen op het salontafeltje en hees zichzelf overeind van de bank. Ze beende naar boven met het gevoel alsof ze tegen een muur van geluid moest opboksen en bonkte op zijn deur.

Onverwacht snel werd de deur geopend door een broodmagere jongen met een zeer apart kapsel. Een honderdste van een seconde herkende Gina hem niet eens. Wat ze voor zich zag was geen kind meer, absoluut niet, en plotseling besefte ze dat zij en Bill hun huis deelden met een jongeman.

'Liefje,' zei ze, 'ik wil je nergens toe dwingen, maar heb je ook iets wat wat meer op echte muziek lijkt, als het werkelijk zo hard moet?'

'Hè?'

'Zet het geluid zachter.'

Hij schonk haar een scheve grijns en verdween in de kamer om het volume te temperen. Het lawaai werd waarachtig een heel stuk minder, wat Gina de moed gaf om een stap in zijn kamer te zetten. Ze besefte plotseling dat het een tijd geleden was dat ze daar tegelijk met hem was geweest. Vroeger hadden zij en Bill hier urenlang met z'n tweeën op de vloer gezeten. Ze hadden gekeken hoe hun peuter op wankele beentjes rondhobbelde en hun met een triomfantelijk 'Gah!' allerlei voorwerpen kwam brengen. Ze hadden het allemaal zo wonderbaarlijk gevonden. En later hadden ze hem ingestopt en een verhaaltje voorgelezen, of twee, of drie. En toen hadden ze op de rand van het bed gezeten om hem met zijn eerste huiswerk te helpen en samen sommen te maken.

Ergens in het afgelopen jaar waren de regels veranderd. Als ze nu in zijn kamer kwam om het bed op te maken of zijn vuile t-shirts te verzamelen, was ze altijd in haar eentje. En ze bleef er zo kort mogelijk, ze herinnerde zich nog genoeg van haar eigen jeugd om de privacy van haar kind te respecteren.

Ze zag dat hij, midden in de chaos van kleren, cd-hoesjes en onderdelen van minstens een gedemonteerde computer, met zijn huiswerk bezig was geweest.

'Hoe gaat-ie?'

Hij haalde zijn schouders op. Je schouders ophalen was een universeel gebaar. Dat herinnerde ze zich ook nog. 'Goed,' voegde hij eraan toe.

'Mooi. Van wie is die muziek trouwens?'

Josh kreeg een kleur, alsof zijn moeder had gevraagd wie die Connie Lingus toch was, waar iedereen het steeds over had.

'Stu Rezni,' zei hij, verlegen. 'Hij...'

'Speelde drums voor Fallow. Ik ken 'm. Ik heb hem gezien in het Astoria. Voordat ze dat tegen de vlakte gooiden. Hij was zo bezopen dat hij van zijn kruk viel.'

Tevreden zag ze haar zoons wenkbrauwen omhoogschieten. Ze probeerde niet te glimlachen.

'Kun je het geluid een tijdje op een normaal volume houden, liefje? Er komt zo een tv-programma dat ik graag wil zien. Bovendien lopen de mensen met bloedende oren over straat, en je weet hoe sacherijnig ze daarvan worden.'

'Tuurlijk,' zei hij, breed grijnzend. 'Sorry.'

'Hindert niet,' zei ze, terwijl ze dacht *ik hoop dat hij het redt*. Het was een goede jongen, vriendelijk, een beetje traag, maar uiteindelijk deed hij (meestal) wel wat hem gevraagd werd. Ze hoopte, zonder een greintje eigenbelang, dat hij, naast de flinke portie die hij van Bill had geërfd, ook wat van haar eigenschappen had meegekregen. Deze jongeman bracht al zo veel tijd in z'n eentje door en hij leek het meest in zijn nopjes als hij iets uit elkaar kon halen of weer in elkaar kon zetten. Dat was natuurlijk prima, maar ze hoopte toch dat hij binnenkort een keer flink aangeschoten thuis zou komen. Handigheid met computers is niet voldoende om je in het leven staande te houden, zelfs niet in deze vreemde tijden.

'Later,' zei ze, en ze hoopte dat het niet al te suf klonk.

De bel ging.

Terwijl ze zich naar beneden haastte, hoorde ze dat hij de muziek nog iets zachter zette, en ze glimlachte. En met die uitdrukking op haar gezicht opende ze de voordeur.

Het was donker buiten, de lantaarnpalen op de hoek van de straat strooiden hun oranje licht over de blaadjes op het gazon en het trottoir. Een stevige bries ruiste door de exemplaren die nog aan de bomen hingen, joeg enkele dwarrelend omlaag naar het kruispunt waar de twee straten van de woonwijk bij elkaar kwamen.

Een paar meter van de deur vandaan stond een rijzige figuur, gekleed in een lange, donkere jas.

'Ja?' zei Gina.

Ze knipte het licht op de veranda aan en zag een man van halverwege de vijftig met kort, donker haar, een hoekig gezicht en een vale huid.

Zijn ogen leken ook donker, bijna zwart. Ze leken geen diepte te hebben, alsof ze aan de buitenkant op zijn hoofd waren geschilderd.

'Ik ben op zoek naar William Anderson,' zei hij.

'Hij is op dit moment niet thuis. Wie bent u?'

'Agent Shepherd,' zei de man, hij hoestte lelijk. 'Heeft u er bezwaar tegen als ik binnenkom?'

Dat had Gina, maar hij stapte zonder omhaal de veranda op en liep langs haar heen naar binnen.

'Wacht eens even,' zei ze, terwijl ze de deur open liet staan en achter hem aan liep. 'Kunt u zich identificeren?'

De man trok een portefeuille tevoorschijn en opende die in haar richting zonder de moeite te nemen om haar aan te kijken. In plaats daarvan liet hij zijn blik systematisch door de kamer dwalen, en toen omhoog naar het plafond.

'Waar gaat dit over?' vroeg Gina. Ze had die drie grote letters wel gezien, maar wat een levensechte FBI-man in haar huis te zoeken had, daar begreep ze helemaal niets van.

'Ik moet uw echtgenoot spreken,' zei de man. Zijn koele manier van doen maakte de situatie nog absurder.

Gina zette haar handen in haar zij. Dit was tenslotte haar huis. 'Nou, hij is er niet, zoals ik al zei.'

De man draaide zich naar haar toe. Zijn ogen, die daarvoor dof en doods hadden geleken, kwamen nu langzaam tot leven.

'Dat zei u, en ik heb u gehoord. Ik wil weten *waar* hij is. En ik wil uw huis zien.'

'Geen sprake van,' zei Gina. 'Ik weet niet wat u hier komt zoeken, maar...'

Zijn hand schoot zo snel omhoog dat ze het niet eens zag gebeuren. Ze had het pas door toen de vingers de onderkant van haar gezicht vastgrepen, zich als een klauw rond haar kaak sloten.

Ze was zo geschrokken dat ze geen geluid kon uitbrengen. Hij begon haar langzaam naar zich toe te trekken. Maar toen begon ze te gillen, hard en ongearticuleerd omdat ze haar onderkaak niet kon bewegen.

'Waar is het?' vroeg hij. Zijn koele houding had plaatsgemaakt voor iets wat bijna op verveling leek.

Gina had geen idee waar hij het over had. Ze probeerde zich los te rukken, sloeg naar hem met haar vuisten, trapte van zich af, duwde haar hoofd voor- en achteruit. Hij liet haar ongeveer een seconde begaan en gaf haar toen met zijn andere hand een harde klap tegen de zijkant van haar hoofd. Haar oren tuitten alsof er iets met donderend geraas op de grond was gekletterd en ze verloor bijna haar evenwicht. Maar hij hield haar overeind en gaf daarbij zo'n ruk aan haar kaak dat het leek of die uit haar hoofd werd getrokken.

'Ik vind het hoe dan ook,' zei hij, en nu voelde ze iets scheuren aan de zijkant van haar hoofd. 'Maar je kunt ons allebei tijd en moeite besparen. Waar is het? Waar is zijn werkkamer?'

'Ik... weet niet...'

'Mam?'

Gina en de man draaiden zich tegelijk om en zagen Josh op de onderste trede van de trap staan. Haar zoon knipperde met zijn ogen, een diepe frons verspreidde zich over zijn gezicht.

'Laat mijn moeder los.'

Gina probeerde hem te zeggen dat hij weer naar boven moest gaan, dat hij moest maken dat hij wegkwam, maar het klonk als een wanhopig, half verstikt gegrom. De man stak zijn vrije hand in zijn jaszak en begon iets tevoorschijn te trekken.

Josh sprong omlaag en sprintte door de zitkamer. '*Laat mijn moeder...*'

Gina had nog net de tijd om zich te realiseren dat ze zich eerder die avond had vergist, dat haar zoon helemaal geen man was, maar nog steeds een kleine jongen, langer en dunner misschien, maar nog steeds zo jong, toen de man hem in zijn gezicht schoot.

Ze schreeuwde het uit, of deed een poging daartoe. De lange man vloekte zachtjes en sleepte haar achter zich aan terwijl hij naar de voordeur liep en die dicht duwde.

Toen trok hij haar weer de kamer in, waar haar zoon op de grond lag, die met een arm en een been schokkerige bewegingen maakte. Haar hoofd leek gevuld met een helder licht dat flikkerde door de schok. Hij gaf haar een goed gerichte kaakstoot waardoor ze het bewustzijn verloor.

Een seconde of verscheidene minuten verstreken.

Toen kwam ze weer bij bewustzijn. Ze zat op de vloer, half geleund tegen de bank waar ze tien minuten daarvoor nog met opgetrokken benen tv had zitten kijken. Het bord waar de hapjes op hadden gelegen, lag ondersteboven naast haar. Haar kaak hing los en het leek of ze er geen beweging in kon krijgen. Ze had het gevoel alsof iemand lange, dikke spijkers in haar beide oren had geslagen.

De man in de jas zat gehurkt naast Josh, wiens rechterarm nog steeds bewoog, met trage bewegingen door de steeds groter wordende plas bloed naast zijn hoofd gleed.

De geur van benzine bereikte Gina's neus. De man goot een klein metalen blikje leeg over haar zoon en gooide het vervolgens boven op hem. Toen stond hij op.

Hij keek op Gina neer.

'Laatste kans,' zei hij. Op zijn voorhoofd parelden zweetdruppels, hoewel het niet warm was in huis. In een hand hield hij een aansteker. In de andere zijn revolver.

'Waar is het?'

Terwijl hij de brandende aansteker boven Josh' lichaam hield, keek hij haar in de ogen. En Gina besefte dat – wat het ook was – die laatste kans niets met overleven te maken had.

Deel een

Het grootste gevaar van allemaal, zichzelf te verliezen,
kan heel onopvallend plaatsvinden in de wereld, alsof het helemaal niets is.
Geen ander verlies kan zo onopgemerkt plaatsvinden; elk ander verlies
–- een arm, een been, vijf dollar, een vrouw, et cetera – wordt zeker opgemerkt.

Søren Kierkegaard
Ziekte tot de dood

hoofdstuk

EEN

Op de middelbare school kende ik een meisje. Haar naam was Donna en zelfs dat klopte niet aan haar, alsof ze bij de geboorte een verkeerd etiketje had gekregen. Ze was geen Donna. Niet als je de naam letterlijk opvatte. Door haar besefte je dat het universum een onderliggend ritme moet hebben, en dat wist je louter en alleen doordat zij zich daar niet aan hield. Ze liep iets te snel. Ze draaide haar hoofd iets te langzaam. Het was alsof ze in de werkelijkheid was gemonteerd maar net niet helemaal paste. Ze was een van die leerlingen die je alleen in de verte zag, met een stapel boeken onder haar arm, onzeker rondhangend bij mensen van wie jij niet eens wist dat ze op school zaten. Ze had vrienden, ze kon goed leren, ze was niet helemaal een loser en ze was niet dom. Ze was alleen min of meer slecht zichtbaar.

Net als op alle scholen heerste er bij ons een pikorde die was gebaseerd op uiterlijkheden. Maar voor Donna golden op de een of andere manier andere maatstaven. Haar huid was bleek en ze had een fijn en regelmatig gezichtje, volmaakt, met uitzondering van een halvemaanvormig litteken naast haar rechteroog, erfenis van een botsing met een tafel toen ze een peuter was. De ogen zelf waren donkergrijs en heel helder, en de zeldzame keren dat je erin kon kijken, wist je meteen dat ze wel degelijk een mens van vlees en bloed was – wat de vraag opriep wat je dan de rest van de tijd dacht dat ze was. Ze was misschien een beetje aan de magere kant, maar toch in elk opzicht tamelijk aantrekkelijk, behalve dat ze dat op de een of andere manier ook juist... weer niet was. Het was alsof ze geen feromonen uitscheidde, of alsof die zich op een niet waarneembare golflengte voortbewogen, hun signaal richtten op seksuele antennes die ofwel verouderd waren, of nog niet uitgevonden.

Desondanks vond ik haar aantrekkelijk, hoewel ik nooit precies heb geweten waarom. Het viel me dan ook meteen op toen ze leek om te gaan met – of rondhing in de buurt van – een knul die Gary Fisher heette. Fisher was een van die leerlingen die door de gangen schreden alsof ze begeleid werden door een fanfare, het type dat iedereen die het Amerikaanse schoolsysteem heeft doorlopen voor de rest van zijn leven vervult met diep wantrouwen jegens egalitaristische filosofieën. Hij speelde opvallend goed football. Hij zat in de basis van de basketbalploeg en kon ook nog eens verdienstelijk tennissen. Hij zag er goed uit, vanzelfsprekend: als God iemand op sportief gebied rijkelijk bedeelt, besteedt Hij meestal ook extra aandacht aan de verpakking. Fisher leek totaal niet op de acteurs die je tegenwoordig in tienerfilms ziet, onnatuurlijk knap en zonder een spoortje acne. Maar hij zag er *goed* uit, vroeger, toen de rest van ons elke ochtend wanhopig in de spiegel keek en zich afvroeg wat er fout was gegaan en of het ooit beter zou worden, of nog slechter.

Hij was, vreemd genoeg, niet eens onaardig. Ik kende hem een beetje van atletiek. Ik had een bescheiden talent om dingen ver weg te slingeren. Via het roddelcircuit in de kleedkamers had ik vernomen dat er in de hogere kringen een hergroepering had plaatsgevonden, en wel dat Gary's meisje, Nicole, nu met een van zijn vrienden ging. Een soort vriendschappelijke overheveling van bezit. Ook voor de minder getalenteerde societywatchers was het overduidelijk dat er enige belangstelling bestond om de opengevallen plaats in te nemen – maar het vreemdste was dat Donna leek te geloven dat zij tot de kanshebbers behoorde. Het was alsof ze ergens had vernomen dat het kastensysteem slechts een illusie was, en dat een vierkante pen *wel degelijk* in een rond gat paste. Ze kon tijdens de pauzes niet aan hetzelfde tafeltje gaan zitten, natuurlijk niet, maar ze belandde wel altijd aan een tafeltje in de buurt, ergens waar Gary haar kon zien. In de gang botste ze met opzet tegen hem aan, maar vervolgens wist ze niet meer uit te brengen dan een nerveus gegiechel. Ik zag haar zelfs een paar keer op vrijdag bij Radical Bob rondhangen, een hamburger- en pizzatent waar veel leerlingen het begin van het weekend vierden. Ze had de gewoonte om bij het tafeltje van Fisher stil te houden en dan iets over een les of een huiswerkopdracht te zeggen wat kant nog wal raakte. Dan dwaalde ze verder, iets te langzaam ditmaal, alsof ze hoopte dat iemand haar zou terugroepen. Dat gebeurde nooit. Behalve een lichte verbijstering denk ik niet dat Fisher ook maar het flauwste benul had van wat er gaande was. Na een paar weken werd er in een of ander achterkamertje – of op de achterbank van een dure auto, dat ligt meer voor de hand – een deal gesloten. En op een ochtend had Gary gezelschap gekregen van Courtney Willis, het prototype van de sexy blondine. Het leven ging door.

Voor de meesten van ons.

Twee dagen later vond men Donna in de badkuip in haar ouderlijk huis. Haar polsen waren doelbewust en met een enkele, stevige haal opengesneden. De volwassenen, dat heb ik ze meer dan eens horen zeggen, waren het erover eens dat ze geen snelle dood was gestorven – ondanks een wanhopige poging om het proces te versnellen door een nagelschaartje diep in haar oogkas te duwen, alsof dat halvemaanvormige litteken een soort voorteken was geweest. Op de vloer lag een handgeschreven brief aan Gary Fisher. De woorden waren uitgelopen door het water dat over de rand van de badkuip was gestroomd. Veel mensen beweerden later dat ze de brief hadden gezien, of een fotokopie, of dat iemand hun had verteld wat erin stond. Maar voor zover ik weet, was dat allemaal niet waar.

Het nieuws ging als een lopende vuurtje rond. Mensen deden alsof ze overstuur waren en sommigen barstten in huilen uit, of in gebed. Maar ik denk niet dat ook maar iemand werkelijk geschokt was. Persoonlijk was ik niet verbaasd en evenmin bijzonder verdrietig. Dat klinkt hard, maar de waarheid is dat ik het op de een of andere manier logisch vond. Donna was een vreemde griet.

Een raar meisje, een idiote manier om te sterven. En dat was alles.

Dat was in elk geval hoe de meesten van ons ertegenaan keken. Gary Fishers reactie was anders, en het meest verbazingwekkende wat ik tot dan toe had meegemaakt. Alles was nieuw en vreemd in die tijd, de gebeurtenissen werden van achteren verlicht door het verkorte perspectief van iemand die net met het leven was begonnen. Een jongen die een keer iets min of meer cools had gedaan werd onze enige echte Clint Eastwood, een feest dat een jaar eerder had plaatsgevonden kon uitgroeien tot een legendarische partij en er ontstonden bijnamen die een leven lang meegingen. En als iemand zich plotseling heel vreemd begon te gedragen, dan bleef dat in je hoofd rondmalen.

De maandag daarop hoorden we dat Fisher het team had verlaten. *Alle* teams. Hij liet de scheldpartijen gelaten over zich heen komen en liep vervolgens weg. Misschien zou dat soort flauwekul tegenwoordig een halfslachtig soort eerbied oproepen. Maar niet in 1980 en niet in de stad waar ik opgroeide. Daar was het zo ongehoord dat het verontrustend was

– de Uitmuntende Tiener Die Zich Terugtrok. Fisher werd zo'n knul die je over de campus zag dwalen, onderweg van de bibliotheek naar een les, alsof hij in Donna's voetsporen was getreden. En hij studeerde. Hard. In de daaropvolgende maanden begonnen zijn cijfers te stijgen, eerst een beetje, toen veel. Hij veranderde van een leerling die vooral zesjes haalde – en *sommige* daarvan waren zelfs nog enkel en alleen te wijten aan zijn sportieve kwaliteiten – naar iemand die achten en zelfs negens en tienen haalde. Misschien kreeg hij na schooltijd bijles op kosten van zijn ouders, maar eigenlijk betwijfel ik dat. Ik denk dat hij gewoon op een ander spoor was overgestapt, dat hij had besloten om iemand anders te worden. Op den duur zag je hem bijna nooit, behalve tijdens de lessen. De meesten behandelden hem omzichtig. Niemand wilde te dicht in zijn buurt komen voor het geval de gekte besmettelijk zou zijn.

Maar op een middag zag ik hem. We hadden getraind voor onze allerlaatste atletiekwedstrijd en ik was blijven hangen nadat de rest van het team was vertrokken. In theorie oefende ik nog wat met speerwerpen, maar in werkelijkheid vond ik het gewoon prettig om daar te zijn als er niemand anders was. Ik had heel wat uren op die sintelbaan doorgebracht en ik begon te beseffen dat ik sommige dingen binnenkort voor de laatste keer zou meemaken. Terwijl ik aan mijn aanloop werkte, heen en terug, elke beweging verfijnend, zag ik een jongen die vanaf de overkant van het veld mijn kant op kwam. Na een poosje besefte ik dat het Gary Fisher was.

Hij wandelde buitenom, was niet speciaal ergens naar onderweg. Voordat hij zich uit ons team had teruggetrokken was hij een van de beste sprinters geweest, en misschien was hij hier om dezelfde reden als ik. Op een paar meter afstand hield hij stil en stond een poosje naar me te kijken. Ten slotte begon hij te praten.

'Hoe gaat het?'

'Goed,' zei ik. 'Maar ik ga niet winnen.'

'Waarom niet?'

Ik legde uit dat een jongen van een andere school kort geleden had laten zien dat hij niet alleen goed kon speerwerpen, maar dat hij er ook belang aan hechtte. Toen winnen niet meer vanzelfsprekend was, begon ik mijn belangstelling te verliezen. Zo zei ik het niet, maar daar kwam het op neer.

Hij haalde zijn schouders op. 'Je weet maar nooit. Misschien is vrijdag wel jouw dag. Wees een vent en ga ervoor.'

Even had ik het gevoel dat ik het *wel* belangrijk vond. Misschien kon ik toch winnen, deze laatste keer. Fisher bleef nog even staan kijken, hij staarde over de baan alsof hij de roffelende voeten van voorbije races kon horen.

'Ze was provisorisch,' zei ik plotseling.

Even leek het of hij me niet had gehoord. Toen draaide hij langzaam zijn hoofd. 'Hoe bedoel je?'

'Donna,' zei ik. 'Ze was nooit echt... onderdeel van de groep, snap je? Alsof ze alleen maar te gast was.'

Hij fronste zijn wenkbrauwen. Ik ging verder.

'Het was alsof... alsof ze wist dat het misschien niet zou lukken, snap je? Alsof ze al vanaf haar geboorte wist dat een goede afloop allesbehalve zeker was. Dus zette ze al haar geld op één kaart. Toen er een andere kaart werd getrokken, liep ze gewoon weg van de tafel.'

Ik had me hier niet op voorbereid, maar toen ik het had gezegd voelde ik me trots. Het betekende iets diepzinnigs, of het klonk alsof dat zo zou kunnen zijn. En dat is meer dan genoeg als je achttien bent.

Fisher staarde een poosje naar de grond en gaf toen een nauwelijks waarneembaar knikje. 'Bedankt.'

Ik knikte terug, wist niets meer te zeggen en nam een aanloop om mijn speer te lanceren. Misschien probeerde ik indruk te maken op de Gary Fisher van acht maanden eerder. Hoe dan ook, ik trok mijn arm veel te snel naar achteren waardoor een oude snee op het topje van mijn middelvinger opensprong en ik uiteindelijk helemaal niet aan de laatste wedstrijd kon deelnemen.

De laatste maanden van mijn middelbareschooltijd kwamen en gingen. Net als ieder ander was ik zo druk met het zo snel mogelijk doorlopen van allerlei overgangsrituelen dat ik geen aandacht had voor mensen die ik niet echt kende. Examens, feestjes, alles moest snel omdat het einde van onze kindertijd in zicht kwam. Toen – pats: stond ik in de echte wereld, een ervaring die voelde als een superzwaar examen waarvoor je nooit hebt kunnen studeren. Zo ervaar ik het soms nog steeds. Ik denk niet dat ik Fishers naam die zomer ook maar een keer heb horen vallen, en daarna verliet ik de stad om te gaan studeren. De daaropvolgende jaren kwam hij af en toe in mijn gedachten. Maar uiteindelijk zakte hij weg uit mijn herinnering, net als alle andere dingen die geen rol meer speelden in mijn leven.

En daarom was ik niet bepaald voorbereid toen hij, bijna twintig jaar later, voor mijn deur stond en begon te praten alsof we elkaar gisteren nog hadden gezien.

Ik zat achter mijn bureau. Ik probeerde te werken, hoewel een onderzoek naar timemanagement waarschijnlijk zou hebben uitgewezen dat mijn werk voornamelijk bestond uit naar buiten staren, waarbij ik slechts af en toe, en ogenschijnlijk op willekeurige momenten, een blik wierp op mijn computerscherm. Het huis was erg stil en toen de telefoon ging schoot ik van schrik achteruit in mijn stoel.

Ik strekte mijn hand uit, verbaasd dat Amy naar de vaste lijn belde in plaats van naar mijn mobiel. Maar ik stond er verder niet bij stil. Een telefoontje met mijn vrouw betekende een onderbreking van het werk. Daarna kon ik nog een kop koffie zetten. Een sigaret roken op het dakterras. De tijd zou verstrijken. Voordat ik het wist zou het morgen zijn.

'Hé schat,' zei ik. 'Nog nieuwe klanten veroverd?'

'Is dat Jack? Jack Whalen?'

Het was een mannenstem. 'Ja,' zei ik, terwijl ik rechtop ging zitten en me concentreerde. 'Met wie spreek ik?'

'Hou je vast, vriend. Gary Fisher.'

Ik wist meteen dat ik die naam kende, maar na al die jaren duurde het nog een seconde voordat het kwartje viel. Namen uit het verleden zijn als straten waar je al een poosje niet meer bent geweest. Het kost moeite om te bedenken waar ze ook weer naartoe gingen.

'Ben je er nog?'

'Ja,' zei ik. 'Ik ben verbaasd. Gary Fisher? Echt?'

'Dat is mijn naam,' zei de man, en hij lachte. 'Over zoiets zou ik niet liegen.'

'Dat zal wel niet,' zei ik. De vragen schoten door mijn hoofd. 'Hoe ben je aan mijn nummer gekomen?'

'Via iemand uit L.A. Ik heb je gisteravond proberen te bellen.'

'O,' zei ik. Ik herinnerde me een paar lege berichten op het antwoordapparaat. 'Je hebt geen boodschap achtergelaten.'

'Dacht dat het een beetje vreemd zou overkomen als ik na vijftien jaar op die manier contact zou opnemen.'

'Wel een beetje,' gaf ik toe. Ik kon me Fisher niet voor de geest halen en ik wist niet wat ik moest zeggen, tenzij hij bezig was om een reünie te organiseren, wat me uiterst onwaarschijnlijk leek. 'Wat kan ik voor je doen, Gary?'

'Het is meer wat ik eventueel voor jou zou kunnen doen,' zei hij. 'Of misschien voor ons allebei. Kijk – waar woon je precies? Ik ben een paar dagen in Seattle. Dacht dat het leuk zou zijn om elkaar te ontmoeten, herinneringen ophalen.'

'In een stadje genaamd Birch Crossing. Anderhalf uur landinwaarts. Bovendien heeft mijn vrouw de auto,' voegde ik daaraan toe. Amy heeft wel eens beweerd dat als je een stel kluizenaars bij elkaar zou zetten en ze zou vragen om te stemmen, ze mij tot koning zouden uitroepen. Waarschijnlijk heeft ze gelijk. Sinds de publicatie van mijn boek hebben wel meer mensen uit het verleden contact met me gezocht, hoewel niemand van zo lang geleden als Gary Fisher. De uitgever had hun e-mails doorgestuurd, maar ik had niet de moeite genomen om ze te beantwoorden. Oké, we kenden elkaar van vroeger. En wat dan nog?

'Ik heb een dag vrij,' hield Fisher aan. 'Paar afspraken die niet doorgaan.'

'Kun je het me niet via de telefoon vertellen?'

'Zou een lang gesprek worden. Echt, je zou me er een plezier mee doen, Jack. Ik word gek in dit hotel. En als ik nog een keer over Pike Place Market wandel, kom ik terug met een grote dode vis die ik helemaal niet nodig heb.'

Ik dacht na. Nieuwsgierigheid en het verlangen om niet te werken spanden met elkaar samen. Ze werden gesteund door een klein hoekje in mijn geest dat bij het horen van Gary Fishers naam – idioot genoeg – nog steeds iets van verantwoordelijkheid voelde.

'Goed dan,' zei ik. 'Waarom ook niet?'

Hij kwam iets na tweeën. Ik had in de tussentijd helemaal niets voor elkaar gekregen. Zelfs een telefoontje naar Amy's mobiel voor een kletspraatje was gestrand op haar voicemail. Ik stond tot rust te komen in de keuken en peinsde wat over de lunch, toen ik hoorde dat er iemand over de oprit naar ons huis reed.

Ik liep over de gepolitoerde houten trap naar boven en opende de voordeur. Ik zag een zwarte Lexus op de plek waar normaal onze suv stond – het voertuig dat op dit moment in Seattle was, met mijn vrouw. Het portier zwaaide open en er stapte een vent van halverwege de dertig uit. Hij liep over het knerpende grind in mijn richting.

'Jack Whalen,' zei hij. Zijn adem wolkte rond zijn gezicht. 'Dus je bent volwassen geworden. Hoe is dat zo gekomen?'

'Weet ik niet,' zei ik. 'Heb mijn uiterste best gedaan om het te voorkomen.'

Ik zette koffie en daarna gingen we naar beneden naar de woonkamer. Hij keek een poosje om zich heen, genoot van het uitzicht door de grote ruiten over de beboste vallei en draaide zich toen in mijn richting.

'En,' zei hij. 'Kun je nog steeds zo goed werpen?'

'Ik weet het niet,' zei ik. 'Ik heb niet veel gelegenheid om met dingen te gooien tegenwoordig.'

'Zou je wel moeten doen. Het lucht enorm op. Ik probeer minstens een keer per week iets te gooien.'

Hij grijnsde, en even leek hij erg op hoe ik me hem herinnerde, hoewel hij nu beter gekleed was. Hij stak een hand uit over het salontafeltje. Ik schudde hem.

'Je ziet er goed uit, Jack.'

'Jij ook.'

Dat was waar. Een man met wie het goed gaat herken je aan de manier waarop hij in een stoel zit. Zijn houding straalt zelfvertrouwen uit, het bewustzijn dat zitten geen opluchting is maar slechts een van de vele posities waarin het lichaam zich kan ontspannen. Garry zag er topfit uit. Zijn haar was netjes geknipt en zonder een spoortje grijs, zijn huid getuigde van gezond eten en een rookvrij bestaan, en van het geduld en uithoudingsvermogen om zo'n levensstijl vol te houden. Zijn gezicht was gerijpt tot dat van een jeugdige senator uit een minder belangrijk district, het soort dat ooit misschien vicepresident zou worden, en zijn ogen waren helderblauw. Het enige waarin ik hem overtrof, was het feit dat de plooien rond mijn mond en ogen minder diep waren, wat me verraste.

Hij zweeg even, ongetwijfeld nam hij mij net zo zorgvuldig op. De ontmoeting met een leeftijdgenoot die men lange tijd niet heeft gezien symboliseert op een serieuze en onherroepelijke manier het verstrijken van de tijd.

'Ik heb je boek gelezen,' zei hij, waarmee hij bevestigde wat ik al had vermoed.

'Dus jij was dat.'

'Werkelijk? Liep het niet zo goed? Dat verbaast me.'

'Het liep goed,' gaf ik toe. 'Beter dan goed. Probleem is dat nummer twee niet wil vlotten.'

Hij haalde zijn schouders op. 'Iedereen denkt dat je dingen steeds opnieuw moet doen. Laten zien wie je bent en daar je hele identiteit aan ophangen. Misschien was een boek alles wat je in je had.'

'Misschien wel.'

'Zou je niet terug willen naar de politie?' Hij zag hoe ik naar hem keek. 'Je noemt de LAPD in je dankwoord, Jack.'

Enigszins tegen mijn zin glimlachte ik terug. Fisher wist dat nog steeds bij me op te roepen. 'Nee, dat ligt achter me. En hoe verdien jij je centen tegenwoordig?'

'Bedrijfsrecht. Ik ben mede-eigenaar van een kantoor in het oosten van het land.'

Ik kon me voorstellen dat hij advocaat was, maar ik wist niet wat ik er verder over moest zeggen. We wisselden wat zinnen uit, noemden namen van mensen en plaatsen die we ooit hadden gekend, maar het ging niet van harte. Het is makkelijker als je al die jaren contact hebt gehouden, bakens hebt geplaatst die je over de zeeën van verstreken tijd kunnen begeleiden. Maar omdat dat niet was gebeurd, voelde het vreemd om geconfronteerd te worden met deze bedrieger die toevallig dezelfde naam droeg als een kind dat ik ooit had gekend. Hoewel Fisher naar vroeger had verwezen, hadden we nauwelijks een gezamenlijk verleden. Tenzij je hollen over dezelfde atletiekbaan meetelde, of het feit dat we allebei nog wisten wat er bij Radical Bob op het menu stond. Ik had heel wat meegemaakt sinds die tijd, en hij waarschijnlijk ook. Het was duidelijk dat we geen van beiden bevriend waren met klasgenoten of connecties onderhielden met de stad waarin we waren opgegroeid. De kinderen die we ooit waren geweest, leken nu fantasiefiguren, een mythologische verklaring voor de eerste twintig jaren van ons leven.

'Goed,' zei ik, en dronk mijn kopje leeg. 'Waar wilde je over praten?'

Hij glimlachte. 'Genoeg gekeuveld?'

'Ben ik nooit echt goed in geweest.'

'Dat weet ik nog. Waarom denk je dat ik je iets wil vertellen?'

'Dat zei je. Bovendien, tot het moment waarop je mijn nieuwe nummer hebt gevonden, ging je er duidelijk van uit dat ik nog in L.A. woonde. Dat is een *heel* eind van Seattle. Dus is er een andere reden waarom je naar me op zoek bent gegaan.'

Hij knikte, alsof hij aangenaam getroffen was. 'Hoe heb je deze plek trouwens gevonden? Birch Crossing? Staat het wel op de kaart?'

'Amy heeft het gevonden. We wilden graag weg uit L.A. Ik in elk geval. Ze kreeg deze nieuwe baan. Het betekende dat we in principe overal konden gaan wonen, als het maar in de buurt van een vliegveld was zodat zij af en toe ergens naartoe kan gaan. Ze heeft dit huis via internet gevonden, of zoiets, is hier naartoe gegaan om het te bekijken. Ik ben afgegaan op haar oordeel.'

'Bevalt het?'

'Absoluut,' zei ik.

'Toch heel anders dan L.A.'

'Dat was een van de redenen.'

'Kinderen?'

'Nee.'

'Ik heb er twee. Vijf en twee jaar oud. Ik kan het je aanraden. Ze veranderen je leven, vriend.'

'Dat zeggen ze. Waar woon jij tegenwoordig?'

'Evanston. Maar ik werk in het centrum van Chicago. En daar is het begonnen, denk ik.'

Hij keek even naar zijn handen en toen begon hij serieus te praten.

hoofdstuk

TWEE

'Dit is wat ik weet,' zei hij. 'Drie weken geleden zijn er twee mensen vermoord in Seattle. Een vrouw en haar zoon, gedood in hun eigen huis. De politie is gebeld door een buurman die rook zag, naar buiten liep en de vlammen in het huis opmerkte. Binnen vond de politie Gina Anderson, zevenendertig, liggend in de woonkamer. Iemand had haar kaak ontwricht en haar nek gebroken. Aan de andere kant van de kamer lag Joshua Anderson. Hij was door het hoofd geschoten en in brand gestoken. Maar volgens de brandweer was dat niet de oorzaak van de brand die in de rest van het huis had gewoed: de vlammen hadden de woonkamer pas vlak voor de komst van de brandweer bereikt. De grote vuurzee was in de kelder ontstaan, in de werkplaats van de echtgenoot van de vrouw, Bill Anderson. Het was er zo'n bende dat het leek of iemand de ruimte had doorzocht, een stel opbergkasten vol aantekeningen en papieren had leeggehaald en daar een brandende lucifer in had gegooid. Ik weet niet hoe goed je Seattle kent, maar dit is in de buurt van Broadway, het kijkt uit over het centrum. De huizen staan dicht op elkaar, bungalows, een verdieping, voornamelijk van hout. Als dat in de fik was gegaan, was het binnen de kortste keren naar de buurhuizen overgesprongen. Dan was het hele blok in vlammen opgegaan.'

'En waar is de echtgenoot?' vroeg ik.

'Dat weet niemand. Aan het begin van de avond is hij met twee mannelijke vrienden vertrokken. Hij is docent aan de universiteit, ongeveer twee kilometer verderop. Ze hadden een los-vaste afspraak om elke zes weken met elkaar te gaan stappen. Deze mannen bevestigen dat Anderson tot kwart over tien bij hen was. Ze zijn voor de ingang van een bar uit elkaar gegaan. Sindsdien heeft niemand Anderson meer gezien.'

'Hoe pakt de politie de zaak aan?'

'Niemand heeft die avond iemand in of uit het huis zien gaan. De belangrijkste hypothese luidt dat Anderson de verdachte is, en dat is de enige richting waarin ze zoeken. Probleem is de vraag waarom hij dit heeft gedaan. Zijn collega's zeggen dat hij al een paar weken een beetje afwezig was, misschien een maand, of iets meer. Er zijn ook anderen die dat beweren. Maar niemand weet iets van eventuele problemen, geen spoor van een andere vrouw of iets in die richting. Docenten verdienen niet zo gek veel en Gina Anderson had geen baan, maar er is geen bewijs dat ze ernstige financiële problemen hadden. Er is een levensverzekering op de vrouw, maar die is nauwelijks de moeite waard om voor uit bed te komen, laat staan om voor te moorden.'

'De echtgenoot heeft het gedaan,' zei ik. 'Dat is altijd zo. Behalve als het de vrouw is.'

Fisher schudde zijn hoofd. 'Ik denk het niet. Volgens de buren was alles in orde. Hun zoon had zijn muziek vaak te hard staan, maar voor de rest was alles in orde. Geen ruzies, geen nare sfeer.'

'Disfunctionele gezinnen zijn als de geest van een normaal functionerende alcoholist. Je moet erin leven om te weten wat er aan de hand is.'

'Hoe zie jij het dan?'

'Er zijn veel scenario's. Misschien sloeg Bill Gina die avond in elkaar vanwege iets wat jij en ik nooit zullen begrijpen. Zoon hoort het lawaai, komt naar beneden, roept tegen pa dat die moet stoppen. Pa doet dat niet. Zoon maakt dit al zijn hele leven mee en vanavond kan hij het niet meer aan. Hij loopt naar de kast en pakt zijn vaders revolver. Komt terug en zegt dat hij het meent – dat pa moet stoppen met ma in elkaar slaan. Er ontstaat een gevecht, pa bemachtigt de revolver, of die gaat per ongeluk af, wat dan ook, zoon wordt neergeschoten. Vrouw krijst de hele buurt bij elkaar, haar zoon ligt op de grond, Anderson weet dat hij hier nooit mee weg komt. Dus steekt hij dat deel van het huis in brand waarvan iedereen weet dat het zijn domein is om de indruk te wekken dat er een indringer was, en dan zorgt hij ervoor dat er geen getuige is die kan vertellen dat het verhaal anders ging. Op dit moment zit hij aan de andere kant van het land en is dronken en halfgek van wroeging, of anders is hij een eind op weg om zichzelf wijs te maken dat ze het over zichzelf hebben afgeroepen. Hij zal ofwel binnen een week zelfmoord plegen, of hij wordt binnen anderhalf jaar gepakt terwijl hij een kalm bestaan leidt met een minnares in North Carolina.'

Fisher bleef even stil. 'Dat zou kunnen, denk ik,' zei hij. 'Maar ik geloof het niet. Drie redenen. Ten eerste is Anderson het prototype van de slome duikelaar, en zelfs als-ie kleddernat is, weegt-ie niet meer dan zestig kilo. Hij ziet er niet uit als iemand die twee andere mensen fysiek kan domineren.'

'Lichaamsgewicht is irrelevant,' zei ik. 'Dominantie is mentaal. Altijd.'

'Wat ook niet bij Anderson past, maar dat laat ik even liggen. De tweede reden is dat er een getuige is die beweert dat ze iemand heeft gezien die op Anderson leek en die om tien over halftwaalf de straat inliep. Niemand besteedt veel aandacht aan deze vrouw omdat ze oud is en een beetje gek en omdat ze barstensvol lithium zit, maar ze beweert dat hij ver genoeg de straat inliep om zijn huis te kunnen zien, en dat hij zich toen omdraaide en wegrende.

'Niet iemand die je oproept als getuige,' zei ik. 'En zelfs al *heeft* ze hem gezien, dan nog kan het zijn dat Anderson bezig was om een alibi voor zichzelf te regelen. Wat heb je nog meer?'

'Alleen dit. Joshua Anderson is uiteindelijk gestorven aan zijn brandwonden, maar hij was al een heel eind heen door een schotwond in zijn gezicht. Toch is er op de plaats van het misdrijf geen kogel gevonden. In het rapport van de patholoog-anatoom staat dat hij vermoedelijk in de schedel is blijven steken, dat hij daar is rondgestuiterd en er nooit meer uit is gekomen. Er is geen uitgangswond. Maar er *zijn* aanwijzingen van latere verwondingen door een scherp voorwerp. Dus degene die hem heeft vermoord, stak vervolgens een mes in de derrie om de huls op te graven, terwijl de kleren van het kind in brand stonden. Dat klinkt niets als iets wat een natuurkundedocent snel zou doen. Bij zijn zoon.'

Hij leunde achterover in zijn stoel. 'En vooral omdat hij helemaal geen wapen had.'

Ik haalde mijn schouders op.

'Natuurlijk,' erkende ik. 'Er zijn wat losse eindjes. Die zijn er altijd. Maar ik zou nog steeds op de echtgenoot inzetten. Hoe ben jij hier trouwens bij betrokken?'

'Het heeft te maken met een nalatenschap waar mijn kantoor mee bezig is,' zei hij. 'Ik kan er nu niet meer over zeggen.'

Even leek het of Fisher iets verzweeg, maar de details van zijn werk gingen mij niet aan. 'En waarom vertel je dit aan mij?'

'Ik heb je hulp nodig.'

'Waarbij?'

'Is dat niet duidelijk?'

Ik schudde mijn hoofd. 'Niet echt.'

'Ik heb er belang bij, wij hebben er belang bij, om te weten wat er werkelijk is gebeurd die nacht.'

'De politie is ermee bezig.'

'De politie is alleen bezig om te bewijzen dat Anderson zijn vrouw en zoon heeft vermoord, en ik denk niet dat dat is wat er is gebeurd.'

Ik glimlachte. 'Dat begrijp ik. Maar dat betekent niet dat je gelijk hebt. En ik begrijp nog steeds niet waarom je hier bent.'

'Jij bent een smeris.'

'Nee. Ik *was* een smeris.'

'Hetzelfde. Je hebt ervaring met rechercheren.'

'In dit geval is je onderzoek niet grondig genoeg geweest, Gary. Ik heb altijd bij de geüniformeerde dienst gezeten. Een mannetje van de straat.'

'Geen *officiële* ervaring, nee. Ik weet dat je het nooit tot rechercheur hebt geschopt. Ik weet ook dat je er zelfs nooit naar hebt gesolliciteerd.'

Ik keek hem doordringend aan. 'Gary, als je me gaat vertellen dat je op de een of andere manier toegang hebt gekregen tot mijn persoonlijke dossier, dan...'

'Dat was niet nodig, Jack. Je bent een slimme kerel. Je wilde rechercheur worden, dat was je ook gelukt. Je werd het niet, dus ga ik ervan uit dat je het niet hebt geprobeerd.'

'Ik ben niet erg gevoelig voor vleierijen,' zei ik.

Hij glimlachte. 'Dat weet ik ook. En ik herinner me dat jij iemand bent die liever helemaal niet schiet, dan dat je het risico loopt om mis te schieten. Misschien is dat de werkelijke reden dat je bijna tien jaar op straat hebt doorgebracht.'

Het was alweer een tijdje geleden dat iemand op zo'n manier tegen me had gesproken. Dat zag-ie aan mijn gezicht.

'Luister,' zei hij, terwijl hij zijn handen omhoogstak. 'Dat kwam er niet goed uit. Sorry. Wat er met de Andersons is gebeurd, is eigenlijk niet zo belangrijk voor me. Het is alleen een beetje vreemd en mijn leven zou iets makkelijker worden als ik dat uit de knoop zou kunnen trekken. Ik heb je boek gelezen. Ik dacht dat je misschien geïnteresseerd was. Dat is alles.'

'Ik waardeer de gedachte,' zei ik. 'Maar dat lijkt een heel ander leven, nu. Bovendien, ik werkte in L.A., niet in Seattle. Ik ken de stad niet en ik ken de mensen niet. Ik zou niet veel meer kunnen doen dan jij, en ik kan heel wat minder doen dan de smerissen. Als je werkelijk denkt dat ze dit niet goed aanpakken, moet je met hen praten.'

'Dat heb ik geprobeerd,' zei hij. 'Ze denken net als jij.'

'Dan is het misschien ook wel zo. Een trieste geschiedenis. Einde verhaal.'

Fisher knikte langzaam, zijn ogen staarden naar buiten. Het licht begon te vervagen, de hemel kleurde loodgrijs. 'Lijkt of er zwaar weer op komst is. Ik kan maar beter teruggaan. Ik wil niet in het donker over die berg rijden.'

'Het spijt me,' zei ik, terwijl ik opstond. 'Na zo'n rit had je natuurlijk op meer gehoopt.'

'Ik wilde een mening, en die heb ik gekregen. Jammer dat het niet de mening is die ik graag wilde horen.'

'Dit had ik je ook via de telefoon kunnen vertellen,' antwoordde ik glimlachend. 'Zoals ik al zei.'

'Ja, weet ik. Maar ach... het was leuk om je na al die tijd weer eens te zien. Om bij te praten. Laten we contact houden.'

Ik zei ja, het was leuk geweest en ja, we houden contact. En dat was dat. We kletsten nog wat en toen liep ik met hem mee naar de deur en keek hoe hij wegreed.

Nadat hij vertrokken was, bleef ik nog even buiten staan, hoewel het koud was. Ik voelde me alsof ik op het speelplein stond en er een ouder kind naar me toe was gekomen om te vragen of ik mee wilde spelen, en dat ik had geweigerd omdat ik te trots was. Ouder worden, dat blijkt maar weer, betekent niet dat je ook volwassen wordt.

Ik ging weer naar binnen en keerde terug naar mijn bureau. Daar verspilde ik waarschijnlijk de laatste eenvoudige namiddag van mijn leven met uit het raam staren en afwezig wachten tot de tijd voorbij ging.

Soms vraag ik me af wat er was gebeurd als ik die ochtend harder had gewerkt, als Fisher iets op het antwoordapparaat had ingesproken. Zelfs als hij een boodschap had achtergelaten, was het onwaarschijnlijk dat ik hem had teruggebeld. De meeste tijd denk ik dat het geen enkel verschil had gemaakt. Ik denk dat het toch wel op mijn pad was gekomen, hoe dan ook, onvermijdelijk. Ik roep graag dat ik niet gewaarschuwd was, dat ik het niet heb zien aankomen, dat het als donderslag bij heldere hemel kwam. Maar dat is niet waar. Er waren wel degelijk voortekenen en oorzaken. De afgelopen negen maanden, misschien de afgelopen paar jaar, had ik bij tijd en wijle kleine verschillen opgemerkt. Ik had geprobeerd ze te negeren, geprobeerd om gewoon door te gaan. En toen het uiteindelijk gebeurde was het alsof ik van een vlot viel, gemaakt van stevige boomstammen die al vele jaren dezelfde rivier afdreven, om tot de ontdekking te komen dat er nooit water was geweest om me te dragen. Ik lag plotseling plat op mijn rug in een vreemd land dat ik niet herkende: een stoffige vlakte zonder bomen of bergen, geen enkel herkenningspunt, geen enkele aanwijzing over hoe ik daar was gekomen.

De val moet al een tijdje in de lucht hebben gehangen, ongemerkt snelheid winnend onder de drempel van de waarneembare verandering. In elk geval sinds de middag op het dakterras van ons nieuwe huis, maar waarschijnlijk al maanden of jaren daarvoor. Maar graven naar de wortels van de chaos is net zoiets als beweren dat het moment dat de auto je raakt niet van belang is, of die honderdste seconde waarin je zonder te kijken van het trottoir afstapte. Je kunt ook zeggen dat het moment waarop je voor het eerst niet uitkeek toen je een straat overstak het werkelijke beginpunt van je problemen is. Maar het moment dat je geraakt wordt, dat is wat je je herinnert. Die ademloze seconde van gierende remmen en een doffe klap, die seconde waarin de auto je raakt en alle andere toekomsten geannuleerd worden.

De trage slag van de tijd wanneer het plotseling duidelijk wordt dat er iets in je wereld helemaal fout zit.

hoofdstuk
DRIE

Een strand aan de Stille Oceaan, een reep zand die zich ogenschijnlijk eindeloos uitstrekt; bijna wit overdag, maar nu, in het afnemende licht, verkleurend tot dof vaalgrijs. De weinige voetafdrukken van de middag zijn weggespoeld tijdens een van de vele geduldige schoonmaakacties van de natuur. In de zomer brengen de jongelui van verder landinwaarts hier hun weekenden door, glanzend in de zon van hun ongecompliceerde jeugdigheid en luisterend naar beukende nepmuziek uit kleine speakertjes. Ze worden bijna nooit neergehaald door een scherpschutter, helaas, maar vervolgen hun gelukkige en onvervulde levens, waarbij ze overal op aarde te veel lawaai maken. Op een donderdag ver buiten het seizoen blijft het strand leeg, met uitzondering van de onrustige groepjes oeverlopers die langs de waterlijn heen en weer rennen, met geknakte poten, alsof ze een vrolijk mechanisch stuk speelgoed zijn. Het werk van die dag zit erop en ze zijn naar hun slaapplaats gevlogen, het strand stil en roerloos achterlatend.

Een kilometer verderop ligt het kleine en keurige kustplaatsje Cannon Beach. Het telt een rijtje onopvallende hotels, maar de meeste gebouwen zijn bescheiden vakantiehuisjes, geen enkel meer dan een verdieping hoog en allemaal op beschaafde afstand van elkaar. Sommige huisjes zijn plompe, langwerpige bouwsels die nodig gewit moeten worden, andere zijn avontuurlijker van vorm, zoals de houten achthoekige constructies. Ze hebben allemaal een halfvergaan voetpad dat door de beboste duinen naar het strand beneden voert. Het is nu november en bijna alle huisjes zijn donker. De geur van zonnebrandolie en waskaarsen is opgeborgen tot de volgende vakantie, wanneer hij ouders zal verwelkomen die tot hun ongenoegen elke keer weer iets meer grijs bespeuren in deze vreemde spiegels, en kinderen die iets langer zijn geworden, en iets verder verwijderd van de ouders die ooit het middelpunt van hun leven vormden.

Er is de afgelopen twee dagen geen neerslag gevallen – heel uitzonderlijk voor Oregon in deze tijd van het jaar – maar vanavond verzamelt zich een dik wolkenpak boven zee, als een inktdruppel die uiteenvloeit in het water. Over een uur of twee zullen de wolken het land bereiken. De schaduwen worden donkerblauw en zwart en de lucht wordt afgestroopt door de meedogenloze regen.

In de tussentijd zit een meisje op het zand, vlak bij de vloedlijn.

Volgens haar horloge was het vijf over halfzes, en dat was oké. Om kwart voor zes moest ze naar huis, nou ja, niet echt naar huis, naar de bungalow. Pa noemde het altijd het strandhuis, maar ma zei altijd bungalow, en omdat pa er niet was, was het deze keer natuurlijk bungalow. Dat pa hier niet was, had nog een paar consequenties, en over een daarvan zat Madison op dit moment na te denken.

Als ze een week naar het strand gingen, waren de meeste dagen precies eender. Ze reden naar Cannon Beach om de galeries te bekijken (een keer), om etenswaren te kopen op de markt (twee keer) en om te zien of er nog iets leuks te krijgen was in Geppetto's Speelgoedwinkel (zo vaak als Madison dat voor elkaar kreeg, drie keer was het record). De andere dagen brachten ze gewoon op het strand door. Ze stonden vroeg op en liepen een eind langs de vloedlijn, en dan weer terug. De rest van de dag ging voorbij met zitten, zwemmen en spelen – met halverwege een onderbreking waarin ze naar de bungalow gingen om sandwiches te eten en om af te koelen – en dan rond vijf uur weer een lange wandeling, de andere kant op dan 's ochtends. De vroege wandeling was om wakker te worden, de slaperige hoofden te vullen met licht. Aan het eind van de middag ging het om schelpen – en vooral om zee-egels. Hoewel ma ze het leukste vond (alle exemplaren die ze ooit hadden gevonden bewaarde ze thuis in een sigarenkistje), zochten ze er alle drie naar, een gezin met een wandelend doel. Na de wandeling nam iedereen een douche en dan waren er nacho's en hummus en berijpte glazen met Tropical Punch in de bungalow. Daarna reden ze voor het avondmaal naar Pacific Cowgirls in Cannon Beach, met visnetten aan de muren en gepaneerde garnalen met cocktailsaus op het menu, en serveersters die je m'vrouw noemden, ook al was je nog klein.

Maar toen Madison en haar moeder gisteren aankwamen, was de stemming anders geweest. Het was de verkeerde tijd van het jaar, en koud. Ze pakten zwijgend uit en liepen plichtsgetrouw een eindje langs het strand. Maar hoewel haar moeders ogen op de vloedlijn gericht leken, zag Madison haar niet een keer bukken, zelfs niet voor een kwartssteentje dat aan een kant roze was en waar ze normaal direct op af zou duiken. Toen ze terugkwamen, vond Maddy nog wat oploslimonade van de vorige keer in de kast, maar haar moeder was vergeten om Doritos of iets anders te kopen. Madison opende haar mond om te protesteren, maar toen ze zag hoe traag haar moeder zich bewoog, stopte ze. Cowgirls was gesloten voor de winterrenovatie, dus gingen ze ergens anders naartoe. Ze namen plaats in een groot, verlaten vertrek bij een raam dat uitkeek over een donkere zee onder lage, grijze wolken. Ze at spaghetti, wat oké was, maar niet wat je normaal aan het strand at.

Die morgen was het gaan vriezen en ze hadden amper gewandeld. Ma zat de hele ochtend onder aan het wandelpad door de duinen, gehuld in een deken, met een zonnebril en een boek. Halverwege de middag ging ze naar binnen. Ze zei tegen Madison dat ze nog wel even mocht blijven, maar dat ze niet meer dan vijfendertig meter van de bungalow vandaan mocht.

Een tijdlang was dat in orde. Het was zelfs wel leuk om het strand voor zichzelf te hebben. Ze ging niet de zee in. Hoewel ze daar vroeger erg van had genoten, was ze sinds een paar jaar een beetje bang voor grote hoeveelheden water, zelfs als het niet zo koud was. In plaats daarvan bouwde ze een kasteel, dat ze vervolgens verfraaide, en dat was leuk. Ze groef een zo diep mogelijk gat.

Maar toen het bijna vijf uur was, begonnen haar voeten te jeuken. Ze stond op, ging zitten. Speelde nog even, hoewel het spelletje begon te vervelen. Het was erg genoeg dat ze de ochtendwandeling hadden overgeslagen, maar dat ze nu niet gingen wandelen, was echt raar. Het wandelen was belangrijk. Het moest gebeuren. Waarom deden ze het anders altijd?

Uiteindelijk liep ze in haar eentje naar de golven en stond daar besluiteloos stil. Het strand bleef in beide richtingen verlaten, de hemel was laag en zwaar en grijs en het werd koud. Ze wachtte tot de eerste stevige windstoot, voorloper van de storm, die aan de rand van haar korte broek trok en hem tegen haar been drukte. Ze wachtte, keek omhoog naar de duinen naar het punt waar de bungalow moest staan, precies aan de andere kant.

Haar moeder verscheen niet.

Ze begon langzaam te lopen. Ze liep vijfendertig meter naar rechts, gebruikte de lengte van een grote stap als grove maatstaf. Het voelde vreemd. Ze draaide onmiddellijk om en liep terug naar waar ze was begonnen, en toen nog vijfendertig meter verder. Deze dubbele lengte leek bijna op wandelen, bijna tot het punt waarop je vergat dat je nergens naartoe mocht – omdat je nergens naartoe ging. En in plaats daarvan werd het slechts het natte geruis van golven in je oren en de wazige sporen van je voeten die in en uit beeld verdwenen terwijl je ogen ronddwaalden over vormen en kleuren tussen het rimpelende water en het harde, natte zand.

En daarom deed ze het opnieuw, en opnieuw. Ze bleef het herhalen tot de twee keerpunten waren veranderd in een stel vreemde, gebogen voetsporen. Ze probeerde de golven te laten klinken zoals ze altijd deden. Ze probeerde zich niet af te vragen waar ze vanavond zouden eten, en hoe weinig ze zouden praten. Ze probeerde niet...

Toen stopte ze. Langzaam boog ze zich voorover, haar hand uitgestrekt. Ze trok iets uit een collage van zeewier, stukken wrakhout en gedeukte huisjes van dode zeewezens. Hield het voor haar gezicht, kon het amper geloven.

Ze had een bijna complete zee-egel gevonden.

Hij was weliswaar klein, niet veel groter dan een stuiver. Hij was een beetje gedeukt aan de randen. Hij was vuiler grijs dan de meeste, en een kant was groen gevlekt. Maar dat deed er niet toe. Had ertoe gedaan als de situatie normaal was geweest. Maar dat was-ie niet.

Wat een moment van triomf had moeten zijn, voelde zwaar en dof. Ze besefte dat het ding in haar hand net zo goed even groot als een bord had kunnen zijn en helemaal gaaf. Het had droog kunnen zijn, goudgeel en perfect, als de exemplaren die je in winkels zag. Het zou niets uitmaken.

Madison liet zich in het zand vallen en staarde naar de platte schelp in haar hand. Ze vouwde haar vingers er voorzichtig omheen en keek toen uit over de zee.

Daar zat ze tien minuten later nog, toen ze een geluid hoorde. Een *flapperend* geluid, alsof een grote vogel boven de vloedlijn haar kant op kwam vliegen, met lange zwarte vleugels en trage slagen. Madison draaide haar hoofd om.

Er stond een man op het strand.

Hij stond ongeveer negen meter van haar vandaan. Hij was lang en het geluid dat ze hoorde was het geluid van zijn zwarte jas die flapperde in de koude windvlagen van een storm die nu als een paarszwarte twee-de zee langs de hemel joeg. De man stond roerloos, met zijn handen diep in de zakken van zijn jas. Het weinige licht dat door de wolken heen sche-merde was achter hem, en je kon zijn gezicht niet zien. Maar Madison wist direct dat de man naar haar stond te kijken. Waarom zou hij daar anders staan, als een uit schaduwen opgebouwde vogelverschrikker, niet gekleed voor het strand, maar voor de kerk of de begraafplaats?

Ze wierp voorzichtig een blik over haar schouder, schatte haar positie in ten opzichte van het wandelpad naar de bungalow. Het pad lag niet precies achter haar, maar dichtbij genoeg. Ze kon er snel zijn. Misschien was dat wel een goed idee, vooral ook omdat de grote wijzer al op kwart voor stond.

Maar in plaats daarvan draaide ze zich om en keek opnieuw uit over de donkere, ruige oceaan. Het was een ongelukkige beslissing, die deels het gevolg was van zoiets eenvoudigs als het ontbreken van een vriende-lijk schouderklopje voor de vondst in haar hand. Maar zij had het be-sloten en uiteindelijk kon ze niemand anders de schuld geven.

De man wachtte even en begon toen haar kant op te lopen. Hij liep in een rechte lijn, het water dat rond zijn schoenen siste, omhoog en te-rug, leek hem niet te deren. Hij kauwde ergens op onder het lopen. Hij zocht niet naar schelpen en het kon hem niet schelen dat hij ze kapot trapte.

Madison besefte dat ze dom was geweest. Ze had onmiddellijk in be-weging moeten komen toen ze nog in het voordeel was. Gewoon op-staan, naar huis lopen. Nu moest ze vertrouwen op het verrassingseffect, op het feit dat de man waarschijnlijk aannam dat ze het niet op een lo-pen zou zetten omdat ze dat eerder ook niet had gedaan. Madison be-sloot dat ze zou wachten tot de man iets dichterbij was en dat ze dan plotseling zou wegschieten: zo snel ze kon wegrennen en hard schreeu-wen. Ma zou de deur open hebben staan. Misschien was ze zelfs op weg hiernaartoe, kwam ze kijken waarom ze nog niet terug was. Ze had al te-rug moeten zijn – ze was officieel te laat. Maar diep in haar hart wist Madison dat haar moeder voor hetzelfde geld nog steeds in haar stoel zat, met opgetrokken schouders, in elkaar gedoken, naar haar handen starend, zoals ze had gedaan vanaf het moment dat ze gisteravond van het restaurant waren teruggekeerd.

En daarom maakte ze zich gereed. Ze had haar hielen stevig in het har-de zand geplant en haar benen waren gespannen als veren, klaar om weg te schieten, met alle kracht die ze in zich had.

De man stopte.

Madison was van plan geweest om tot de laatste seconde over de grijze golven te blijven uitkijken, alsof ze zich zelfs niet bewust was van zijn aanwezigheid. Maar ze merkte dat ze haar hoofd draaide om te zien wat er aan de hand was.

De man was eerder gestopt dan Madison had verwacht, nog altijd zo'n zes meter van haar vandaan. Nu kon ze zijn gezicht zien en ze zag dat hij ouder was dan haar vader, misschien zelfs ouder dan oom Brian, die vijftig was. Maar oom Brian glimlachte altijd, alsof hij zich een mop probeerde te herinneren die hij op kantoor had gehoord en waarvan hij zeker wist dat jij hem leuk zou vinden. Deze man zag er heel anders uit.

'Ik heb iets voor je,' zei hij. Zijn stem was kalm en zacht, maar stevig.

Madison keek snel weg, haar hart bonsde. Zonder dat ze het wist, hield ze de platte schelp nog steeds veilig in haar linkerhand. Nu duwde ze haar rechter handpalm ook in het zand, klaar om zich af te zetten, stevig.

'Maar eerst moet ik iets weten,' zei hij.

Madison besefte dat ze zo hard mogelijk moest rennen. Oom Brian was dik en zag eruit alsof hij helemaal niet kon rennen. Maar ook in dat opzicht was deze man anders. Ze haalde diep adem. Besloot dat ze bij drie in actie zou komen. Een...

'Kijk me aan, meisje.'

Twee...

Toen stond de man plotseling tussen Madison en de duinen. Hij bewoog zo snel dat Madison het amper had zien gebeuren.

'Het zal je bevallen,' zei hij, alsof hij zich helemaal niet had bewogen. 'Ik beloof het. Je wilt het hebben. Maar eerst moet je mijn vraag beantwoorden. Oké?'

Zijn stem klonk nu slomer en Madison besefte hoe stom ze was geweest, begreep waarom moeders en vaders zeiden dat kinderen op een bepaald tijdstip terug moesten zijn, niet te ver moesten afdwalen, niet met vreemden moesten praten, en zo veel andere dingen. Ouders deden daarmee niet gemeen of lastig of saai, bleek nu. Ze probeerden te voorkomen wat haar nu zou overkomen.

Ze keek op naar het gezicht van de man, knikte. Ze wist niet wat ze anders moest doen en hoopte dat het zou helpen. De man glimlachte. Zijn ene wang was bezaaid met kleine, donkere moedervlekken. Zijn tanden waren gevlekt en onregelmatig.

'Mooi,' zei hij. Hij zette nog een stap in haar richting, en nu waren zijn handen uit zijn jaszakken tevoorschijn gekomen. Zijn vingers waren lang en bleek.

Madison hoorde het woord 'Drie...' in haar hoofd, maar het was te zacht en ze geloofde er niet in. Haar armen en benen voelden niet langer als veren. Ze voelden als rubber. Ze wist niet eens of ze nog gespannen waren.

De man was nu te dichtbij. Hij rook klam. Er was een vreemd licht in zijn ogen, alsof hij iets gevonden had waar hij lang naar had gezocht.

Hij hurkte bij haar neer en de geur werd plotseling erger, een gronderige geur in zijn adem, een geur die sprak van lichaamsdelen die normaal verborgen bleven.

'Kun je een geheim bewaren?' vroeg hij.

hoofdstuk
VIER

Ik kwam rond kwart over negen 's avonds thuis. Behalve voor het kopen van melk en koffie was de tocht vooral werkverschaffing: Amy hield de voorraden goed bij. Ik was vanaf ons huis naar de stad gelopen, een tocht-je van twintig minuten. Het was een aangename wandeling en ik had het ook gedaan als de auto niet weg was geweest. Ik zat voor de koffiewin-kel en genoot op mijn gemak van een Americano terwijl ik door de plaat-selijke krant bladerde. Daaruit kwam ik verschillende dingen te weten: een paar nachten geleden waren twee auto's in elkaars vaarwater geraakt – niemand was gewond, niet eens licht; een of andere beroemdheid was voor het twaalfde achtereenvolgende jaar herkozen in het schoolbestuur, wat in mijn ogen grenst aan een borderline-achtige obsessie; en de Cas-cades Gallery zocht een volwassen persoon als hulp bij de verkoop van schilderijen en beelden van adelaars, beren en indiaanse krijgers. Erva-ring vond men niet nodig, maar kandidaten moesten wel bereid zijn om een droom na te jagen. Ik voelde me niet aangesproken, zelfs niet als het schrijfproject definitief tot stilstand zou komen. Maar ik hoopte dat de galerie iemand zou vinden en dat diegene voldoende volwassen was. Ik gruwde bij de gedachte dat exclusieve kunstprenten op een kinderlijke manier verkocht zouden worden.

Op mijn gemak stroopte ik de gangpaden van Sam's Market af, pakte artikelen op en zette ze weer terug. Vond een paar dingen die te buite-nissig waren om op meer verlichte boodschappenlijstjes voor te komen, met name biertjes, en pakte bij de kassa nog een paperback van Stephen

King mee. Ik had hem al eens gelezen, maar de meeste van mijn boeken lagen nog opgeslagen in L.A. Bovendien stond hij pal voor mijn neus, in een wankele boekenmolen vol tweedehands Dan Browns en damesromannetjes met schreeuwerige omslagen. Buiten stopte ik de boodschappen in mijn rugzak en stond even te aarzelen over wat ik nu zou gaan doen. In de stilte tikte de motor van een pick-up nog wat na. Ik had de eigenaar binnen zien lopen, een plaatselijke bewoner met een verweerd gezicht en plukken haar die uit zijn oren staken. Hij had me genegeerd, zoals import verdient. Ik zei altijd expres dag tegen hem, gewoon om hem in de war te brengen. In de deur van Laverne's Rib, aan de overkant van de straat, verscheen een echtpaar, wankelend alsof ze over het dek van een schip liepen. Laverne's beroemde zich op zijn enorme porties en het echtpaar zag eruit alsof ze dat van tevoren hadden geweten. Een vermoeid ogende vrouw duwde een wandelwagen over het marktplein, uit alles bleek dat ze daar niet voor haar lol liep. In de wagen verzette de baby zich met alle middelen tegen het vallen van de avond, voornamelijk met geluid. Ze zag me kijken en mompelde 'tien maanden', alsof dat alles verklaarde. Gegeneerd wendde ik mijn blik af.

Aan het eind van de straat knipperde een stoplicht.

Ik had nog steeds geen honger. Had geen zin om ergens een biertje te gaan drinken. Ik kon de straat aflopen, kijken of het kleine boekwinkeltje nog open was. De kans was klein en ik had al een boek om te lezen. En daarmee was de vaart eigenlijk wel uit de avond. De expeditie was voorbij, aan de grond gelopen door een impulsaankoop.

Dus wat nu? Kies je eigen avontuur.

Uiteindelijk liep ik dezelfde weg terug als waarlangs ik was gekomen, door de honderd meter lange winkelstraat waar Birch Crossing in feite uit bestond. De meeste winkelpanden waren alleen gelijkvloers en voorzien van een houten voorgevel. Een tandarts, een kapperszaak en een drugstore stonden verspreid tussen zaken met een vluchtiger karakter, waaronder de Cascades Gallery, waar Amy al twee nietszeggende, maar vakkundig gefabriceerde schilderijen van het stereotype Westen had gekocht. Verspreid tussen de huizenblokken verrezen een paar onverschillige stenen gebouwen, uit de tijd dat de chique grondleggers van het stadje nog meenden dat Birch Crossing tot iets groters zou uitgroeien dan uiteindelijk was gebeurd. In een van deze gebouwen huisde Laverne's, in een ander zat een lokale bank die inmiddels was overgenomen door een multinational. In het laatste stenen gebouw werden decoratief beslagen meubels te koop aangeboden. Amy had daar ook een paar exemplaren van aangeschaft, waarvan een op dit moment dienst deed als mijn bureau. Het stadje eindigde zo'n beetje bij een kleine benzinepomp die lang geleden was uitgedost als berghut, en bij het kantoor van de plaatselijke sheriff, dat iets van de weg af stond. Ik had de neiging om te kijken toen ik er voorbij liep, ik vroeg me af hoe lang het zou duren voordat de boodschap werkelijk tot me zou doordringen.

Ik stak de verlaten hoofdweg over en nam de laatste afslag naar links. Deze weg voerde naar de bossen. De afscheiding langs de berm werd af en toe onderbroken door een stevige brievenbus en openslaande hekken. Daarachter begon een lange oprit die naar een huis leidde. Na tien minuten bereikte ik de brievenbus met de namen JACK EN AMY WHALEN. In plaats van het hek te openen, sprong ik eroverheen, net als ik op de heenweg had gedaan. Ik vergat dat ik een zware rugzak droeg en viel bijna op mijn gezicht. Ik was onlangs weer begonnen met sporten, hardlopen over het land van het National Forest dat grensde aan ons terrein. Toen de beginnersspierpijntjes eenmaal voorbij waren, voelde ik me beter dan ik me in tijden had gevoeld. Maar mijn lichaam was nog niet bereid om het feit dat ik minstens een jaar niets had uitgevoerd door de vingers te zien. Hoewel niemand had gezien wat er was gebeurd, voelde ik me ontzettend stom en ik vervloekte het hek omdat het me zo in de maling had genomen. Mijn vader beweerde altijd dat levenloze voorwerpen ons haten en dat ze achter onze rug samenzweren om ons ten val te brengen. Hij had waarschijnlijk gelijk.

Ik volgde het diep uitgesleten spoor naar de plek waar volgens de huurovereenkomst ons huis stond. Het was weer kouder geworden en ik vroeg me af of het vannacht eindelijk zou gaan sneeuwen. De plaatselijke bewoners koesterden niet van die romantische gedachten over sneeuw. Ze spraken erover zoals ze over de dood spraken, of over de belastingen. De makelaar had op joviale toon opgemerkt dat een sneeuwscooter in de wintermaanden wel handig zou zijn. We hadden geen sneeuwscooter. We zouden er ook geen aanschaffen. Nergens in mijn plannen voor het leven kwam het bezit van een sneeuwscooter voor. Ik legde voorraden sigaretten en blikken chili en zuurkool aan. Ik ben altijd dol geweest op zuurkool, zonder precies te weten waarom.

De oprit slingert omlaag naar een dalletje en dan weer omhoog over de kam. Zo'n achthonderd meter van de weg verbreedt hij zich tot een parkeerplaatsje. Vanaf deze kant zag het huis er niet zo indrukwekkend uit, een rij verweerde cederhouten dakspanen, een verdieping, die in de zomer grotendeels schuilging achter bomen. Zo had het eruitgezien op de foto die ik op het internet had gezien, landelijk en lieflijk. In de winter en in het echte leven leek het huis op een atoombunker die gevangen zat tussen de poten van een stel dode spinnen. Pas als je binnen was besefte je dat je het tweeënhalve verdieping tellende huis van bovenaf was binnengekomen. Dan zag je pas dat de hele hoogte en het grootste gedeelte van de noordzijde van het huis uit glas bestonden. Aan die kant liep de heuvel steil af. Overdag had je vanuit het huis uitzicht over een bebost dal dat aan de andere kant opliep tot de Wenatchee Mountains. Daarachter lagen de Cascades en daarachter, een eindje verder, Canada. Net als Gary Fisher had je de neiging om er gewoon een poosje naar te staan kijken. Vanaf het dakterras kon je ook een meertje zien, zo'n honderd meter in doorsnede, dat binnen de grenzen van ons anderhalve hectare grote terrein lag. 's Middags zweefden roofvogels als verre blaadjes boven het dal.

In de keuken haalde ik de inhoud uit de rugzak en borg alles op de juiste plek op. Het lichtje op het antwoordapparaat aan het andere eind van de bar knipperde.

'Dat werd tijd,' zei ik, de eerste woorden die het huis hoorde sinds Fisher was vertrokken.

Maar dat was het niet. Er hadden twee mensen gebeld, of een persoon tweemaal, maar die had geen boodschap achtergelaten. Ik kon de beller wel iets aandoen, en mezelf omdat ik de nummerherkenning nog niet had ingesteld. Op de doos stond dat dat niet kon, maar die handleiding was uit het Japans vertaald door een zwakzinnige prairiehond. Toen ik het uitgaande bericht wilde veranderen, moest ik technische ondersteuning vragen aan de NASA. Ik wist dat het niet Amy was die had gebeld. Ze kende mijn irritatie als mensen geen bericht achterlieten en had op z'n minst met een grafstem ingesproken: 'Geen boodschap, baas'.

Ik haalde mijn mobieltje tevoorschijn en belde haar met de sneltoets. Ik klemde de telefoon tussen mijn schouder en mijn oor en haalde ondertussen een biertje uit de koelkast. Na vijf keer overgaan werd ik doorverbonden met de voicemail, alweer. Met een zakelijke, maar warme stem bedankte ze de beller en beloofde snel terug te bellen. Ik liet een boodschap achter met de vraag of ze dat inderdaad wilde doen. Alweer.

'Binnenkort zou prettig zijn,' mopperde ik toen de telefoon al lang weer in mijn zak zat.

Ik nam het biertje mee naar mijn werkkamer. Omdat Amy het geld binnenbracht, had ze een iets grotere plek voor zichzelf op de benedenverdieping. Mijn werkkamer bevatte niets anders dan een dossierkast met achtergrondinformatie, het dure bureau uit de winkel in de stad en een goedkope stoel die ik in de garage had gevonden. Het enige wat op het bureau stond, was mijn laptop. Hij was niet stoffig omdat ik hem elke ochtend zorgvuldig afveegde met mijn mouw. Ik had hem nog niet aan de wilgen gehangen omdat hier geen wilgen groeiden. Ik temperde de verlichting en ging zitten. Zodra ik de laptop opende kwam de machine tot leven, hoewel hij ondertussen beter zou moeten weten. Er werd een tekstverwerkingsprogramma geladen waarin nauwelijks tekst was verwerkt. Dat kwam gedeeltelijk door het prachtige uitzicht op de bitterbrushstruiken en douglassparren achter het raam. Daar bleek ik urenlang naar te kunnen staren. Als het zou gaan sneeuwen, kon ik de computer net zo goed helemaal dicht laten. Maar 's avonds was het in dit vertrek moeilijker om afleiding te vinden, omdat je dan, afgezien van een paar door het lamplicht beschenen takken vlak bij het raam, helemaal niets zag. Daarom zou ik mijn vingers en mijn hoofd nu misschien uit het slot kunnen halen en ze tot samenwerking dwingen. Misschien zou ik iets kunnen bedenken om te zeggen en daar dan een poosje mee doorgaan.

Misschien zou ik in staat zijn om te vergeten dat ik me na een maand al helemaal te pletter verveelde.   .

Ik zat aan het bureau omdat ik twee jaar geleden een boek heb geschreven over bepaalde plekken in L.A. Ik zeg 'geschreven', maar het waren vooral foto's, en zelfs dat woord dekt de lading niet helemaal. Ik nam de foto's met de camera in mijn mobiele telefoon. Op een dag stond ik toevallig ergens met mijn telefoon in mijn hand en toen nam ik snel een foto. Toen ik die later naar de computer overhevelde, zag ik dat hij niet eens zo gek was. De technische kwaliteit was zo laag dat je de plek als het ware door het beeld heen zag, gevangen in het moment, vaag en vluchtig. Het werd een gewoonte. En toen ik genoeg foto's had genomen, maakte ik er een document van en schreef bij elke foto een commentaar. In de loop der tijd werden deze aantekeningen steeds langer, tot elke foto vergezeld ging van twee pagina's tekst, soms meer. Toen ik daar op een avond mee bezig was, kwam Amy binnen en vroeg of ze het mocht lezen. Dat mocht. Ik was niet bang voor wat ze zou zeggen. Ik wist dat ze me gunstig gezind was en slechts matig geïnteresseerd in wat ze zag. Een paar dagen later gaf ze me de naam en het telefoonnummer van iemand die bij een uitgeverij van kunstboeken werkte. Ik moest heel hard lachen. Maar ze zei: 'Probeer het nou.' En daarom mailde ik de file naar deze kerel zonder dat ik er veel van verwachtte.

Drie weken later belde hij me op een middag op en bood me twintigduizend dollar. Ik was zo verbijsterd dat ik zei, natuurlijk, doe maar. Amy gilde toen ze het hoorde, en nam me mee uit eten.

Acht maanden later werd het gepubliceerd, een vierkant gebonden boek met een korrelige foto van een onopvallend huis in Santa Monica op de voorkant. Ik vond dat het eruitzag als het soort boek dat je nooit van je levensdagen zelfs maar zou oppakken, laat staan kopen. Maar de *LA Times* schreef er een recensie over en het kreeg nog een aantal goede kritieken, en vreemd genoeg was er enige vraag naar, een poosje.

Het leven ging door, en wij ook. Er gebeurde het een en ander. Ik zei mijn baan op. We verhuisden. Als ik op dit moment überhaupt iemand was, dan was ik die kerel die dat boek had geschreven. En dat betekende, waarschijnlijk, dat ik nu een kerel moest worden die *nog* een boek had geschreven. Maar er schoot me niets te binnen. En het bleef me niet te binnen schieten, met een vastberadenheid die deed vermoeden dat niet te binnen schieten nu juist was waar het om draaide, dat ik niets anders kon, dat dat mijn belangrijkste levensdoel was.

Een paar uur later was ik in de woonkamer. Ik had nog meer bier gedronken, maar dat leek niet te helpen. Ik hing doelloos op de bank, verstrikt in de eindeloze fuga die kenmerkend is voor mensen die er niet in geslaagd zijn om iets tevoorschijn te toveren. Ik wist dat ik eens moest kijken in de doos met achtergrondinformatie die ik halfhartig had verzameld. Maar ik wist ook dat ik, als ik na het doornemen van de knipselmap nog steeds niets had bedacht, direct naar de stad zou lopen om een stevige wilg te kopen. De laptop had me niet opzettelijk gekwetst en ik was er nog niet aan toe om hem te vermoorden.

Ik nam een niet verdiende klaar-met-het-werksigaret uit het pakje op de tafel en begaf me op weg naar het dakterras. Sinds Amy en ik getrouwd waren, had ik niet meer binnenshuis gerookt. In eerste instantie had ze het getolereerd omdat ze er zelf ook wel eens eentje opstak, lang geleden en lang voordat ik haar had leren kennen. Maar toen begon ze telkens als ik er eentje opstak druk met luchtverfrissers te zwaaien en haar wenkbrauwen te fronsen. Subtiel en allervriendelijkst, en voor mijn eigen bestwil. Ik had weinig bezwaar tegen het nieuwe regime. Tijdens het werk kon ik zo veel roken als ik maar wilde en nu konden gasten me tenminste niet beschuldigen van poging tot moord. Het maakte het leven op alle fronten gemakkelijker.

Ik leunde tegen de balustrade. De wereld was stil, met uitzondering van het vertrouwde gefluister van de bomen. De hemel boven mijn hoofd was helder en koud en middernachtelijk blauw. Ik rook de dennen overal om me heen en een vage rooklucht van een ver haardvuur – waarschijnlijk van onze buren, de Zimmermans. Het was goed hier, dat wist ik. We hadden een prachtig huis. Het landschap was ruig en nauwelijks aangetast door mensen. Birch Crossing was authentiek zonder belachelijk te zijn: er reden evenveel pick-ups als suv's en je kon er elk soort keukengerei kopen dat je maar wilde. De Zimmermans woonden vijf minuten rijden van ons vandaan, maar we hadden al twee keer bij ze gegeten. Het was een gepensioneerd docentenechtpaar, geschiedenis aan Berkeley. De eerste keer wilde het gesprek niet bepaald vlotten. De fles whiskey die we bij het tweede bezoek hadden meegenomen, had de tongen losgemaakt. Ze waren behoorlijk kwiek voor mensen van begin zeventig – Bobbi draaide cd's van Mozart tot Sparklehorse en Bens zwarte haardos vertoonde amper een streepje grijs. Hij en ik maakten sindsdien altijd een vriendelijk praatje als we elkaar op straat tegenkwamen, hoewel ik vermoedde dat zijn vrouw al lang door had wat voor vlees ze in de kuip had.

Maar een week geleden had ik precies op deze plek op het dakterras gestaan en toen was er iets gebeurd.

Ik stond door de glazen deur naar binnen te kijken hoe Amy groenten hakte en een steelpan op het fornuis in de gaten hield. Ik rook sudderende tomaten en kappertjes en oregano. Het was pas halverwege de middag en er was genoeg licht om zowel het uitzicht als de goede kant van het huis te kunnen zien. In plaats van tot na negenen op haar werk te blijven, stond mijn vrouw tevreden aan haar aanrecht zandtaartjes te bakken. En ze was nog steeds aantrekkelijk, zowel van voren als van achteren. Ik had die ochtend zelfs een idee uitgewerkt en op een gegeven moment had ik werkelijk geloofd dat ik misschien toch een boek over het een of ander zou kunnen produceren. Alles was in orde en negen tiende van de wereldpopulatie zou ogenblikkelijk met me willen ruilen.

Maar toen was het een secondelang alsof er een wolk over de wereld gleed. Eerst wist ik niet zeker wat ik voelde. Toen besefte ik dat ik geen idee had waar ik was. Niet alleen de naam van de stad was me ontschoten, ik wist niet eens in welke *staat* ik woonde. Ik kon me niet herinneren wat er met me was gebeurd, of wanneer, had geen idee hoe ik hier en nu was terechtgekomen. Het huis kwam me niet bekend voor, de bomen leken in beeld geslopen toen ik even niet keek. De vrouw aan de andere kant van het grote raam was een onbekende, haar bewegingen vreemd en onverwacht.

Wie was ze? Waarom stond ze daar, met een mes in haar hand? En waarom keek ze ernaar alsof ze zich niet kon herinneren waarvoor het diende? De ervaring was te allesomvattend om het paniek te kunnen noemen, maar ik voelde hoe mijn nekharen overeind gingen staan. Ik knip-

perde met mijn ogen, keek om me heen, probeerde weer houvast te vinden bij iets tastbaars. Het was geen reactie op de onbekendheid van de
omgeving. Ik heb veel gereisd en ik had helemaal genoeg van L.A. Ik was
moe omdat ik niet goed had geslapen, maar dat was het ook niet, noch
de spoken die me gewoonlijk achtervolgden. Het ging niet over spijt, of
schuld. Het was niet specifiek.

Alles was mis. Met alles.

Toen dreef de wolk voorbij. Hij verdween, zomaar. Amy keek op en
knipoogde naar me door het glas, ontegenzeggelijk de vrouw van wie ik
hield. Ik glimlachte terug, draaide me naar de bergen en rookte mijn sigaret op. De bossen zagen eruit zoals ik gewend was. Alles was weer in
orde.

Het eten was lekker, en ik luisterde naar Amy die vertelde over de opzet van haar nieuwe baan. Ze zit in de reclame. Misschien ken je dat wel.
Het is een beroep dat probeert mensen te verleiden om meer geld uit te
geven zodat mensen die ze niet kennen een nog groter huis kunnen kopen. In dat opzicht lijkt het wel wat op georganiseerde misdaad, behalve dat reclamemensen harder moet werken. Ik heb Amy een keer voorgesteld om tegen haar klanten te zeggen dat ze helemaal geen advertenties
en bevolkingsstatistieken nodig hadden, dat ze de mensen net zo goed
tot het kopen van hun goederen konden overhalen door middel van directe bedreiging van hun persoon en/of goederen. Ze bezwoer me om
dat nooit in aanwezigheid van haar collega's te zeggen, voor het geval die
het serieus zouden nemen.

Haar nieuwe baan als ambulante *creative director* van een bedrijf met
kantoren in Seattle, Portland, San Francisco en het goeie ouwe L.A. was
belangrijk voor ons omdat we daardoor uit L.A. hadden kunnen vertrekken. En het was een grote uitdaging voor haar. Ze was op-en-top een
Californisch meisje dat graag dicht bij haar familie was, die nog steeds
in haar geboortestad woonde. Haar bereidheid om toch te verhuizen had
ze toegeschreven aan de aanzienlijke stijging van haar salaris, maar geld
had nooit veel voor haar betekend. Ik had het idee dat ze het vooral voor
mij had gedaan, zodat ik uit de stad weg kon, en tijdens het dessert zei
ik dat ik haar daar dankbaar voor was.

Ze sloeg haar ogen ten hemel en zei dat ik niet zo raar moest doen.
Maar ze accepteerde de kus die ik haar uit dankbaarheid bood. En de
kussen daarna.

Toen mijn sigaret op was, haalde ik het mobieltje uit mijn zak om te kijken hoe laat het was. Het was halftwaalf. Amy's baan bracht veel etentjes

met klanten met zich mee, vooral nu, en het was mogelijk dat ze nog niet eens terug was in haar hotel. Ik wist dat ze haar berichten las zodra ze kon. Maar ik had de hele dag nog niets van haar gehoord en op dat moment had ik daar echt behoefte aan.

Ik stond op het punt om haar nogmaals te bellen toen de telefoon op eigen houtje tot leven kwam. De woorden AMY MOBIEL verschenen op het scherm. Ik glimlachte, blij door het toeval, en bracht de telefoon naar mijn oor.

'Hoi,' zei ik. 'Druk, druk, druk?'

Maar de persoon aan de andere kant was niet mijn vrouw.

hoofdstuk

VIJF

'Wie is dit?'

Het was een mannenstem, grof, hard. Uit Amy's mobieltje was dat zo ongeveer het foutste wat ik kon bedenken.

'Jack,' zei ik. Het klonk dom. 'Met wie...'

'Spreek ik met thuis?'

'Wat? Wie bent u?'

De stem zei iets wat een naam zou kunnen zijn, maar het klonk meer als een willekeurige verzameling lettergrepen.

'Wat?' herhaalde ik. Hij zei het opnieuw. Kon Pools zijn, of Russisch, Marsiaans. Kon zelfs een hoestaanval zijn. Er klonk veel lawaai op de achtergrond. Verkeer, waarschijnlijk.

'Spreek ik met thuis?' blafte hij opnieuw.

'Wat bedoelt u? Wat doet u met...'

De man had een vraag, en die bleef hij herhalen. 'Is dit het nummer dat hoort bij "Thuis"?'

Er ging me een licht op. 'Ja,' zei ik, toen ik eindelijk begreep wat hij bedoelde. 'Dit nummer staat onder het kopje "Thuis". Het is de telefoon van mijn vrouw. Maar waar is...'

'Gevonden in taxi,' zei de man.

'Oké. Ik snap het. *Wanneer* hebt u hem gevonden?'

'Vijftien minuten. Ik bel als ik goed signaal heb. Telefoons hier niet altijd zo goed.'

'Hij is van een vrouw,' zei ik met luide stem en duidelijk articulerend.

'Kort blond haar, pagekopje, waarschijnlijk in mantelpak. Hebt u onlangs zo iemand vervoerd?'

'Hele dag,' zei hij. 'Hele dag zulke vrouwen.'

'Vanavond?'

'Misschien. Is ze daar, alstublieft? Kan ik haar spreken?'

'Nee, Ik ben niet in Seattle,' zei ik. '*Zij* is in Seattle, en u, maar ik niet.'

'O, oké. Dus... ik weet niet. Wat wilt u dat ik doe?'

'Wacht even,' zei ik. 'Blijf even hangen.'

Ik liep snel de trap af naar Amy's werkkamer. Midden op haar flatscreen was een Post-it-briefje geplakt met de naam van een hotel erop. Hotel Malo, dat was het.

Het enige geluid dat ik door de telefoon hoorde, was een sirene in de verte. Ik wachtte tot die was opgehouden.

'Hotel Malo,' zei ik. 'Kent u dat?'

'Natuurlijk,' zei hij. 'Centrum.'

'Kunt u 'm daar naartoe brengen? Kunt u de telefoon naar het hotel brengen en afgeven bij de receptie?'

'Is een heel end,' zei de man.

'Dat geloof ik. Maar geef hem af bij de receptie en vraag of ze de dame willen bellen. Haar naam is Amy Whalen. Hebt u dat?'

Hij zei iets wat in de verte klonk als Amy's naam. Ik herhaalde hem nog een keer en spelde hem tweemaal. 'Breng de telefoon daarnaartoe, oké? Ze zal u betalen. Ik zal haar bellen, zeggen dat u eraan komt. Ja? Breng hem naar het hotel.'

'Oké,' zei hij. 'Twintig dollar.'

Mijn hart bonsde nog steeds toen hij al had opgehangen. Ik wist in elk geval hoe de zaken ervoor stonden. Er kwam geen antwoord op mijn laatste berichten omdat Amy ze niet had ontvangen, en daardoor kon ik ongeveer bepalen wanneer ze haar telefoon moest zijn kwijtgeraakt. Wanneer was dat geweest? Rond negenen, dacht ik. Of had ze hem al eerder die dag verloren en besloten om me pas in te lichten als ze terug was in het hotel? Hoe dan ook, ze moest weten dat deze vent eraan kwam, aangenomen dat hij eerlijk was. Als mensen een telefoon stelen, bellen ze soms een thuisnummer en doen alsof ze behulpzame burgers zijn. Ze hopen dat de eigenaar dan denkt dat hij zijn telefoon niet kwijt is en er dus van afziet om hem bij de provider te laten afsluiten. Dan kan de dader het ding helemaal leegbellen en 'm daarna gewoon weggooien. Als deze vent zo'n spelletje speelde, kon ik er niet veel aan doen – ik ging Amy's telefoon niet blokkeren voordat ik met haar gesproken had. Het telefoonnummer van het hotel stond niet op het plakkertje, dat verbaasde me niets. Als ze niet thuis was communiceerden we altijd via onze mobieltjes en daarom stond mijn mobiele nummer als 'Thuis' in haar telefoonboek.

Binnen tien seconden had ik Hotel Malo via het internet getraceerd. Ik draaide het nummer en onderging het verplichte welkomstpraatje van de receptionist, dat ook de hoogtepunten van het menu omvatte. Toen hij was uitgesproken, vroeg ik of hij me wilde doorverbinden met Amy Whalen. Op de achtergrond hoorde ik vaag het ratelende geluid van iemand die iets intypte op de computer. Toen: 'Ik kan dat nu niet doen, meneer.'

'Is ze nog niet terug?' Ik keek naar de klok. Bijna middernacht. Beetje laat, hoe belangrijk de klant ook is. 'Oké, verbind me dan maar door met haar voicemail.'

'Nee, meneer. Ik bedoel dat ik hier niemand met die naam heb.'

Ik opende mijn mond. Sloot hem weer. Had ik de data door elkaar gehaald? 'Wanneer is ze vertrokken?'

Nog meer getyp. Toen de man weer sprak klonk zijn stem omzichtig. 'Ik heb geen gegevens over een reservering onder die naam, meneer.'

'Voor vandaag?'

'Voor de afgelopen week.'

'Ze is al twee dagen in de stad,' zei ik geduldig. 'Ze is dinsdag aangekomen. Ze blijft tot vrijdagmorgen. Morgen dus.'

De man zei niets.

'Kunt u het onder "Amy Dyer" proberen?'

Ik spelde 'Dyer' voor hem. Dat was haar meisjesnaam en het was natuurlijk mogelijk dat iemand van haar kantoor zeven jaar na ons trouwen nog een reservering onder die naam voor haar had gemaakt. Een hele kleine mogelijkheid.

Typegeluiden. 'Nee meneer. Geen Dyer.'

'Probeer Kerry, Crane & Hardy. Dat is een bedrijfsnaam.'

Typegeluiden. 'Geen van alle, meneer.'

'Ze heeft nooit ingecheckt?'

'Kan ik u vanavond nog ergens anders mee helpen?'

Ik wist niet wat ik moest zeggen. De man wachtte nog een seconde, gaf me het internetadres van de hotelgroep en verbrak de verbinding.

Ik pakte het Post-it-briefje van het scherm. Amy's handschrift is zeer leesbaar. Je kunt van grote afstand lezen wat er staat. Er stond Hotel Malo.

Ik draaide het nummer van het hotel opnieuw en werd doorverbonden met de afdeling reserveringen. Ik liet alle drie de namen opnieuw controleren. Op het laatste moment bedacht ik dat ik moest vragen of ze me weer wilden doorverbinden met de receptie, en deze keer kreeg ik een vrouw. Ik vertelde haar dat iemand een mobiele telefoon zou komen brengen, vroeg of ze die wilde bewaren onder mijn naam. Ik gaf haar het nummer van mijn creditcard zodat ze de bestuurder twintig dollar kon geven.

Toen keerde ik terug naar het internet. Zocht hotels in het centrum die enigszins op 'Malo' leken. Ik vond een Hotel Monaco, slechts enkele straten verderop. Afgaande op hun website vermoedde ik dat het precies de plek was waar Amy graag overnachtte: trendy inrichting, restaurant met Pan-Cajun en van alles en nog wat, standaard goudvis op elke kamer. Wat dat laatste ook mocht betekenen.

Ik keek weer naar haar briefje. Het *zou* 'Monaco' kunnen zijn, als ze het in de haast had opgeschreven of als ze op precies dat moment een embolie had gehad. Het kon zelfs zijn dat ze de naam verkeerd had verstaan toen haar werd verteld waar ze zou overnachten, of dat ze het verkeerd had opgeschreven. Mal-o/Monac-o. Misschien.

Ik belde de receptie van het Monaco en kreeg iemand aan de lijn die vriendelijk en behulpzaam was. Ze kon snel en tot haar grote spijt vaststellen dat mijn vrouw niet in het hotel logeerde en dat ook nooit had gedaan. Ik bedankte haar en verbrak de verbinding. Ik deed dat rustig, alsof wat ik had gedaan in de verste verte ergens op sloeg. Alsof ik het briefje werkelijk verkeerd had kunnen lezen, alsof Amy haar assistent werkelijk verkeerd had kunnen verstaan, en alsof ze als gevolg daarvan de naam van een hotel had opgeschreven dat toevallig ook werkelijk bestond, slechts een paar straten verderop in dezelfde stad.

Ik stond op, wreef mijn handen tegen elkaar en liet mijn vingerkootjes knakken. Het huis voelde erg ruim aan. Er klonk plotseling gekletter op de verdieping boven me, de koelkast had een nieuwe lading ijs in de bak gestort.

Ik heb geen bijzonder grote fantasie. De intuïtieve inzichten die ik in mijn leven heb gehad, berustten meestal op iets voor de hand liggends, al was het maar achteraf bezien. Maar op dat moment voelde ik me losgeslagen, onbeschermd, net als dat moment op het dakterras een week eerder. Het was nu na middernacht. Ik had mijn vrouw rond elf uur de vorige avond voor het laatst gesproken. Een korte uitwisseling van ervaringen tussen twee mensen die al een poosje van elkaar houden. Jouw dag, mijn dag, vergeet je dit niet, vergeet je dat niet, kusje, slaap lekker.

Ik had me haar vaag voorgesteld, in kleermakerszit op een opengeslagen bed, een pot koffie naast haar of onderweg, haar dure en ongetwijfeld te kleine zakenschoenen uitgetrapt en ergens midden in de kamer, in dit Hotel Malo.

Behalve dat ze daar niet was geweest.

Ik legde mijn hand op de muis van haar computer. Aarzelde. Toen vond ik het programma van haar personal organizer en dubbelklikte erop. Het voelde alsof ik een grens overschreed, maar ik moest het controleren. Het venster van haar agenda verscheen op het scherm. In een balk die vier dagen overspande stond het woord 'Seattle'. De ruimte ertussen was bezaaid met afspraken, plus een aantal ontbijten, lunches en diners met klanten. Behalve vanavond. Vanavond was haar agenda vanaf halfzeven leeg.

Maar waarom had ze dan niet eerder gebeld?

Er *had* een paar keer iemand geprobeerd te bellen via de vaste lijn. Maar ze belde altijd naar mijn mobiel. Ze wist dat ik geacht werd thuis te zitten werken, maar ze wist ook dat mijn bureau en ik leken op magneten met dezelfde lading en dat het heel goed mogelijk was dat ik ergens anders was. En ze liet *altijd* een boodschap achter. Amy had duidelijke opvattingen over hotels. Misschien was ze in het Malo aangekomen en beviel het haar niet, was ze ergens anders naartoe gegaan. Had dat niet doorgegeven omdat het onbelangrijk was en geen invloed had op onze communicatie. De ene vergadering na de andere, vervolgens zelf gereserveerd in de hipste eetgelegenheid van Seattle, eenpersoonstafeltje, briefings en bevolkingsstatistieken lezen tijdens het eten – Jack bellen uitstellen tot ze weer op haar kamer was. Haar telefoon glijdt uit haar zak in de taxi op weg daarnaartoe. Ze komt iemand tegen van haar werk, drinkt nog een glaasje wijn. Zou nu ongeveer terugkeren in het hotel, in haar tas grijpen... en denken, *shit*, waar is de telefoon.

Ja, misschien.

Ik doorzocht nogmaals haar bureau. Andermans werkplek lijkt op de ruïnes van een verloren beschaving. Je kunt onmogelijk begrijpen waarom dat daar ligt en iets anders hier. Zelfs Amy's bureau, dat meedogenloos geordend is en eruitziet als een foto van een groothandel in kantoorbenodigdheden. Het bureaublad zag er net zo uit als anders, in de ik-kom-zo-terugmodus. Behalve dat haar PDA in de oplader stond. Amy was de enige persoon die ik kende die haar organizer werkelijk gebruikte. Ze hield er lijstjes in bij en haar agenda, een adressenboek en aantekeningen. Ze keek er twintig keer per dag op. Ze had hem altijd bij zich als ze op zakenreis was.

Maar daar stond-ie. Ik pakte het ding op en zette 'm aan. Een exacte kopie van de agenda die ik op de grote computer had gezien. Lijstjes van dingen die ze nog moest doen. Half afgemaakte reclamekreten. Ik zette 'm terug. Dus ze had besloten om deze keer een uitrustingsstuk minder mee te nemen. Rock-'n-roll. Amy had haar systemen. In haar wereld had alles zijn plek en als het verstandig was, bleef het daar.

En toch, zijzelf was vanavond niet op de haar toebedeelde plek.

Wat nu? Voor haar telefoon werd gezorgd. Ik had alle mogelijkheden om haar te bereiken geprobeerd en steeds mijn neus gestoten. Het betekende waarschijnlijk allemaal niets. Mijn rationele geest wachtte op een telefoontje, een vermoeide/verontschuldigende Amy met een ingewikkeld verhaal over door elkaar gehaalde hotelreserveringen en verloren mobieltjes. Ik kon het schrille gerinkel haast horen en had al bijna besloten om in afwachting daarvan op het dakterras een sigaret te gaan roken. Dat, of gewoon naar bed gaan.

Maar ik bleef in de woonkamer en stond voor het grote raam naar buiten te kijken, mijn handen los naast mijn lichaam. Minuten verstreken en ik bewoog me niet. Het huis om me heen was stil, zo stil in de voortdurende afwezigheid van telefoongerinkel dat het geruis van mijn bloed in mijn oren erg hard klonk, leek aan te zwellen tot het geluid van autobanden op een natte weg, een eindje verderop nog, maar naderend.

Ik kon het idiote idee dat mijn vrouw iets was overkomen niet van me afzetten. Dat ze wel eens in gevaar kon verkeren. Terwijl ik door mijn spiegelbeeld heen naar buiten staarde, naar de silhouetten die donker tegen de blauwzwarte hemel afstaken, wist ik op een vage manier zeker dat deze donkere en onbekende auto onverbiddelijk mijn kant op kwam.

Dat ik altijd zijn doelwit was geweest en dat het moment nu was aangebroken. Dat dit de nacht was waarin de auto me zou raken.

hoofdstuk
ZES

Oz Turner zat op de stoel die hij van tevoren had uitgekozen, tegen de muur aan het tafeltje dat het dichtst bij de deur stond. De andere klanten van Blizzard Mary konden hem niet zien vanwege de kapstok. Hij had onbelemmerd uitzicht over de parkeerplaats met auto's en pick-ups, die er geen van alle erg nieuw uitzagen. De dag ervoor was hij twee keer in de bar geweest, om zich voor te bereiden. Kantoormedewerkers die kwamen lunchen, jonge moeders die een salade deelden. Later op de avond veranderde de cliëntèle in eenzame mannen en stellen van middelbare leeftijd die zwijgend en gestaag doordronken, kameraadschappelijk of anderszins. Ondertussen stonden hun wagens buiten te wachten, geduldig als oude honden, bleek en spookachtig in de duisternis. Achter het parkeerterrein begon het stadje Hanley. Een paar straten verderop, voorbij het kleine, opgeleukte kluitje huizen dat het oude centrum vormde, was een brede, vlakke waterloop. De Mississippi of de Black River. Dat wist Oz niet precies. Het kon hem niet zo veel schelen.

Hij deed zo lang mogelijk over een biertje zodat niemand zich zou afvragen wat hij daar deed. Hij had ook een dagmenu besteld, maar de lijmachtige, hete kippenvleugeltjes uiteindelijk amper aangeraakt. Dat was slechts gedeeltelijk het gevolg van zijn nervositeit. Het afgelopen jaar waren zijn gewoonten veranderd. Ooit was hij een lekkerbek geweest, op zijn manier: een connaisseur van grote hoeveelheden. Hij zette zijn koffie met drie volle lepels oploskoffie. Hij bestelde altijd de grootste porties. Hij genoot van de smaak, natuurlijk, maar was ook gevoelig voor de geruststelling van gewoon héél véél. Maar nu werkte dat niet meer. Na een poosje kwam de serveerster en nam zijn bordje mee, het deed hem niets.

Hij keek opnieuw op zijn horloge. Ver na middernacht. De bar was spaarzaam verlicht, enkele lampen en wat neonreclames voor bier. De televisie stond zachtjes aan. Er waren niet meer dan tien, vijftien gasten overgebleven. Oz gaf de man nog een kwartier, dan zou hij weggaan.

Op het moment dat hij dat tegen zichzelf zei, draaide er buiten een auto het parkeerterrein op.

De man die binnenkwam droeg een oude spijkerbroek en een versleten Raidersjack. Hij had de uitstraling van iemand die zijn dagen doorbracht op de uitgestrekte vlaktes, in de buurt van landbouwmachines. De Raiders kwamen hier weliswaar helemaal niet vandaan, maar aardrijkskunde was tegenwoordig een rekbaar begrip. Het kon ook, besefte Oz, bedoeld zijn als teken. Aan hem. Hij keerde zich naar het raam en keek naar de reflectie van de man in het glas.

De man liep naar de bar, bestelde een biertje en wisselde een paar beleefdheden uit; gewoon de zoveelste klant. Toen liep hij rechtstreeks naar Oz. Het was duidelijk dat hij de ruimte via de spiegels achter de bar in zich had opgenomen. Daardoor kon hij nu doen alsof hij met een vriend had afgesproken en niet op zoek was naar een onbekende.

Oz wendde zich van het raam af toen de man aan de andere kant van het tafeltje aanschoof. 'Meneer Jones?'

De man knikte, bekeek Oz van top tot teen. Oz wist wat hij te zien kreeg. Een man die er tien jaar ouder uitzag dan hij was. Grijze stoppels op de uitgedroogde wangkwabben van iemand die dertig kilo te veel met zich meesleepte. Een dikke jas die eruitzag alsof hij ook dienst deed als slaapplaats van een grote hond.

'Fijn dat je me persoonlijk wilde ontmoeten,' zei de man. 'Beetje verbaasd, ook.'

'Twee kerels in een bar,' zei Oz. 'Dat is het enige wat mensen ooit hoeven te weten. E-mails, iedereen kan erachter komen wat daarin staat. Zelfs als jij en ik al lang dood zijn.'

De man knikte waarderend. 'Ze zullen naar je op zoek gaan.'

Oz wist dat maar al te goed, hij was een jaar geleden door Hen aangevallen. Hij wist nog steeds niet precies wie Zij waren. Hij was erin geslaagd om de schade die ze hadden aangericht te herstellen voordat die al te groot werd, maar had desondanks het gevoel gehouden dat hij de stad moest verlaten. Sindsdien was hij steeds onderweg geweest. Hij had zijn baan bij een kleine plaatselijke krant opgezegd en de weinige mensen die hij zijn vrienden noemde achtergelaten. Hij was ondergedoken. Het was beter zo.

Jones wist hier natuurlijk niets van af. Zijn opmerking sloeg op het feit dat elke e-mail die je verstuurt, elk bericht dat je post, elke file die je downloadt ergens bij een server wordt bijgehouden. Machines zien niets en begrijpen nog minder; maar hun geheugen is volmaakt. Er is geen anonimiteit op het internet en vroeger of later zullen heel wat degelijke burgers tot de ontdekking komen dat hun e-mails naar geliefden allesbehalve privé waren, evenmin als het feit dat ze urenlang heimelijk hebben genoten van andermans naaktheid. Dat mensen je in de gaten houden, constant. Dat het internet geen gigantische zandbak in de speeltuin is. Het is drijfzand. Het kan je zo opslokken.

'En waarom Hanley?' vroeg de man terwijl hij om zich heen keek. Een echtpaar aan het tafeltje naast hen maakte op onduidelijke, fluisterende toon ruzie, bittere zinnen die geen verband hielden met wat de ander net had gezegd. 'Ik ken Wisconsin, een beetje. Nooit van deze stad gehoord.'

'Het is waar ik op dit moment ben,' zei Oz. 'Dat is alles. Hoe ben je aan mijn e-mailadres gekomen?'

'Hoorde je podcast. Daardoor wilden we met je praten. Beetje graafwerk gedaan, gokje gewaagd. Niet veel bijzonders.'

Oz knikte. Vroeger had hij een nachtprogramma op de radio gehad, in het oosten van het land. Daar was natuurlijk een einde aan gekomen toen hij uit de stad vertrokken was. Maar de afgelopen maanden was hij begonnen om fragmenten in zijn laptop op te slaan, ze op het web te zetten en uit te zenden. Er waren anderen zoals hij, die hetzelfde deden. 'Het verontrust me dat je mijn e-mailadres hebt kunnen vinden.'

'Zou je nog meer moeten verontrusten als ik daar niet in was geslaagd. Anders was ik niet meer dan een amateur geweest, nietwaar?'

'En wat wilde je me vertellen?'

'Jij eerst,' zei Jones. 'Wat je in je 'cast zei, was nogal vaag. Ik heb wat dingen verklapt in mijn e-mail, zinspelingen op wat wij weten. Vertel jij nu maar.'

Oz had nagedacht over manieren om de essentie over te brengen zonder zich al te veel bloot te geven. Hij nam een slokje van zijn bier, zette het glas weer op tafel en keek de man recht aan.

'De neanderthalers hadden fluiten,' zei hij. 'Waarom?'

'Om melodietjes te spelen,' zei de ander schouderophalend.

'Dat is niet meer dan een herformulering van de vraag. Waarom vonden ze het belangrijk om bepaalde geluiden te kopiëren, terwijl ze het al druk genoeg hadden met voldoende eten binnenkrijgen?'

'Ja, waarom.'

'Omdat geluid waardevol is op manieren die wij vergeten zijn. Miljoenen jaren kon geluid niet worden opgenomen. Nu wel, dus concentreren we ons op de soorten met een duidelijke *betekenis*. Maar muziek is een zijstraat. Zelfs spraak is niet belangrijk. Elke andere diersoort op aarde redt zich met tsjirpen of brullen – waarom hebben wij duizenden woorden nodig?'

'Omdat ons universum complexer is dan dat van een hond.'

'Maar dat wordt *veroorzaakt* door taal, niet andersom. Onze wereld is vol gepraat: radio, televisie, iedereen loopt te kwetteren, zo hard en onophoudelijk dat we vergeten waarom het beheersen van geluid nou eigenlijk zo belangrijk voor ons was.'

'En dat was omdat?'

'Spraak is ontstaan uit prehistorische religieuze rituelen, uit gereciteerde geluiden. De vraag is waarom we dat destijds deden. Tegen wie we probeerden te praten.'

Rond de lippen van de man verscheen een vage glimlach.

'Te meer omdat duidelijk is, als je kijkt naar Europese overblijfselen uit het stenen tijdperk, dat geluid een belangrijke rol speelde in de ontwerpen van bouwwerken. New Grange. Carnac. Stonehenge – de buitenkant van de megalieten is ruw, maar de binnenkant is glad. Om geluid in bepaalde banen te leiden. Bepaalde *frequenties* van geluiden.'

'Lang geleden, Oz. Wie weet waar die kerels mee bezig waren? Wat heeft dat met ons te maken?'

'Lees de *Syntagma Musicum*, de antieke catalogus van muziekinstrumenten van Praetorius. In de zestiende eeuw waren de orgels in alle grote kathedralen voorzien van negeneneenhalve meter lange orgelpijpen, monsters die infrageluiden produceerden, geluiden die het menselijk oor niet eens kon *horen*. Waarom – als het niet was vanwege een ander effect dat deze frequenties teweegbrengen? Waarom *voelden* mensen zich zo anders in de kerk, zo verbonden met iets ontastbaars? En waarom zijn zo veel alternatieve therapieën tegenwoordig gebaseerd op vibraties, wat gewoon een andere omschrijving is van het begrip geluid?'

'Zeg het maar,' zei Jones bedaard.

'Omdat het verhaal van de muren van Jericho niet gaat over een geluid dat tastbare muren afbreekt, maar *figuurlijke* muren,' zei Oz. 'De muren tussen deze plek en een andere. Geluid gaat niet alleen over horen. Het gaat ook over dingen *zien*.'

De man knikte langzaam en instemmend. 'Ik hoor je, mijn vriend, vergeef me de woordspeling. Ik hoor je luid en duidelijk.'

Oz leunde achterover. 'Is dat voldoende?'

'Voor nu. We denken volgens dezelfde lijnen, dat is duidelijk. Ik vraag me af. Wanneer heb je hier voor het eerst over gehoord?'

'Heb een man ontmoet tijdens een conferentie een paar jaar geleden. Kleine bijeenkomst van afwijkende mensen, in Texas.'

'WeirdCon?'

'Precies. We hielden contact. Hij had een paar ideeën, begon ze in zijn vrije tijd uit te werken. Hij bouwde ergens aan. We stuurden elkaar af en toe een e-mail, ik vertelde hem over mijn onderzoek naar prehistorische parallellen. Toen, bijna een maand geleden, verdween hij uit beeld. Heb sindsdien niets meer van hem gehoord.'

'Gaat waarschijnlijk prima met hem,' zei de man. 'Mensen worden bang gemaakt, houden zich een poosje rustig. Hebben jullie hier ooit publiekelijk over gecorrespondeerd?'

'Natuurlijk niet. Altijd privé.'

'Nooit zelf een mailtje over dit onderwerp naar iemand anders gestuurd?'

'Nee.'

'Je weet nooit of Zij meeluisteren, nietwaar?'

Dat was zowel grappig als niet grappig, en Oz gromde. Onder mensen die op zoek waren naar de waarheid lag het concept 'Zij' nogal gevoelig. Je wist dat ze daar waren, natuurlijk – dat was de enige manier waarop je alle onverklaarde dingen in de wereld kon verklaren – maar je begreep dat praten over Zij tot gevolg had dat mensen je een excentriekeling vonden. Dus zette je er aanhalingstekens omheen. Als iemand het onderwerp *Zij* aansneed met dubbele onderstreping en in vette hoofdletters, deed hij ofwel alsof, of hij was gek. Je hoorde die kleine ironische aanhalingstekens wel... dus het kon zijn dat de man oké was.

'Zo is dat,' zei Oz, die het spelletje meespeelde. 'Je weet maar nooit. Zelfs als Zij eigenlijk niet bestaan.'

De man glimlachte. 'Ik ga met mijn vrienden praten, kijken of we allemaal bij elkaar kunnen komen. Fijn je ontmoet te hebben, Oz. Heb lang moeten wachten om met iemand als jij van gedachten te kunnen wisselen.'

'Ik ook,' zei Oz. Een moment lang voelde hij zich erg eenzaam.

'We nemen snel weer contact op. Zorg ondertussen goed voor jezelf,' zei Jones, en vertrok.

Oz keek hoe de man in zijn auto stapte, het parkeerterrein verliet en de afslag naar de snelweg opreed. Toen dronk hij langzaam zijn biertje op. Hij haastte zich niet, voor de afwisseling. Hij had bijna het gevoel dat hij gewoon in een café zat, in plaats van zich er te verschuilen. De mensen aan de bar zaten te praten, te lachen. Het ruziënde stel zat elkaar nu over het tafeltje heen te kussen. De vrouw had haar hand stevig om de nek van de man gehaakt. Oz wenste hun alle goeds toe.

Toen hij uiteindelijk naar buiten ging, was het koud en winderig, de straten waren verlaten. Mensen die een normaal leven leidden, lagen thuis te slapen. Oz zou zich nu bij hen voegen. Op dit moment was thuis een anoniem motel aan de rand van de stad. Maar elk soort thuis is beter dan helemaal niets.

Onder het lopen dacht hij na over de man die hij zojuist had ontmoet, wat hij vertegenwoordigde. Er waren talloze groepen die geïnteresseerd waren in verborgen zaken, in het vinden van verborgen waarheden. Mensen die geobsedeerd waren door JFK, die een keer in de maand bij elkaar kwamen om zich te verdiepen in foto's van de autopsie. Online 11 septemberidioten met hun computersimulaties van vliegroutes, mensen die lid wilden worden van de Priorij van Sion, Holocaustrevisionisten, mensen die elkaar vonden rondom alles wat wel of niet waar zou kunnen zijn. De mensen van Jones pasten niet in dit rijtje. Anders had Oz trouwens niet toegestemd in een gesprek. Een hechte, doelgerichte groep mannen en vrouwen die de feiten zonder vooroordelen bestudeerden, die in het geheim bijeenkwamen, die zich niet in een detail vastbeten maar altijd zicht hielden op het geheel. Dat was waar Oz behoefte aan had. Onverzettelijke mensen. Toegewijde mensen.

Gewoon wat medemensen, eigenlijk.

Misschien zouden de zaken nu eindelijk ten goede keren. Hij had zo lang door de wildernis gedwaald. Oz versnelde zijn pas een beetje en vroeg zich half onbewust af of zijn motel een snackautomaat had.

Dat was niet het geval, en de frisdrankautomaat was kapot. Nadat hij deze feiten had geconstateerd en geaccepteerd, opende Oz de deur van zijn kamer. Hij had al gezien dat de strip plakband die hij aan de onderkant tussen de deur en de deurpost had geplakt nog intact was.

Eenmaal binnen bleef hij aarzelend staan. Het was laat. Hij zou naar bed moeten gaan. Morgen vroeg vertrekken. In beweging blijven. Maar hij was nog steeds opgewonden door de ontmoeting en wist dat hij, als hij zijn hoofd te rusten zou leggen, verstrikt zou raken in een spiraal die hem volledig zou uitputten en waaruit hij de volgende morgen met koppijn zou ontwaken.

Dus wendde hij zich tot het antieke televisiemeubel naast de sjofele schrijftafel. Het enorme scherm werd langzaam warm. Er werd een herhaling uitgezonden van een show die zo oud was dat Oz zich hem amper kon herinneren. Perfect. Een beetje achtergrondgeluid, het soort dat in je hoofd kruipt en zegt dat alles in orde is. Troostgeluid.

Er werd op de deur geklopt.

Oz draaide zich snel om, zijn hart ging als een razende tekeer.

De televisie stond niet zo hard dat iemand daarover kon klagen. Maar hij kon geen andere reden bedenken waarom iemand op dit tijdstip voor de deur zou staan. Het klokje naast het bed zei dat het 2:33 in de morgen was.

Er werd opnieuw geklopt, zachter deze keer.

Oz wist dat het geflikker van het televisiescherm rond de randen van de gordijnen naar buiten sijpelde. Hij liep naar de deur en bleef staan. Dit was het ogenblik waarvoor hij bang was geweest, het vooruitzicht dat hem 's nachts wakker hield. En hij besefte plotseling dat hij nooit echt een *plan* had bedacht voor als het zover was. Een mooie ontdekkingsreiziger was hij!

'Meneer Turner? Ik ben het, meneer Jones.'

De man buiten had heel zacht gesproken. Oz staarde een paar tellen naar de deur, bracht zijn oor ernaartoe. 'Wat?'

'Mag ik binnenkomen?'

Oz aarzelde, draaide de sleutel om. Hij opende de deur een centimeter en zag dat Jones inderdaad buiten stond, rillend van de kou.

'Wat moet jij hier?'

Jones stond een eind van de deur, drong zich niet op. 'Ik had een paar kilometer gereden toen ik besefte dat ik nog wat dingen vergeten was. Ik ben omgekeerd, zag je door de stad lopen en ben je hiernaartoe gevolgd.'

Oz liet de man binnen. Hij was boos omdat hij zo onzorgvuldig was geweest dat iemand hem op straat had gezien.

'Je hebt me aan het schrikken gebracht, man,' zei hij, terwijl hij de deur dichtdeed en afsloot. 'Jezus.'

'Ik weet het, het spijt me, echt. Maar ik heb een eind gereisd. En, weet je, ik denk dat onze ontmoeting voor ons allebei belangrijk was. Het begin van iets groots.'

'Dat kun je wel zeggen.'

'Juist. Daarom wil ik zeker weten dat we alles hebben gezegd.'

Oz ontspande zich, een beetje. 'Wat had je nog op je lever?'

De man keek schaapachtig. 'Het eerste, nou ja, het is een beetje gênant. Maar ik wou alleen zeggen dat Jones niet mijn echte naam is.'

'Oké,' zei Oz, enigszins verward. Hij was er al van uitgegaan dat de ander misschien een valse naam had gebruikt. 'Doet er niet toe.'

'Weet ik. Het is alleen, je zou er toch een keer achter komen en ik wilde niet dat je dacht dat ik een spelletje met je speelde.'

'Is in orde,' zei Oz, nu vriendelijker gestemd. Hij vroeg zich af of hij de man een drankje zou aanbieden en besefte toen dat hij niets had. Het motel voorzag niet in een koffiezetapparaat of iets dergelijks. Ze deden nauwelijks moeite om de handdoeken te verwisselen, en dat probeerden ze niet eens te vergoelijken met die opgewekte onzin over het milieu. 'En – hoe heet je dan echt?'

De man verplaatste zich een beetje zo dat hij iets verder van de deur stond.

'Shepherd,' zei hij.

Oz hield zijn blik vast, merkte voor de eerste keer op hoe donker de ogen van de man waren. 'Nou, mijn naam is werkelijk Oz Turner. Dus wat namen betreft zitten we weer op een lijn. Wat was dat andere wat je wou zeggen?'

'Alleen dit,' zei de man. Hij gaf Oz een duw tegen de borst.

Oz was daar niet op bedacht. De kalme, stevige beweging bracht hem uit zijn evenwicht. De man liet zijn rechtervoet achter een van Oz' hakken glijden. Oz sloeg wild met zijn armen om zich heen, maar kon niet voorkomen dat hij recht achteroverviel, waarbij zijn hoofd hard tegen de televisie klapte.

Hij was verbluft en had nauwelijks tijd om de eerste lettergreep van een vraag te mompelen, toen de man zich snel over hem heen boog. Hij greep de boord van Oz' jas, waarbij hij ervoor zorgde dat hij geen huid aanraakte, en sleurde hem half overeind.

'Wat?' wist Oz uit te brengen. Zijn rechteroog flikkerde als een gek. Hij voelde zich zwak. Hij besefte dat de man handschoenen droeg. 'Wat ben je...'

De man bracht zijn gezicht dichterbij. 'Dat je het goed weet,' zei hij. 'Ze bestaan *echt*. Ze doen je de groeten.'

Toen liet hij hem vallen. Voordat hij hem losliet, draaide hij Oz' schouder naar voren. Oz' hoofd klapte opnieuw tegen de zijkant van de televisie, in een nare, zijdelingse hoek deze keer, en toen klonk er een gedempte klik.

Shepherd zat op het voeteneinde van het bed en wachtte tot de man zijn laatste adem had uitgeblazen. Hij keek met een half oog naar het televisieprogramma. Hij kon zich de naam van de show niet meer herinneren, maar wist dat bijna iedereen die erin meespeelde al lang dood was.

64

Geesten van licht, spelend voor een stervende man. Bijna grappig.

Toen hij zeker wist dat Turner dood was, nam hij een klein flesje wodka uit zijn zak en goot bijna de hele inhoud in Oz' mond. Een beetje over zijn handen, iets over zijn jas. Hij liet het flesje op de grond liggen, alsof het gevallen was. Een ijverige lijkschouwer kon vraagtekens zetten bij de maaginhoud of de hoeveelheid alcohol in het bloed, maar Shepherd betwijfelde of het zo ver zou komen. Niet hier op het platteland. Niet met iemand als Turner, die er van alle kanten uitzag als een man die vroeger of later op deze manier aan zijn eind zou komen.

Het kostte Shepherd niet meer dan drie minuten om erachter te komen waar Turner zijn laptop en opschrijfboekje had verstopt. Hij verving ze door nog meer lege wodkaflessen. Daarna sloot hij de kamerdeur zachtjes achter zich en had nog een minuut nodig om de back-upschijf te vinden die Oz met duct tape onder aan het dashboard van zijn auto had geplakt. Alle drie zouden voor zonsopgang vernietigd zijn.

En dat, zo dacht hij, was dat.

Toen Shepherd in zijn eigen auto stapte, hoorde hij zijn mobieltje overgaan. Hij greep snel onder de stoel om het te pakken, maar de beller had al opgehangen. Hij keek naar 'gemiste gesprekken'. Hij herkende het nummer niet, maar het kengetal wel. Hij vloekte.

503. Oregon. Cannon Beach.

Hij sloeg het portier dicht en reed snel van het parkeerterrein af.

hoofdstuk
ZEVEN

Als je stil bleef liggen, helemaal stil, kon je de golven horen. Dat was een van de mooiste dingen van de bungalow, vond Madison. Als je naar bed ging, aangenomen dat de televisie in de grote kamer uit bleef – en dat was meestal het geval omdat de dagen aan het strand bestemd waren voor lezen en denken, zei pa, en niet om steeds naar dezelfde (lelijk woord) te kijken – kon je daar liggen en de oceaan horen. Je moest jezelf er eerst op afstemmen. De duinen lagen in de weg en afhankelijk van het getij kon de afstand tot het water behoorlijk groot zijn. Je moest je ademhaling tot rust laten komen, plat en doodstil op je rug blijven liggen met beide oren open, en gewoon wachten... Langzaamaan begon je dan het verre geruis en gebonk te horen dat vertelde dat je vanavond aan de rand van de wereld sliep. En slapen zou je, terwijl de golven steeds dichterbij leken te komen, vriendelijk aan je voeten trokken, je meevoerden naar een vriendelijke warmte en duisternis waar je kon rusten.

Als je 's nachts wakker werd, hoorde je ze ook. Dan was het zelfs nog beter, omdat het dan het enige geluid ter wereld was. Thuis in Portland waren er altijd andere geluiden – auto's, honden, mensen die langsliepen. Hier niet. Soms waren de golven heel stil, nauwelijks hoorbaar boven het geruis in je oren. Maar als het ruw weer was, konden ze hard tekeergaan. Madison herinnerde zich een nacht waarin ze werkelijk bang was geweest. Er had een storm gewoed en het had geklonken alsof de golven in de kamer naast haar naar binnen sloegen. Dat gebeurde natuurlijk niet echt. Pa zei dat de duinen hen zouden beschermen en dat

66

de golven nooit zo ver konden komen. Als ze nu 's nachts de golven hoorde, genoot ze ervan, voelde zich avontuurlijk en veilig in de wetenschap dat er daarbuiten een gewelddadig en verwoestend universum was, maar dat het haar nooit kwaad zou kunnen doen.

Dus toen Madison zich realiseerde dat ze wakker was, was het eerste wat ze opmerkte de golven. Toen hoorde ze dat het regende, en dat het harder begon te regenen, dat het op het dak van de bungalow neerkletterde. De storm die ze eerder die dag vanaf het strand had zien aankomen, was gearriveerd. Morgen zou het zand er pokdalig en grijs uitzien, en waarschijnlijk bezaaid zijn met zeewier. Dat werd met slecht weer op het strand geworpen en voelde vreemd en blubberig aan onder je voeten. Ervan uitgaande dat ze morgen met z'n allen zouden gaan wandelen, wat...

Plotseling schoot ze overeind.

Gedurende een seconde zat ze roerloos en staarde recht voor zich uit. De regen op het dak boven haar klonk als hagel, zo luid. Madison keek naar haar nachtkastje. Het klokje zei dat het twaalf over een was. Dus waarom was ze wakker? Soms moest je naar de wc. Maar dat was nu niet het geval. En als ze 's nachts wakker werd, was dat meestal op een vage, wazige manier. Nu had ze het gevoel dat ze helemaal niet had geslapen. Er circuleerde een vraag door haar hoofd, dringend.

Wat deed ze hier?

Naast het klokje lag een klein, rond voorwerp. Ze pakte het op. Een zee-egel, klein. Ze herinnerde zich dat ze die de middag ervoor had gevonden, maar het voelde als iets wat een hele tijd geleden was gebeurd, zoals de vorige keer dat ze hier waren geweest, of de vorige zomer. Ze bracht de schelp naar haar neus en rook eraan. Hij rook nog steeds naar de zee.

Ze kon zich herinneren dat ze op het strand was toen de storm vanuit het zuiden haar kant op kwam. Ze had daar gezeten en geweten dat ze weldra naar de bungalow terug zou moeten gaan. Toen... ze kon het niet helemaal... Het was alsof je in de auto zat tijdens een lange rit en je plotseling besefte dat er een heel stuk tijd was verstreken. Het ene moment was je twintig minuten van huis en plotseling reed je de oprit op. Niet dat je had geslapen, meer alsof je niet had opgelet, had zitten dagdromen en de wereld ondertussen was doorgegaan. De wereld, inclusief je eigen lichaam. Je moet wakker zijn geweest, omdat je dingen had gedaan, maar het was gebeurd zonder dat je erbij had nagedacht en zonder dat je het doorhad. Alsof je een auto in cruisecontrol zette, zoals pa op de snelweg deed. En dan, boem – kwam je bij een afslag en dan was je er weer, merkte je de dingen weer op, nam je de touwtjes weer in handen.

Maar... nu *kon* ze zich herinneren dat ze na afloop in de bungalow was. Toen ze van het strand was teruggekeerd had ma in haar stoel gezeten, zonder een boek en met de tv uit. Bezig met naar haar handen staren. Toen Madison binnenkwam zei ze dag, maar meer niet – wat vreemd was, omdat Maddy te laat was. Minstens een halfuur. Sterker nog... nu herinnerde ze zich zelfs dat ze naar de klok in de keuken had gekeken en had gezien dat het zeven uur was – een *heel uur* te laat.

Ze had een douche genomen om het zand eraf te spoelen. En toen ze klaar was, zei ma dat ze geen zin had om vanavond uit eten te gaan en of Madison er iets voor voelde om pizza's te bestellen. Madison vond dit een geweldig idee omdat de pizza's van Mario in Cannon Beach volgens pa 'het betere werk' waren en ze zelfs ver buiten de stad bezorgden omdat ze geen keten waren. Het was vreemd dat ma zoiets voorstelde omdat ze gewoonlijk vond dat Mario te veel kaas op de pizza's deed en omdat hij genetisch gemodificeerde en niet-biologische ingrediënten gebruikte. Maar hoe de vork ook in de steel zat, 'ja, graag' was het enige mogelijke antwoord.

Maar toen kon ma het menu niet vinden en moest ze naar Inlichtingen bellen. En het werd later en later, en op een gegeven moment kreeg Madison het gevoel dat het pizzaplan uiteindelijk toch niet zou doorgaan. In de kast vond ze een pakje soep en dat maakte ze klaar. Haar moeder wilde niets. Madison ook niet, maar die dwong zichzelf om de helft op te eten. Toen las ze een poosje in een van haar geschiedenisboeken. Ze hield van geschiedenis, vond het prachtig om te weten hoe dingen in het verleden waren geweest.

Vervolgens was ze naar haar slaapkamer gegaan, had haar pyjama aangetrokken en was in bed gekropen. Toen moest ze in slaap zijn gevallen.

En nu was ze wakker geworden.

Madison opende haar hand en keek weer naar de zee-egel. Ze wist nog hoe ze zich voorover had gebogen om hem op te rapen. Ze herinnerde zich hoe ze in het zand had gezeten en ernaar had gekeken. Dus waarom kon ze zich niet herinneren wat er direct daarna was gebeurd? Zee-egels waren groot nieuws. Ze was toch zeker direct naar de bungalow gehold om 'm aan haar moeder te laten zien, misschien in de hoop dat het haar zou opvrolijken? Waarom kon ze zich daar niets van herinneren?

Madison liet zich achteroverzakken en trok de dekens tot aan haar kin op. Met haar geheugen was niets mis. De tests op school deed ze goed en bij een spelletje memory was ze vaak de beste – oom Brian zei dat ze het wereldkampioenschap memory kon winnen, als dat bestond. Maar nu leek het of de wereld een grote televisie was – of het signaal verstoord werd en ze het beeld van het ene programma zag terwijl ze het geluid van een ander hoorde. En hoewel ze de vraag wat ze hier deed in grote lijnen had beantwoord, leek dat toch niet voldoende. Ze was hier omdat dit de bungalow was, en ze was hier met haar moeder, en het was nacht, dus ze lag in bed.

Maar was dat werkelijk waar het om ging?

Ze begon opeens sneller te ademen, alsof ze slecht nieuws verwachtte of een verontrustend geluid hoorde. Iets voelde fout en verkeerd en niet in orde.

En... was er niet een man geweest?

Had hij haar niet iets gegeven en had ze dat niet in de la van haar nachtkastje gelegd? Een kaartje, zoals pa's visitekaartjes, maar dan eenvoudig en wit?

Nee. Absoluut niet.

Er was geen man geweest. Dat wist ze zeker. Dus kon er geen kaartje zijn. Ze hoefde dat niet te controleren.

Maar dat deed ze wel. En toen ontdekte ze dat er wel degelijk zo'n kaartje in de la lag. Er stond een naam op, in drukletters, en iemand had er met balpen een telefoonnummer bij geschreven. Op de andere kant stond een tekening. Het zag eruit alsof iemand het getal 9 had getekend, dan het kaartje een stukje had gedraaid en opnieuw een 9 had getekend, en dat was blijven doen tot hij of zij weer terug was bij het begin.

Zich nauwelijks bewust van wat ze deed, reikte Madison naar de telefoon op het nachtkastje en draaide het nummer. De telefoon ging over, het klonk alsof ze verbinding zocht met de andere kant van de maan. Niemand nam op en ze legde de telefoon weer neer.

Ze dwong zichzelf om weer te gaan liggen. Om voorbij de regen te luisteren, zich te concentreren op het geluid van de golven achter deze tijdelijke storm: om het geruststellende geluid van de brekende golven te horen die een streep trokken over het einde van de wereld. Ze hield haar ogen gesloten en luisterde, wachtte tot het getij haar terug zou slepen naar de duisternis. Morgen zou ze wakker worden en dan zou alles weer normaal aanvoelen. Ze was gewoon moe, en half in slaap. Alles was in orde. Alles was net als altijd.

En er was geen man geweest.

Toen Alison O'Donnell om 2:37 wakker werd, was het geluid van de regen het eerste wat ze opmerkte. Maar dat was niet wat haar gewekt had. Ze sloeg de dekens terug en zwaaide haar benen over de rand van het bed. Greep haar peignoir van het voeteneind en trok die aan. Ze voelde zich wazig door slaapgebrek en steeds terugkerende dromen, maar de voeten van een moeder opereren automatisch. Maakt niet uit hoe moe je bent, hoe uitgeput, hoezeer je lichaam en geest weer in bed willen klimmen om daar minstens een week te blijven, een maand, misschien zelfs de rest van je leven. Er zijn geluiden die rechtstreeks tot het instinct spreken en die je eigen verlangens de mond snoeren.

Het lijden van je kinderen is daar een van.

Ze liep op haar tenen de kamer uit en de gang in. Door het raam ving ze een glimp op van bomen die heen en weer zwiepten in de harde wind en van de witte strepen van het water dat over het glas omlaag stroomde. Door een plotselinge windvlaag sloeg de regen tegen het raam, alsof iemand een handjevol stenen had gegooid.

Toen hoorde ze het geluid opnieuw.

Ze schuifelde naar de deur aan het eind van de gang. Die stond een klein eindje open. Ze duwde hem zachtjes iets verder open en keek naar binnen.

Madison lag in bed, maar de dekens waren tot onder haar middel opgeschoven. Haar dochter bewoog zich, langzaam, haar hoofd draaide van links naar rechts. Haar ogen waren gesloten maar ze maakte een laag, jammerend geluid.

Alison liep de kamer in. Ze kende dit geluid. Kort voor haar derde verjaardag had haar dochter haar eerste nachtmerrie gehad, en een paar jaar lang waren ze behoorlijk heftig geweest. Het werd zelfs zo erg dat Maddy bang was om naar bed te gaan, overtuigd dat wat ze daar ook zag – ze kon het zich later nooit herinneren – haar opnieuw zou opjagen, dat het gevoel van benauwdheid en verstikking haar weer zou overvallen. Ongeveer een jaar geleden waren de dromen als een nachtkaars uitgegaan, veranderd in iets uit het verleden. Maar nu, daar was dat geluid weer.

Alison wist niet wat ze moest doen. Ze hadden nooit een effectieve behandeling gevonden. Je kon haar wakker maken, maar het duurde vaak lang voordat ze weer in slaap viel en soms kwamen de nachtmerries dan meteen weer terug.

Plotseling kromde Madison haar rug tot een boog. Alison was ontsteld. Dat had ze niet eerder gezien. Haar dochter liet een lang, raspend geluid horen... en liep toen langzaam leeg. Haar hoofd draaide, snel, maar toen zuchtte ze. Haar lippen bewogen zachtjes, maar er klonk geen geluid. En toen was ze stil. Het kreunen was opgehouden.

Alison wachtte nog een paar minuten tot ze zeker wist dat haar dochter diep in slaap was. Ze strekte haar hand voorzichtig uit en trok de dekens weer over haar heen. Stond nog even naar haar slapende gezicht te kijken.

Doe je best, kleintje, dacht ze tot haar eigen verbazing. *Een nachtmerrie is maar een nachtmerrie. je weet nog niets over echt verdriet.*

Toen ze zich omdraaide zag ze iets op de grond liggen, op het kale hout aan de andere kant van het oude kleed dat tot onder het bed doorliep.

Ze boog zich omlaag en ontdekte dat het een zee-egel was. Klein, grijs. Hij was in tweeën gebroken.

Ze raapte een van de stukken op. Waar kwam die vandaan? Had Madison hem die middag gevonden? En zo ja, waarom had ze daar niets van *gezegd?* Ze kreeg immers een beloning...

Plotseling besefte Alison waarom haar dochter niets had gezegd, en ze voelde zich diep beschaamd. Het stuk dat Alison in haar hand hield was stevig. Het moest moeite hebben gekost om de schelp in tweeën te breken, en dus was het met opzet gedaan.

Ze liet het stuk op de grond vallen en verliet de kamer, trok de deur bijna helemaal achter zich dicht. Toen ging ze terug naar haar eigen bed en lag daar lange tijd naar het plafond te staren en naar de regen te luisteren.

hoofdstuk
ACHT

Ik bereikte Hotel Malo vlak voor tien uur in de ochtend. Ik was al voor zessen wakker, maar besefte dat het nog een aantal uren zou duren voordat ik Amy's kantoor kon bellen. Dus besloot ik zelf in actie te komen. Zeven uur was het vroegste tijdstip waarop ik zonder argwaan te wekken bij de Zimmermans kon aankloppen om een auto te lenen. Fishers bezoek had me op het idee gebracht om hun te vertellen dat ik een telefoontje had gehad van een oude vriend, die me had uitgenodigd voor een gezamenlijke lunch in de stad. Bobbi bleef me net iets te lang aankijken. Ben begon direct en zeer omslachtig uit te leggen hoe de auto werkte.

Ik nam Interstate 90 naar het westen, bereikte Interstate 5 toen de spits serieuze vormen begon aan te nemen en baande mezelf vervolgens een weg door James Street. Tot zover was alles bekend terrein. Het was dezelfde route die we hadden genomen toen we een dagje naar de stad waren geweest, een week na onze verhuizing naar het noorden. Amy had me een paar grote trekpleisters laten zien zoals Pike Place Market en de Space Needle, maar ze was meer vertrouwd met de directievertrekken in Seattle dan met de toeristische hoogtepunten. Het weer was somber en onbarmhartig grijs. De vorige keer was het ook al zo geweest. Ten slotte draaide ik 6th Avenue op, een brede kloof dwars door het centrum met aan weerszijden hoge grijze gebouwen en daarvoor kleine, keurig gesnoeide bomen met gele lampjes.

Ter hoogte van het Malo zwenkte ik naar rechts en parkeerde achter een rij zwarte limousines. Het hotel had een rood en okergeel gestreepte markies. Een in jas en hoed gestoken man wilde mijn auto ergens anders naartoe brengen, maar ik wist hem ervan te overtuigen dat dat niet nodig was. De lobby was afgewerkt met kalksteen en dure materialen en ik zag maar liefst twee grote open haarden. De bagagetrolleys waren van bewerkt koper en alle piccolo's stonden met een uitgestreken gezicht voor zich uit te staren. Een bescheiden newageachtig muziekje kwam uit verborgen luidsprekers aanzweven, als de geur van vanillekoekjes die bijna gaar zijn.

De vrouw achter de balie was dezelfde die ik kort na middernacht aan de telefoon had gehad. Tot mijn verbazing had ze inderdaad een enveloppe voor me, en een bonnetje voor mijn twintig dollar. Ze was zo doortastend geweest om de chauffeur te vragen zijn naam op te schrijven – wat meer is dan ik zou hebben gedaan – plus het bedrijf waarvoor hij werkte. Zijn voornaam was Georj, de achternaam bestond uit een verzameling krakerige buitenlandse lettergrepen. De naam van het bedrijf was Red Cabs. Ze vertelde dit alles op een toon die suggereerde dat haar hotelgasten meestal chiquere of meer trendy transportmiddelen gebruikten, zoals inlandse dragers of door kernfusie voortgedreven hovercrafts. Ik vroeg haar om nog een keer te kijken of er echt geen reservering was gemaakt. Ik liet doorschemeren dat ik een collega was en dat ik ervan uit was gegaan dat mijn assistent dat had geregeld, en dat ik hem flink de oren zou wassen als dat niet het geval was. Geen reservering, nog steeds niet.

'Kunt u nog een ding voor me doen?' vroeg ik. Het was iets wat ik onderweg had bedacht. 'Ik weet *zeker* dat we hier eerder gereserveerd hebben. Kunt u een paar maanden terug kijken?'

Ze typte wat en staarde een minuut lang naar het scherm, knikte, typte opnieuw.

'Oké,' zei ze, terwijl ze met haar vinger tegen het scherm tikte. 'Mevrouw Whalen heeft *inderdaad* drie maanden geleden bij ons gelogeerd, twee nachten. En daarvoor heb ik een reservering in januari. Drie nachten die keer. Wilt u dat ik nog verder terugga?'

Ik zei nee en ging weer naar buiten. Ik liep tot aan de hoek, tot buiten de invloedssfeer van de portier en zijn kompanen, die me nog steeds probeerden duidelijk te maken dat mijn auto daar niet hoorde te staan. Ik vroeg me nog steeds af of ik niet overdreef. Ik weet uit ervaring dat ik de neiging heb om overal op af te stormen, terwijl het soms verstandiger is om op mijn plek te blijven en even te wachten. Maar nu wist ik dat Amy eerder in dit hotel had overnacht, en dat veranderde de zaak. Niet omdat ze die keren in Seattle was geweest – dat wist ik al – maar omdat het betekende dat ze het Malo kende en de kans klein was dat ze er ditmaal niet had willen overnachten. Ik had op de website van het hotel gezien dat er deze week nog kamers vrij waren. Dus het was ook geen fout in de reservering.

Ik ging terug naar de portier, gaf hem wat geld en vertelde dat ik zo terug zou zijn. Ik liep kriskras tussen de blokken door naar Hotel Monaco aan 4th Avenue. Dit hotel zou Amy ook bevallen – het zou God zelfs bevallen – maar na een kort gesprekje wist ik dat ze hier geen van beiden kort geleden hadden gelogeerd.

Het hotel was vanaf het begin een uitzichtloos project geweest. Het werd tijd om het uit mijn hoofd te zetten. Tijd om het hele geval te vergeten, waarschijnlijk. De beslissing om naar de stad te gaan had ik rond een uur vannacht genomen, toen ik mezelf had wijsgemaakt dat ik Amy een plezier wilde doen door haar mobieltje op te halen. In het noordwesten van de Verenigde Staten is een rit van meer dan honderdvijftig kilometer niets bijzonders. Maar dat was natuurlijk niet het enige. Sinds ik haar kende, maakte Amy zes tot zeven zakenreizen per jaar. We hadden een vaste manier om daarmee om te gaan. We zorgden ervoor dat er nooit een dag voorbijging waarop er geen contact was, hoe kort ook. Maar... waar het in feite op neerkwam, was dat ze niet had overnacht in het hotel dat ze eerder had gebruikt. Dat was alles wat ik wist, en in het nuchtere daglicht leek dat niet zo veel te betekenen. Ik schaamde me omdat ik daar was en ik kon de stem in mijn hoofd die beweerde dat het gewoon een excuus was om een dag niet achter mijn bureau te hoeven kruipen niet tot zwijgen brengen.

Terug bij het Malo ging ik naar binnen en nam plaats in een stoel bij het grote raam. Ik opende de enveloppe en haalde Amy's telefoon tevoorschijn. Hij was makkelijk te herkennen, hoewel ik zag dat ze de foto die ze als achtergrond gebruikte had veranderd. Het was een standaard mobieltje, niets bijzonders. In een onkarakteristieke anticollectivistische bui had ze de neiging weerstaan om zich te laten meeslepen door de gekte van BlackBerry. Ik drukte op het groene knopje. Op de lijst van gevoerde gesprekken stond als laatste een telefoontje naar mijn mobieltje – van de taximan gisteravond – en daarvoor een aantal namen en nummers die ik niet herkende, tot ik een ontvangen gesprek van mezelf zag, van eergistermiddag.

Ik ging naar haar telefoonboek en zocht Kerry, Crane & Hardy, Seattle op. Die stonden er niet in, logisch. Ze noemde deze mensen bij hun voornaam en had hun rechtstreekse nummers. Dat ging sneller dan zich

74

naar binnen moeten vechten via de centrale.

Ik zag het icoontje van de batterij ongeveer twee seconden knipperen voordat de telefoon ermee ophield.

Met mijn eigen mobiel belde ik naar Inlichtingen en kreeg een nummer van KC&H. Ik toetste het nummer in en hoorde een enthousiaste stem die de bekende drie letters zong. Ik vroeg of ik iemand kon spreken die samenwerkte met Amy Whalen. Als ik een ondergeschikte te pakken kon krijgen die Amy's agenda kende, zo dacht ik, kon ik een tijd en plek bepalen waar ik haar kon ontmoeten. Misschien zat ze wel gewoon op kantoor. Kon ik haar mee uit lunchen nemen.

De telefoon zweeg even en toen sprak ik met iemands assistent. Ze werkte voor een vent genaamd Todd en bevestigde dat hij de man was die ik moest hebben, maar dat hij nu in een vergadering zat. Ze beloofde dat hij zo snel mogelijk, of eerder, zou terugbellen.

Vervolgens belde ik Red Cabs en probeerde uit te vogelen hoe ik in contact kon komen met Georj Onuitspreekbaar. Hij had geen dienst en de telefonist was erg terughoudend. Maar hij beloofde dat hij, zodra Georj weer boven water kwam, tegen hem zou zeggen dat hij me moest bellen. Ik verbrak de verbinding en wist dat dat nooit zou gebeuren.

Ik verliet het hotel en stak de straat over naar een koffiewinkel genaamd Seattle's Best. Ik bestelde een grote kop sterke koffie en ging buiten aan een tafeltje zitten. Ik rookte wat en keek naar de regen en wachtte tot iemand – wie dan ook – me zou terugbellen.

Tegen halftwaalf was ik verkleumd en geïrriteerd. De tien dollar die ik bij de portier had achtergelaten waren over de houdbaarheidsdatum, en hij begon zich op te winden over de voortdurende aanwezigheid van de auto voor het hotel. De op een na beste SUV van de Zimmermans was niet bepaald reclame voor het etablissement. Voor welk etablissement dan ook. Gepensioneerde docenten maakten zich duidelijk geen zorgen over modder en deuken in hun auto. En de verbleekte antioorlogsstickers op de achterruit waren erg groot en opvallend. Uiteindelijk stak de man met de hoed de straat over om zijn beklag te doen en ik beloofde dat ik op zou krassen.

Ik reed een blokje rond tot ik een ondergrondse parkeergarage vond. Toen ik weer boven het maaiveld kwam, was ik een paar minuten in de weer met een kaart van het centrum, die ik bij de receptie van het Malo op de kop had getikt. De kaart gaf vooral informatie over shoppen en eetgelegenheden en het duurde even voordat ik de straat had gevonden waar het reclamebureau moest zijn. Die was ook niet waar ik hem had verwacht. Ik had gedacht dat KC&H op de zoveelste verdieping van een van deze gigantische kantoortorens zou zetelen. Maar in plaats daarvan bleek het gevestigd in een smal straatje vlak bij de markt.

Ik liep langs een paar duizelingwekkend hoge gebouwen tot ik het bordje naar Public Market Center zag. Daar vroeg ik de weg aan een jongen in een krantenkiosk. Hij wees naar een klein straatje dat onder de hoofdmarkt doorliep en daarna scherp naar links en omlaag afboog. Een straatnaambordje bevestigde dat dit Post Alley was. Het zag er meer uit als een plek waar vis werd in- en uitgeladen en/of drugs werden verkocht. Na honderd meter veranderde de sfeer echter. De gebouwen in dit gedeelte waren opgetrokken in postmoderne, 1990-stijl, met plantenbakken, een sushirestaurant en een kleine delicatessenzaak waar mensen aan tafeltjes achter het raam identieke salades zaten te eten. Even verderop zag ik een eenvoudig bordje aan een pittoresk houten balkje, en ik wist dat ik op de juiste plek was.

Ik liep naar binnen en dacht ondertussen na over de manier waarop ik dit zou aanpakken. We hadden werk en privé altijd erg gescheiden gehouden. Ik had Amy's assistent in L.A. een beetje leren kennen door crisistelefoontjes en af en toe een bliksembezoekje aan huis. Maar een paar maanden voordat Amy's werksituatie was veranderd, was zij met zwangerschapsverlof gegaan. Soms viel er wel eens een naam van een collega, sommige vaak genoeg om een bescheiden plaatsje in mijn geheugen te veroveren. Ik wist bijna zeker dat ik de naam Todd eerder had gehoord. Misschien deze, of een andere. Waarschijnlijk werkt er bij elk reclamebureau in het land wel een Todd, telde je als reclamebureau niet mee als je geen Todd in dienst had. Het was makkelijker geweest om de hele zaak per telefoon af te handelen – ik kon doen alsof ik nog steeds in de rimboe zat en haar gewoon even wilde spreken – maar ik had geen zin om te wachten tot ik zou worden teruggebeld.

De receptie was een existentieel statement en er was heel wat geld in gestoken. Voornamelijk in de poging om het er niet duur uit te laten zien, wat waarschijnlijk dé manier was om een onuitwisbare indruk te maken op ander reclamevolk. Elke stoel was een veelvoud waard van wat de vrouw achter de balie per maand verdiende, maar daar leek ze niet mee te zitten. Ze was geheel in het zwart gekleed, slank en grootogig – maar ze was ook intelligent en zelfbewust, dat zag je direct. Ze wekte de indruk van een vrouw die het onderste uit de kan had gehaald en de vreugde daarover graag met anderen deelde.

Ik vroeg naar Todd en zij vroeg of ik werd verwacht.

'O nee,' zei ik, terwijl ik op een hopelijk charmante manier mijn schouders ophaalde. Ik had weinig ervaring. 'Ik kom hier op de bonnefooi.'

Ze knikte alsof dat ook de *beste* manier was om langs te komen en greep naar de telefoon. Aan het eind van het gesprek knikte ze opnieuw energiek, dus ik ging ervan uit dat het ofwel goed was als ik doorliep, of dat ze een beetje gek geworden was.

Vijf minuten later verscheen er door een matglazen deur aan het andere eind van het vertrek iemand die beangstigend veel op haar leek. Ze knikte en ik stond op en volgde haar naar de achtergelegen kantoren. Deze vrouw had duidelijk niet meer dan het op drie of vier na onderste uit de kan gehaald en ze was niet geneigd tot vrolijkheid of onnodig geklets, hoewel ik begreep dat ze Bianca werd genoemd. We namen de lift naar de derde verdieping en marcheerden vervolgens door een gang met glazen wanden, langs kleine, trendy hokjes waarin mensen met korte kapsels in tweetallen zo hard en creatief werkten dat ik de neiging kreeg om het brandalarm in werking te stellen, het liefst door een echte brand te stichten.

Aan het einde van de gang opende ze een deur en wenkte dat ik door kon lopen.

'Todd Crane,' deelde ze mee.

Ah, dacht ik. En pas op dat moment besefte ik dat ik ging kennismaken met een derde van de bedrijfsnaam.

Ik bevond me in een sober vertrek met aan twee kanten grote ramen die een weids uitzicht boden over Elliott Bay en de kades. De andere twee muren waren bedekt met ingelijste certificaten en prijzen en grote, aantrekkelijke afbeeldingen van allerlei producten. Ik herkende een paar campagnes waarvan ik wist dat Amy erbij betrokken was geweest. Midden in de kamer stond een bureau dat groot genoeg was om er basketbal op te spelen. Een slanke man van eind veertig kwam overeind uit zijn bureaustoel. Kaki broek, keurig gestreken lila shirt. Het eens zwarte haar was doorschoten met grijze plekken. Zijn lichaam was zo perfect geproportioneerd dat de man zonder moeite kon optreden in een reclamefilmpje voor zo'n beetje alles wat goed en gezond en tamelijk duur was.

'Dag,' zei hij, terwijl hij zijn hand uitstak. 'Ik ben Todd Crane.'

Dat geloof ik onmiddellijk, dacht ik, terwijl ik de hand schudde. *En ik mag jou niet.*

Maar hij was wel goed. Ik denk dat de helft van zijn werk bestond uit het op hun gemak stellen van vreemden. Aan de rand van zijn bureau stond een ingelijste foto, een studioportret van Crane met zijn arm rond een glamourvrouw, geflankeerd door drie dochters van zeer uiteenlopende leeftijd. Vreemd genoeg stond het portret niet naar zijn stoel, maar naar de kamer gedraaid, alsof het een getuigschrift was, zoals de certificaten aan de muren. Op de grond in de hoek van het vertrek stond een radio uit de jaren zeventig van de vorige eeuw, waarschijnlijk ook bedoeld om zijn imago te accentueren.

'Zo, Jack,' zei hij terwijl hij weer ging zitten. 'Fantastisch om na al die tijd een gezicht bij de naam te kunnen plakken. Ik ben verbijsterd dat het niet eerder is gebeurd.'

'Kwam niet vaak buiten L.A.,' zei ik. 'Tot we verhuisden.'

'En wat brengt je vandaag naar de stad? Je doet iets met boeken, toch?'

'Ik heb een vergadering. En Amy heeft het gisteren gepresteerd om haar mobiel in een taxi te laten liggen. Dus ik dacht, ik sla twee vliegen in een klap, ik bezorg de telefoon meteen weer aan haar terug. Ze heeft nu waarschijnlijk al behoorlijke onthoudingsverschijnselen.'

Todd lachte. Ha, ha, ha. De klanken waren gescheiden, alsof de reeks vele, vele jaren geleden in besloten kring gecomponeerd, geoefend en geperfectioneerd was.

Toen viel hij stil, alsof hij wachtte tot ik nog iets zou zeggen. Dat vond ik vreemd. Ik had verwacht dat hij nu vanzelf informatie zou gaan geven.

'Dus,' zei ik uiteindelijk. 'Hoe krijg ik dat het beste voor elkaar?'

'Nou, dat weet ik niet,' zei Crane. Hij leek van zijn stuk gebracht.

'Ik nam aan dat iemand hier haar agenda wel zou kennen.'

'Nou, niet echt,' zei hij, terwijl hij zijn armen over elkaar sloeg en op zijn lippen beet. 'Amy is tegenwoordig onze vliegende keep. Zoals je natuurlijk weet. Veel in de melk te brokkelen. Wereldomvattende visie. Strategisch. Maar au fond rapporteert ze nog steeds aan het kantoor in L.A. Die zouden moeten w...'

Hij stopte, alsof hij opeens begreep hoe de vork in de steel zat. Keek me voorzichtig aan.

'Eh, Amy is niet in Seattle deze week, Jack,' zei hij. 'In elk geval niet bij ons.'

Ik reageerde zo snel als ik kon. Maar toch stond ik een seconde, of misschien twee, met mijn mond vol tanden.

'Dat weet ik,' zei ik met een brede grijns. 'Ze is op bezoek bij vrienden. Ik vroeg me alleen af of jullie haar nog verwachtten. Omdat ze hier nu toch is.'

Todd schudde langzaam zijn hoofd. 'Niet dat ik weet. Maar misschien, wie weet. Heb je haar hotel geprobeerd? We reserveren altijd in het Malo. Of logeert ze bij haar... vrienden?'

'Ik heb daar al een boodschap voor haar achtergelaten. Wilde alleen zo snel mogelijk deze telefoon aan haar teruggeven.'

'Begrijp ik,' knikte Todd, weer een en al glimlach. 'Kan geen moment zonder die dingen tegenwoordig, nietwaar? Wou dat ik je beter kon helpen, Jack. Als ze aanwipt, zal ik zeggen dat je naar haar op zoek bent. Mag ik je nummer hebben?'

'Heb ik al gegeven,' zei ik.

'Dat is waar, sorry. Hectische ochtend. Klanten. Haat die mensen, niet goed voor de winst als je ze door het hoofd schiet. Schijnt het.'

Hij sloeg me op de schouder en liep met me mee naar de uitgang. Onderweg sprak hij lovende woorden over Amy en gaf een uitgebreide beschouwing over hoe ze in haar nieuwe positie het bedrijf wakker zou schudden, in positieve zin. Het was niet moeilijk om je voor te stellen dat hij zijn vrouw en kinderen elke ochtend op die manier begroette, met een praatje over doelen en prestaties, gelardeerd met de verzekering dat hij altijd en overal aan ze dacht, een taak die meteen werd doorgeschoven naar zijn persoonlijke assistent.

Hij liet me bij de matglazen deur achter en ik wandelde in mijn eentje door de receptie naar buiten. Net voordat ik weer in de buitenwereld stapte, draaide ik mijn hoofd om. Ik had het gevoel dat iemand toekeek hoe ik vertrok, maar ik wist het niet zeker.

Langzaam liep ik de straat uit. Ik had Amy's organizer niet meegenomen, maar ik herinnerde me wat erin stond. Drie dagen vol afspraken. Toegegeven, ik had ze niet precies gelezen en in principe zouden ze ook in L.A., San Francisco of Portland kunnen plaatsvinden. Die laatste stad is hier maar drie uur rijden vandaan. Maar ik geloofde geen seconde dat ik de steden door elkaar had gehaald. Bovendien had ik haar telefoon in mijn zak, en die was gisteravond hier in de stad gevonden. Amy was hiernaartoe gekomen en tot eergisteravond had ze me zoals gewoonlijk gebeld. En nu kon ik haar nergens vinden. Het hotel had niets opgeleverd. Op haar werk wisten ze niet waar ze was, of zeiden ze dat ze het niet wisten.

En ik wist het evenmin.

Post Alley bleek een doodlopende straat te zijn, die eindigde onder de oprit van een verhoogde hoofdweg die naar de baai liep, waar hij scherp links afboog om zich aan te sluiten bij het Alaskan Viaduct. De betonnen pijlers waren zo te zien al jarenlang versierd met graffiti. REV9 en LATER en BACK AGAIN. Terwijl ik mijn ogen liet ronddwalen, voelde ik plotseling jeuk tussen mijn schouderbladen.

Ik draaide me langzaam om, alsof ik dat de hele tijd al van plan was.

Aan het einde van de straat, in de schaduw van de verhoogde hoofdweg, liepen een paar mensen heen en weer, bezig met hun eigen zaken. Ze stapten in en uit auto's, verplaatsten spullen van hier naar daar. Daarachter waren een brede weg en een aantal kades, en dan het geflikker van licht dat in het water van Elliott Bay weerspiegelde.

Niemand keek in mijn richting. Iedereen was in beweging, lopend of rijdend. Het verkeer denderde over de verhoogde weg boven mijn hoofd en deed de gebouwen en trottoirs om me heen trillen, waardoor het bijna leek of de hele stad een lange, lage noot zong.

hoofdstuk
NEGEN

Ik vond een bar in het centrum. Ik bemachtigde een tafeltje bij het raam en bestelde een pot koffie. Onderweg had ik een telefoonoplader gekocht en met het laatste beetje charme dat ik nog bezat, wist ik de serveerster over te halen om die met Amy's telefoon in een stopcontact achter de bar te steken. Terwijl ik op de koffie wachtte, bekeek ik de mensen aan de andere tafeltjes. Vroeger ging je naar een bar als je even aan de buitenwereld wilde ontsnappen. Daar ging het om. Nu leek iedereen vooral geobsedeerd door de gratis wi-fi of zijn of haar mobiele telefoon.

Niemand deed iets wat interessant genoeg was om me af te leiden van de aanhoudende discussies in mijn hoofd. Het feit dat Amy niet in de stad was om zaken te doen voor Kerry, Crane & Hardy had een reden, dat wist ik zeker. Ik was kalm. Het was nog steeds mogelijk dat er niets uitzonderlijks aan de hand was, behalve in mijn hoofd. En dat herinnerde me aan een periode, ongeveer een jaar geleden, waarin Amy praatte in haar slaap. Eerst was het niet meer dan een gemompel en kon je er niets van verstaan. Na een poosje werd het duidelijker, woorden en flarden van zinnen. Ik werd er wakker van, elke nacht opnieuw. Het begon ons allebei te storen. Ze probeerde haar eetgewoonten te veranderen, dronk minder koffie en bracht nog meer tijd door in de sportschool op weg naar haar werk, maar niets hielp. Toen was het opeens afgelopen, hoewel het nog een paar weken duurde voordat ik weer goed kon slapen. In de tussentijd had ik ruimschoots de gelegenheid om me in het donker af te vragen waarom de hersenen zoiets deden, hoe een deel, als alle bewuste functies ogenschijnlijk waren uitgeschakeld, nog steeds bezig was om iets te verwoorden. Hoe deden de hersenen dat, en waarom? Tegen wie spraken ze?

Ik had het gevoel dat mijn hersenen op dit moment precies hetzelfde aan het doen waren. Het deel dat mijn bewustzijn onder controle had, stak vingers in dijken en fabriceerde rationele verklaringen. Het deed zijn best, kwam met het idee dat Amy hier in het geheim was omdat ze in haar eentje nieuwe klanten voor KC&H wilde binnenhalen waar zij dan alle credits voor zou krijgen. Ze was dol op dat soort kantoorpolitiek. Het was zelfs mogelijk dat ze me dat had proberen uit te leggen, die avond dat ik maar met een half oor luisterde.

Maar ondertussen schoten andere delen van mijn hersenen in grote wanorde alle kanten op. Diep binnen in ons is een deel dat orde wantrouwt en snakt naar de verlichting van de chaos, waarvan het denkt dat die altijd overal aan ten grondslag ligt. Of misschien ben ik de enige die dat heeft.

Toen Amy's telefoon was opgeladen, haalde ik hem achter de bar vandaan. Het voelde vreemd om ermee in mijn handen te zitten. Dit was het enige apparaat waarmee ik met mijn vrouw kon communiceren: maar nu was het bij mij en daardoor leek ze nog verder weg. We hebben ons ontwikkeld, dankzij de uitvinding van e-mail en mobiele telefoons hebben we een zesde zintuig verworven – een bewustzijn van de uitlatingen en omstandigheden van mensen die niet aanwezig zijn. Als dit zintuig ons wordt afgenomen voelen we paniek, we zijn met blindheid geslagen. Ik kreeg opeens een inval en belde naar huis. Maar de telefoon ging vele malen over en sprong toen op de voicemail. Ik liet een boodschap achter over waar ik was en waarom, voor het geval Amy eerder thuis zou komen dan ik. Dat leek een goede en verstandige actie. Maar het voelde als de zoveelste hoopvolle poging die in rook opging.

Amy's telefoon was van een ander merk dan de mijne en de toetsen waren een stuk kleiner. Het gevolg was dat ik na een veeg over het display per ongeluk bij de muziekafdeling terechtkwam. Er stonden acht mp3-nummers op de lijst, wat me verbaasde. Net als elke andere bewoner van de twintigste eeuw die niet tot de Amish behoort, bezat Amy een iPod, een digitale muziekspeler. Ze gebruikte haar telefoon niet om naar muziek te luisteren. Maar hoewel ik me kon voorstellen dat elke telefoon standaard met een aantal songs wordt afgeleverd, leek acht me wel erg veel. Zeven nummers waren eenvoudig genummerd van 1 tot en met 7, het achtste bestond uit een lange rij cijfers. Ik probeerde nummer 1. Uit de oortelefoon klonk blikkerige muziek, oude jazz, een van die knetterende jongens uit de jaren twintig. Helemaal niet Amy's smaak. Ze had meer dan eens verklaard dat ze jazz haatte, of eigenlijk alles van voor Blondie. Ik probeerde een ander nummer, en nog een, met vergelijkbaar resultaat. Het was alsof ik de kleinste clandestiene kroeg ter wereld tegen mijn oor hield.

Ik bladerde nogmaals door haar adresboek, deze keer niet op zoek naar Kerry, Crane & Hardy, maar naar alles wat me opviel. Maar er was niets. Ik herkende niet alle namen, maar dat had ik ook niet verwacht. De werkplek van je partner is als een ander land. Daar ben je altijd een buitenstaander.

Dus ging ik naar de afdeling berichten. Amy had de lol van het versturen van sms'jes afgekeken van de jongere kerels op het bureau, en zij en ik wisselden regelmatig berichten uit – als ik wist dat ze in een vergadering zat of als ze iets wilde doorgeven wat ik niet direct hoefde te weten. Meestal was het gewoon om dag te zeggen. En jawel, er waren vier berichten van mij, van de afgelopen maanden, en een paar van haar zuster, Natalie, die in Santa Monica woonde in het huis waar zij en Amy geboren en getogen waren.

En elf berichten van iemand anders.

De berichten van Natalie en mij waren gekoppeld aan onze namen. Die andere niet, alleen een telefoonnummer. Het was steeds hetzelfde nummer.

Ik koos het oudste bericht. Dat was leeg. Er was een sms'je verzonden, en ontvangen, maar er was geen tekst. Het volgende bericht was hetzelfde liedje, en het volgende idem dito. Waarom zou je lege berichten blijven verzenden? Omdat je een sukkel was misschien, maar na de derde of vierde keer zou je verwachten dat zelfs zo iemand het wel onder de knie moest hebben. Ik bleef bladeren. Ik was zo gewend dat ik bij elk bericht een leeg scherm zou aantreffen, dat ik, toen het zesde bericht wel tekst bevatte, verrast was. Maar het werd er niet duidelijker op.

ja

Er stond zelfs geen punt achter. De volgende berichten waren weer leeg. Toen kwam ik bij het laatste.

Een roos met gen andre naam zl evn zoet rkn...:-D

Ik legde de telefoon op de tafel en schonk nog een kop koffie in. Elf boodschappen was veel, zelfs als het merendeel leeg was. Amy was ook niet iemand die haar telefoon liet dichtslibben door andermans onvermogen om met moderne communicatiemiddelen om te gaan. Ze was niet sentimenteel. Ik had al gemerkt dat ze alleen berichtjes van mij bewaarde als er informatie in stond die ze later zou kunnen gebruiken. Een paar sms'jes met 'ik denk aan je', die ik een paar dagen geleden had verzonden en waarop ze had geantwoord, waren al gewist. Natalies sms'jes zagen eruit alsof ze bewaard waren omdat ze bijzonder irritant waren en Amy ze later tegen haar zou kunnen gebruiken.

Maar waarom bewaarde iemand lege berichten? En onder welke omstandigheden ontving je zo veel boodschappen van iemand zonder dat diens naam in je adresboek stond? Bij de andere berichten stond 'Thuis' – mijn telefoon – en 'Natalie'. Hier kwam alleen het nummer in beeld. Als je zo regelmatig contact hebt, waarom nam je dan niet de zeer geringe moeite om de afzender op te nemen in je adresboek? Tenzij het iets is waar niemand achter mag komen?

Ik bladerde snel door naar gespreksinfo en ontvangen en gevoerde gesprekken. Het nummer kwam nergens voor. Deze bron communiceerde duidelijk alleen per sms, of in elk geval had hij de afgelopen maand niet eenmaal naar Amy's mobiel gebeld.

Dat bracht me op een idee. Ik ging terug naar het eerste sms'je en ontdekte dat het iets minder dan drie maanden geleden was verstuurd. Tussen het eerste en het tweede bericht zat een gat van een maand. Dan twee weken. Toen begonnen ze regelmatiger te komen. Het bericht met de tekst 'ja' was zes dagen geleden verstuurd. En het bericht over de rozen dateerde van gisteren, aan het einde van de middag. Amy had dit bericht gezien – dat moet wel, anders zou er 'ongelezen' bij staan. Toen had ze ergens in de uren daarna het mobieltje verloren, in de loop van een avond waarop ze volgens haar agenda geen afspraken had.

Toen was ze, voor zover ik het kon zien, zichzelf verloren.

Ik navigeerde van ontvangen naar verzonden berichten. De lijst was erg kort. Een paar antwoorden naar haar zuster, een paar naar mij. En nog een. Die was twee minuten na het laatst ontvangen bericht verzonden en bevatte de volgende tekst:

Bell 9. Zl wchtn, wnr jij erAntoe bnt, 2D, vlgd wk, vlgd jr VKEZ

Op dat moment kwam de serveerster langs om te vragen of ik nieuwe koffie wilde. Ik zei nee. Ik vroeg een biertje.

Een ding waar mijn vader altijd in had uitgeblonken, was in het beantwoorden van vragen. In andere opzichten was hij niet zo geduldig, maar als je hem iets vroeg – hoe de maan was ontstaan, waarom katten altijd sliepen, waarom die man daarginds maar een arm had – gaf hij je altijd een volwassen antwoord, behalve een keer. Ik was ongeveer twaalf.

Ik had een pretentieus betoog van een ouder kind op school opgevangen en was enigszins onder de indruk thuisgekomen. Daar vroeg ik mijn vader wat de zin van het leven was, denkende dat ik zo *minstens* als een zestienjarige klonk. Tot mijn verbijstering werd hij boos en zei dat het een stomme vraag was. Ik begreep er niets van. 'Stel dat je op een middag thuiskomt,' zei hij, 'en dat er iemand aan jouw tafel zit, jouw eten eet. Je vraagt hem niet: "Wat doe jij hier aan mijn tafel, met mijn eten?" – omdat hij dan eenvoudigweg kan zeggen dat hij honger had. Wat een antwoord is op wat je hem vroeg, absoluut. Maar het is geen antwoord op je *werkelijke* vraag, die luidt: "Wat doe je in mijn huis?".'

Ik begreep het nog steeds niet. Maar toen ik ouder werd, kwam het verhaal van tijd tot tijd weer in mijn herinnering naar boven. Misschien werd ik daardoor een iets betere agent, minder geneigd om getuigen vragen te stellen in plaats van hen gewoon te laten vertellen wat ze wisten. Ik herinnerde me het opnieuw toen ik daar in die bar in Seattle zat en aan mijn eerste biertje begon.

Mijn hoofd voelde zwaar, en koud, en ik begon te vermoeden dat de dag niet goed zou eindigen. Ik besefte dat ik misschien moest stoppen met me af te vragen waar Amy was, en beginnen met na te denken over het waarom.

hoofdstuk
TIEN

Ondertussen stond een meisje in de hal van een luchthaven. Een grote klok aan het plafond zei dat het vierentwintig minuten voor vier was. Terwijl ze keek, versprong het laatste cijfer van 16:36 naar 16:37. Ze bleef kijken tot hij verderging naar 16:39. Ze hield van de 9. Ze wist niet waarom dat cijfer zo aantrekkelijk leek, maar dat was het wel. Een ingeblikte stem herhaalde voortdurend dat er niet gerookt mocht worden. Madison vermoedde dat mensen zich daaraan ergerden.

Madison wist niet precies waar ze nu naartoe ging. Een paar minuten lang had ze niet zeker geweten waar ze op dit moment was. Nu herkende ze het. Het was de luchthaven van Portland, natuurlijk. Ze was hier al verschillende keren geweest, voor het laatst toen ze ma's moeder in Florida gingen bezoeken in het voorjaar. Madison kon zich herinneren dat ze in de kleine boekwinkel van Powell hadden rondgesnuffeld en dat ze een sapje hadden gedronken in het café waar je de vliegtuigen kon zien landen en opstijgen. Ma was zenuwachtig geweest vanwege het vliegen en pa had grapjes gemaakt om haar op haar gemak te stellen. Er waren in die tijd meer grapjes geweest. Veel meer.

Maar vandaag? Madison herinnerde zich een gesprek vroeg in de ochtend over een tocht naar de kruidenier in Cannon Beach, een gesprek dat nergens toe had geleid. Toen een poosje op het strand. Het was koud en winderig geweest. Geen wandeling. Een stille en sobere lunch, in de bungalow. Daarna bleef ma binnen, dus ging Madison in haar eentje wat rondkijken op het strand.

Daarna... was er dat *gat*. Net als toen ze vannacht wakker werd en zich de tijd op het strand niet kon herinneren. Het was alsof er een wolk overheen hing.

Ma was niet op de luchthaven, dat was duidelijk. Ma zou niet zomaar weglopen en haar alleen laten. En Madison droeg haar nieuwe jas, besefte ze. Dat was ook vreemd. Ze zou nooit in haar nieuwe jas naar het strand gaan. Ze zou haar *oude* jas hebben aangetrokken, omdat het niet erg was als daar zand op kwam. Dus moest ze na het strand in de bungalow zijn geweest, om zich om te kleden en weer weg te sluipen.

Maar *daarna*? Hoe was ze van daar in Portland gekomen? Maddy kende het woord dat haar oom Brian hiervoor zou gebruiken: onthutsend. In elk ander opzicht voelde ze zich prima. Net als altijd. Maar hoe zat het dan met dat gat in haar geheugen? En wat werd er nu van haar verwacht?

Ze besefte dat de hand in haar jaszak iets omklemde. Ze haalde het tevoorschijn. Een opschrijfboekje. Het was klein, gebonden in vlekkerig bruin leer, en het zag er oud uit. Ze opende het. De bladzijden waren helemaal gevuld met handgeschreven tekst. De eerste regel luidde:

In het begin was er de Dood.

De inkt was roodbruin en de pen had af en toe gevlekt. Er stonden ook tekeningen in het boekje, en kaarten en diagrammen en lijsten met namen. Een van de diagrammen leek precies op de tekening op de achterkant van het visitekaartje dat ze ook in haar bezit had, de in elkaar gehaakte negens. Zelfs het handschrift leek hetzelfde. Voor in het opschrijfboekje was een langwerpig papier geschoven. Het was een ticket van United Airlines.

Wauw – hoe had ze *dat* gekocht?

Deze vragen joegen haar geen angst aan. Dat was het niet. Op dit moment had ze bijna het gevoel dat ze in een droom verkeerde. Misschien moest ze gewoon maar gaan waar ze naartoe moest gaan, over alle andere zaken kon ze zich later nog zorgen maken. Ja. Dat klonk goed. Makkelijker.

Madison knipperde een keer met haar ogen en hield daarna op met zich zorgen maken over triviale zaken als hoe ze de tachtig kilometer van Cannon Beach naar de luchthaven van Portland had afgelegd of hoe ze een vliegticket van meer dan honderd dollar had gekocht of waarom ze alleen was.

Ze draaide zich om en keek naar het bord met vertrektijden om erachter te komen waar ze naartoe moest.

Voor Jim Morgan was het geheim van het leven eenvoudig, het was iets wat hij had geleerd van zijn oom Clive. De lijkbleke broer van zijn vader had zijn hele werkzame leven doorgebracht als beveiliger van verzendhuis Ready Ship in Tigart. Controleerde vrachtwagens als ze binnenkwamen, controleerde ze als ze vertrokken. Dat had hij meer dan dertig jaar lang vijf dagen per week gedaan. Jims vader had er nooit een geheim van gemaakt dat hij zichzelf als (junior) leidinggevende bij een bank veel hoger op de maatschappelijke ladder vond staan dan deze oudere broer. Maar het wonderlijke was dat, terwijl zijn vader zijn hele leven klaagde en zich bedrogen voelde, oom Clive uitermate tevreden leek met zijn lot.

Op een avond toen Jim dertien was, had zijn oom het hele zondagse diner over zijn werk gesproken. Dat was niet de eerste keer – en Jims vader en moeder sloegen hun ogen weinig subtiel ten hemel – maar bij deze gelegenheid had hun zoon geluisterd. Hij luisterde naar informatie over schema's en streefcijfers. Hij luisterde naar een beschouwing over procedures. Hij begreep dat als je tussen acht en vier in of uit verzendhuis Ready Ship wilde komen, dat elke dag opnieuw vergelijkbaar was met een dikke kameel door het oog van een naald schuiven. Oom Clive was de naald. Het maakte niet uit wie je was of wat je vervoerde, hoe laat of urgent je lading was of hoe vaak hij je gezicht al had gezien. Je toonde je badge, je pas of je vrachtbrief. Je was beleefd. Je behandelde oom Clive op een behoorlijke manier. Anders kwam je er niet langs – of in elk geval niet zonder een langdurige conversatie inclusief walkietalkies en vele hoofdschuddens. Als dat eindelijk voorbij was, voelde je je een grote ezel. Wat je ook was. De regels waren eenvoudig. Je liet je pas zien. Dat was de wet. Als je dat niet wilde begrijpen, was dat niet oom Clives fout.

Vijftien jaar later had Jim deze stelregel tot de zijne gemaakt. Je kon dingen op de moeilijke manier doen, of op de goede manier, en het was altijd iemands door God of de overheid gegeven baan om ervoor te zorgen dat je deed wat je werd gezegd. Je kon er nog iets anders van leren, een manier van leven. Je vermaakte je zo veel je kon en je zorgde ervoor dat je koning was in je eigen domein. Amen.

Jims domein was de beveiliging van de luchthaven van Portland. Hij had de touwtjes stevig in handen. Mensen stonden waar en hoe ze geacht werden te staan, of ze kregen Jims ongenoegen over zich heen. Hij zag er geen been in om de controle te onderbreken om langzaam langs de rij prikkelbare reizigers te lopen om de hufter aan het eind te vertellen dat hij recht achter zijn voorganger moest gaan staan. Jim had ook een systeem voor het begin van de rij. De voorste persoon mocht naar voren komen. Alle anderen (inclusief de echtgenote, zakenrelatie, moeder of spiituele gids van diegene) moesten potverdorie achter de gele lijn blijven staan en op hun beurt wachten. Als dat niet gebeurde, stopte Jim opnieuw met waar hij mee bezig was en stapte naar voren om de situatie op onaangenaam omslachtige wijze uit te leggen. Hij *had* letterlijk de hele dag de tijd, of in elk geval een serie van drie diensten van twee uur. De mensen in de rij hadden weinig op met de snoodaard vooraan. Ze wilden hun reis voortzetten, een tijdschrift kopen, naar de wc. Iedereen die tussen hen en deze verlangens stond, was hun vijand. Jims filosofie was 'verdeel en heers'. Of dat zou het zijn als hij ooit de moeite had genomen om zijn gedachten onder woorden te brengen. Dat was echter niet nodig. Het was niet zijn werk om dingen te verklaren. Zijn manier was gewoon de manier waarop het gebeurde.

Om 16:48 was alles in orde in Jims wereld. Zijn rij bewoog zich op een ordelijke manier. Hij was noch te lang (wat de indruk zou wekken dat Jim inefficiënt was), noch te kort (wat deed vermoeden dat hij onzorgvuldig was, wat veel erger zou zijn), en hij was keurig recht. Jim knikte kort naar een tachtigjarige uit Nebraska die – dat wist hij nu zeker – hoogstwaarschijnlijk geen aansteker, handwapen of atoomwapen bij zich had, en wuifde haar in de richting van het röntgenapparaat. Toen nam hij uitgebreid de tijd om zich weer tot de rij te wenden.

Daar stond een klein meisje. Een jaar of negen, tien misschien, lang haar. Ze leek alleen te zijn.

Jim wenkte dat ze naar voren moest komen. Dat deed ze. Hij bracht zijn kin omhoog, het teken voor 'overhandig uw documenten in de goede (hoewel niet gespecificeerde) volgorde, of ik zet u voor gek ten overstaan van iedereen'.

'Hallo,' zei ze, terwijl ze glimlachend naar hem opkeek. Het was een vriendelijke glimlach, het soort waarmee je een tweede of derde bezoek aan de speelgoedwinkel verdiende, de glimlach van een klein meisje dat altijd vrij goed was geweest in het manipuleren van volwassenen.

Jim glimlachte niet terug. Veiligheid en glimlachen gingen niet samen. 'Ticket.'

Ze gaf het hem onmiddellijk. Hij keek er net zo lang naar als hij altijd deed, wat drie keer langer was dan nodig. Met zijn ogen strak op het voor zichzelf sprekende stukje papier gericht vroeg hij: 'Begeleidende volwassene?'

'Pardon?'

Hij keek traag op. 'Waar is ze? Of hij?'

'Wat?' vroeg ze. Ze keek verward.

Jim bereidde zich voor op een van de standaardzinnen die hij bij een afwijking van de vaste procedure placht te bezigen. Zijn versies waren berucht. Maar dit was nog maar een kind. De twee kerels achter de gele streep kregen nu enige belangstelling voor wat er plaatsvond. Jim kon haar niet al te stevig de les lezen.

Hij glimlachte onhandig. 'Je moet een begeleidende volwassene bij je hebben om te mogen vliegen,' zei hij. 'Dat zegt de wet.'

'Werkelijk?' zei ze. 'Weet u dat zeker?'

'Ja. "Onbegeleide minderjarigen moeten naar de gate gebracht worden door een ouder of verantwoordelijke volwassene"' voegde hij daaraan toe, en vervolgde het citaat met: ' "die op de luchthaven moet blijven tot het kind aan boord gaat en het vliegtuig de gate verlaat". Je moet dat allemaal ook lang van te voren regelen. Je kunt niet simpelweg naar een luchthaven gaan en vliegen, kind.'

'Maar... Ik ga naar mijn tante,' zei het meisje, ze klonk enigszins in paniek. 'Ze wacht op me. Ze zal zich zorgen maken.'

'Nou, misschien had je moeder ervoor moeten zorgen dat...'

'Alstublieft? Ik heb wel iemand bij me. Ze... zijn naar buiten gegaan om te roken. Ze kunnen elk moment terugkomen, echt waar.'

Jim schudde zijn hoofd. 'Zelfs als ik je hier zou doorlaten, wat ik niet doe, controleren ze opnieuw bij de gate. Zonder volwassene kom je niet in de buurt van dat vliegtuig.'

De glimlach verdween langzaam van haar gezicht.

'Het spijt me, joh,' zei Jim, waarbij hij zich voor zijn doen enorm inspande om het feit te verbergen dat dat niet zo was.

Ze keek een moment naar hem op. 'Past u maar op,' zei ze zachtjes. Toen dook ze onder het koord door en liep weg door de hal, waar ze snel verdween tussen de andere avondlijke reizigers.

Jim keek haar met open mond na. Zijn belangstelling voor kinderen was zo weerzinwekkend marginaal dat de plichtmatigheid ervan afspatte. Maar... moest hij niet achter haar aan gaan? Nagaan of ze werkelijk bij iemand hoorde?

Anderzijds werd de rij steeds langer en leken sommige mensen bijzonder slechtgehumeurd, en eigenlijk kon het Jim helemaal niets schelen. Het enige wat hij werkelijk wilde was zijn dienst afmaken, naar huis gaan en voor de tv een paar biertjes drinken, dan even porno kijken op het internet. Bovendien...

Natuurlijk was het absurd, gewoon een klein meisje dat een zin gebruikte die ze uit een film had opgepikt. Maar er was iets in haar stem geweest... Als ze een paar centimeter langer was geweest, had hij het dreigement serieus genomen. Zelfs van een vrouw. Hij had geen zin om dat aan iemand te moeten uitleggen. Dus ging hij door met de volgende persoon in de rij. Dat was een Fransman die weliswaar een legitimatiebewijs had, maar geen *Amerikaans* legitimatiebewijs, wat Jim het recht gaf om het document nog langer en grondiger dan normaal te inspecteren en de man vervolgens aan te kijken met een wantrouwende blik die zei: 'Denk maar niet dat we jullie lafbekkerij over Irak zijn vergeten'. Toen hij daarmee klaar was, was hij opnieuw Koning van de Rij.

Hij dacht pas weer aan het kleine meisje toen de rechercheurs de volgende dag verschenen. En pas toen hij besefte dat hij de kans had verspeeld om een negenjarig meisje te beschermen tegen zo'n ongewis lot, begreep hij dat sommige naalden een kleiner oog hebben dan hij ooit had kunnen denken. En hij besefte ook dat hij op het punt stond om een paar keer door een van die minuscule ogen heen en terug getrokken te worden.

Ondertussen was Madison naar buiten gelopen. Ze stond verloren op het trottoir voor het luchthavengebouw.

Wat nu?

Fronsend probeerde ze zich te herinneren waarom ze er zo van overtuigd was dat ze moest vliegen, terwijl het veel logischer zou zijn om een taxi naar huis en naar haar vader te nemen. Madison merkte een man op die drie meter van haar vandaan een sigaret stond te roken. Hij keek naar haar alsof hij zich afvroeg wat ze hier in haar eentje deed. Hij leek wel aardig, het soort dat haar zou kunnen vragen of alles in orde was, en Madison wist niet wat ze daarop moest antwoorden. Ze wist ook niet of ze haar stem wel kon vertrouwen; ze was haast grof geweest tegen de man op de luchthaven, wat *helemaal* niet bij haar paste. Maddy was erg beleefd, altijd, vooral tegenover volwassenen.

Ze stak snel de weg over en ging de grote parkeergarage binnen, alsof ze daar aldoor al naar op weg was. Het beeld van de rokende man bracht een herinnering terug uit de lege periode van eerder die dag. Een andere man had naar haar gekeken, dacht ze, nadat ze... *natuurlijk.*
Dat is hoe ze naar de stad was gekomen.

Met de bus, suffie. Ze was aangekomen in het busstation van Greyhound aan de NW 6th. Toen had ze een hele tijd gelopen, herinnerde ze zich, op zoek naar een adres. Het was een plek die ze kende, maar op de een of andere manier wist ze niet waar het precies *was*. De omgeving was niet erg prettig. Veel etalages waren dichtgetimmerd en de letters erboven vormden geen Engelse woorden. Overal lagen kartonnen dozen en vanuit de goten steeg de geur op van verrot fruit. De geparkeerde auto's zagen er oud uit. Het was er ook anders dan in de delen van Portland die Madison wel kende, omdat het een plek leek waar alleen mannen woonden. Mannen die in vieze kruidenierswinkels rondhingen. Mannen die in een portiek geleund stonden, alleen of met iemand anders die er precies eender uitzag. Ze praatten niet met elkaar, ze bekeken iedereen die langskwam. Mannen die rillend op een straathoek stonden. Er waren blanke mannen, zwarte mannen en Aziatische mannen. Maar ze zagen er allemaal min of meer hetzelfde uit en alsof ze allemaal hetzelfde wisten. Misschien was dit wat haar moeder bedoelde toen ze zei dat iemands huidskleur er niet toe deed. Toen trok een man haar aandacht, of eigenlijk twee. Ze hadden een hond aan een ketting bij zich. Ze waren doelbewust op haar af gelopen en keken voortdurend om zich heen terwijl ze naderbij kwamen. Maar toen begon hun hond plotseling raar te doen, en ze verdwenen naar de overkant van de straat.

Had ze de plek gevonden waarnaar ze op zoek was? Dat deel kon ze zich nog steeds niet herinneren. Maar ze wist wel dat ze, toen ze die ochtend van huis was gegaan, het kleine opschrijfboekje niet bij zich had gehad. Dus misschien had ze het op die plek gekregen. Goed. Dat is dan duidelijk. Ze is met de bus naar Portland gereden.

Als ze al die kleine lege plekken eenmaal had ingevuld, zou alles weer normaal worden.

In de parkeergarage was het donker en fris. Overal liepen mensen die met een ratelend geluid een koffer achter zich aan trokken. Auto's draaiden uit hun parkeervak en reden met een zoevend geluid naar de weg. Grote witte, gele en rode bussen met schuifdeur en een hotelnaam op de zijkant brachten gasten weg of pikten ze op. Het was een plaats vol mensen die elkaar niet kenden. Dat was goed. Madison besloot dat ze een plekje zou zoeken waar ze kon zitten om rustig na te denken. Ze liep midden op een van de rijbanen. Iedereen praatte, lachte, betaalde een taxichauffeur of hield zijn kinderen in de gaten. Het was alsof ze haar helemaal niet konden zien. Dat herinnerde haar ergens aan, maar ze wist niet wat.

Ze naderde een auto die ongeveer halverwege geparkeerd stond, toen ze merkte dat ze langzamer ging lopen. De auto was geel en het portier aan de bestuurderskant stond open. Ze verlegde haar koers naar de andere kant van de rijbaan.

Terwijl ze de auto passeerde, wierp ze een blik opzij. Er zat een man in de auto. Hij was tamelijk oud en had grijs haar. Zijn handen lagen op het stuur, hoewel de motor niet liep. Hij staarde door de voorruit en zag eruit alsof hij daar al een poosje zat. Madison vroeg zich af waar de man naar keek, toen hij leek te ontwaken. Hij draaide zijn hoofd en zag haar. Ze had nog net tijd om op te merken dat er iets vreemds was met zijn gezicht, toen hij met gierende banden achteruit het parkeervak verliet, alsof hij deelnam aan een achtervolging. Voordat ze doorhad wat er gebeurde, was hij verdwenen.

Maar nu werd ook de laatste lege plek ingevuld, zoals water dat weer omhoogkomt door de afvoer van de badkuip. Iets over toen ze door de stad reed... een Chinese vrouw. Ja. Die had haar het opschrijfboekje gegeven. Toen ze het huis van de vrouw had verlaten en weer verder liep, was een man in een auto naar de trottoirband gezwenkt en had haar een lift aangeboden. Maddy had haar hele leven te horen gekregen dat ze niet bij vreemden in de auto mocht stappen, en toch was dat wat ze had gedaan. De man was eerst heel vriendelijk tegen haar geweest, hij ging toevallig naar de luchthaven en wilde haar graag helpen. Maar toen werd hij zenuwachtig en gedroeg zich als een klein jongetje. En hij bleef maar lachen, hoewel ze geen van tweeën iets grappigs hadden gezegd. Hij zei dat ze er zo knap uitzag. Als pa dat zei vond ze dat prettig, maar niet als deze man het zei.

Toen waren ze samen naar het reisbureau op de luchthaven gegaan en had ze gedaan alsof hij haar vader was. Hij had het ticket gekocht met het geld dat ze hem had gegeven. Maar daarna wilde hij weer terug naar de parkeergarage en hij had geprobeerd haar zo ver te krijgen dat ze weer met hem in de auto stapte. Hij zei hij had gedaan wat ze wilde en dat ze nu ook aardig voor hem moest zijn. Hij had zijn hand op haar arm gelegd.

Ze kon zich nog steeds niet herinneren wat er daarna was gebeurd. Maar ze wist nu waarom zijn gezicht er zo vreemd uit had gezien toen hij haar zojuist had aangekeken. Er zat een lange kras op. Madison wist dat ze niet in de auto was gestapt. Ze was weer naar de luchthaven gerend en had geprobeerd het vliegtuig te nemen.

Ze haalde het ticket uit haar zak. Ze was nog nooit in Seattle geweest. Waarom wilde ze daar nu naartoe? Ze wist het niet. Maar ze wilde het, en wel meteen. Dat ze niet in Seattle was, voelde verkeerd. Ze zou 'een andere werkbare oplossing' moeten vinden, zoals pa soms zei als hij iemand van kantoor aan de telefoon had.

Pas op dat moment besefte ze dat haar jas ter hoogte van haar borst opbolde. Ze stak haar hand in de binnenzak. Toen ze hem weer tevoorschijn haalde, hield ze een enveloppe vast. Die was stoffig. Er zaten biljetten van honderd dollar in. *Veel.* Ze konden niet van ma zijn – zij had creditcards. Onder in de enveloppe zat een kleine metalen ring met twee sleutels eraan.

Madison stopte de enveloppe terug in haar zak, bij de dingen waar ze later over na moest denken. Ze was slim. Dat zei iedereen. Ze zou dit helemaal uitzoeken.

Ondertussen was haar oog gevallen op een vrouw die een eindje verderop bezig was om een kleine koffer in de achterbak van haar auto te laden. Madison liep haar kant op en stopte op een paar meter afstand.

De vrouw draaide zich om. Ze was jonger dan Madisons moeder. 'Hallo,' zei ze. 'Hoe heet jij?'

'Madison. En jij?'

De vrouw zei dat haar naam Karen was. Ze was knap en vriendelijk, en binnen een paar minuten begon Madison te vermoeden dat ze een meer werkbare oplossing had gevonden.

Toen Karen de auto uit het parkeervak reed, zat Madison in de passagiersstoel. De vrouw kon niet wijs worden uit alle rijbanen in de parkeergarage, zoals Maddy's moeder soms ook had, en om haar niet te veel op de vingers te kijken, reikte Madison in haar zak en haalde het opschrijfboekje tevoorschijn.

Ze opende het op de eerste bladzijde en las wat er na de eerste regel kwam:

En de mensen keken, en ze zagen dat Dood niet deugde, maar ze namen aan dat dit was wat God wilde – omdat onze God een strenge god was, en ons haatte. Ze geloofden dat Dood Zijn laatste straf was, aan het eind van onze korte tijdsspanne van verdoemde smart: Hij werpt ons op deze donkere en wrede vlakte waar we ons van kil onderdak naar armzalig voedsel en weer terug haasten, in een eindeloze regen, voortdurend gebukt onder de wetenschap dat op een gegeven moment, elk moment, een hiel overdekt met geronnen bloed als een donderslag kan neerdalen om ons tegen de stenige bodem te pletten. We zien hoe de mensen van wie we houden van ons worden afgenomen, ziek geworden en weggerot voor onze ogen, en we eten en neuken en dromen ons door onze koortsachtige levens omdat we begrijpen dat dit ons lot zal zijn, ook – en dat daarna een eeuwigheid volgt van stil en blind liggen in een donkere, zachte wolk: dit vooruitzicht wordt alleen verzoet door de leugens die we onszelf hebben aangeleerd zodra we leerden praten, de belofte van een eeuwig geketend leven, op de verheven zolder van de Hemel, of in de ondergrondse gangen van de Hel.

Maar, en nu moet je opletten...

De leugen is niet helemaal een leugen.
Deze plaatsen bestaan inderdaad, maar dichtbij. Mensen begonnen dit langzaam maar zeker in te zien, begonnen plannen te maken. Sommigen deden dat. Enkelen. Degenen die de wil en de vastberadenheid bezaten. De zelf uitverkorenen. Degenen die erachter kwamen dat de gevangenisdeuren 's nachts geopend kunnen worden, dat we het erop kunnen wagen om terug te keren. Degenen die in de loop der tijd begonnen te beseffen dat ze er ook bij daglicht bij konden zijn, wederom gezinshoofd worden.
Mensen zoals wij.
Mensen zoals jij, liefste.

'Wat ben je aan het lezen?' vroeg de vrouw terwijl ze zichtbaar opgelucht een brede weg opdraaide.

'Ik heb geen idee,' zei Madison.

hoofdstuk

ELF

De bar waar ik zat was oké, maar saai. Op een gegeven moment zetten
ze de sportzender aan, zonder geluid, en daar ging iedereen naar zitten
kijken. Ik hou niet van dat soort tenten. Daarom verhuisde ik naar een
gelegenheid verderop in de straat, genaamd Tillie's, waar het drukker was
en waar ze harde rock-'n-rollmuziek draaiden. Niet dat ik dat nou zo'n
geweldige omgeving vond. Het voor- en nadeel van bars en alcohol is dat
de sociale omgangsvormen er verwateren. Soms is dat een voordeel – een
eenzame ziel die troost vindt in het gezelschap van vreemden, de tijdelijke oerwarmte van samen rond een kampvuur zitten. Maar het kan er
ook toe leiden dat iedereen even belangrijk lijkt, dat degene waarvan je
houdt plotseling te irritant is om te verdragen en een volslagen vreemde je beste vriend wordt. Het gevolg is dat je gesprekken voert die je waarschijnlijk beter niet had kunnen voeren. Dat heb ik in elk geval. Ik was
met een vent aan de praat geraakt en het gesprek zakte steeds verder af.
De man had wallen onder zijn ogen, hij moest nodig naar de kapper en
hoewel hij een nette jas droeg, zag het ding eruit alsof de man hem in
betere tijden had gekocht maar er nu in woonde zoals beschaafde mannen met beperkte middelen tijdens de winternamiddagen op een bankje in een goed onderhouden park woonden.

'Jack Whalen,' herhaalde ik luid. Ik leunde voorover om recht in zijn
gezicht te kunnen spreken. 'Misschien moet je het bestellen, of via Ama-
zon, maar het bestaat.'

De man leek niet onder de indruk. Als hij al iets uitstraalde, was het dat hij me een nog grotere klootzak vond dan daarvoor. Natuurlijk had hij me niet goed verstaan. Of verkeerd begrepen. In zijn ogen las ik dat hij even dronken was als ik. En dat was behoorlijk dronken. Ik opende mijn mond om mijn boodschap op nog luidere toon te herhalen, toen iets in zijn blik me de mond snoerde. Ik besefte dat ik niet alleen te maken had met minachting, maar ook met een soort vermoeide haat.

Er klonk een geluid achter me en ik rechtte mijn rug.

Een man in een bleekgrijs pak wankelde de toiletruimte binnen met zijn hand al bij zijn gulp. Hij was amper bij het urinoir toen hij al begon te pissen als een renpaard.

'Hu hu!' schreeuwde hij, terwijl hij zich omdraaide om me grijnzend aan te kijken, erg in zijn nopjes met zijn plaskunst.

'Goed,' zei ik. Het klonk zwak, maar ik weet niet wat ik nog meer had kunnen bijdragen. Ik droogde mijn handen stijfjes aan mijn broek af en strompelde weer naar buiten. Ik voelde de kou aan de achterkant van mijn nek omhoogkruipen.

De muziek in de bar klonk nu vlak en oud en de ruimte was lichter dan ik me herinnerde. En ja, natuurlijk had ik ergens wel geweten dat ik in de wc was en tegen mijn spiegelbeeld boven de pisbakken had staan praten. Dat was eerder gebeurd, toen ik bijzonder high was en niet helemaal lekker. Ik staar naar mijn gezicht en een moment lang lijkt mijn spiegelbeeld dat van een volslagen vreemde. Eerst is de ontmoeting vrolijk, maar soms wordt het persoonlijk en af en toe word ik zelfs vijandig en dreigend. Ik wist dat ik deze keer even helemaal was vergeten dat ik tegen mezelf stond te praten. Dat betekende niet veel goeds. Niet als het pas acht uur 's avonds was en ik me met geen mogelijkheid kon voorstellen dat ik binnen afzienbare tijd naar huis zou gaan.

Of überhaupt vanavond nog, wat dat betreft. Ik herinnerde me plotseling dat ik honderdvijftig kilometer van mijn woonplaats verwijderd was. Dat ik tegen de Zimmermans had gezegd dat ik uren geleden al terug zou zijn. Dat ik absoluut niet meer in staat was om te rijden en geen onderdak had. En dat ik nog steeds geen contact had kunnen krijgen met mijn vrouw, die een paar berichten op haar mobieltje had staan die ik niet prettig vond.

Toen herinnerde ik me dat ik op weg naar de wc ook aan deze dingen had lopen denken, en dat ik toen ook niet dichter bij een oplossing was gekomen.

Tot mijn opluchting was mijn bierglas nog voor het merendeel gevuld, en ik probeerde me weer in het grote geheel te voegen. Een van de ser-

veersters was behoorlijk knap. Ze was slank en opgewekt, ze had zorgvuldig onverzorgd haar en ze droeg haar schort en blouse met gratie.
Mijn waardering voor haar was algemeen, als die van een vrouw die een
paar mooie schoenen ziet die ze niet wil hebben, niet nodig heeft en zich
niet kan veroorloven. Andere klanten lieten hun bewondering duidelijker merken. Een halfuur geleden had een vent zich van zijn kruk laten
glijden en was treurig in de nacht verdwenen. Toen hij vertrok hoorde
ik de serveerster dag zeggen, waarna ze eraan toevoegde:
'Je hebt wel *degelijk* rechten als vader, weet je.'

Goed, dacht ik toen, maar heb je nou *werkelijk* niet door waarom hij
zijn problemen met zijn kreng van een ex-vrouw aan jou vertelt en waarom hij zo expliciet zegt dat hij zo veel van zijn kinderen houdt? Dat hij
dat niet doet omdat hij behoefte heeft aan juridisch advies, maar in de
vage hoop dat hij in je broekje mag? Want zie je, hoe meer ik drink, hoe
wijzer ik wordt. Zo gaat het vaak met mij.

De plek waar de man had gezeten werd ingenomen door een jong min-
of-meerstel. Het meisje was leuk gekleed en had zich enthousiast voorzien van make-up, maar zag er desondanks hopeloos alledaags uit. Haar
metgezel met ultrakort geknipt haar had een mooie kaaklijn en een me-
diterrane huidskleur en was gekleed in een spijkerbroek en een versleten
rood leren jack. Zijn bakkebaarden eindigden in een scherpe punt. Hij
droeg ook nog een rode bandana. Ik haatte hem meteen, natuurlijk.

'Ik zou nooit boos op jou kunnen zijn,' zei het meisje. Haar metgezel
knikte met de vage beweging die kenmerkend is voor mensen wier taal-
begrip aanzienlijk geringer is dan ze iedereen hadden doen geloven.

De conversatie meanderde verder. Het meisje nam bijna al het praten
voor haar rekening. Af en toe zei de jongen iets met een onhandige be-
daardheid die een halfslachtige diepzinnigheid verleende aan aforistische
juweeltjes als 'Ja, ik denk dat dat zo is'. Het feit dat hij onschadelijk en
mogelijk zelfs een beetje charmant was, vergrootte mijn aandrang om
hem te slaan. Het meisje boog zich vaak naar hem toe en schoof daarbij
haar kruk steeds enkele tientallen centimeters in zijn richting. Hij verdroeg dit stoïcijns, en plotseling doorzag ik hun situatie alsof ik buiten
hun realiteit was geplaatst en er kritisch naar keek, een dronken god die
was aangewezen om hun voortgang in de gaten te houden. Op een gegeven moment leunde ik zo ver in hun richting dat het haar opviel en ze
zich omdraaide om naar me te kijken.

En toen was ik plotseling aan het praten.

'Liefje,' zei ik. 'Ik ga je een hoop tijd en verdriet besparen. Wat jonge
Carlos probeert te zeggen – zonder het echt te zeggen – is dat hij ervan

genoten heeft om je de afgelopen weken te neuken, maar dat hij nu weer teruggaat naar Europa, waar hij iemand anders zal neuken, waarschijnlijk het meisje uit zijn geboortedorp wier brieven hij al die tijd onder zijn bed heeft verborgen.'

Het meisje knipperde met haar ogen.

Ik haalde mijn schouders op. 'Dat verbaast je toch niet? Kijk nou toch naar die verdomde bakkebaarden. Waar het op neerkomt, is dat Pedro hier geen dichter of stierenvechter is. Hij verdoet de mooiste jaren van zijn leven in de bestelwagen van het restaurant van zijn oom, gaat met iedereen naar bed zolang dat nog kan, om vervolgens exponentieel uit te dijen en nog suffer uit zijn ogen te kijken. Leg je neer bij het feit dat je de rest van je leven vreemd zult gaan met de herinnering aan deze jongen en ga terug naar plan A: zoek een lieve accountant hier in de buurt, een die zich regelmatig scheert en naar de sportschool gaat.'

Ze zaten nu allebei naar me te kijken, hij met een blik van volslagen onbegrip, een beetje lacherig. Hij dacht waarschijnlijk, wat zijn deze Amerikanen toch vriendelijk, ze beginnen zomaar een gesprek in een bar, zo fantastisch! Maar het meisje knipperde nog tweemaal met haar ogen, en ik besefte dat ik het nog steeds niet helemaal doorhad.

'Of eigenlijk...' zei ik, terwijl het me langzaam begon te dagen, 'hij heeft je *niet* genaaid, is het wel? Maar hij gaat morgen naar huis en daarom hoop je dat het vanavond zal gebeuren. Sorry, liefje. Vergeet het maar. Jullie zijn al die tijd niet meer dan vrienden geweest – hoewel hij, op een soort amfibische manier, altijd heeft geweten dat je meer wilde.'

Het meisje zat me nu met wijd open mond aan te staren. Ik schudde langzaam mijn hoofd, deelde haar pijn, had medelijden met haar wezen en was in een moment van emotionele binding één met haar gedeukte en toch oprechte menselijke ziel.

En toen sloeg ze me met een asbak in mijn gezicht.

Toen ik Tillie's verliet, was ik enigszins uit de gratie. Ik probeerde het geval uit te leggen aan de serveerster, maar werd daarbij gehinderd door een bloedneus. Ze had bovendien een enorme neger uit de keuken gehaald om mijn motivatie om als de sodemieter op te hoepelen kracht bij te zetten. Hij was goed. Ik was erg gemotiveerd.

Ik wist het trottoir grotendeels op eigen kracht te bereiken. Daar werd ik geconfronteerd met verkeer en een gestage miezerregen. Ik zwierf wat over 4th, rookte heldhaftig en gromde tegen bomen. Ik had nog drie keer naar huis gebeld en er had niemand opgenomen. Ik wist dat ik dronken was geworden om niet te hoeven nadenken over wat dat allemaal betekende, maar daar had ik op dat moment weinig aan. Ik wilde er nog steeds niet over nadenken. Ik kon geen andere plek bedenken dan de bar van het Malo en die van een ander hotel, en ik had het gevoel dat ik in geen van beide welkom zou zijn. Dus sloeg ik rechts af een straat in die Madison werd genoemd. Ik dacht dat ik zo bij de kades zou uitkomen. Maar Madison bleek geen straat te zijn, maar een berghelling. Een paar blokken lang was er niets aan de hand. Tot ik bij 2nd aankwam en naar het volgende gedeelte keek. Toen overwoog ik serieus om te blijven waar ik was en te wachten tot iemand daar in de buurt een bar zou openen. Op de een of andere manier vond ik dat zwak van mezelf – het leven van een man wemelt van dat soort flauwekul – en volhardde in mijn plan. Ter hoogte van het Federal Building hadden ze het betonnen plaveisel vervangen door overdwars geplaatste klinkers, wat een beetje hielp. Maar na een paar stappen verloor ik toch mijn evenwicht. Ik viel op mijn elleboog en kont en gleed drie meter omlaag, tot ik met een luide galm tegen een vuilnisbak tot stilstand kwam.

Terwijl ik mezelf overeind hees, kwam er een in uniforme fleeces gekleed stel van middelbare leeftijd voorbij dat zorgvuldig de andere kant op keek.

'Glad hè,' zei een van hen. Ze zagen eruit als een tweekoppige rups.

'Donder op,' antwoordde ik. Op de kruising met 1st vond ik een buurtsupertje waar ik naar binnen wankelde om sigaretten te kopen. De Chinese vrouw achter de toonbank zag eruit alsof ze niets met me te maken wilde hebben, maar ik keek haar aan met De Blik en ze deed wat ik vroeg. Ik kocht ook een fles water en keek in de spiegelruit van de koelkast met drankjes of er geen bloed op mijn gezicht zat. Weer buiten bleef ik op de hoek van de straat stilstaan, aan de overkant ontwaarde ik de lichtgloed van een bar. Ik hinkte ernaartoe. Het was een aardige tent, losjes verbonden met weer een ander hotel, maar donker genoeg om de striem op mijn wang te verdoezelen.

Ik bestelde een glas niet al te zwaar bier en ging in de hoek zitten, veilig. Dat was in elk geval de bedoeling. Als ik het verloop van de avond op dat moment nog zelf in de hand had gehad, had ik geweten dat elk biertje verkeerd was geweest, en elke bar. Het probleem is dat de man die me het meeste kwaad wil doen in mijn eigen hoofd lijkt te wonen.

Het eerste wat ik deed, was controleren of Amy's telefoon niet gesneuveld was tijdens mijn val. Gelukkig leek-ie in orde. De schok van mijn aanvaring met de grond leek me ook een beetje ontnuchterd te hebben. Hoewel het ook die fase van tijdelijke helderheid kon zijn waarin je terechtkomt als je zenuwstelsel je waarschuwt dat het zijn handen bijna van je aftrekt, die fase waarin je *een laatste kans* krijgt om als de donder naar huis te gaan voordat hij de stekker eruit trekt en je laveloos in elkaar laat zakken.

Ik had geen enkele vooruitgang geboekt in mijn speurtocht naar een positieve verklaring voor de sms'jes op Amy's mobiel. Ik haalde er een tevoorschijn. Eerder die middag had ik bedacht dat er een eenvoudige manier was om de afzender te achterhalen. Toen had ik niet zo ver willen gaan, en ik was nog niet dronken geweest. Nu was ik dat wel.

Ik drukte op terugbellen.

Na een paar seconden stilte kreeg ik de buitengebruiktoon. Ik verbrak de verbinding, zowel opgelucht als verontrust. Waar *was* Amy in godsnaam? Was het goed met haar? En zo ja, waarom belde ze dan niet? Hoe lang moest ik wachten met naar de politie gaan? Ik had wel een idee hoe die zouden reageren op een man met zo weinig bewijzen als ik, maar ik maakte me zorgen over haar. De enige andere strategie die ik kon bedenken was op zoek gaan naar onze auto. Ik kon alle parkeergarages in het centrum aflopen. Dat was een hele klus en de kans op succes was gering, maar ik vond het idee plotseling wel aantrekkelijk. Dan zou ik in elk geval iets *doen*, het soort loopwerk dat bijna altijd iets opleverde. Op dat moment regende het buiten pijpenstelen. Maar misschien als het wat minder werd...

In de tussentijd belde ik nog maar eens naar huis. Nog steeds geen antwoord, en het was inmiddels ver over negenen. Ik rekende uit dat het bijna zesenveertig uur geleden was dat we elkaar voor de laatste keer hadden gesproken, een record in zeven jaar. Dat was voldoende reden om te geloven dat er *werkelijk* iets aan de hand was en maakte tegelijkertijd dat ik wilde geloven dat dat niet het geval was – zoals wanneer je de dokter ziet schrikken als hij de uitslagen van je bloedtest bekijkt, hoewel je de afgelopen zes maanden niets liever wilde dan weten waarom je je zo ellendig voelt.

Ter afleiding keerde ik terug naar het mobieltje om te zien of ik nog iets anders kon ontdekken. Er waren vier afbeeldingen opgeslagen. In het afgelopen jaar had Amy een vreemde weerstand tegen foto's ontwikkeld. Ze had er op haar werk natuurlijk dagelijks mee te maken, glanzende productfoto's en eindeloze hoeveelheden castingfoto's. Maar ze vond het niet prettig om zelf gefotografeerd te worden en ze toonde weinig enthousiasme als ze iemand anders moest fotograferen. De eerste afbeelding was de foto die ze vroeger als achtergrond had gebruikt. Het was een foto van ons tweeën, hoofden bij elkaar, lachend. Ik had hem anderhalf jaar geleden met mijn eigen mobieltje gemaakt op de punt van de Santa Monicapier. Het was een goede foto en ik vond het niet leuk dat ze hem niet meer gebruikte. De volgende twee afbeeldingen waren opgeslagen als Photo-76.jpg en Photo-113.jpg. Ze waren allebei donker en korrelig en op het kleine schermpje kon ik er niets van maken. De laatste afbeelding was lichter, en hoewel het nog steeds leek of de foto in de schemering was genomen, was het onderwerp een stuk duidelijker. Het hoofd en de schouders van een man, genomen van ongeveer twee meter afstand. Zijn gezicht was in de schaduw. Hij keek niet naar de camera, zijn gezicht was weggedraaid, alsof hij zich niet bewust was van het feit dat hij werd gefotografeerd. Deze foto leek geen titel te hebben, maar er zat wel een tekst bij.

Bevestigd. Excuses voor kwaliteit. Je zult er toch wel gelukkig mee zijn.

Deze foto was vanaf een ander nummer verstuurd dan de sms'jes. Ik legde de telefoon terug op de tafel en nam een slok bier. De overstap naar lichtere biertjes kwam me steeds verstandiger voor. Ik wist dat dat onzin was. Ik wist ook dat dat me er waarschijnlijk niet van zou weerhouden om door te drinken. Toen de serveerster in beeld kwam keek ik naar haar op, maar ik wendde mijn blik weer af toen ik mijn mobiel hoorde overgaan.

Ik herkende het nummer niet. 'Hallo?' zei ik. 'Ben jij het?'

Het was Amy niet. Het was de taxichauffeur.

hoofdstuk

TWAALF

Hij was er binnen twintig minuten. Hij droeg een felblauwe spijkerbroek en een nieuw, driekwart lang leren jack. Kort haar en een stevig, maar nietszeggend lichaam. Een jaar of twee voor ons vertrek uit de stad had ik dit soort kerels L.A. zien binnendruppelen. De werkpaarden van het nieuwe millennium, jonge mannen die vakken vulden, smokkelwaar verkochten op de hoek van de straat, zich in het zweet werkten in een reguliere baan of in het holst van de nacht mensen aftuigden. En dat allemaal met een stoïcijnse vastberadenheid die de lokale populatie geheel leek te ontgaan.

En dan had je natuurlijk de taxibestuurders. Ik gaf met een opwaartse beweging van mijn kin aan wie ik was. Hij kwam naar me toe en ging tegenover me aan het tafeltje zitten. Hij wierp een blik op mijn biertje.

'Wil je er een?'

'Graag,' zei hij.

'Maar je bent aan het werk, nietwaar?'

Hij keek me alleen maar aan. Ik stak mijn hand op, bestelde voor ons allebei een drankje. De serveerster was snel, bracht ze in de tijd die ik nodig had om een nieuwe sigaret op te steken.

Nadat Georj een flinke teug had genomen, knikte hij. 'Goed,' zei hij. 'Wat wil je?'

'Bedankt dat je de telefoon naar het hotel hebt gebracht.'

Hij haalde zijn schouders op. 'Bedankt voor geld. Ik dacht het er misschien niet zijn. Wat wil je?'

'Ik wilde alleen weten of je je nog iets anders herinnerde.'

Hij staarde naar zijn handen als iemand die niet gewend is om zich dingen te herinneren, en zeker niet op bevel. 'Ik rij hele dag. Overal naartoe. Ze stappen in, stappen uit.'

Ik drukte een paar toetsen van mijn mobiele telefoon in en liet het scherm over de tafel heen aan hem zien. 'Dat is ze,' zei ik.

Hij boog naar voren, tuurde naar de foto op het scherm. Het was de foto die Amy tot voor kort als achtergrond had gebruikt.

'Ze is mijn vrouw,' zei ik. 'Dat ben ik, daar naast haar, zie je? Ik ben geen politieman. Ik probeer haar alleen maar te vinden.'

Hij nam de telefoon van me over, hield hem schuin vanwege het beperkte licht. 'Oké,' zei hij ten slotte. 'Ik herinner.'

Mijn hart begon sneller te kloppen, maar ik had heel wat ervaring met dit soort onderzoeken. 'Ze is behoorlijk lang,' zei ik. 'Zo'n een meter vijfzeventig?'

Hij schudde direct zijn hoofd. 'Dan niet zij. Vrouw waar ik aan denk meer een meter vijfenzestig.'

'Goed,' zei ik. 'Dat is zij.'

Hij keek me met een ironische blik aan, trok een wenkbrauw op. 'Geen politie, tuurlijk. Ik ook geen Rus. Ik van Disneyland.'

'Je hebt me door. Ik was vroeger politieman. Ik vermoed ook dat jij iemand bent die gewend is om met de politie te praten. Dus laten we elkaar niet voor de gek houden. Wanneer heb je haar gezien?'

Hij dacht na. 'Vroeg in avond. Opgepikt in centrum. Afgezet in Belltown ergens, geloof ik.'

Ik schudde mijn hoofd, had geen idee waar hij het over had. Hij wees naar rechts. 'Omhoog, voorbij vismarkt. Ze gaf te veel fooi, is waarom ik herinner.'

Zo belangrijk zijn persoonlijke kenmerken dus. 'Herinner je je verder nog iets?'

'Niet zo veel.' Hij nam een sigaret uit mijn pakje, stak hem op. 'Het regende. Ik keek op de weg. Ze spraken. Ik...'

'Wacht even. *Ze*?'

'Zij, een man.'

Mijn maag draaide zich om. 'Hoe zag die man eruit?'

'Pak, geloof ik. Donker haar. Ik weet niet meer.'

'Stapten ze samen in?'

'Ja.'

'En toen?'

'Weet ik niet. Gewoon praten, zoiets.'

'Waar spraken ze over?'

'Hoe zou ik dat weten? Ik heb radio aan.'

'Kom nou, Georj. Keken ze serieus? Lachten ze? Wat?'

Ik besefte dat hij me aan zat te staren en dat ik veel te hard had gesproken. Ik haalde een keer diep adem.

'Oké,' zei ik rustig. 'Sorry. Je pikte twee mensen op. Reed ze ergens naartoe in Belltown, waar dan ook. Zij betaalt, jij rijdt weg. Dat is het?'

Hij dronk de rest van zijn biertje op. Hij stond op het punt om weg te gaan. Wanhopig nam ik Amy's telefoon van de tafel. Vond de laatste foto. Overhandigde hem het mobieltje.

Hij wierp er nauwelijks een blik op, schudde zijn hoofd, stond op. 'Ik weet niet. Slechte foto. Misschien. Misschien niet.'

'Oké,' zei ik. 'Dank je wel. Heb je een klant die op je wacht?'

Hij aarzelde. 'Nee.'

'Nu wel.'

Ik stapte achter hem aan naar buiten, de miezerregen in. Ik wist niet eens of het Malo kamers vrij had en evenmin of ze die zo laat nog aan iemand als ik zouden verhuren. Maar ik wist dat het niet goed voor me was om in een openbare gelegenheid te blijven hangen en dat het Malo het laatste adres was dat ik van Amy had, hoe vals het ook mocht zijn.

De chauffeur liep voor me uit en sloeg bij 1st rechts af. Waarom had hij zijn wagen niet pal voor de bar geparkeerd?

'Waarom heb je je wagen niet pal voor de bar geparkeerd?' vroeg ik op agressieve toon. Ik begon onduidelijk te spreken, niet veel, een beetje, en de grens tussen wat er binnen en buiten mijn hoofd was begon te vervagen.

'Voor als politie,' zei hij, geduldig, zonder de moeite te nemen om zich om te draaien. 'Zien van bar naar auto, niet zo best.'

Ik volgde hem door diverse straten en besefte plotseling dat we niet ver van het begin van Post Alley waren. Dat deed me denken aan Todd Crane. Die donker haar had. Die het soort vent was dat pakken droeg. Toen hij zei dat hij niet wist waar Amy was, had dat overtuigend geklonken.

Maar...

We sloegen een zijstaat in, smal, geplaveid met keitjes en aan weerszijden omzoomd door de achterkanten van oude pakhuizen. Daar stond een rode taxi. Georj liep nu zo'n zes à negen meter voor me uit, en toen hij stopte om zijn sleutels tevoorschijn te halen zag ik iets bewegen.

Vanuit de donkere schaduwen verderop in het straatje naderden twee mannen. Ze waren eerst nog te ver weg om ze duidelijk te kunnen zien, maar ze droegen allebei donkere kleding en zetten doelbewust koers richting taxi.

'Georj,' zei ik.

Hij keek achterom in mijn richting, verward, zag dat ik begon te rennen. Hij draaide zich terug om de andere kant op te kijken, en verstijfde.

De mannen renden nu ook. Ze kwamen allebei mijn kant op, ze hadden duidelijk door dat ik het eerste struikelblok was. Hun gezichten waren bleek en kalm. De ene man was lang en blond, de ander was iets korter en had rood haar. Automatisch reikte ik naar mijn riem, maar daar was niets.

Ik trof de eerste man met mijn rechter elleboog, die ik stijf omhooghield. Ik had me diep gebukt om hem in zijn keel te kunnen raken. Hij sloeg met een harde klap achterover tegen het natte trottoir. Georj en de andere man hadden elkaar ook gevonden – en voordat ik hem kon bereiken, had de vreemdeling Georj een kopstoot gegeven. Georj viel achterover en gleed langs de zijkant van de taxi omlaag.

Ik voelde hoe een hand me bij mijn rechterschouder greep, en hoe hij weer omlaagviel toen ik snel naar links draaide, het omgekeerde van wat de meeste mensen zouden doen. Ik draaide me razendsnel terug, waardoor de man zijn evenwicht verloor, en plantte mijn vuist hard in zijn zij. Onze gezichten waren zo dicht bij elkaar dat zijn proestende adem in mijn gezicht sproeide.

Ik duwde mijn knie in de zijkant van zijn dij, net boven de knie, recht op de zenuw, en voelde hoe hij opnieuw onderuitging. Toen hield de andere aanvaller op met Georj te slaan en greep me met beide handen bij de keel.

Hij was sterker en geconcentreerder dan de eerste man en gooide me achteruit tegen de motorkap. Ik ving de klap zo goed mogelijk op, gleed uit en viel op de keitjes – maar hij stapte te snel op me af.

Ik maakte een brede, lage boog met mijn been, waarmee ik hem aan de achterkant in de kuit trof. Hij wankelde en zakte ver genoeg in elkaar zodat ik hem, terwijl ik overeind kwam, met mijn schouder in het gezicht kon rammen. Nu ging hij onderuit. Ik plantte mijn voet stevig op de vingers van zijn rechterhand.

Op dat moment reikte de andere man in zijn jas en ik draaide me in zijn richting, dwong hem in een positie waarin hij er geen gebruik van kon maken. Ik geloof niet dat ik besefte dat ik zelf geen wapen had. Ik geloof dat ik helemaal niets dacht. Ik was gewoon de man die dit deed, die kracht ontleende aan zijn woede, gevoed door de behoefte om iemand pijn te doen vanwege het onverwachte en onverklaarbare gat in het centrum van mijn leven.

'Nee,' zei de man die ik tegen de grond had gewerkt, maar niet tegen mij.

De andere man aarzelde. Haalde zijn hand weer uit zijn jas. Toen renden ze met z'n tweeën snel en zonder iets te zeggen weg.

Georj was naar de zijkant van zijn taxi gekropen en zat daar met zijn handen voor zijn gezicht. Ik hurkte voor hem neer, zwaar hijgend, en trok ze weg. Er zat heel wat bloed onder zijn neus, op zijn kin, op zijn jack. Voordat hij me tegen kon houden, bevoelde ik beide kanten van zijn neus. Hij vloekte stevig, probeerde mijn had weg te duwen.

'Het valt mee,' zei ik. 'Hij is niet gebroken.'

Ik stond op. Keek de straat in. De twee mannen waren verdwenen. 'Wie waren dat?'

'*Wat*?' De chauffeur was overeind gekomen en zocht met trillende vingers naar zijn sleutels. Hij keek me aan alsof ik een of ander afzichtelijk dier was dat net uit de baai aan land was gekropen.

'Je verstond me wel. Wie waren dat?'

Hij schudde zijn hoofd, alsof hij het niet kon geloven.

'Wat is in godsnaam jouw probleem?' vroeg ik. Toen hij in de auto stapte, greep ik het portier vast. 'Ik heb net je leven gered. Wie waren die mannen?'

'Waarom denk je dat ik dat weet?'

'Hou toch op,' zei ik. 'Deze keer hebben ze je niet te pakken gekregen, maar ze komen terug. Je doet of je er niets van weet en...'

'Ik *weet* er niets van!' schreeuwde hij. 'Ik ben geen crimineel. Niet hier, niet *daar*. Ik ben afgestudeerd biochemicus.'

'Maar...'

'Je hebt gelijk, betweter. Ik praat inderdaad met de politie. Mijn zuster was journaliste in St. Petersburg. Is drie jaar geleden vermoord. *Daarover* praat ik me ze.' Hij stak een vinger op. 'En jij, hè? Wat doe *jij*?'

Hij spuugde me in mijn gezicht, sloeg het portier dicht en reed weg.

Ik stond in mijn eentje midden op de straat. Het leek er plotseling erg stil, de stilte van de stad, met uitzondering van het verre getoeter en sirenes, van leven dat elders verdergaat. Ik voelde me niet mezelf, en mijn vuisten deden pijn.

Ik draaide me om en keek de straat in.

hoofdstuk
DERTIEN

Alison was in de keuken. Ze leunde tegen de bar, beide handen op het blad. Het licht aan de andere kant van het raam was grijsblauw, een onwelkome dageraad. Ze wist dat ze zich moest omdraaien, dat ze haar man moest aankijken. Ze wist dat ze meer dingen tegen elkaar moesten zeggen, zelfs al had ze alles gezegd wat ze had kunnen bedenken, en ze dacht dat Simon dat wist. Zelfs al voelde haar hoofd of het op het punt stond om in tweeën te splijten. Ze wist dat ze zich moest omdraaien. Hoe kijk je iemand aan op een dag als deze?

Het doet er niet toe. Je moet het hoe dan ook doen.

Ze draaide zich om. Haar man zat aan de tafel. Hij was uitgeput en doodsbang, maar helder en alert en positief. Ze herkende de blik. Zo zag hij eruit als hij wist dat er iets moest gebeuren maar geen flauw idee had wat. Het was een teken van bereidwilligheid. Een manier om te zeggen: 'Ik weet dat ik niets doe, maar kijk – ik ben er klaar voor.' Hij keek op, een vraag op zijn gezicht.

'Nee,' zei ze. 'Niets anders.' Haar stem was hees. Dat kwam waarschijnlijk door het praten, en het schreeuwen van gisteren. Ze had schreeuwend over het strand gehold, daarna overal in de bungalow en buiten in de tuin tussen de bungalow en de weg, toen aan de overkant van de weg en weer dwars door de bungalow over het duin naar het winderige strand. Toen ze daar aankwam, besefte ze dat ze die ochtend niet hadden gewandeld. En ze hoopte dat haar dochter had besloten om dan maar in haar eentje op pad te gaan. Alison had een heel, heel eind over het zand gerend, ver voorbij het verste punt waar ze als gezin ooit waren geweest. Toen was ze teruggehold, voorbij de bungalow, en minstens even ver de andere kant op. Niets, niemand, geen enkel teken.

Ze ging weer naar binnen, probeerde haar kalmte te hervinden, positief te denken. Zat een poosje te wachten. Het had wel een uur geleken. Maar nauwelijks vijftien minuten later was ze weer naar buiten gegaan, naar het strand, de ene kant op en de andere kant op. Ze probeerde gestructureerd te zoeken, om niet opnieuw in paniek te raken.

Ten slotte ging ze naar de buren om te vragen of ze een klein meisje hadden gezien. Aan de ene kant woonde een bejaard stel dat ze, ondanks het feit dat ze er al sinds het stenen tijdperk woonden, amper kende. Ze betwijfelde of de oudjes het zouden opmerken als er een kruisraket op hun huis neerkwam. Aan de andere kant was een klein appartementencomplex met vier eenheden, die tijdens de wintermaanden allemaal leegstonden. De huisbewaarders hadden niets gezien en lieten duidelijk merken dat ze vonden dat Alison beter had moeten opletten. Dat wist Alison zelf ook wel. Plotseling wist ze dat. De mist waarin ze de laatste dagen, maanden had geleefd, was direct verdwenen. Ze wist waar ze op had moeten letten en ze wist dat ze dat niet had gedaan, en ze wist nu hoezeer ze dat misschien zou moeten bezuren.

Ze was weer naar binnen gegaan en had in de keuken zitten wachten. Ze liep constant heen en weer tussen het raam dat uitkeek op het strand en het raam dat uitkeek over de voortuin. Toen ging ze naar buiten, sprong in de auto en reed de achthonderd meter naar Cannon Beach. Ze zocht in alle winkels en cafés, in de speelgoedwinkel, vroeg overal of iemand een klein meisje had gezien. Ze reed naar huis en ging een laatste keer naar het strand, rende en riep en schreeuwde haar dochters naam. Madison kon goed zwemmen. Alison geloofde niet dat ze de zee in was gelopen en door de stroming was meegesleurd. Het was iets wat ze misschien zou *kunnen* geloven, als ze haar best deed, maar dat deed ze niet, nog niet. Tegen die tijd was het bijna helemaal donker en ze besefte dat het geen zin meer had om te rennen en te roepen.

Dus toen kwam het praten. Het telefoontje naar de politie.

En naar Simon.

'De laatste keer dat je haar zag...'

'Simon. Dit heb ik al verteld.'

'Dat weet ik. Maar ik heb niet geslapen en ik ben hier om drie uur 's ochtends aangekomen en ik ben werkelijk niet...'

'Om een uur of twaalf,' zei Alison met schorre stem. 'Ze was buiten op het strand geweest. Ze kwam naar binnen en zei dat ze ging lezen. Ze ging naar haar kamer. Ik zat in de stoel. Ik... ik moet in slaap gevallen zijn. Toen ik wakker werd, ging ik kijken of ze zin had om een eindje te wandelen, maar...'

Simon knikte. Hij legde zijn handen samengevouwen op tafel en staarde weer naar de muur. Hij wist dat zijn vrouw commentaar had op de manier waarop hij er soms bij zat, ze leek te denken dat ze er dingen uit kon afleiden. Negatieve dingen over hem, natuurlijk. De werkelijke reden waarom hij op deze manier zat, met zijn handen gevouwen, was omdat hij zijn best moest doen om niet op te springen om de vrouw met wie hij twaalf jaar getrouwd was een klap te geven. Dat was nog nooit gebeurd, hij had niet eens de aandrang gevoeld – zelfs niet nadat hij was begonnen te denken... wat dan ook, daar ging het nu niet om. Maar als het haar schuld was dat zijn kind verdwenen was, dan... Natuurlijk zou het dan nog steeds niet gebeuren. Het hielp niets. Het was niet zijn manier. Hij was niet zo'n soort man.

Hij klemde zijn handen steviger in elkaar.

Dit was de eerste keer sinds zijn komst dat ze met z'n tweeën waren. Ze had eerst de politie gebeld, en daarna hem. Daar had hij absoluut geen moeite mee. Hij wilde dat ze hem had gebeld voordat ze gistermiddag in wilde verwarring van hot naar her was geheld, dat ze hem had gebeld op het *moment* dat ze ontdekte dat Madison niet in haar kamer was en ook niet op het strand. Maar daar was nu niets meer aan te doen. Hij was onmiddellijk in de auto gesprongen en had tijdens de rit van Portland over de I-26 alle snelheidsbeperkingen genegeerd. Bij aankomst zag hij dat er al vier agenten van het lokale politiebureau ter plaatse waren. Ze hadden Alison een heleboel vragen gesteld. Ze hadden er ook enkele aan Simon gesteld, hoewel het midden in de nacht was en hij overduidelijk net was aangekomen. Ze wilden weten of 'alles in orde was thuis' – alsof Maddy ooit uit zichzelf zou weglopen. Toen waren ze naar buiten gegaan om de andere agenten te helpen met zoeken. Er zijn woorden waarvan je niet wilt dat ze ook maar iets met je leven te maken hebben. 'Zoeken' is er een van. Vooral in verband met je enige kind.

Terwijl de nacht eindelijk langzaam maar zeker plaatsmaakte voor de dageraad, waren de agenten nog steeds overal aan het zoeken. In de tuin. Op het strand. Ze kwamen binnen en stelden meer vragen, twee per keer. Over het geheel genomen was er bijna continu minstens eentje in hun buurt. Maar op dit moment waren ze met z'n tweeën. Simon en zijn liefhebbende vrouw.

Een vrouw die zich nu opnieuw had afgewend naar het raam dat uitkeek over de tuin en de weg. Misschien dacht ze dat alles wel goed zou komen als ze maar op de uitkijk bleef staan. Dat ze elk moment een glimp van Maddy zou kunnen opvangen. Dat die boodschappen had gedaan en nu over de grote weg kwam aanlopen. (Het was Simon opgevallen hoe weinig eten en drinken er in de bungalow aanwezig was.) Dat alles daardoor opeens weer in orde was. Dat ze...

'Er komt iemand aan,' zei ze.

Er klonken voetstappen op de buitentrap, toen een klop op de deur. Simon deed open. Buiten stond een man. Hij was lang en droeg een donkere jas. Zijn ogen stonden ernstig. Hij had een hoekig gezicht, de huid was vaal.

'Ja?' vroeg Simon. Zijn hart ging als een razende tekeer.

'Mag ik binnenkomen?'

'Wie bent u?'

'Mijn naam is Shepherd,' zei de man.

Alison was achter Simon gaan staan. 'Bent u van de plaatselijke politie?'

'Nee, m'vrouw. Ik ben Shepherd, van het FBI-kantoor in Portland.'

Hij zwaaide met zijn kaart en ze stapten opzij. De man liep door tot in het midden van de keuken, keek om zich heen. 'Uw dochter wordt vermist,' zei hij botweg.

Alison opende haar mond om ja te zeggen, maar toen moest ze plotseling huilen. Geen van de agenten had het zo onomwonden onder woorden gebracht. Ze bleef proberen om iets te zeggen, maar ze wist niets anders uit te brengen dan gefluister. Simon pakte haar hand, waardoor ze zich alleen nog maar ellendiger voelde. De man stond geduldig te wachten. Hij deed geen poging om haar te troosten of gerust te stellen. Als hij al iets uitstraalde, was het dat hij haar vermoeiend vond. .

'Wanneer hebt u haar voor het laatst gezien?'

'Gisteren aan het begin van de middag,' zei Simon.

De man keek hem aan. 'U was hier?'

'Nee, maar...'

'Laat u dan alstublieft mevrouw O'Donnell antwoorden.'

Dat was voldoende om haar onmiddellijk te laten ophouden met huilen. 'Mijn echtgenoot weet net zo veel als ik,' zei Alison.

De man knikte. 'Wat niet veel is. Ze is gewoon weggewandeld? Verdwenen?'

'Ik sliep...'

'U hebt geen idee waar ze naartoe kan zijn gegaan? Geen vrienden in de buurt, geen verwanten in deze streek, geen bijzondere plek waar ze graag alleen naartoe ging?'

Alison schudde heftig van nee. 'We waren voortdurend samen. Als gezin.'

Ze keek even naar Simon en was blij dat hij ook nogal verbouwereerd leek. Ze verbeeldde het zich niet. De toon van de FBI-agent was vreemd, boos zonder duidelijke reden.

'Ze heeft gelijk,' zei Simon. 'We kennen eigenlijk niemand anders hier. We komen alleen en...'

'Heeft Madison Nick Golson ooit ontmoet?'

Alison verstijfde.

Simon fronste zijn wenkbrauwen. Die naam zei hem niets. 'Wie?'

'De man met wie uw vrouw bijna een affaire had.'

Alle kleur verdween uit Simons gezicht. Hij draaide zich om en liep naar buiten. Alison hoorde zijn voetstappen over de trap omlaag gaan richting tuin.

Het was onvoorstelbaar, maar uiteindelijk kon het dus nog erger.

'Ik heb nooit... Hoe weet u daarvan?' wist ze uit te brengen. 'Hoe lang hebt u... Waarom hebt u...?'

De man bleef haar net zo lang aankijken tot ze zweeg. 'Heeft hij... hem ooit ontmoet?'

Alison schudde heftig van nee.

'Weet Golson dat u een dochter hebt? Heeft hij ooit enige belangstelling voor haar getoond?'

'Natuurlijk niet. Ik bedoel, hij wist dat ze bestond, maar... wat heeft dat ermee te maken?'

'Hopelijk niets, en ik ben niet geïnteresseerd in uw leven, behalve wat betreft Madisons veiligheid,' zei de man. Hij haalde een visitekaartje tevoorschijn. Het was volkomen wit en er stond niets anders op dan de naam Richard Shepherd. Achterop was een telefoonnummer geschreven. 'Als ze terugkomt, bel me dan met uw mobiel. Als u *wat voor plek dan ook* kunt bedenken waar ze naartoe kan zijn gegaan, bel me – met uw mobiel. Direct. Begrepen?'

Hij wachtte niet op een antwoord. Hij liep gewoon weg.

Alison stond verloren in de ruimte waarin ze had gekookt, gelachen en zelfs gevreeën, vroeger. Hij moest worden opgeknapt. Wonderlijk dat je daar op zulk soort momenten aan dacht. Ze keek hoe de lange man het pad afliep en in een onopvallende personenauto stapte die langs de weg geparkeerd stond. Hij reed snel weg.

Toen wendde ze haar blik af om naar haar man te kijken, die met zijn hoofd in zijn handen in de tuin op het gras zat. En ze vroeg zich tevergeefs af of het niet eenvoudiger zou zijn om maar een einde aan haar leven te maken.

Twintig minuten later kwamen twee agenten van de plaatselijke politie binnen. Al voordat ze een woord hadden gezegd, was duidelijk dat ze niets hadden gevonden. Alison vertelde hun over de FBI-agent. De politieagenten leken van hun stuk gebracht. Het Bureau was gewaarschuwd, natuurlijk, maar ze hadden pas om acht of negen uur iemand verwacht. Ze ondervroegen haar nauwgezet over de man die hun keuken was binnengekomen en stelden vast dat hij geen officiële identificatie had getoond. De agenten zeiden dat dit zeer ongebruikelijk was. Alison liet het kaartje zien dat de man had achtergelaten. Ze probeerden het nummer te bellen. Niemand nam op.

Daarna kwamen de agenten snel in actie. Ze vroegen om een beschrijving van de auto die Alison had gezien en van de man zelf, en begonnen vervolgens via hun radio tegen anderen te ratelen.

Alison liet hen hun werk doen en wandelde de trap af om met haar man te gaan praten. Maar toen ze in de tuin kwam, ontdekte ze dat hij daar niet meer was. Ze haastte zich naar de weg en zag zo'n honderd meter verderop iemand richting Cannon Beach lopen. Ze begon harder te lopen.

En toen begon ze te rennen.

hoofdstuk

VEERTIEN

Het eerste wat ik zag was een enorme man die hoog boven me uittoren-
de. Ik vernikkelde van de kou en mijn hoofd voelde alsof er een barst in
zat, maar zelfs in die toestand wist ik dat er iets verschrikkelijk fout was
met deze persoon. Zijn verhoudingen waren ernstig verstoord. Zijn trekken waren te grof en te onregelmatig, en de structuur van zijn huid was
rafelig en verweerd, zelfs in dit vroege, lage licht. Hij was ook, besefte ik
eindelijk, heel, heel erg groot.

En van hout.

Ik ging snel overeind zitten. Mijn hersenen volgden even later. Ik ontdekte dat ik tegen de achterkant van een gebouw leunde en dat ik half
overdekt was met bladeren. Ik zag enkele dichtgespijkerde ramen en deuren met verroeste sloten, de ongebruikte achterzijde van een stel winkels.
Voor me was een klein park. Er waren struiken en bomen, iets van groen,
hoewel de grond geplaveid was met keitjes. De gebouwen aan de overkant waren opgetrokken uit donkere stenen en allemaal precies twee verdiepingen hoog. Op de bankjes in het park lagen een paar kerels te slapen, de meesten onder een opengescheurde kartonnen doos. Dat wil
zeggen, ze gingen professioneler met hun situatie om dan ik.

Het ding waar ik tegenaan had gekeken toen ik mijn ogen voor het
eerst opende, was een totempaal, of iets wat daarop leek. Groot en van
hout en primitief, dat zeker. Er stonden er nog veel meer in de nabije
omgeving, inclusief een die eruitzag als een stel misvormde monsters die
met elkaar worstelden, of monsters die op het punt stonden om elkaars

nek om te draaien. De plek was het tegenovergestelde van de dromen die ik moet hebben gehad, vol duisternis en geweld, vol geschreeuw in vertrekken met een bedompte atmosfeer. Dromen van de zoektocht naar mijn vader in het huis waar ik was opgegroeid, en er niet in slagen om hem te vinden.

Mijn horloge vertelde me dat het tien over zes in de morgen was. Ik was verbaasd dat ik het nog steeds om had. Haastig onderzocht ik of ik mijn en Amy's mobieltje en mijn portemonnee nog had. Ja dus. Het lokale dievengilde stelde niet veel voor, of ik was te afstotelijk om bij in de buurt te komen. Mijn gezicht en handen deden pijn, maar het lichamelijk ongemak was niets vergeleken bij mijn emotionele en spirituele toestand. Ik nam aan dat ik nog steeds in Seattle was, maar voor het overige was de kaart blanco. Ik ben niet zo'n zware drinker, meestal. Ik verkeer nooit in dit soort omstandigheden en beschik noch over de vaardigheden, noch over de ervaring om ermee om te gaan. Ik voelde me ziek en angstig. Ik ging staan in de hoop dat dat zou helpen.

'Meneer, is alles in orde?'

Ik draaide me langzaam om naar een jongen met een fiets die twee meter van me vandaan stond. 'Is dit Seattle?'

'Occidental Park, meneer,' zei de jongen terwijl hij dichterbij kwam. Hij droeg een witte fietshelm en zijn jack was ook wit. Alles aan hem was schoon en flink uit de kluiten gewassen, en wit. Hij was precies als ik, met het woord *niet* ervoor.

'Dat in Seattle ligt, toch?' vroeg ik, vasthoudend, en ik had er onmiddellijk spijt van. Hoewel hij overduidelijk geen echte politieagent was, had de fietsjongen wel een of andere semiofficiële bewakingsfunctie. Kon je in deze stad gearresteerd worden op grond van het simpele feit dat je een hufter was?

'Ja, meneer. U bent een paar blokken van Pioneer Square, als u dat iets zegt.'

Dat deed het. Ik was maar ongeveer vijf minuten lopen van de plek waar ik volgens mijn vage herinnering het laatst was geweest. 'Luister, ik ben in orde. Heb iets te veel gedronken, dat is alles.'

Hij knikte, deed een beleefde poging om niet te veel *u meent het* in dat gebaar te leggen.

'Bent u gewond?' Hij keek naar mijn gezicht.

'Uitgegleden op Madison, ergens tegenaan geklapt.'

'Bent u iets kwijtgeraakt gedurende de nacht?'

Ik doorzocht mijn zakken opnieuw, om hem een plezier te doen. 'Alles is aanwezig en in orde,' zei ik, in de hoop dat mijn woordkeuze zou aangeven dat ik deze situatie niet gewend was. Maar in werkelijkheid plaatste het me in een nog slechter daglicht, als een halfseniele oude vrouw die constant praat om te bewijzen dat ze niet halfseniel is.

'Hebt u onderdak?'

'Een auto. Ik ga naar huis. Vandaag nog.'

'Zou me niet haasten,' zei hij. 'En ontbijten zou wel verstandig zijn.'

Hij stapte op zijn fiets en reed weg.

Ik liep het park uit. Een blok verder bereikte ik 1st, waar ik rechts afsloeg. Na een paar honderd meter begon Pioneer Square. Het is eigenlijk meer een kleine driehoek dan een vierkant plein, omzoomd door 1st en Yesler. De derde zijde is geplaveid met keitjes, net als de rest van het 'plein'. Geen van de zijden is meer dan vijfenveertig meter lang. In het geplaveide gedeelte staan bankjes, omringd door een ijzeren hek in victoriaanse stijl. Er staan een paar bomen, er is een drinkkraantje met het hoofd van een indiaan erop en er staat een totempaal, langer en eenvoudiger dan de eerste die ik die dag had gezien.

Daartegenover was een Starbucks, die nog niet open was. Ik stond voor de deur en keek naar de bomen aan de overkant. Een paar mensen waren bezig om de straat te vegen. Een van hen trok in het voorbijgaan een wenkbrauw op. Hij hield stil, alsof hij me de kans wilde geven om me bij zijn stapel troep te voegen zodat hij me uit het zicht kon vegen. Het was nogal grappig, maar ik kon het missen als kiespijn. Ik voelde me nog steeds fysiek wanhopig, maar omdat ik me niet meer op de plek bevond waar ik was ontwaakt, kon ik proberen te doen alsof het niet echt was gebeurd. De laatste momenten van de vorige avond, wat er na de vechtpartij was gebeurd, waren nog steeds in nevelen gehuld. Maar nu ik het café aan de overkant van het plein zag, herinnerde ik me vaag een bar die Doc Maynard's heette. Ik had er strijdlustig op een hoge kruk in de donkere en drukke ruimte gezeten. Ik wist dat ik de laatste kans op een goede afloop al lang achter me had gelaten en had besloten dat ik de weg net zo goed kon uitlopen om te zien waar die zou eindigen. Heel verstandig. Ik wou dat ik terug kon gaan om naast deze andere zelf plaats te nemen om hem een klap op zijn bek te geven. *De weg eindigt als je wakker wordt in een park*, zou ik hebben geschreeuwd, *hoe verschrikkelijk stoer is dat?*

Ik besloot het advies van de man in het wit ter harte te nemen en op zoek te gaan naar een ontbijt, met name het warme en vloeibare onderdeel. Ik had een plan bedacht waarbij het beter was als ik niet al te zeer naar alcohol rook. Ik stak een sigaret op om mijn ziel voor te bereiden op de lange, koude tocht naar Pike Place Market, de enige plek waar op dit uur waarschijnlijk iets open was. Mijn hoofd deed op drie plekken pijn. Ik had plaatselijke, maar ernstige pijn in mijn rug, nek en rechter-hand. Mijn mond voelde als een zeebodem die was drooggelegd nadat hij na jarenlange ernstige vervuiling ecologisch in het ongerede was ge-raakt.

Maar dat had allemaal niets met het werkelijke probleem te maken.

Het probleem was dat ik de afgelopen zes maanden steeds vaker het verontrustende gevoel had dat de gevoelens van mijn vrouw voor mij waren veranderd. Gisteren had ik me voor het eerst afgevraagd of ze mis-schien werkelijk een affaire had. En als een van die twee dingen waar was, wist ik niet wat ik moest doen.

Met haar, of met mezelf.

Ik zat al veertig minuten in een wachtkamer en las grimmige posters en verplaatste van tijd tot tijd mijn voeten om mensen te laten passeren. Sommigen waren verdrietig, anderen boos, sommigen schreeuwden, sommigen zagen eruit alsof ze nooit meer iets zouden zeggen. Ik had ge-noeg koffie en extra sterke hoofdpijnpillen ingenomen om me zowel een klein beetje beter als een heel stuk slechter te voelen. Ik had mijn tanden gepoetst en een nieuw shirt aangetrokken dat ik onderweg had gekocht. Voor zover iemand dat kon beoordelen, zag ik eruit als een normaal mens, hoopte ik.

Eindelijk verscheen er een man in hemdsmouwen en das in de deur, die mijn naam zei. Ik volgde hem door een gang naar een kamer zonder ramen. Hij stelde zichzelf voor als rechercheur Blanchard en gebaarde dat ik aan de andere kant van de tafel kon plaatsnemen.

Gedurende een paar minuten bestudeerde hij de informatie die ik eer-der had gegeven, en ik voelde mijn handen samenknijpen rond de me-talen armleuningen van de stoel. De kamer was erg klein en had grijze muren. Hij was niet ingericht om afleiding te verschaffen. Ik had niets anders om naar te kijken dan de rechercheur die bezig was om het ma-teriaal voor zijn neus in zijn geheugen te prenten, of misschien was hij bezig het in gedachten in het Chinook te vertalen. Hij was enigszins ge-zet, met een zachte huid en vaal, piekerig haar dat smeekte om zijn hoofd te mogen verlaten zodat hij nog meer op een grote, zelfverzekerde baby zou lijken. Ik probeerde al het andere te negeren en me te concentreren op diep en gelijkmatig ademhalen. Ik voelde dat het niet werkte.

'Mijn vrouw,' herhaalde ik vijftien minuten later, 'is vermist. Met welk woord hebt u moeite?'

'Definieer "vermist" voor me.'

'Ze is niet in het hotel waar ze hoort te zijn.'

'Dus is ze weggegaan.'

'Ze is er nooit aangekomen. Ze hebben geen reservering op haar naam. Zoals u in die aantekeningen kunt lezen.'

'Was het een Hilton? Daar hebben we er meer van. Misschien bent u in het verkeerde geweest.'

'Nee,' zei ik. 'Het was het Malo, zoals u ook zou weten als u werkelijk zou lezen wat daar voor uw neus staat.'

'Het Malo. Aardig. Wat doet ze voor werk, uw vrouw?'

'Reclame.'

Hij knikte, alsof Amy's beroep hem belangrijke informatie verschafte over haar of mij. 'Veel zakenreizen?'

'Zeven, acht keer per jaar.'

'Doorgewinterd. Dus ze is van gedachten veranderd. Of iemand heeft de reserveringen door elkaar gehaald en ze moest op zoek naar een alternatief.'

'Dat heb ik allemaal al uitgezocht. Ze is nog steeds vermist.'

'Hebt u haar nooit gebeld toen ze hier afgelopen week was, op haar nummer in het Malo?'

'Nee, omdat – en dit blijf ik herhalen tot het tot u doordringt – *ze daar nooit is geweest.* Ik bel haar altijd op haar mobiel als ze van huis is. Dat is makkelijker.'

'Juist – behalve dat ze die nu niet bij zich heeft.'

'Dertig uur geleden werd ik gebeld door degenen die 'm gevonden heeft. Als alles in orde was, zou ze me gebeld hebben om te laten weten wat er aan de hand was.'

'Maar u bent niet thuis, nietwaar?'

'*Ik heb ook een mobiele telefoon.*'

'Tikt ze elke keer opnieuw het nummer in als ze u belt?'

'Ik sta in haar adresboek,' gaf ik toe. Daar had hij een punt, irritant genoeg. Ik weet niet hoe ver ik zou komen als ik Amy's mobiele nummer uit mijn hoofd moest noemen. Maar Amy was anders. Haar hersenen waren speciaal gebouwd voor dat soort informatie. Hoewel... Ik *was* van provider veranderd toen we verhuisden en ik had mijn nieuwe nummer nog niet zo lang.

'Dus ze wil u bellen om de stand van zaken door te geven, maar ze heeft uw nummer nooit uit haar hoofd geleerd en ze is haar telefoon kwijt. Begrijpt u wat ik wil zeggen?'

'Ze zou het zich herinneren. Het nummer.'

'Weet u dat zeker?'

'Ik ken mijn vrouw.'

Hij leunde achterover en keek me aan, besloot dat hij de huidige situatie niet verder hoefde uit te leggen, dat het zelfs onverstandig zou zijn om dat te doen. 'Weet u hoe u vanaf een andere telefoon uw voicemail thuis moet afluisteren?'

'Nee,' zei ik. 'Dat is nooit nodig geweest.'

'Nu wel. Heeft u buren met een sleutel van uw huis?'

Ik wist dat dit nergens over ging, maar het was duidelijk dat ik niets gedaan zou krijgen als ik het spelletje niet meespeelde. Ben zou onmiddellijk naar ons huis gaan om de berichten te controleren, hoewel het me moeite zou kosten om het hem te vragen. Ik knikte.

Blanchard maakte er nu snel een einde aan. 'Uitstekend. Zoek uit of uw vrouw geprobeerd heeft om contact met u op te nemen. Misschien vraagt ze zich wel af waar *u* bent. Is ze op dit moment ook bezig een vermissing aan te geven in...' Hij keek opnieuw naar het formulier. 'Birch Crossing. Waar dat ook ligt.'

'En als er geen boodschap is?'

'Kom terug en we praten verder. Meneer Whalen, ik weet dat het lijkt of ik u niet serieus neem. Als mijn vrouw een paar nachten van de radar zou verdwijnen, zou ik ook gek worden. Maar op dit moment kan ik niets doen wat u niet al hebt gedaan. Ondertussen zijn er in deze stad dingen aan de hand die de aandacht van de politie opeisen. Ik ben een van die politiemannen. U ook, als ik het goed begrijp.'

Ik staarde hem aan.

'Ja,' zei hij met een flauwe glimlach. 'Vent komt binnen en beweert dat zijn vrouw vermist is. We zoeken zijn naam op in de computer. Er gaan geen alarmbellen af, tot mijn genoegen. Geen meldingen van scheldpartijen op de late avond. Geen hysterische telefoontjes naar 112. Maar ik krijg wel een Jack Whalen op mijn scherm die tien jaar bij de geüniformeerde dienst van L.A. West heeft gewerkt. Die iets minder dan een jaar geleden ontslag heeft genomen. Bent u dat?'

'Ja,' gaf ik toe. 'Dus?'

Hij bleef me aankijken. Zijn zwijgen duurde zo lang dat het beledigend werd.

Ik hield mijn hoofd scheef. 'Bent u slechthorend?'

'Gewoon nieuwsgierig,' zei hij. 'U ziet er meer uit als iemand die ik aan de andere kant van de balie zou verwachten. Met handboeien om, wellicht.'

'Ik heb slecht geslapen,' zei ik. 'Ik maak me ernstig zorgen over mijn vrouw en het kost me meer moeite dan ik verwachtte om iemand te spreken te krijgen die de melding van een vermissing serieus neemt.'

'Op dit moment *hebben* we geen vermiste persoon,' zei Blanchard gedecideerd. Zijn stem was minder week dan zijn gezicht. 'We hebben een vermiste *telefoon*. Maar die is niet meer vermist, omdat u hem in uw *jaszak* hebt, nietwaar?'

'Precies,' zei ik. Ik stond op, waarbij ik per ongeluk tegen de tafel stootte. Dit was precies waarom ik de vorige dag niet naar de politie was gegaan. Ik voelde me een sufferd omdat ik het nu wel had gedaan.

'Ik vraag me af,' zei Blanchard, terwijl hij mijn verklaring opvouwde. 'Wilt u me vertellen waarom u de politie hebt verlaten?'

'Nee, maar ik ben ook nieuwsgierig. Doet u eigenlijk wel eens politiewerk, ooit?'

Hij glimlachte tegen de tafel. 'Ik zal u vertellen wat ik denk dat er met u aan de hand is, meneer. Uw vrouw verbleef niet in het hotel waar ze zei dat ze zou overnachten en de afgelopen anderhalve dag heeft ze geen gebruik gemaakt van de mogelijkheid om contact met u op te nemen. Ofwel er is een eenvoudige verklaring, of ze is met opzet verdwenen. Dat is niet het probleem van de politie, meneer Whalen.'

Hij keek naar me op. 'Dat is uw probleem.'

Tien minuten lang liep ik met snelle pas kriskras door de straten. Uiteindelijk haalde ik Amy's mobieltje tevoorschijn en bladerde door haar adresboek. Ik had gisteren al gezien dat de Zimmermans erin stonden. Gelukkig maar, want in mijn mobieltje stonden ze niet.

Mijn hart zonk in mijn schoenen toen Bobbi de telefoon aannam. Ze vroeg direct of hun auto nog heel was en wanneer ze hem terug zouden krijgen, op een toon die suggereerde dat ze hem *nu meteen* nodig had om wagonladingen zieke kinderen en gewonde nonnen naar het ziekenhuis te vervoeren.

'De auto is in orde,' zei ik. 'Ik ben nog steeds in Seattle, dat is alles.'

'Je *zei* dat je gistermiddag terug zou zijn.'

'Er is iets tussen gekomen, en het spijt me, maar... luister, is Ben in de buurt?'

'Nee,' snauwde ze. 'Daar gaat het nu juist om, Jack. Hij is met het vliegtuig naar San Francisco, naar een vriend van ons. Die op *sterven* ligt.'

'Het spijt me dat te horen,' zei ik opnieuw, opgelucht dat ik me kon verontschuldigen voor iets wat in feite niet mijn fout was.

'Benjamin moest de andere auto nemen. Ik zit hier vast omdat we *dachten* dat je gisteravond terug zou komen. Want dat hadden we... Waarom wil je hem spreken?'

'Ik heb een probleem.'

'Dat is overduidelijk,' zei ze. 'Maar...'

'Bobbi,' zei ik. 'Wil je nu even luisteren? Amy is vermist.'

Het bleef lange tijd stil aan de andere kant van de lijn. 'Vermist?'

'Ja.' Ik had het niet willen vertellen, maar ik wist niet hoe ik anders tot haar moest doordringen. 'Ze is twee avonden geleden haar telefoon kwijtgeraakt en ik hoop dat het alleen komt doordat ze mijn mobiele nummer niet weet en dus niet kan vertellen waar ze is. *Misschien* weet ze ons vaste nummer nog wel en daarom wilde ik Ben vragen of hij even naar ons huis wilde gaan om te zien of er iets op de voicemail staat.'

'Jack – denk je dat je grappig bent?'

'Klinkt het alsof ik een grapje wil maken?' schreeuwde ik toen ik ten slotte toch mijn geduld verloor. 'Jezus, Bobbi.'

'Je wilt dat ik naar jullie huis loop, mezelf binnenlaat en je voicemail controleer om te horen of Amy heeft gebeld?'

'Ja,' zei ik. 'Maar ik begrijp nu dat je geen auto hebt, en als het te veel moeite kost, laat dan maar zitten.'

'Het is helemaal geen moeite,' zei ze. 'Sterker nog, ik kan nog veel meer doen.' Er volgde een gedempte stilte en toen kwam er iemand anders aan de telefoon.

'Jack,' zei de stem, 'waar ben jij?'

Even dacht ik dat ik gek werd.

'*Amy*? Ben jij dat?'

'Natuurlijk ben ik het,' zei de stem kalm. Het was alsof ik mijn moeder aan de telefoon had. Mijn moeder is dood. 'Waarom ben je in Seattle, Jack?'

'Waar... waar ben jij in godsnaam geweest?'

'Ik ben hier geweest,' zei Amy's stem. 'Ik vroeg me af waar jij was.'

'Heb je mijn boodschappen niet gehoord? Op de voicemail?'

'Je weet dat ik niet met dat ding overweg kan. Bovendien, hoe moet ik nou weten dat jij daar een bericht voor mij zou achterlaten?'

Ik opende mijn mond om te antwoorden, maar ik wist niet wat ik moest zeggen.

'Luister liefje, kom nu maar gewoon naar huis, oké? En rij voorzichtig.' Toen verbrak ze de verbinding. Daar stond ik dan, midden op straat met mijn mond wijd open.

Toen begon het te regenen, plotseling en hard, alsof het eigenlijk eerder had willen beginnen maar dat was vergeten.

hoofdstuk
VIJFTIEN

Ik liet de auto van de Zimmermans voor hun huis staan met de sleutels erin. Als Ben thuis was geweest had ik dat niet gedaan. Maar op dit moment had ik geen zin in Bobbi.

Dat had ik gedacht. Ze had duidelijk achter de deur staan wachten, misschien de afgelopen twee uur, en ze was het huis al uit voordat ik de tijd had om 'm te smeren. Ik haalde een keer diep adem. Ik had zware hoofdpijn en ik had geen zin om met wie dan ook ruzie te maken. Tenzij diegene erom vroeg.

'Dank je,' zei ze, wat me in verlegenheid bracht.

Ik reikte in de auto en haalde de sleuteltjes tevoorschijn. 'Sorry voor de vertraging, Bobbi, ik was alleen...'

'Ik weet het,' zei ze. 'Het spijt me dat ik daarnet zo onaardig was.'

Ik knikte, wist niet helemaal wat ik moest zeggen. 'Het spijt me ook van jullie vriend, ik hoop dat alles goed komt.'

Ze glimlachte flauwtjes. Ik begon de oprit af te lopen, terug naar de weg en naar ons eigen domein. Eerst liep ik langzaam, maar tegen de tijd dat ik in de buurt van ons huis kwam, had ik er flink de pas in gezet. Onze auto stond voor het huis. Hij zag er groot en zwart en onberispelijk uit.

Er gebeurt niets vreemds in mijn leven, baas.

Ik liet mezelf binnen en deed de deur zachtjes achter me dicht. Trok mijn jas uit en liep naar de trap. Vanaf de bovenste tree keek ik omlaag naar het woongedeelte.

Amy zat midden op de bank. Ze droeg een rode sweater en een zwarte lange broek. Ze hield met beide handen een kop koffie vast en leek verdiept in een rapport. Naast haar, op het salontafeltje en op de vloer lagen nog meer papieren van het bedrijf. Dit tableau was Amy ten voeten uit – de stereotype afbeelding van de Vrouw Die Thuis Werkt. Het tafereel zag er zo normaal uit dat ik het gevoel had dat ik een geest was.

Toen ik halverwege de trap was, keek ze op en glimlachte. 'Hé,' zei ze. 'Jij hebt flink doorgereden.'

'Wanneer ben jij teruggekomen?'

'Vanmorgen.' Ze leek in verwarring gebracht. Maar ze bleef opgewekt. 'Dat had ik ook gezegd, Jack, wat is er aan de hand?'

'Donderdag aan het eind van de dag kreeg ik een telefoontje,' zei ik. 'Van een kerel die jouw mobieltje achter in zijn taxi had gevonden.'

'Aha!' zei ze triomfantelijk, terwijl ze de papieren van haar schoot schoof. Ze sprong overeind en kwam naar me toe om me een knuffel te geven. 'Ik *vroeg* me al af wat ermee was gebeurd. Ik had de taxi op straat aangehouden en kon me niet meer herinneren van welk bedrijf hij was. Er is verse koffie, trouwens.'

'Wat?'

Ze knikte in de richting van de keuken. 'Je ziet eruit alsof je dat wel kunt gebruiken.'

'Ik ben oké,' zei ik, terwijl ik mijn best deed om mijn stem kalm en gelijkmatig te laten klinken. 'Heb de afgelopen nacht een paar biertjes gedronken, dat is alles.'

'Een paar, natuurlijk. En toen nog een paar meer? Mooie kras heb je daar op je kaak, geheelonthouder.'

'Amy, waar was je in hemelsnaam?'

'Je weet waar ik was, liefje – in Seattle. Wat ik niet begrijp, is waar *jij* bent geweest. Ik bedoel, ik vind alles best, er is geen regel die zegt dat je hier als een huisvrouw moet zitten wachten als ik weg ben. Maar je lijkt een beetje... gaat het wel goed?'

Ik wist niet waar ik moest beginnen. 'Zou je niet gisteren al terugkomen?'

Ze nam me vriendelijk bij de hand, de trap op naar de keuken. 'Bewijsstuk A,' zei ze, terwijl ze op de kalender aan de zijkant van de koelkast wees. Er stond in haar handschrift dat ze op donderdag naar Seattle zou vertrekken en dat ze zaterdagmorgen terug zou komen. Vandaag.

'Ik heb donderdag naar je hotel gebeld,' zei ik. 'Ze konden je naam nergens vinden.'

'Welk hotel?' vroeg ze, terwijl ze me een kop koffie gaf. Hij was te heet en ik wilde 'm niet.

'Het Malo.'

'Liefje, ik *heb* je gezegd dat ik daar niet zou logeren.'

Ik keek haar aan. 'Ik kan me dat niet herinneren.'

'Ik heb je verteld dat ik het niet zo'n geweldig idee vond om gebruik te maken van wat in feite het bedrijfshotel van KC&H is, terwijl ik in de stad op jacht ben naar potentiële klanten. Ik zou Jan en alleman in de lobby kunnen tegenkomen, wat *niet* fris was geweest.'

'Wat bedoel je met "jacht"?'

Ze glimlachte vertederd – en enigszins vermoeid. 'Liefje, daar hebben we het al over gehad, weet je nog? Tijdens het eten, wanneer, een week geleden.'

Ik trok een gezicht alsof ik het me bijna weer herinnerde, hoewel dat helemaal niet het geval was. 'Zie je wel,' grijnsde ze. 'De vermaarde Whalen-hersenen beginnen te draaien. Ik wist dat dat zou gebeuren – ik ben je grootste fan.'

'En waarom heb je dan niet verteld in welk hotel je wél zou logeren?'

'Ik dacht dat ik dat had gedaan. Trouwens, wat doet het ertoe? We bellen altijd mobiel.'

'Maar er hing een briefje met "Hotel Malo" op je computerscherm.'

'Ja, dat klopt, Columbo – dat is een briefje voor *mezelf*. Ik heb daar de laatste keer een boek laten liggen. Het is niet belangrijk, maar het was een cadeautje en een gesigneerd exemplaar, en ik was van plan om ze te bellen voordat ik vertrok. Ik weet bijna zeker dat ik dat ook heb verteld. Ik heb het vorig jaar van Natalie gekregen, weet je nog?'

Ik wreef over mijn slapen. 'Waarom heb je niet gebeld toen je ontdekte dat je je telefoon kwijt was?'

Ze lachte. 'Ik kon me nota bene het nummer niet meer herinneren. Is dat niet belachelijk? Hoewel het eigenlijk een soort van niet leuk is. Ik denk dat ik oud word. Word ik oud?'

'Nee. De vloek van het adresboek,' mompelde ik, terwijl Blanchards zelfvoldane gezicht voor mijn geestesoog verscheen. Eenvoudig gebrek aan nummerherinnering, had hij gezegd. Ze zal thuis zitten en zich afvragen waar jij bent, had hij gezegd.

'En van de moderne tijd in het algemeen, juist. Maar luister.' Ze ratelde een nummer op waarvan ik vermoedde dat het bij mijn mobiele telefoon hoorde. 'Ik heb vanmorgen toen ik thuiskwam geprobeerd om het van buiten te leren. Je moet me af en toe maar eens testen.'

Ik nam een slok koffie, probeerde uit te vogelen wat mijn tien volgende vragen zouden zijn, en in welke volgorde ik ze zou stellen.

'Luister, het spijt me,' zei ze, plotseling ernstiger. 'Was je ongerust?'

'Ja,' zei ik. 'Natuurlijk. Man zegt dat-ie je telefoon heeft gevonden. Ik bel het hotel waarvan ik denk dat jij daar logeert, wat niet zo is. Ik ga naar Seattle en kan nergens een spoor van je vinden. Ik heb je zelfs als vermist proberen op te geven.'

'Wat?'

'Precies. Plus... ik heb met Todd Crane gesproken. In een poging om uit te vinden waar je was.'

Ze rilde. 'Echt? Dat is niet zo best.'

'Maak je geen zorgen. Hij verdenkt je nergens van. Ik zei dat je bij een vriend logeerde en dat ik gewoon alle mogelijkheden afging.'

'Dat heb je zeker gedaan. Heel wat moeite voor een verloren telefoon, schat. Ik bedoel, het is lief, maar ik heb hem tien minuten nadat ik doorhad dat ik 'm kwijt was laten blokkeren. Maandag komt een vervangend exemplaar.'

'Blokkeren? Ik pakte de telefoon en stak 'm haar toe. 'Hiermee heb ik Bobbi vanmorgen gebeld.'

Ze fronste haar wenkbrauwen. 'Nou, dat is vreemd. Daar ga ik achteraan.'

'Doet er niet toe. Ik geloof niet dat iemand ermee gebeld heeft voor ik 'm in handen kreeg.'

'Zal best. Maar als ik hem blokkeer, wil ik dat-ie geblokkeerd wordt. Iedereen had dat ding in handen kunnen krijgen. Dat is niet goed genoeg.'

Opnieuw Amy ten voeten uit. Ik wachtte op een teken van ongerustheid over het feit dat ik haar telefoon in mijn bezit had gehad en 'm zelfs had gebruikt. Er kwam niets. In plaats daarvan zette ze een stap in mijn richting.

'Ik vind het heel lief dat je naar me op zoek bent gegaan,' zei ze. Ze raakte mijn arm aan. 'En ik weet dat het niet makkelijk voor je moet zijn geweest om naar de politie te gaan en het spijt me werkelijk dat ik niet heb gebeld. Ik ging er gewoon van uit dat je wist dat alles in orde was.'

'Dat wist ik niet,' zei ik. 'Ik leef niet in een wereld waarin ik ervan uitga dat alles in orde is met mensen. Dat doe ik al een hele tijd niet meer.'

'Ik weet het,' zei ze zacht. 'Het was dom. Het zal niet meer gebeuren.'

'Het is al goed,' zei ik. 'Ik dacht alleen...'

'Ik weet het.' Ze kuste me, haar armen warm om me heen. 'Echt. Ik beloof het.'

Ik stond lang onder de douche en staarde naar de dure kalkstenen muur. Ik had erg weinig geslapen en ging nog steeds gebukt onder een zware kater, misschien dat ik me daarom voelde zoals ik me voelde. Ik besefte dat ik al die tijd niets had gegeten, wat waarschijnlijk ook niet bevorderlijk was.

Toen ik schoon en aangekleed was, ging ik naar de keuken een bakte een paar eieren. Ik at ze werktuigelijk op, half over de bar hangend, en zonder dat ik doorhad dat het voedsel was. Mijn lichaam voelde stijf en vreemd aan. Ik bedacht dat ik misschien maar een eindje moest gaan rennen, proberen de kreukels eruit te strijken. Maar het idee alleen al maakte me misselijk.

Amy zat weer op haar oude plekje op de bank, met gekruiste benen en opnieuw omringd door papieren. Ze ging helemaal in haar werk op en merkte niet eens dat ik binnenkwam tot ik een paar meter van haar vandaan stond. Ik zag dat de tekstdichtheid op de papieren groter was dan normaal, zonder opsommingstekens en ruwe schetsjes. Het leek meer op het product van een typemachine dan van een computer. En ik zag ook dat het onvermijdelijke logo dat alle KC&H-documentatie kenmerkte hier afwezig was.

'Waar ben je mee bezig?'

Ze keek op. 'Diepgravende achtergrondinformatie,' zei ze, terwijl ze zich uitstrekte om de puinhopen om zich heen wat te ordenen. 'En om eerlijk te zijn, tamelijk saai.'

'Vertel je me later hoe het is gegaan?'

'Ja, sorry. Mijn hoofd loopt om op dit moment. Moet het op orde krijgen. En sorry voor de rommel hier.'

'Hindert niet. Ik ga zelf ook proberen wat werk te verzetten.'

'Hoe gaat het, schrijvertje van mij?'

'Vordert zeer traag.'

'Traag in de zin van... "achteruit"?'

Ik glimlachte. 'Misschien een beetje zijwaarts.'

'Nou ja, een reis van duizend kilometer...'

'Begint met staren uit het raam. Juist ja.'

'Ik heb er alle vertrouwen in. Je komt er wel,' zei ze. 'Dat doe je altijd.'

Ik ging naar mijn werkkamer en liet de deur halfopen staan. Ik was een poosje bezig met het openen van dozen en het tevoorschijn halen van researchmateriaal. Ik maakte genoeg geluid om duidelijk te maken wat ik aan het doen was. Bij elk boek, tijdschrift of knipsel voelde ik een intense verveling, maar desondanks legde ik ze in keurige stapels op het zijtafeltje. Naarmate ik ouder word, kom ik erachter dat ik dingen graag op een rijtje heb. Boeken, tijdschriften, dvd's. Ik wil dat ze geordend zijn. Ik wil dat ze in logische volgorde staan. Ik begin te vermoeden dat op orde hebben misschien belangrijker is dan het boek of tijdschrift op zich. Het is de orde die ik zoek, niet de inhoud.

Toen deze taak volbracht was, schoof ik mijn stoel naar het andere eind van het bureau, zodat het scherm niet zichtbaar was vanaf de deur. Indien nodig, kon ik Amy vertellen dat ik mijn werkplek had verplaatst om me niet te laten afleiden door het uitzicht, dat ik nu in mijn rug had. Maar ze kwam hier nooit binnen als ik aan het werk was. Ik was gewoon... wat? Voorzichtig? Geniepig? Hoogstwaarschijnlijk gewoon vreemd. Ik opende de laptop en het scherm sprong direct aan. Hetzelfde document met dezelfde titel, 'Hoofdstuk 3', verscheen in beeld. Er waren geen hoofdstukken 2 of 1. Er stond geen tekst onder 'Hoofdstuk 3'. Maar ik was hier ook niet om te schrijven.

Ik aarzelde een moment. Toen ik hoorde dat er in de verte papieren werden verschoven, wat bevestigde dat Amy nog steeds in de andere kamer was, haalde ik mijn mobieltje tevoorschijn en zette de laptop in de Bluetooth Receive-stand. Toen de machine gereed was, navigeerde ik door mijn telefoon naar de relevante onderdelen.

Vervolgens stuurde ik de items die ik voor mijn vertrek uit Seattle van Amy's telefoon had gekopieerd naar mijn laptop.

Ik verwachtte niet dat ik hier thuis nog iets nieuws uit de sms'jes zou kunnen halen en ik nam niet de moeite om ze over te zetten. Het enige wat ik kopieerde waren de muziekstukken, het geluidsfragment en de drie foto's. Ik plugde de koptelefoon in de zijkant van de laptop en klikte het eerste geluidsfragment aan. Hoewel het geluid nu luider klonk en zonder achtergrondgeluiden, bevestigde het alleen wat ik al in de bar had gehoord. Het was een man die lachte. Ik zette het volume harder tot het geluid geen betekenis meer had, in de hoop dat ik een soort geluid erachter zou kunnen horen, een aanwijzing over waar de opname was gemaakt. Ik hoorde niets. Het was alleen een man die lachte, op een plek die noch ongewoon stil, noch bijzonder lawaaierig was. Ik kreeg er een onaangenaam gevoel bij, maar misschien kwam dat doordat ik het niet prettig vond om een andere man op de telefoon van mijn vrouw te horen lachen. Misschien had ze op een verloren moment in een restaurant met haar telefoontje zitten spelen en per ongeluk een geluid van een ander tafeltje opgenomen.

Van de foto's werd ik evenmin veel wijzer. Op het scherm van mijn laptop waren ze groter dan op de telefoon. Maar ze bleven donker en wazig en ik betwijfelde of ik de man zou herkennen als ik hem op straat tegenkwam. Op de andere twee foto's leek helemaal niets herkenbaars te staan, in eerste instantie. Duisternis met een paar lichtere vlekken. Geleidelijk aan ontwaarde ik het beeld van het parkeerterrein van een avondwinkel, en een man die de winkel binnenging. Ik kon niet zien waar de tweede foto was gemaakt – in een donkere bar, misschien? – maar opnieuw leek er iemand op te staan.

Ik sloeg de files op in een map die ik ergens diep op mijn harde schrijf wegborg. Toen ik ze van Amy's telefoon overhevelde, had ik het gevoel dat ik iets van haar had gestolen en het frustreerde me dat het niet meer had opgeleverd. Blanchards woorden klonken nog steeds in mijn hoofd en ik voelde me een dwaas. Er was maar een ding dat me ervan weerhield om me helemaal belachelijk te voelen, en dat kon ik op dit moment niet controleren.

Ik hoorde een geluid, keek op en zag Amy, die een paar stappen in de kamer stond.

'Hoi,' zei ik verschrikt.

'Sorry,' zei ze. 'Wilde je niet aan het schrikken maken. Je leek diep in gedachten.'

'Ja,' zei ik. 'Wat is er?'

'Verveel me te pletter,' zei ze. 'Ga naar het dorp voor wat dingetjes. Ik weet nog niet wat. Heb jij iets nodig terwijl ik erachter kom wat ik wil?'

Heel even verbaasde het me dat ze niet vroeg of ik zin had om mee te gaan. Toen herinnerde ik me dat ik geacht werd hier te werken en dat het heel attent van haar was om me niet in verleiding te brengen. Dit, nog meer dan het tableau dat ze tentoonspreidde toen ik thuiskwam, was mijn vrouw ten voeten uit. Subtiel in essentie, bot als dat nodig was. Het soort vrouw dat briesend de badkamer kon binnenstuiven terwijl ik me daar stond te scheren en dan zei: 'Jij klojo – je gaat die plank repareren zoals je had beloofd, of moet ik je soms inruilen bij Husbands-R-Us?' Dat vertelde ik een keer aan een echtpaar dat elkaar in de tuin stond uit te schelden. Ik raadde ze aan om hun vage verwijten op een meer rechtstreekse manier te uiten. Sindsdien stuurden ze elk jaar een kerstkaart naar het politiebureau, ondertekend met 'De Klojo's – nog steeds bij elkaar'. Ik beschouw het als een van mijn grotere successen bij de politie.

'Ik heb niets nodig,' zei ik glimlachend, terwijl mijn hart een fractie sneller begon te kloppen. Ik besefte hoe veel ik van haar hield en voelde me des te schuldiger om wat ik moest doen, en wat ze nu een stuk makkelijker voor me maakte. 'Ik heb alles wat ik nodig heb binnen handbereik.'

'Goedkoop vriendje,' zei ze, en verliet de kamer. Ze rommelde nog een poosje in de keuken en riep toen dag.

Ik wachtte drie minuten, waarna ik mijn werkkamer verliet en snel naar boven liep. Ik was net op tijd bij het raam aan de voorkant om te zien hoe onze auto over de oprit wegreed. Ik bleef nog een paar minuten wachten tot ik er zeker van was dat ze niet terugkwam. Toen ging ik weer naar de benedenverdieping en betrad Amy's werkkamer.

Een uur later was ik enkele kilometers van huis, hardlopend over een wandelpad door het bos. Ik had nooit van hardlopen gehouden. Het vooruitzicht is onaangenaam, de bezigheid zelf is zwaar en het slaat in feite nergens op. Het menselijk lichaam is niet gebouwd om lang achtereen te rennen. Maar hoewel ik het liever niet toegeef, lijkt het wel te voldoen aan de behoefte van het lichaam om van tijd tot tijd serieus genomen te worden. Het eerste stuk bezorgde me een zware hoofdpijn en ik moest een paar keer stoppen vanwege een hevige hoestbui. Maar nu bewoog ik me soepel en gelijkmatig tussen de bomen door. Ik rende in een boetvaardige modus, probeerde te vergeten wat er de nacht tevoren was gebeurd. *Ik ben het soort man dat hardloopt, zoals je zult zien, niet het soort dat wakker wordt in een park.*

Ik liep ook hard omdat ik hoopte dat ik de dingen zo op een rijtje kon zetten. Toen ik in Amy's werkkamer kwam, had haar computer uit gestaan. Ik had overwogen om 'm aan te zetten, maar ik wist niet hoe lang het duurde om hem weer af te sluiten en ik wilde niet het risico lopen dat ze onverwacht terugkeerde en me daar zou betrappen. Ze zou me verwijten dat ik inbreuk maakte op haar privacy, en terecht. Daarom pakte ik de personal organizer, keek een tijdje naar wat er allemaal op stond, zette hem toen weer uit, plaatste hem weer in de oplader en verkleedde me om te gaan hardlopen.

Het werd kouder. Ik voelde de temperatuur dalen terwijl ik liep en het vocht kwam in steeds dichtere wolken uit mijn mond. Toen ik tussen de boomtoppen door een stukje hemel ontwaarde, was die loodgrijs, en het gedempte licht legde een blauwe gloed over het groen van de dennen en sparren. Ik besloot om te keren en weer naar huis te gaan. Het zou hoe dan ook binnen niet al te lange tijd donker worden.

Wat ik op de PDA had gezien was doodeenvoudig. In een gekleurde balk stond 'Seattle' – zoals ik het me herinnerde. Het was een van de redenen waarom ik zo zeker had geweten dat ze daar zou zijn. Maar de balk eindigde op zaterdagmorgen.

Dat was *niet* zoals ik het me herinnerde.

Toen Amy me naar de keuken had gebracht en naar de kalender op de zijkant van de koelkast, had het eruitgezien als een simpele vergissing. Ik wist dat ik in mijn hoofd had dat ze er maar tot vrijdag zou zijn. Dat had ik zo begrepen. Ik dacht dat ze me dat had verteld. En ik herinnerde me dat ik – toen ik het op haar PDA zag – een eenvoudige bevestiging voelde van iets wat ik al wist. Dus hoe was het mogelijk dat er nu zaterdag op de PDA stond, en waarschijnlijk ook op haar computer? Ik kon slechts twee verklaringen bedenken. Ze had *inderdaad* gisteren terug zullen zijn, zoals ik had gedacht. Er was iets vreemds gebeurd – ik had geen idee wat – maar ze was vanmorgen teruggekomen en had besloten zich er op deze manier uit te bluffen. Schreef het snel op de kalender op de koelkast – ze had wel heel zeker geweten dat het daar stond en ze was er erg op gebrand om het me te laten zien. Het bericht op haar computer had ze toen al veranderd, en dat had ze doorgestuurd naar haar PDA – voor het geval haar echtgenoot drie bewijsstukken nodig zou hebben. Geraffineerd bedrog om mij van zich af te schudden, met andere woorden. Riskant bedrog ook. Want als ik zeker was geweest van wat ik had gezien, was ik door haar correcties enorm wantrouwend geworden. Maar ik wist het niet zeker. En misschien...

Misschien vergiste ik me gewoon.

Misschien was het vanaf het begin de bedoeling dat ze op zaterdag zou terugkomen. Ik was over de rooie gegaan nadat ik donderdagavond in haar PDA had gekeken. Ik had toen op de een of andere manier al het idee gehad dat ze vrijdag zou terugkomen, en dat werd bevestigd door wat ik op haar scherm zag. Als ik me nu in gedachten een beeld probeerde te vormen van de agenda met een balk die stopte op vrijdag, kreeg ik dat niet voor elkaar. Hij liep door tot zaterdag. Kwam dat alleen doordat ik het zo als laatste had gezien? Lag het niet veel meer voor de hand om te denken dat de balk aldoor al zo ver had doorgelopen?

Dit is niet het probleem van de politie. Dit is uw probleem.

Zonder het bericht in de PDA dat in tegenspraak was met wat Amy zei, had ik geen poot om op te staan. En dat betekende waarschijnlijk dat er geen poot *was.* Terwijl ik over het pad naar de grens tussen het National Forest en ons privéterrein denderde, raakte ik daar meer en meer van overtuigd. Het gevoel verspreidde zich door mijn lichaam als een verzachtende massage van de schouders. Ik schaamde me ook. Die berichten op haar mobieltje bleven vreemd, maar andermans troep is altijd vreemd. En hoewel je het soms vergeet, blijft je partner in diepste wezen een andere persoon. Dat Amy zich geen zorgen maakte over het feit dat ik de dingen op haar mobieltje kon bekijken, strookte niet met de mogelijkheid dat ze er allerlei geheimen op bewaarde. Het leek meer op een terugkerende grap met collega's, of fragmenten van een toekomstige reclamecampagne. Een tijdlang had mijn hoofd zich gevuld met een bijna tastbare duisternis, alsof er een zwaar gewicht boven hing.

Ik herkende het gevoel, wist dat het wortelde in de dingen die mij, en ons, de afgelopen jaren waren overkomen. Ik was veranderd in iemand die constant was voorbereid op chaos en indringers. Op het geluid van brekend glas aan de achterkant van het huis, het gegier van de banden van een auto die de stoep opdraaide om me van achteren aan te rijden. Een telefoontje met het bericht dat een van ons tweeën kanker had, hoewel we ons geen van beiden hadden laten onderzoeken en niet de intentie of behoefte voelden om dat te doen.

Dat was allemaal niet gebeurd. Andere dingen wel. Maar noch het een, noch het ander was voorspelbaar geweest. Ik had geen waarschuwing ontvangen over de plannen van de God van Nare Zaken. Dat is niet hoe hij te werk gaat, en het betekende niet dat er opnieuw iets zou gebeuren. Ik hoefde niet op mijn hoede te zijn, op het ergste voorbereid. Alles was in orde.

Ik merkte dat ik dat steeds herhaalde in het ritme van mijn ademhaling, het gebruikte om mijn loopritme vast te houden terwijl ik snel en vastberaden tussen de bomen door over de laatste heuvel naar ons huis rende.

Alles is in orde. Alles is in orde.

Het is een goed ritme om op te rennen.

Amy was al weer terug toen ik bij het huis aankwam. Ze lag in bad te weken en luisterde met een ironische blik in haar ogen naar een idioot op de radio die bazelde over een complot van duistere en verborgen krachten achter de bomaanslagen vorig jaar in Thornton, Virginia. Alsof gewone terroristen niet erg genoeg waren. Ik waste me en trok andere kleren aan en deed toen wat ik altijd, enigszins pervers, deed na het hardlopen. Ik pakte een biertje uit de koelkast en liep naar het dakterras om een sigaret te roken.

Toen ik naar buiten stapte, sprong de verlichting van het dakterras aan en precies als altijd wenste ik dat dat niet gebeurde. Ik wist dat ik van tevoren binnen een schakelaar had moeten omzetten, wat nooit in me opkwam voordat ik naar buiten liep, en dan was het te laat. Amy had de verlichting liever aan, maar omdat zij meer last had van de kou en hier 's avonds nooit kwam, liet ze de keuze aan mij. Zoals gewoonlijk probeerde ik de gedachte vast te houden, beloofde mezelf dat ik er deze keer aan zou denken als ik weer naar binnen ging, en leunde vervolgens over de balustrade. Er was een windje opgestoken dat de toppen van de bomen in beweging bracht en het puntje van mijn sigaret helder deed opgloeien.

Toen de sigaret op was, drukte ik hem uit tegen de onderkant van de balustrade en stopte de peuk terug in het pakje. Op weg naar binnen zag ik een paar vlokjes as op de vloer van het dakterras, restanten van de laatste keer dat ik hierbuiten had staan roken. Het verbaasde me hoe toeval en geometrie ervoor hadden gezorgd dat geen van de briesjes van de laatste dagen erin was geslaagd om ze weg te blazen, hoe er altijd stukjes van gisteren blijven slingeren in vandaag. Terwijl ik stond te kijken, kreeg een windvlaag er eindelijk vat op, joeg de vlokjes over het dakterras tot ze over de rand verdwenen.

hoofdstuk
ZESTIEN

Hij reed snel maar secuur en hij hield zich aan de maximumsnelheid. Hij zorgde ervoor dat hij er, als altijd, net zo uitzag als elke andere man die onderweg was. Hoewel hij in zijn leven vele voorrechten had genoten, besefte Shepherd dat daar een prijskaartje aan hing. Je moest betalen, altijd. De hoogste prijs, dat wat je nooit meer kon inhalen, was tijd. Je krijgt nooit een minuut terug. Als hij werd aangehouden door de politie, kostte hem dat minstens een halfuur, misschien langer. Dat kon hij zich niet veroorloven. Dus reed hij met een gestage gang over de 1s-5, in de hoop dat de zaken vannacht nog konden worden opgelost. Het was zo'n eenvoudig plan geweest. Hij had er niet op gerekend dat de zaken zo uit de hand zouden lopen, zo snel.

Er was nu meer dan vierentwintig uur verstreken sinds het meisje was verdwenen.

Hij had niet verwacht dat zijn eerste stop iets zou opleveren. Maar zijn hele leven had hij de zaken al methodisch aangepakt en eerst bij het huis van de O'Donnells langsgaan was de meest logische stap geweest. Voordat hij uit Cannon Beach vertrok, had hij de weg in beide richtingen een eind afgereden. En hij had het strand afgezocht, zonder daar veel van te verwachten. De plaatselijke politie had de zoektocht grondig aangepakt. Als het meisje daar was geweest, hadden ze haar gevonden. Ze was er niet. Dus was ze ergens anders naartoe gegaan.

Hij moest erachter komen waar, en snel.

Hij was opnieuw Agent Shepherd toen zijn auto tot stilstand kwam voor het huis in het noordwestelijke district van het centrum van Portland, maar een paar blokken verwijderd van de chique winkels aan 22nd en 23rd. Hij klopte op de deur, wachtte, en liet zichzelf toen binnen. Hij was zes minuten binnen. Ze was er niet.

Hij liep weer naar buiten en ging in de auto zitten. Hij dacht na over wat hij nu zou gaan doen. Het werd donker. Er was een voor de hand liggende plek waar hij naartoe kon gaan. Het was vanaf het begin de meest waarschijnlijke bestemming geweest, maar het betekende dat hij zichzelf geografisch zou vastleggen. Als hij daar naartoe zou gaan terwijl ze nog steeds ergens door Oregon zwierf, was het slechts een kwestie van tijd voor ze met iemand zou spreken, iets zou loslaten – waardoor ze allerlei onberekenbare variabelen in het spel zou brengen.

Shepherd hield niet van variabelen. Meer dan dertig jaar lang was zijn bestaan grotendeels gevrijwaard gebleven van onzekerheid, en zo wilde hij het graag houden. Het was een van de voordelen van het leven dat hij leidde – de vrijheid om de beperkingen die de levens van anderen begrensde te negeren. Maar vrijheid betekent verantwoordelijkheid, het bewustzijn dat je je eigen lot hebt gecreëerd en dat er weinig mogelijkheden zijn om anderen daarvan de schuld te geven. Hij herinnerde zich een ontmoeting in een hotelbar een paar uur ten noorden van hier. Dat iemand hem een voorstel had gedaan en dat hij wist dat het hem in de problemen zou brengen, dat het betekende dat hij alles waar hij zijn leven lang naar had gestreefd in de waagschaal moest stellen. Maar na een blik op de persoon aan de andere kant van de tafel had hij geweten dat hij het toch zou doen. Hoezeer deze persoon ook was afgegleden naar de zelfkant van de maatschappij, Shepherd begreep dat hij niet iemand was wiens wensen je negeerde. Shepherd had dingen gedaan waar andere mensen niet eens over wilden nadenken. Maar hij wist wie de touwtjes in handen had tijdens dat gesprek, wie het terrein beheerste, wiens wil zou overwinnen.

En dan was er natuurlijk nog het geld geweest.

Heel veel geld.

Dus had hij geluisterd. En aan het eind van het gesprek was hij weggelopen in de wetenschap dat hij zou doen waarmee hij had ingestemd. In de afgelopen paar maanden was hij zijn eigen, alternatieve plan gaan ontwikkelen. Maar tot die tijd had Shepherd jarenlang keurig zijn afgesproken aandeel geleverd. Hij had een oogje in het zeil gehouden, nauwgezet, zelfs toen het doelwit naar een andere staat was verhuisd. Hij was in de buurt geweest, onzichtbaar tegen de achtergrond, had hier en daar iets aangepast aan het verloop van persoonlijke geschiedenissen, eenvoudig door dicht genoeg in de buurt te zijn om het lot bij te kunnen sturen. Tien dagen eerder had hij een man gewaarschuwd. Dat had geleid tot de abrupte beëindiging van een vriendschap die Alison O'Donnell de afgelopen vijf maanden veel genoegen had verschaft. Deze vriendschap dreigde echter te belangrijk te worden. Shepherd bleef trouw aan constanten, altijd: het gezin moest stabiel blijven. De breuk had in grote mate bijgedragen aan Alisons plotselinge vertrek naar Cannon Beach. Vanzelfsprekend had ze haar echtgenoot niet verteld wat de oorzaak was van dit nieuwe dieptepunt in haar regelmatig terugkerende depressie. Net als meneer Golson haar niet had verteld waarom hij opeens geen tijd meer had om na werktijd koffie te drinken, dat een man naast hem in een Starbucks was gaan zitten die hem met zachte stem had gezegd dat hij ermee moest ophouden omdat de druiven anders zeer zuur zouden zijn.

Waarschijnlijk zou er nooit iets gebeurd zijn tussen de moeder van het meisje en haar vriend, maar dat risico wilde Shepherd niet nemen. Risico's nemen lag niet in Shepherds aard.

Met uitzondering van een keer, in die hotelbar.

Op dat moment had het een acceptabel risico geleken, een visionair plan om zijn eigen toekomst te verbeteren. Maar sinds kort was zijn positie veranderd. En daardoor, lang voor het afgesproken tijdstip, had hij gedaan wat hij had gedaan. En onmiddellijk waren er dingen misgelopen. Hij had gekregen waar hij recht op had. Dat deel had goed uitgepakt. Maar toen hij terugkeerde om het korte en gewelddadige tweede deel van zijn gepersonaliseerde versie van het plan ten uitvoer te brengen, was het meisje verdwenen.

Het telefoontje kwam een halfuur later. Hij had het in eerste instantie genegeerd – was ervan uitgegaan dat het de vrouw was die al weken op zijn zaak zat en met wie hij nu even niet wilde praten – maar graaide haastig naar de telefoon toen hij besefte dat ze het niet was.

Het gesprek was kort en vond plaats vanaf een munttelefoon. Hij herkende de stem van het meisje direct en stelde haar exacte vragen. Ze klonk verward en angstig en hij wist met moeite twee woorden uit haar te krijgen – 'Creek' en 'Rest' – voordat het gesprek werd afgebroken. Na een blik op de kaart vond hij een reisdoel dat op geloofwaardige afstand lag. Het was een naald in een hooiberg geweest als de plek zich niet in de richting bevond die hij vanaf het allereerste begin had verwacht.

Maar het was nog een heel eind, hij kon haar gemakkelijk weer kwijtraken.

Dus reed hij snel Portland uit en zette koers naar het noorden. Hij passeerde Kelso en Castle Rock en reed vele kilometers over een bijna verlaten nachtelijke snelweg die aan weerszijden werd omzoomd door grijze bomen, een leeg landschap met een dun laagje beschaving, als een pas aangeschafte overjas. Het begon te regenen, maar Shepherd hield zijn voet op het gaspedaal. Hij remde niet toen hij door Chelalis en Centralia reed, en evenmin voor andere dorpjes langs de weg, die in feite een lange tunnel door het bos was, aan de westkant van de staat Washington noordwaarts richting Seattle.

Anderhalf uur nadat hij Portland had verlaten, zag hij de afslag. Hij verliet de snelweg via een halfronde afrit en deed zijn koplampen uit. De regen kletterde nu op de auto neer en tussen het gezwiep van de ruitenwissers door zag hij een laag, plat gebouw, spaarzaam omringd door bomen, met daarachter een groot parkeerterrein. Door twee kleine ramen scheen gedempt licht naar buiten, waardoor het geheel er nog verlatener uitzag.

Volgens een bordje op de muur was dit SCATTER CREEK SAFETY REST AREA.

Er stond slechts één auto op het parkeerterrein. Shepherd maakte een ruime boog, kwam tien meter van de geparkeerde auto tot stilstand en zette de motor af. Het was een Ford Taurus van het type dat verhuurbedrijven graag gebruikten. Er brandde geen licht in de auto. Hij wachtte twee minuten en stapte toen naar buiten in de regen.

Hij liep langzaam en hield zijn revolver laag naast zijn zij. De auto leek verlaten, maar methodisch te werk gaan betekende zeker weten. Hij keek door de achterruit en zag dat de achterbank op een jack na leeg was. Toen liep hij op zijn hoede langs de zijkant naar voren en bukte zich om daar naar binnen te kijken. Er zat niemand in de auto. Hij ging weer overeind staan, reikte omlaag om het portier aan de bestuurderskant te openen. Het interieur van de auto was koud. Ofwel de bestuurder had de verwarming niet aangezet, of de auto stond hier al een poosje. De sleutels zaten niet in het contact.

Pech, verlaten, de bestuurder veilig weggetoverd door de wegenwacht?

Mogelijk. Maar dan zou de auto afgesloten zijn, en was het jack waarschijnlijk ook meegenomen. Kaarten lagen op hun plaats tussen de stoelen, dunne vodjes, wederom kenmerkend voor een huurauto.

In het portier aan de bestuurderskant zat een halfleeg pakje sigaretten geklemd, samen met een wegwerpaansteker. Op de grond voor de passagiersstoel lag een leeg snoepzakje en daarnaast een leeg doosje kipnuggets.

Shepherd sloot het portier. Hij had nooit gerookt, ironisch genoeg, maar hij wist dat mensen die zo veel behoefte aan nicotine hadden dat ze de ABSOLUUT VERBODEN TE ROKEN-sticker in een huurauto negeerden, het toneel niet snel zouden verlaten zonder hun kankerstokjes.

Er was hier iemand, ergens.

Hij draaide zich om en liep naar het gebouw. Aan de linkerkant was een terugwijkende betegelde muur die de ingang naar de herentoiletten aan het oog onttrok. Een raam van dertig centimeter in het vierkant vormde een van de twee bronnen van de schaarse verlichting. De rest van het bouwwerk, rondom een overdekte ruimte, rustte op grijze stenen pilaren. Rekken met folders van plaatselijke attracties. Een buffet waar je overdag koffie kon krijgen was nu afgesloten met een metalen rolluik. Een rij van drie munttelefoons. Een paar aftandse drinkkraantjes. Alles donker, koud.

Maar toen hij wat beter keek, zag hij dat een van de hoorns van de haak was en aan het koord bungelde.

Hij liep weer naar buiten en ging de toiletruimte binnen. Die was bruin-beige betegeld. Twee wasbakken, twee urinoirs, twee toilethokjes. Verrassend schoon. De muren van de hokjes liepen niet helemaal tot aan de grond door. Ook hier was niemand. De regen roffelde zwaar op het metalen dak.

Hij liep weer naar buiten en begaf zich via het overdekte gedeelte naar de damestoiletten. Drie toilethokjes, zelfde verhaal. Behalve dat een pijp lekte en de vloer eromheen nat en glibberig was. En afgezien van het feit dat er achter in het laatste toilethokje een voet zichtbaar was.

Blauwe spijkerbroek, witte gympen. Eigenaar bevond zich waarschijnlijk in een knielende houding.

'M'vrouw?'

Er lag nog iets op de grond. Klein, glimmend plastic, paars.

Hij duwde de deur open. Een vrouw lag opgekruld in een hoek van het hokje. Het zag er bijna uit alsof ze gebukt zat, alsof ze verstoppertje speelde.

Shepherd bukte zich om het paarse plastic van de vloer op te rapen. Het was de batterij van een mobiele telefoon. Hij deed zijn handschoenen aan en trok de vrouw voorzichtig bij haar schouders naar achteren. Ze was duidelijk gestorven aan een verwonding van het hoofd, waarschijnlijk ontstaan toen ze met haar hoofd tegen de toiletpot sloeg. Het restant van de telefoon lag onder haar, het scherm was gebarsten. Shepherd liet het lichaam weer naar voren zakken en tilde de rechterhand op.

Lichtgele verkleuring aan de binnenkant van de wijsvinger.

Roker.

Waarschijnlijk de huurster van de auto op het parkeerterrein.

Waarschijnlijk degene die een lift had gegeven aan de consument van snoepjes en kipnuggets, die haar had betrapt toen ze in de toiletten probeerde iemand te bellen: haar passagier had iets ongepast gezegd tijdens de rit, iets wat niet klopte.

Genoemde passagier komt aan bij toilethokje, vrouw schrikt en glijdt uit op de natte vloer, valt, heeft pech, zoals sommige mensen dat hebben.

Waarschijnlijk.

Shepherd vloekte in stilte en verliet het toilethokje. Terwijl hij snel door de regen naar de achterkant van zijn auto liep, maakte hij al lijstjes in zijn hoofd.

Zorgen dat restanten van telefoon verdwijnen; toilethokje schoonvegen vanwege vingerafdrukken; idem vloer toiletruimte en binnenmuren toiletruimte; alle hoorns van munttelefoons afvegen; exemplaar waar ze waarschijnlijk mee gebeld heeft verwijderen; onderzoeken/schoonvegen oppervlakken auto van slachtoffer, schoonvegen gebied rond handvat buitenkant portier. Verwijderen lichaam uit toilethokje en opbergen in achterbak auto, voertuig verplaatsen.

Dit was niet best, wist Shepherd. Terwijl hij schoonmaakmateriaal uit de achterbak van zijn auto haalde, maakte hij kalm de balans op. *Laten we ervan uitgaan dat het slachtoffer de politie niet heeft kunnen bereiken. Anders had het hier gewemeld van de agenten. Maar iemand, ergens, kan gezien hebben dat de vrouw een lifter meenam. Heeft ze samen gezien bij een benzinepomp, bij de McDonald's. Net genoeg om de mensen die naar haar op zoek zijn de juiste kant op te sturen.*

Shepherd trok wat extra gereedschap tevoorschijn en opende een tas van dik grijs plastic.

Er wachtte hem een onsmakelijk klusje.

Na afloop onderzocht hij de omtrek van het parkeerterrein, tevergeefs. Op de een of andere manier had het meisje een manier gevonden om deze plek te verlaten. Hij kon zich moeilijk voorstellen dat een andere reiziger haar had meegenomen, dat iemand zich had laten overtuigen door om het even welke verklaring ze voor haar aanwezigheid daar zou hebben bedacht. Maar Shepherd wist dat ze heel overtuigend kon zijn. Op de een of andere manier was ze daar weggekomen, net als ze de dode vrouw zo ver had gekregen om haar zo'n eind mee te nemen. En ze had een plek of meerdere plekken gevonden om de afgelopen dag en nacht door te brengen, nadat ze op de een of andere manier naar Portland had weten te komen.

Toen hij wegreed, liet hij een brandende auto met zwijgend flakkerende vlammen achter. Over een paar minuten zou de auto exploderen. Dit was niet de huurauto, maar de auto waarin hijzelf was gekomen. De huurauto was te gemakkelijk te traceren, zelfs als hij was afgebrand. En dat zou de rechercheurs direct naar de identiteit van de vrouw hebben geleid. Haar naam was Karen Reid. Haar rijbewijs, creditcards en portemonnee had hij al gevonden en vernietigd. Alle andere eventuele bronnen van identificatie lagen in de plastic zak achter in zijn nieuwe auto, naast een koffer van het soort waaruit hij zijn hele volwassen leven had geleefd. De opperhuid van de vingers van de vrouw had hij verwijderd met behulp van haar eigen aansteker. Haar hoofd was ontdaan van alle kenmerkende eigenschappen. Haar lichaam, zonder deze verraderlijke onderdelen, lag in de kofferbak van de brandende auto. Tussen hier en waar hij naartoe ging zou hij alle resterende componenten verspreiden. Het was niet perfect, maar de enige perfectie is de dood. Je kunt perfect dood zijn, misschien. Voor de rest moet je het doen met wat je te pakken kunt krijgen.

Het was nu na middernacht en de snelweg was bijna verlaten. Shepherd verhoogde zijn snelheid tot het maximaal toegestane en zette de cruisecontrol aan. Hij had amper door dat hij in een andere auto reed. Hij had in zijn leven in heel wat voertuigen gereden en was niet gehecht geweest aan het vorige exemplaar. Hij was nergens aan gehecht. Op die manier was het makkelijker om controle te houden, en op dit moment had hij het gevoel dat hij die controle weer terug begon te krijgen. Het was duidelijk in welke stad hij moest zijn, dat was zeker. Het was ook duidelijk dat de tijd naderde dat hij de klus met andere ogen moest gaan bekijken. Hij zou met enkelen van de anderen moeten praten, en snel. En daarvoor had hij een plausibele verklaring nodig voor deze gebeurtenissen, alleen voor het geval een van hen haar vond voordat hij dat deed.

Maar nu hoefde hij alleen maar te rijden.

Zeven kilometer verderop opende hij het raampje en gooide de eerste van Karen Reids tanden naar buiten.

Deel twee

Onbewust benijden we de integriteit van de doden:
ze zijn klaar met het voorbereidende stadium,
hun karakters zijn duidelijk afgetekend.

Andrey Sinyavsky
Unguarded Thoughts

hoofdstuk

ZEVENTIEN

Op zondag ontbeten we in Birch Crossing. Daarna dronken we ergens koffie, buiten, zodat ik een sigaret kon roken. Amy was heel lief: ze verdroeg de kou en wist zelfs een pro-formaopmerking over het feit dat ik geacht werd te stoppen voor zich te houden. Ik bladerde een beetje door de krant, maar het plaatselijke nieuws kon me niet boeien. Amy keek naar een moeder met een stel jonge dochters aan het tafeltje naast ons, maar na een poosje dwaalden haar ogen af.

We zaten daar een halfuur toen iemand hallo zei. Ik keek op en zag Ben Zimmerman, die de koffiewinkel inliep. Hij had een pak kranten onder zijn arm en droeg als altijd een versleten kakikleurige legerbroek en een sweater die je alleen nog aantrekt als je gaat vissen, omdat je vrouw je heeft verboden om hem ooit nog in beschaafd gezelschap te dragen. Maar ik realiseerde me dat ik behoorlijk tevreden zou zijn als ik er op zijn leeftijd nog zo uit zou zien. En het feit dat iemand ons zo en passant groette gaf me het gevoel dat we hier werkelijk woonden.

Ik knikte. 'Hoe gaat het met je vriend?'

Ben haalde zijn schouders op en glimlachte vaag. Ik wist niet zeker of dit betekende dat de vriend het naar omstandigheden redelijk maakte, of dat hij zoals verwacht was overleden, dus knikte ik nog maar een keer, en hij ging naar binnen.

Daarna slenterden Amy en ik een poosje langs de winkels, omringd door new age en Mozart. Ik stond buiten en keek door de etalage naar binnen, waar Amy een bloes betastte in een kleur die ik niet anders kon omschrijven dan 'roze'. Ik was verbaasd. Mannen van mijn leeftijd en type zijn zich amper bewust van het bestaan van roze, een kleur die ze alleen van dichtbij zien als ze een dochtertje krijgen.

Huisvrouwen willen het niet in hun interieur en sterven nog liever dan het te moeten dragen. Het is als de kleur paars in de middeleeuwen – exotisch en onbekend, en dus intrigerend door zijn suggestie van anderszijn, anders dan de aardekleuren en het petrol en het alomtegenwoordige zwart.

Toen Amy weer naar buiten kwam, keek ze me aan en trok een wenkbrauw op. 'Wat sta jij te grijnzen, apenkop?'

'Nooit gedacht dat jij zo'n roze prinsessentypetje was,' zei ik. 'Maar het staat je keigaaf. Zullen we vanmiddag naar de film? Of wil je naar het winkelcentrum?'

Ze bloosde, sloeg me op mijn arm en begon een reeks onrealistische mogelijkheden op te noemen waar ik met dat winkelcentrum naartoe kon, inclusief het parkeerterrein. Gehuld in kameraadschappelijke zwijgzaamheid liepen we terug naar huis, omringd door de geur van dennen en sparren. Het was zo tegengesteld aan ons leven in L.A. als ik me maar kon voorstellen, en in de meest positieve zin.

Eenmaal thuis kroop Amy op de bank om te werken en ik vertrok naar mijn eigen werkkamer. Ik liet de laptop nog even gesloten. Ik zat aan mijn bureau en staarde door het grote raam naar buiten. Ik had een idee en ik wilde zeker weten dat het niet idioot was. En ook dat het meer was dan een bewijs dat ik er moeite mee had om het leven dat ik achter me had gelaten te vergeten.

Een politieman leidt een vreemd bestaan, veel prozaïscher dan de entertainmentindustrie ons wil doen geloven. In feite ben je gewoon een zaalwacht met een revolver. Iemand die zich inlaat met het corrupte en oneerlijke, met alles wat grenst aan gestoord – al voordat je het bureau verlaat, reken daar maar op. Je bent een sociale conciërge, bemiddelen en corrigeren, degene die probeert de omgeving schoon en in bedrijf te houden: degene die zich van tijd tot tijd bemoeit met de eindeloze strijd tussen mensen die onrecht is aangedaan en mensen die onrecht aandoen – of die *eruitzien* alsof ze onrecht aandoen, terwijl ze op dat moment bij hun zuster in het ziekenhuis waren, ze niet eens een auto *hebben* en zeker niet dat merk, en waarom val je me lastig, hufter, klootzak, kun je niet beter achter de echte criminelen aangaan?

Het eerste wat je leert is dat Esperanto overbodig is. We hadden al een universele taal. Wantrouwen. Iedereen liegt, over alles, continu. Je gelooft al snel niets meer van wat mensen je vertellen. En je gaat inzien dat de slachtoffers je meer koppijn zullen bezorgen dan de daders. Het zijn of wel dezelfde personen die deze keer toevallig in de hoek zaten waar de klappen vallen (en nu zullen ze potverdrie ook het onderste uit de kan halen), of het zijn burgerlijke klootzakken die denken dat de politie hun persoonlijke beveiligingsbedrijf is en die ervan uitgaan dat ze al hun moeilijkheden kunnen oplossen met een zelfverzekerde houding en honderd ballen, discreet of minder discreet toegeschoven.

Dus speel je een rol zodra je je uniform aantrekt, word je een ander mens. Iemand die in staat is om zich af te sluiten voor het feit dat dit de dag kan zijn waarop je een onschuldig uitziende man aanhoudt die vervolgens pisnijdig blijkt te zijn op zijn vrouw of zijn beste vriend, of omdat hij *weer* niet de lotto heeft gewonnen, en die dan volledig over de rooie gaat en van onder zijn stoel een pistool tevoorschijn haalt dat daar elke andere dag rustig was blijven liggen. Je probeert te vergeten hoeveel wapens ons omringen: aardappelschilmesjes in keukenlades; flessen in cafés waar het uitbreken van een gevecht even onvermijdelijk is als reclame tijdens een tv-programma; een roestig scheermes, diep weggeborgen tussen de vuile kledingstukken van de zwerver die zijn winkelwagentje met mysterieuze troep over het trottoir voortduwt. De alom bekende dorpsidioot die geen vlieg kwaad doet, maar je bent een uur met hem in de weer omdat iemand over hem heeft geklaagd, en trouwens, *het is de wet.* De man bedelft je onder de meest bizarre theorieën over het stralingsgevaar van de magnetron en is zo vaak met zijn schaamhaar in de weer geweest dat hij je als een levensgevaarlijke bedreiging beschouwt waar hij zich tot het bittere einde tegen zal verzetten.

Een menselijk wezen is zelden meer dan een meter verwijderd van iets waarmee hij of zij een ander kan beschadigen. En in alle hierboven beschreven situaties zijn mensen die ik ken gewond geraakt. Een van hen werd in de keel gestoken met een flessenopener door een vrouw bij wie het bloed uit de mond spoot, maar die er vast van overtuigd was dat haar leven geen zin had als de man met wie ze samenleefde werd gearresteerd. De agent kreeg een lintje; de vrouw verdween voor lange tijd achter de tralies; de man die haar voor de ogen van haar kinderen in elkaar had geslagen woont nu bij een andere vrouw. Zit in haar stoel, trommelt met zijn vingers op de met as bevlekte leuningen en kan maar niet begrijpen waarom haar kinderen zich zo uitsloven om hem te irriteren en waarom die stomme koe er niets aan doet of hem nog een biertje brengt en wat er toch met haar gezicht is dat hij soms de neiging heeft om haar neus helemaal in elkaar te trammelen. Vroeg of laat zal een van zijn waardeloze buren ervandoor gaan met zijn televisie, of de accu van zijn auto, of zijn schoenen. En dan verschijn jij, en dan moet je deze man behandelen met het respect waar hij als slachtoffer aanspraak op maakt.

Dat is politiewerk. Broeierige trottoirs in de schemering. Bonzen op bordkartonnen deuren. Kinderen met opengesperde angstogen aan wie je vertelt dat alles in orde is terwijl dat overduidelijk niet het geval is. Dronken vriendinnen die zweren dat hun vent verdomme nooit niks heeft gedaan – tot ze beseffen dat ze zelf in de problemen zitten, waarna ze gewillig alles tegen je zeggen, ja, meneer de politie, hij kan best een nazistische oorlogsmisdadiger zijn. Echtparen die in de tuin tegen elkaar staan te schreeuwen, met schorre stemmen tekeer gaan over onbegrijpelijke grieven die zo oud zijn dat zelfs zijzelf niet meer weten hoe het is begonnen, zodat het uiteindelijk blijkt te gaan om het feit dat iemand vergeten is om koffie te kopen. En daar sta je dan veertig minuten over te praten. En dan vertrek je, nadat je iedereen amicaal de hand hebt geschud. En een maand later ben jij of iemand anders weer terug omdat ze op het punt staan elkaar te vermoorden over de vraag wiens beurt het was om de vuilnis buiten te zetten.

Ik heb dat werk tien jaar gedaan. Ik verscheen op het bureau en deed waarvoor ik werd betaald, mengde me pas in het leven van anderen als ze dreigden te ontsporen, als de God van Nare Zaken had besloten om bij hen langs te gaan. Op een gegeven moment raakte mijn eigen leven helemaal uit het lood, zoals gebeurt met politiemensen. Het probleem van die baan is dat je je zo vaak op het terrein van de God van Nare Zaken begeeft dat je uiteindelijk permanent op zijn radar blijft – als een bemoeial, als iemand die de zaken verpest, als iemand die Zijn pogingen om de levens van mensen te verzieken met teleurstelling en pijn probeert te dwarsbomen. De God van Nare Zaken is een miezerig klein godje, maar Hij heeft een geheugen als een olifant en hij is vasthoudend. Als je eenmaal zijn aandacht hebt getrokken, kom je er niet meer van af. Hij wordt je eigen privéduiveltje dat op je schouder zit en langs je rug naar beneden schijt.

Dat dacht ik althans, zo nu en dan. Ik weet dat het allemaal onzin is. Maar toch begon ik het zo te voelen.

Hierna leek het schrijverschap zowaar zinvol, en niet alleen omdat ik lang geleden een major Engels had gedaan. De geüniformeerde dienst is een uiterst verbaal beroep. Je moet elke dag beslissen wat je zegt en hoe je het zegt. Je leert hoe je dronken, drugsverslaafde of psychisch gestoorde mensen moet aanspreken op een niveau dat zelfs zij begrijpen en waardoor ze doen wat jij wilt. Vervolgens moet je de antwoorden van mensen die het woord waarheid in het gunstigste geval ooit een keer langs hebben horen komen op waarde zien te schatten. Als het tot geweld komt, hebben ze waarschijnlijk meer ervaring dan jij, en zeker minder grenzen. Natuurlijk, binnen een paar minuten kan er versterking ter plaatse zijn, maar je hebt ook maar een paar seconden nodig om het leven te verliezen. En als je ooit de cavalerie hebt moeten inroepen, zal je volgende wandeling door die straat erg lang en erg moeizaam zijn. Je vermogen om de juiste woorden te kiezen, om te oordelen over toon en houding – daar komt het in negentig procent van de gevallen op neer. Niet in de laatste plaats door de werkelijk eindeloze hoeveelheid administratie, waarin je leert jezelf op een heldere, beknopte manier uit te drukken, met slechts hier en daar een vleugje fictie.

Bepaalde termen krijgen een ironische bijklank. 'Meneer' of 'mevrouw' zijn woorden waarmee je slachtoffers laat merken dat je ze serieus neemt – maar je gebruikt deze woorden ook voor de daders. 'Meneer, wilt u even uitstappen.' 'Mevrouw, uw man zegt dat u een mes hebt.' 'Meneer, ik vraag u *nog eenmaal* om het pistool neer te leggen en als de bliksem plat op de grond te gaan liggen.' Ze stralen een theoretisch respect uit, een voorwaardelijke beleefdheid, ze herinneren aan de manier waarop moeders hun kinderen alleen bij hun voor- én achternaam noemen als ze eigenlijk 'jij kleine rotzak' willen zeggen. 'Dader' is het kernwoord, het woord waarmee je de ontelbare verschillen tussen mensen reduceert tot het kenmerk van strafbare pleger van een (waarschijnlijke) misdaad, waarmee je hen duidelijk onderscheidt van het slachtoffer, jezelf en het universum als geheel. Het is een groot, zwaarwegend concept waaruit al het andere volgt.

Een 'wapen' is een voorwerp dat iemand bij zich kan dragen en dat de kans vergroot dat hij of zij een dader is of zal worden. Een MO is de kenmerkende manier waarop een dader zijn misdaden pleegt. Een 'slachtoffer' is een rol die in het leven wordt geroepen door de handeling(en) van de dader(s). 'Inbraak' is een gespecialiseerd vorm van misdaad, de zeven letters omvatten alles wat gezegd moet worden over de onschendbaarheid van privéruimte (zoals vastgelegd in de wet) en de onrechtmatigheid van het negeren van de muren die we oprichten tegen de chaos van andere mensen. Zelfs een 'moordenaar' is maar een gewone misdadiger, en niets meer dan dat.

Natuurlijk denkt niet elke politieman zo diep over dit soort zaken na. Maar sommigen wel, zoals er neurochirurgen zijn die schreeuwen tijdens een operatie en priesters die tijdens de biecht al over het avondeten mijmeren: goed, mijn zoon, dus je hebt onkuise gedachten over je buurman – maar waar het werkelijk om gaat is pizza, nietwaar? Het is je werk om de zaken zo te formuleren dat je structuur brengt in elke mogelijke situatie, dat je een uitweg biedt uit het heden die ergens anders naartoe leidt dan de gevangenis of de dood. Gewapend met je woorden baan je je met je oordelende hand een weg door de nacht en maak je de wereld weer in orde. Dat geldt in elk geval voor je rapporten. Het rechtssysteem heeft de hebbelijkheid om de mist direct weer terug te blazen. Advocaten hebben andere woorden en ze gebruiken ze met een ander doel. Hun structuren zijn helder en theoretisch, en ze hoeven niet bestand te zijn tegen werken in trappenhuizen, op parkeerterreinen en in cafés.

En wanneer verlaat je dit gekkenhuis?

Weggaan bij de politie is als ontslagen worden uit de gevangenis, hoewel niet op een goede manier. Het is alsof je door en door vertrouwd bent met de taal, cultuur en geografie van een land – dat van het ene op het andere moment van de aardbodem afglijdt, inclusief alle bewoners. Plotseling hebben alle inzichten en de welhaast autistische fixatie op je werk geen enkele betekenis meer. In plaats daarvan moet je erachter zien te komen wat er in de *echte* wereld is gebeurd, hoe je zonder je politiepenning met mensen omgaat en waar al deze wonderbaarlijk normale personen over hebben gepraat en wat hen bezighield in de tijd dat jij en je collega-gevangenen volledig gefocust waren op slecht, slecht, slecht.

De aanpassing is behoorlijk ingrijpend. Waarschijnlijk brengt alleen de dood een grotere schok teweeg.

De plaatsen die ik in L.A. had gefotografeerd, waren plaatsen waar een misdaad was gepleegd, een specifiek soort misdaad. De titel van mijn boek luidde *De indringers*. Op de omslag stond het huis waar men een vrouw genaamd Leah Wilson dood had aangetroffen: gewoon een doorsneemoord door een onbekende dader of daders. Maar een die me niet losliet. Alle foto's in het boek toonden plaatsen waar iemand zich onrechtmatig toegang had verschaft tot de woning of werkplek van iemand anders. Eenmaal binnen had de indringer een misdaad gepleegd, van inbraak tot verkrachting en moord. Huizen, garages, de keuken van een fastfoodrestaurant, hotelkamers, goedkope en dure, een koffiewinkel in Venice Beach. Op geen enkele foto stond een slachtoffer en ik had ook niet geprobeerd om de nasleep van de misdaad vast te leggen. In de begeleidende tekst beschreef ik alleen wat er was gebeurd – voor zover dat mogelijk was als niet-getuige – plus een impressie van de buurt. Met mijn foto's probeerde ik de plaatsen terug te brengen tot hoe ze waren geweest voordat er iets van buiten was binnengedrongen dat hun structuur voorgoed had veranderd. Ik heb wel een idee waarom ik dat deed. Ik ben mijn hele werkzame leven bezig geweest met na-de-misdaad. Eigenlijk waren de foto's op zichzelf onwaarheden, zoals ze dat altijd zijn. Het idee waar ik nu mee speelde, was simpel. Het was al eerder in me opgekomen, maar toen had ik het van de hand gewezen omdat ik *De indringers* als een eenmalig project beschouwde. Misschien had Fishers bezoek me op andere gedachten gebracht, hoewel ik nog steeds geloofde dat de politie op het goede spoor zat met haar idee dat Bill Anderson de meest voor de hand liggende verdachte was van de moord op zijn vrouw en kind, en dat de misdaad dus niets met een indringer te maken had.

Ik had bedacht dat ik hetzelfde nog een keer kon doen, ergens anders dan in L.A. Bijvoorbeeld in Seattle.

Ik had daar weliswaar geen toegang tot informatie over misdaden en beschikte evenmin over grondige kennis van de verschillende buurten. Maar het eerste kon ik omzeilen en het laatste was op te lossen met enige research en een praatje met buurtbewoners. Een telefoongesprek met de misdaadredactie van de grote kranten moest voldoende zijn om mezelf op hun radar te plaatsen. Ik kon nog eens met Blanchard gaan praten, als ik de moed had. Sommige gevallen van vermissing beginnen immers met een indringer. Hoe langer ik daar uit het raam zat te staren, hoe enthousiaster ik werd over het idee. Ik denk dat ik mezelf altijd beschouwd heb als iemand van eenmalige projecten. Maar hoe had Gary dat ook alweer gezegd? Liet zien wie je bent en ga ervoor. Genoeg tijd verknoeid.

Misschien moest ik accepteren dat ik een ex-politieman was, niet meer en niet minder.

Toen ik uit deze overpeinzingen ontwaakte, besefte ik dat ik muziek hoorde vanuit de woonkamer. Amy had iets opgezet, wat betekende dat ze niet heel hard werkte – en dat ze er geen bezwaar tegen zou hebben als ik het idee aan haar zou voorleggen.

Ik was halverwege de deur toen ik mijn pas vertraagde. Ik besefte dat het niet zomaar muziek was. Een ogenblik stond ik stil om te luisteren, in de verwachting dat ik me had vergist. Maar dat was niet het geval. Dus liep ik verder naar de woonkamer. Amy zat met een stapel papieren op schoot, maar ze keek er niet naar. Ze staarde in de verte. Ze zat een beetje in elkaar gedoken, alsof ze al een poosje in die houding zat.

'Hoi,' zei ik. Ik voelde me gespannen. Zo'n anderhalf jaar geleden had ik haar van tijd tot tijd ook zo zien zitten.

Ze knipperde met haar ogen en draaide zich naar me om. 'Kilometers ver weg.'

'Waar luister je naar? Niet je favoriete muziek, toch?'

'We veranderen allemaal, lieverd,' zei ze. 'Wil je thee?'

'Bedoel je koffie?'

Ze fronste haar wenkbrauwen. 'Nee, ik heb zin in thee.'

Ik haalde mijn schouders op, had me nooit gerealiseerd dat we dat spul zelfs maar in huis hadden, en liep naar de glazen schuifdeur. Zij ging naar de keuken. Terwijl ik op haar terugkeer wachtte, keek ik naar de sparren en de kornoelje, en naar een hemel die zijn heldere ochtendblauw had verloren en nu in koud grijs was gehuld. Bij zo'n uitzicht passen vele muziekgenres.

Maar geen ouderwetse jazz.

Een uur later rende ik tussen de bomen door. Het kostte me moeite. Ik liep niet vaak twee dagen achter elkaar en mijn lichaam begreep niet wat ik wilde. Ik wist niet of ik het zelf wel wist. Ik had alleen het gevoel dat ik even het huis uit moest.

Ik probeerde terug te keren naar mijn gedachten in de werkkamer, maar mijn geest was niet langer geïnteresseerd. Die wilde zich liever zorgen maken over de muziek die Amy had opgezet. Dus probeerde ik mijn hoofd leeg te maken. Ik concentreerde me op het geluid van mijn schoenen op de grond, op de geur van de bomen, de koude lucht die in en uit mijn longen stroomde.

Toen ik afboog naar het meertje onder aan ons land besefte ik dat mijn mobiele telefoon overging. Ik vertraagde mijn pas en probeerde het ding ondertussen uit de zak van mijn bezwete broek te frunniken. Toen hield ik stil. Ik herkende het nummer op het scherm niet. Met de telefoon aan mijn oor liep ik naar het meertje. Onderwijl keek ik omhoog naar het huis, vroeg me af of het Amy was die belde.

'Jack,' zei een stem. Het was een man.

Ook de tweede keer was ik verrast door zijn stem. 'Gary, hoi. Ik ben aan het hardlopen.'

'Sorry,' zei hij. 'Luister, we moeten praten.'

'Ik ben niet van gedachten veranderd,' zei ik. Ik luisterde maar met een half oor omdat ik het huis, ongeveer honderdvijftig meter hoger op de heuvel, nu goed kon zien en het leek of er iemand op het dakterras stond.

'Daar bel ik eigenlijk niet over,' zei hij. Hij aarzelde. 'Je was een paar dagen geleden in Seattle.'

'Hoe weet jij dat?' vroeg ik. 'En trouwens, hoe weet jij het nummer van mijn mobiele telefoon?'

'Ik wil graag dat je hiernaartoe komt. Zo snel mogelijk.'

'Gary, ik heb het verontrustende gevoel dat je me achtervolgt. Misschien kun je beter hiernaartoe komen, uitleggen wat je op je hart hebt. Omdat...'

'Ik kan niet naar jouw huis komen,' zei hij snel.

'Dit begint vreemd te klinken,' zei ik terwijl ik mijn best deed om een rustige stem op te zetten. Nu zag ik dat het Amy was die op het dakterras stond. Natuurlijk – wie anders? 'Het wordt zo ondertussen tijd dat je me een goede reden geeft om dit gesprek niet direct te beëindigen en je nummer te blokkeren. En de politie te bellen.'

Het bleef stil aan de andere kant. Amy keek uit over het bos, was zich niet bewust van het feit dat ik haar kon zien. Ze droeg geen jas, dus ze zou er niet lang blijven staan. Ze houdt absoluut niet van de kou en het was nu zo fris dat de condens in een dikke wolk rond haar gezicht hing.

'Het gaat over Amy,' zei Gary. 'Het spijt me, Jack, maar er zijn een paar dingen die je moet weten.'

hoofdstuk
ACHTTIEN

Je bleef in beweging, in beweging, in beweging. Dat was wat je deed. Als je in beweging was, ging je ergens naartoe. Als je ergens naartoe ging, was je een normaal mens en viel niemand je lastig – en dus bleef je in beweging, zelfs als je voeten pijn deden en je het verschil niet meer wist tussen waar je nu was en waar je was geweest. Als je ook maar even stopte, keken ze naar je. Ze vroegen of je verdwaald was. Ze vroegen of je honger of dorst had en waar je mammie was. Ze leken niet te beseffen dat die vragen pijnlijk waren.

Madison was erg blij dat ze haar jas bij zich had, en niet alleen omdat het koud was in de straten van Seattle. Ze was blij omdat hij duur was geweest en andere mensen dat leken te weten. Dat betekende dat sommige mensen haar met rust lieten, mensen van wie ze het gevoel had dat ze zich anders maar al te graag met haar zouden bemoeien. Het hielp ook dat ze lang was, net als Ma.

En ze was blij dat het nu dag was. De nacht had erg lang geduurd. Ze was meegereden met een man in een pick-up die bij Scatter Creek was gestopt om een plasje te doen en die best een jonge liftster wilde meenemen die hem duizend dollar contant aanbood. Nadat hij haar in de buurt van het centrum van de stad had afgezet, besefte ze dat ze nog steeds geen idee had waar ze naartoe moest. Dus nu was ze in Seattle: nou en? De doelgerichtheid die haar sinds haar vertrek uit Cannon Beach had voortgedreven, begon te tanen. Toen die drang er nog was, had alles makkelijker geleken. Het was als doen wat een groter meisje zegt omdat je haar vriendin wilde zijn, of als je in de keuken bent en een paar koekjes hebt gehad en je niet geacht wordt er nog eentje te nemen – maar dan plotseling omlaag kijkt en ziet dat er nog een in je hand ligt, half opgegeten. Zomaar. Alsof er in je arm nog een andere arm schuilgaat, een die jouw arm optilt, die dingen doet. Maar als ma binnenkwam en je daar zag staan, betrapt met een koekje in je hand, was je plotseling weer alleen, in je eentje.

Maddy had papa ook wel eens bij het avondeten horen zeggen dat dit zijn laatste glas wijn was, zich ogenschijnlijk niet bewust van zijn hand die de fles optilde om er nog eentje in te schenken. Ma had het ook, in winkels, en misschien ook wel op andere manieren. In de afgelopen maanden had Maddy haar soms stil en verdrietig gezien, alsof ze iets had besloten. Maar die avond of de volgende dag was ze weer gelukkig – en hoe was dat mogelijk als ze niet op die eerdere beslissing was teruggekomen? Hoe kon je iets van plan zijn, en dan weer niet? Eenmaal was Madison binnengekomen terwijl ma aan de telefoon zat, en misschien was het maar verbeelding, maar ze had het gevoel dat haar moeder keek alsof ook zij met een verboden koekje in haar hand was betrapt. Madison vroeg zich af of iedereen dat misschien wel eens overkwam. Ze hoopte dat het niet alleen bij haar gebeurde. En ze hoopte dat het niet nog erger zou worden.

Ze had in elk geval geen honger of dorst. Toen de man in de pick-up haar had afgezet, had hij haar iets van zijn koffie gegeven en de helft van zijn sandwich. Op het moment dat ze hem het geld aanbood, had ze geweten dat heel wat mensen haar op dat moment knock-out zouden slaan om te zien wat ze nog meer bij zich had, maar zo was deze man niet. Ze wist dat al voordat ze het geld tevoorschijn had gehaald. Hij had enigszins ontstoken ogen en hij glimlachte vaak en ze wist dat hij iemand was die gewoon geen zin had in problemen. Ma had haar dikwijls verteld dat ze mensen goed kon inschatten. Haar vader voegde daar gewoonlijk aan toe 'en ze voor je karretje spannen', maar dat zei hij lachend, alsof het iets positiefs was.

Ze liep een paar uur door de straten van de stad, sloeg een zijstraat in als ze voetstappen hoorde of geschreeuw. Vanuit een telefooncel probeerde ze naar huis te bellen. De muntjes had ze uit haar moeders portemonnee meegenomen voordat ze Cannon Beach had verlaten, en daar voelde ze zich nu erg schuldig over. Ze was niet iemand die pikte. Maar de telefoon in het huis in Portland had eindeloos gerinkeld, en was toen overgesprongen op het antwoordapparaat. Het was midden in de nacht, oké, maar er stond een telefoon op het tafeltje pal naast hun bed. Waarom was papa niet thuis? Ze probeerde ook naar mama's mobieltje te bellen, maar om de een of andere reden kon ze niet op het nummer komen. Ze kende het, ze *wist* dat ze het kende – het had haar een paar maanden geleden heel wat moeite gekost om het te leren – maar nu leek het weer uit haar hoofd verdwenen. Ze probeerde een paar nummers die goed klonken, en wekte een paar boze mensen, maar geen van hen was haar moeder.

Dus bleef ze maar lopen. Soms had ze het gevoel dat ze ergens naar zocht, en op een gegeven moment merkte ze dat ze een lange en behoorlijk steile heuvel beklom naar een buurt met mooie, grote huizen. Ze stond een poosje tegenover een ervan, in de duisternis, maar het maakte haar alleen maar boos en verdrietig. Toen het echt koud begon te worden, vond ze halverwege een steegje richting het centrum een diep portiek, waar ze ging zitten, weggedoken in haar jas. Het rook er naar oude pis. Ze was van plan om wakker te blijven, maar dat lukte niet. Ze was uitgeput door al het lopen. En ze deed haar best om te doen alsof ze niet heel, heel erg bang was.

Ze viel in slaap, maar het was geen prettige slaap. Er bleven steeds dingen in haar hoofd komen die daar rond en rond tolden. Sommige maakten haar gelukkig, zoals een droom vol flitsen van kleine meisjes, knap en glimlachend, en een andere waarin ze in een stoel zat in een mooi huis met uitzicht over de baai. Sommige waren verdrietig of beangstigend, zoals een droom waarin ze over een betonnen pad holde, vlak bij het water, buiten adem. Ze hield van dromen, normaal gesproken. Ze waren vaak grappig en interessant. Maar deze niet. Het was alsof ze aan het zappen was en een nieuwe lading zenders had gevonden die er eerst niet waren geweest. Sommige kwamen haar vaag bekend voor, van jaren terug, dromen waaruit ze 's nachts wakker was geschrokken om tot de ontdekking te komen dat ma of pa naar haar kamer waren gerend om te zien waarom ze dat rare geluid maakte. Andere waren donker en lawaaierig en volwassen... niet prettig. Ze zag nooit echt iets wat ze niet zou moeten zien, maar ze had het gevoel dat als ze lang genoeg bleef kijken, ze... dat wel zou doen.

De meeste tijd die Madison in het portiek doorbracht wist ze niet eens zeker of ze sliep of wakker was. Maar na een poosje leek het haar toch dat ze wakker was en dat het licht begon te worden. Ze verliet het steegje en begon opnieuw te lopen.

Zodra de winkels opengingen werd het makkelijker. Ze liep dezelfde kant op als de andere mensen en kwam bij een plein in het centrum. Aan de overkant was een Barnes & Noble. Ze ging naar binnen en wist dat ze daar wel een poosje kon blijven. Als je een mooie jas aanhad, kon je zo lang in een boekwinkel blijven als je maar wilde. Ze keek naar de boeken en vervolgens naar de tijdschriften. Toen er iemand met een naamkaartje op haar afkwam om te vragen of hij haar kon helpen zei ze nee, en zwaaide over zijn schouder naar een bekende aan het andere eind van de winkel. De man glimlachte en liet haar vervolgens alleen. Hij was vriendelijk en herinnerde haar aan oom Brian.

Er waren nog een paar meisjes van haar leeftijd in dit deel van de winkel, maar ze kwamen haar nu een beetje vreemd voor, na haar droom. Ze had het gevoel dat ze net iets te lang naar ze keek. Dus ging ze naar Starbucks en kocht een koffie en een flesje water en twee dingen om te eten. Ze deed dit zonder vooropgezet plan, maar toen ze bij de kassa kwam, besefte ze dat het slim was. Wat een volwassen meisje was Maddy toch, dat ze in haar eentje naar het buffet mocht, onder het toeziend oog van een moeder die... daarginds zat! Ze dronk de koffie en at de wortelcake en stopte het flesje met water en de mueslireep in haar jaszakken, die nu overvol waren. Maar nu was ze op alles voorbereid.

Ze had voorraden. Ze deed het goed.

Ze ging terug naar de kinderafdeling en vond een stoel. Ze haalde het verfomfaaide opschrijfboekje tevoorschijn, verborg het achter een opengeslagen boek van Richard Scarry en bladerde het door.

Hoe meer Madison in het opschrijfboekje las, hoe meer haar gevoelens begonnen te veranderen. Ze begreep niet waarom. De tekst in het opschrijfboekje was geen verhaal. Dat had een begin en ontvouwde zich van daaruit, zodat je kon volgen wat er gebeurde, tot het was afgelopen. Zo hadden alle boeken waar ze tot dan toe mee in aanraking was gekomen eruitgezien. Met uitzondering van de echte babyboeken, die haar vader altijd tot razernij dreven: Molly de Muis staat op uit bed, Molly staat op een heuvel bij een paar bloemen, Molly gaat naar zee en kijkt met haar vriend Neville de Narwal uit over het water... Einde. Dat soort boeken irriteerde haar pa mateloos. Hij zei dat er geen verhaal in zat en vroeg zich af waar Neville in hemelsnaam opeens vandaan kwam. Het opschrijfboekje was net zoiets. Gewoon een verzameling teksten, vormeloos, geen begin, geen eind. Het grote verschil was dat de dingen in de babyboekjes altijd zo helder en eenvoudig mogelijk waren. De heuvel was groot, de bloem was onmiskenbaar een bloem en felgekleurd, Neville-van-nergens-vandaan de Narwal nam het grootste deel van een pagina in beslag. De hele idee achter die boekjes was om te leren lezen, om te ontdekken welke woorden wat betekenden.

Het opschrijfboekje was anders. Een hele tijd leek het of de onbekende schrijver de dingen zo had opgeschreven dat je niet *geacht* werd ze te begrijpen, tenzij je wist waar het over ging:

Ik heb hier altijd gewoond.

Lange tijd waren bomen het enige verhaal.

Maar toen kwamen de indringers: ze trapten de deur in alsof het nooit in ze opkwam dat hier al andere mensen woonden en het thuis noemden. Ik zal kort zijn, de details weglaten als oefening voor de niet zo geachte lezer.

In 1792 varen Vancouver en zijn bemanning voor het eerst Puget Sound binnen. In 1851 worden de eerste claims ingediend door de Denny Party. Tijdens de strenge winter van 1851/52 voorzagen de lokale Duwamish- en Suquamishindianen de kolonisten bij Alki Point van voedsel. Je zou denken dat ze toen al hun lesje hadden geleerd, maar ik vrees dat ze gewoon niet zo slim waren. Chief Seattle had tenminste de wijsheid van vele levens en moedigde 'Doc' Maynard in 1852 aan om naar de nederzetting te komen, wetende dat zijn vriend op de hoogte was van de plaatselijke gebruiken en kon helpen om de integriteit van deze speciale plek te beschermen. Maynard claimde de moddervlakte waar nu Pioneer Square en het International District zijn, een wonderlijke keuze, zou je denken.

Denny, Bell en Boren eigenden zich de landruggen rond Elliott Bay toe (nu Centrum, Denny Triangle en Belltown). En in oktober 1852 verscheen ene Henry Yesler die een plek zocht voor zijn houtzagerij. Daarna begon de stad te groeien. Op 22 december 1852 werd King Country gecreëerd en in 1853 kwam de eerste gouverneur van dit gebied op bezoek, Kolonel Isaac Stevens, die vast van plan was om de indianenstammen van hun grondgebied te verdrijven. In 1854 stak Seattle de speech af die dichter bij de waarheid kwam dan iemand ooit hardop had horen zeggen. Bleekgezicht begreep de boodschap niet, natuurlijk niet. Bleekgezicht snapte er nooit een donder van.

In 1889 werd de stad met de grond gelijkgemaakt, de vlammenzee begon naar verluidt toen de lijm in de werkplaats van een meubelmaker in brand vloog. Maar is het niet waarschijnlijker dat het een laatste poging was om te voorkomen dat de plek door een permanente nederzetting werd overdekt? Het was te laat. Niemand vroeg zich af waarom de Lushootseed dit dorp 'Djijila'letc' noemden, de oversteekplaats. Men ging er automatisch van uit dat de naam alleen verwees

naar het pad door de baai dat met laag water begaanbaar was. Het is
er nog steeds, die plaats, het land eromheen is nu doordrenkt met het
bloed van de vertrokken gastheren.
Ik denk graag dat ik mijn aandeel heb geleverd.

En zo ging het maar door, een lijst van dingen en feiten. Het zag er ook uit alsof het in haast was geschreven. In sommige stukken leken veel meer letters te staan – i's en j's bijvoorbeeld – dan zou moeten en hoewel ze niet helemaal begreep hoe het zat met apostrofs, wist ze wel dat ze niet midden in lange woorden thuishoorden.

Desondanks bleef ze doorlezen. Ze liet haar ogen over de roodbruine inkt glijden en vond het op een onduidelijke manier geruststellend. Er waren ook bladzijden met namen, en adressen, maar ook daar herkende ze er geen een van.

Ten slotte stond ze op en ging naar buiten, naar het plein. Ze zag dat er aan de overkant een klein winkelcentrum was, maar ze wist dat het vreemd zou zijn om daarheen te gaan zonder haar moeder. Zodra ze dat besefte, voelde ze zich meer zichzelf dan ze de afgelopen twee dagen had gedaan, en ze begon te huilen.

Het was alsof iets binnen in haar gevangen had gezeten dat nu vrijkwam. Plotseling stroomden de tranen over haar wangen, haar gezicht verkrampt van verdriet dat zich niet liet stoppen, haar adem stokte in haar borst, ze kon alleen nog inademen, tot ze uit elkaar zou barsten.

Opeens kwam alles op haar af. Het besef dat ze kilometers ver van huis en van haar moeder en vader was en geen idee had waar ze was. Ze herinnerde zich plotseling meer over de afgelopen paar dagen. Maar het was alsof ze het nu vanuit een ander perspectief zag: dingen die in orde hadden geleken kwamen haar nu verkeerd en angstwekkend voor. Ze was langs haar slapende moeder geslopen en had haar kleingeld gestolen. Ze had in de bus naar Portland gezeten en had zich zowel opgewonden als slecht en verward gevoeld. De aardige dame had haar in haar auto meegenomen naar Seattle vanwege een lang verhaal dat Madison haar had verteld, maar toen had ze haar bevreemd aangekeken en was met haar mobieltje in de hand naar de toiletten gelopen en...

Nee, dat deel kon ze zich niet herinneren. Maar de rest wel, op dit moment. Inclusief...

Het nummer van haar moeders mobiele telefoon.

Plof – plotseling was het er, midden in haar hoofd, alsof een wolk was opgetrokken.

Madison hield op met huilen, keek snel om zich heen, zocht een plek waar ze kon bellen. Ze begon hard over het trottoir te rennen, draaide om haar as, op zoek naar een telefooncel. Ten slotte zag ze er een aan de overkant van de straat en ze stortte zich pardoes tussen het verkeer. Er klonk getoeter en een taxi moest abrupt uitwijken om niet dwars over haar heen te rijden, maar ze bleef rennen. Op de hoek van het plein hing een rij telefoons en ze wist dat ze die moest bereiken voordat het nummer haar weer zou ontschieten, voordat de wolk terugkwam. De fles water viel uit haar jaszak maar ze bleef rennen, recht op de laatste telefoon af, haar handen gereed om de hoorn te grijpen, het nummer steeds opnieuw repeterend in haar hoofd...

Maar toen ze de eerste twee cijfers had ingetoetst, was de rest verdwenen.

Ze schreeuwde van frustratie en smeet de hoorn kwaad tegen de muur. Waar was het nummer gebleven? *Waarom* was het verdwenen?

'Hé,' zei een man in het voorbijgaan. Hij had een stevige buik. 'Voorzichtig hoor. Anders...'

Madison draaide zich om zodat ze hem aan kon kijken en hij stopte abrupt met praten.

'Smeer 'm, dikkerd,' snauwde ze. Hij staarde haar met wijd open ogen aan en liep snel verder.

Madison was ontzet. Ze was nog nooit zo onbeleefd geweest tegen een volwassene – of tegen wie dan ook. Nooit. Zelfs niet in gedachten. Dit was nog erger dan met de man op de luchthaven. Wat was er met haar aan de hand?

Even bleef ze doodstil staan.

Toen knipperde ze met haar ogen en hing de hoorn zorgvuldig terug aan de haak. Plotseling voelde ze zich erg helder in haar hoofd. Ze wilde haar moeder niet langer bellen. Er was een ander nummer dat ze *wel* kon proberen, herinnerde ze zich – het nummer op de achterkant van het witte visitekaartje voor in het opschrijfboekje. Maar ze had hem een keer eerder gebeld en toen had hij erg bazig gedaan. En hoewel ze niet begreep waarom, had ze het gevoel dat ze hem niet kon vertrouwen.

Ze liet de telefoon voor wat-ie was en keek uit over het plein. Het voelde vreemd dat ze een paar minuten geleden had gehuild. Nu leek alles in orde. Ze was weg van huis, weg van Ma, weg van Pa, weg van alles wat zei dat ze een klein meisje was dat moest doen wat anderen tegen haar zeiden. Sinds een paar maanden had ze het gevoel dat het niet zo hoefde te zijn. Dat ze macht had. Dat ze mensen zo ver kon krijgen dat ze deden wat *zij* wilde, voor de afwisseling. Natuurlijk, ze zou contact opnemen met Alison en Simon. Ze wilde ze een paar dingen vragen. Maar dat had geen haast. Ze kreeg weer honger. Ze wist wat ze wilde en dat was geen mueslireep. Ze wilde een volwassen ontbijt, roerei, gebakken aardappels en hete saus. En ze wist waar ze dat kon krijgen.

Ze liep de straat uit richting de markt. Haar pas was lang en ze hield haar hoofd opgeheven. Als mensen haar nu opmerkten, vroegen ze zich niet af wat zo'n jong meisje hier in haar eentje deed, of waar haar ouders waren, maar wat het was met dit kleine meisje dat haar zo zelfbewust, zo volwassen, zo compleet maakte.

hoofdstuk
NEGENTIEN

Ik was meer dan een uur vóór de afgesproken tijd in Seattle. Een deel daarvan bracht ik door in een boek- en cd-winkel in 4th. Ik ging naar de jazzafdeling, vond de medewerker die er het minst uitzag als iemand die liever ging snowboarden en haalde mijn mobiele telefoon tevoorschijn. Ik liet hem een van de mp3-nummers horen die ik had gekopieerd van Amy's telefoon. De jongen boog zich met een schuin hoofd naar voren, luisterde nauwelijks twee seconden en begon toen heftig te knikken.

'Beiderbecke,' zei hij. '"A Good Man Is Hard To Find". Klassieker. En zo waar.'

Hij bracht me naar de juiste bak, gleed met zijn hand over de cd's alsof hij de ruggengraat van zijn minnaar beroerde en pikte er eentje uit. Op het hoesje stond een vent uit het zwart-wittijdperk met een soort neotrompetachtig geval in zijn handen. Ik deed de medewerker een plezier en kocht de cd.

'Zo zonde,' zei hij, terwijl we stonden te wachten tot mijn creditcard werd geaccepteerd. 'Bix, bedoel ik. Wonderkind. Kon geen noot lezen maar speelde als een engel. Gestorven op zijn achtentwintigste. Heeft zich doodgedronken.' En toen zuchtte hij, alsof het een persoonlijk verlies was.

Ik liep verder over Pike Street naar de markt en vond een plekje aan een van de tafeltjes op het terras van Seattle's Best. Het was nog steeds vroeg. Tijdens het telefoongesprek had Fisher niets meer willen vertellen. Waarschijnlijk vreesde hij – terecht – dat hij me niet in levenden lijve zou zien als hij toen al zou zeggen wat hij wist. Mijn hoofd voelde leeg en helder. De vorige avond was de sfeer gekunsteld geweest. Ik kon het gevoel niet van me afzetten dat Amy normaler was dan gewoonlijk. Ze is een van die mensen die zomaar wat ingrediënten kunnen pakken en die vervolgens in de lucht gooien, waarna ze vanzelf in schalen terechtkomen als gerechten die er goed uitzien en heerlijk smaken. Maar gisteravond was het eten afschuwelijk geweest. En ik denk dat dat niet alleen kwam door het knagende gevoel in mijn maag. Daarna ging ze een poosje naar haar werkkamer en toen ze weer tevoorschijn kwam, leek ze verstrooid. Laat op de avond rookte ik een sigaret op het dakterras. Ik keek door het raam en zag dat ze door een paar boeken bladerde die op het salontafeltje lagen, alsof ze op zoek was naar iets wat ze niet kon vinden. Ik had haar de afgelopen jaren al eerder op deze manier bezig gezien, maar als ik vroeg of alles in orde was, zei ze altijd ja.

Toen ik haar die ochtend verliet, zei ik dat ik naar de stad zou gaan om wat contacten te leggen in de misdaadsfeer. Ze keek me doordringend aan, aarzelde, en haalde toen haar schouders op.

'Ik vind het gewoon niet zo'n geweldig idee,' zei ze, en ging door met werken. Maar toen ik nog maar twintig minuten onderweg was, kreeg ik een sms'je van haar:

Veel succes:-D

Ik wist niet helemaal wat ik ervan moest denken en zat daar in het kille, prille zonnetje hard mijn best te doen om het niet te denken. Ik heb ooit een verhaal gehoord over de eerste kolonisten in deze streek. Toen de Europeanen ten slotte op de noordwestelijke kusten van Amerika neerstreken, met het idee dat ze de heldhaftige veroveraars waren van een nieuwe wereld, bemerkten ze tot hun grote teleurstelling dat de inboorlingen niet verbaasd waren om hen te zien. Dat kwam niet doordat onbekende blanke mannen zich vanuit het oosten een route over land hadden gebaand, maar omdat de indianen al meerdere generaties af en toe ver op zee handelsschepen hadden gezien, eenmaal in de tien, twintig of vijftig jaar. Ze wisten dat de vaartuigen niet door lokale mensen waren gebouwd en gingen er daarom van uit dat er een andere groep mensen of wezens op komst was, vroeger of later.

Toen ik dit verhaal voor de eerste keer hoorde, voelde ik een huivering over mijn rug gaan. Ik weet niet eens of het waar is, maar het is me bijgebleven: het idee van deze nevelige verschijningen, in een onverklaarbare vorm, op grote afstand, nooit dichterbij – maar eenmaal gezien onmogelijk te ont-zien. Een eerste aanwijzing dat de wereld meer inhield dan men had gedacht, een vooruitgeworpen schaduw van gebeurtenissen die niet veranderd konden worden, niet versneld, niet gestopt. Voortekenen van onbekende soort en herkomst, ver weg in de nevel van de zee, een opgeschorte toekomst, voorlopig, maar onherroepelijk aanstaande.

De lokale bevolking keek, zag, en keerde zijn rug naar de zee en ging door met het leven.

Ik denk dat ik dat niet had gekund.

Toen Fisher verscheen, viel me direct op hoe moe hij eruitzag. Hij ging in de stoel tegenover me zitten en nam een flinke slok van de koffie die hij had meegenomen.

'Bedankt dat je bent gekomen,' zei hij.

Ik keek hem zwijgend aan.

'Oké.' Hij reikte in zijn jaszak, aarzelde. 'Ik zal je iets laten zien. Daarna ga ik je iets vertellen, voordat ik uitleg wat je ziet. Het zal een paar minuten duren en je zult niet willen luisteren. Maar je moet wel, anders begrijp je niet wat mijn belang hierbij is. Oké?'

Ik knikte. Hij haalde een enveloppe tevoorschijn en overhandigde die aan mij. Ik opende hem en trok de inhoud naar buiten. Twee foto's, tien bij vijftien centimeter. Beide hadden het korrelige, uitvergrote voorkomen van digitale foto's die van te grote afstand waren gemaakt.

De eerste was van een vrouw die voor een onopvallende deur stond, in een straat die zo'n beetje overal kon zijn. De deur stond open. Het gezicht van de vrouw was en profil. Het was Amy.

Toen ik iets beter keek, zag ik dat er nog iemand op de foto stond, een figuur in de schaduw van de deur. Uit de sfeer van het licht maakte ik op dat de foto aan het eind van de middag was gemaakt.

'Indrukwekkend,' zei ik. Fisher zei niets.

De tweede foto was van een andere straat, of dezelfde straat vanuit een andere hoek. Een man en een vrouw liepen er samen doorheen. De foto was van achter genomen. Ze liepen tamelijk dicht bij elkaar en de man had zijn arm om de schouders van de vrouw gelegd. Vanwege de hoek van waaruit de foto was genomen kon ik niet opmaken of dit dezelfde man was die ik op Amy's telefoon had gezien. Hij was iets langer dan gemiddeld, droeg een pak, blauw of zwart, had donker haar. De gezichten waren niet te zien, maar de vrouw droeg dezelfde kleren als op de andere foto.

Ik keek op. Fisher keek een andere kant op.

Foto's liegen, en een van de manieren waarop ze dat doen, is door alleen momenten vast te leggen. Reclamemensen raken elkaar gemakkelijk aan. Amy kon best over straat lopen met een collega of cliënt. En hij had zijn arm om haar schouders gelegd om iets duidelijk te maken of om een zakelijke overwinning te vieren. Of misschien had ze gezegd dat ze het koud had en had hij even zijn arm om haar heen geslagen, onhandig, vanuit het gevoel dat het de taak van de man was om iets te doen en wetende dat de conventie deze korte inbreuk op haar privésfeer toestond. Op het goede moment gesnapt, langer bevroren dan ze ooit geduurd hebben, kon elk van deze gebaren meer lijken dan het was. Dat wilde ik althans graag geloven. 'Waar komen die vandaan?'

'Gemaakt in Seattle, afgelopen vrijdag,' zei Fisher.

Toen ik ook hier in de stad was. Ik haalde diep en langzaam adem. Ik heb heel wat uren doorgebracht met het opnemen van getuigenverklaringen. Als je wilt dat ze praten, moet je ze met rust laten. En het is niet toegestaan om ze eerst te slaan.

'Vertel maar,' zei ik.

Hij stond op. 'Laten we een eindje lopen.'

Fisher liep voor me uit naar het hek dat zwervers buiten de koffiewinkel moest houden en sloeg vervolgens 1st in. Hij wandelde een paar blokken naar het noorden en sloeg toen een paar keer rechts en links af.

'Ik heb je verteld dat mijn belangstelling voor Anderson te maken heeft met een nalatenschap,' zei hij tijdens het lopen. 'Een cliënt van ons kantoor. Joseph Cranfield. Ooit van gehoord?'

'Nee. Moet dat?'

'Ik denk het niet. Oud patriarchaal zakenmannetje. Hard, een meter tachtig lang, bijna tachtig jaar oud en nog steeds vierkante schouders. Begon op zijn dertiende met werken – een van die jongens die al een baan had toen hij nog in de luiers lag, kruipend kranten rondbrengen met de kranten tussen zijn tanden. Heb jij je ooit afgevraagd hoe het mogelijk is dat sommige mensen er vanaf het begin klaar voor zijn, altijd alert op die grote kans en weten wat ze moeten doen als ze hem vinden?'

Natuurlijk ben ik dat soort mensen ook wel eens tegengekomen, mensen bij wie alles altijd lijkt te lukken. Ik had er nooit zo over nagedacht en ik was niet in de stemming om daar nu mee te beginnen.

'Zal wel.'

'In de jaren vijftig zat Joe in failliete fabrieken in New England. Reorganiseerde ze en verkocht ze door. Toen die handel om zeep was geholpen door overzeese markten deed hij een stapje opzij naar de detailhandel, franchise, als het maar geld opbracht. Vervolgens naar het onroerend goed, werd partner in een van de eerste superwinkelcentra in Illinois. Niet dat hij nooit een fout maakte. Maar hij nam zijn verlies en ging door.'

'De *all-American hero*,' zei ik. 'Er zouden overal standbeelden moeten staan.'

Gary knikte. 'Ja. Hij zou de meest zelfvoldane hufter kunnen zijn die ooit op de aarde heeft rondgelopen. Ik leerde hem kennen toen ik net was afgestudeerd. Na een paar weken stuurden ze me naar Cranfields kantoor om hem te adviseren over iets kleins. Ik was bang. Ik ben drieëntwintig. Ik had geluk dat ik bij een topkantoor terecht kon. Als ik deze rit de passage zou verknallen, lag ik eruit. Dus ik verschijn in mijn nieuwe pak en met mijn glimmende koffertje, in het besef dat deze vergadering bepalend is voor de rest van mijn leven. Ik kon die ochtend geen hap door mijn keel krijgen, dat kan ik je wel vertellen.'

De gedachte aan een zenuwachtige Gary Fisher interesseerde me meer dan de rest van zijn verhaal, dat geen enkel verband leek te houden met een universum waar ik belangstelling voor had.

Desondanks zei ik: 'En?'

'Hij zei dat ik moest gaan zitten, bestelde koffie voor me, vertelde wat hij nodig had. Gelukkig was het iets wat ik gemakkelijk af kon. En toen hij dat eenmaal had gezien, vertelde hij me gewoon dat ik ermee door moest gaan. Een week later ligt er een bedankbriefje op mijn bureau. Van Cranfield, in zijn eigen handschrift. In de loop der jaren kom ik steeds vaker op zijn kantoor. Ten slotte vertelt een van de senior partners me in een dronken bui dat Joe persoonlijk naar mij vraagt als hij iets geregeld wil hebben. Dat is erg belangrijk voor me, en tegen die tijd ken ik Joe goed genoeg om te weten dat hij nooit zomaar iets doet. Hij liet mijn naam bij iemand vallen en plaatste er een uitroepteken bij. Zes maanden later werd ik junior partner.'

'Misschien liet hij je enkele privéklusjes doen, dingen die hij buiten de schijnwerpers wilde houden?'

'Je bent een cynische man, Jack.'

'Ik ben tien jaar politieman geweest. En ik ben al mijn hele leven mens.'

'Nee, dat deed hij niet,' zei Gary terwijl hij een kruispunt overstak. Ik had het idee dat we steeds verder weg raakten van de delen van Seattle die in de toeristenfolders werden opgehemeld. 'Ik weet zeker dat Joe vroeger een snelle en gladde jongen was – niemand wordt rijk door zich strikt aan de regels te houden – maar hij heeft me nooit iets gevraagd waar je grootmoeder niet om zou glimlachen. Het leven ging verder, behalve dat ik een grotere kamer kreeg en heel wat meer salaris.'

'Tot?'

'Op een ochtend het telefoontje komt. Joe Cranfield sterft in zijn slaap. Bam – zomaar.'

We liepen nu langzamer en Gary hield even op met praten.

'Dat spijt me.'

'Ja. Het was een klap. Natuurlijk was hij toen al eenentachtig. Maar hij zag eruit alsof hij zonder moeite de honderd zou halen. Nauwelijks een uur na het bericht van zijn overlijden krijgen we een telefoontje van een kantoor waar geen van ons ooit van had gehoord. Blijkt hij een ander team gebruikt te hebben om zijn persoonlijke zaken te regelen. Oké, dat komt voor – maar dit is een obscuur kantoortje ergens aan de andere kant van het land, en we staan allemaal met onze oren te klapperen. De man aan de telefoon heeft echter instructies en hij wil dat we ons direct met de zaak bezighouden. En hier begon het vreemd te worden.'

'Hoezo vreemd?'

'Het testament. Twee miljoen voor zijn vrouw, een miljoen voor elk kind, tweehonderdvijftigduizend voor elk van zijn kleinkinderen. Iets meer dan acht miljoen, alles bij elkaar.'

Ik begreep niet waar hij naartoe wilde. 'Hoe veel was hij waard toen hij overleed?'

'Bijna tweehonderdzestig miljoen dollar.'

Ik fronste mijn wenkbrauwen en Fisher glimlachte zuinig.

'Nu luister je wel. Op wereldschaal stelt het weinig voor, maar hij was niet bepaald aan de bedelstaf. Het is meer geweest, maar het bleek dat hij de afgelopen vijf jaar flink had uitgedeeld, aan stichtingen, goede doelen, scholen. Een ziekenhuisafdeling hier, inloopcentrum daar, een of twee Oude Meesters in permanente bruikleen bij een obscure galerie in Europa. Van veel zaken waren we op de hoogte, natuurlijk, vanwege de belastingen. Maar niemand had echt een beeld van hoe veel hij precies had weggegeven. Dat bleek zo'n zeventig miljoen te zijn.'

Ik herzag mijn ideeën over de oude man, in positieve zin. 'En waar gaat de rest dan heen?'

'Dat is het 'm nou juist. Op de middag van Cranfields begrafenis verscheen Lytton – een van de twee partners in dat kantoor – bij ons met een doos papieren. Iedereen die wat te vertellen heeft in ons kantoor verzamelde zich in de bestuurskamer, waarna we er gezamenlijk doorheen zijn gegaan. Cranfield had gedetailleerde instructies achtergelaten over hoe zijn imperium ontmanteld moest worden, en de helft daarvan was al in gang gezet door Burnell & Lytton – die over alle volmachten bleken te beschikken. Voor de afhandeling van de andere helft behandelde Lytton ons in feite als een soort junior medewerkers: doe dit, doe dat, doe het nu. Joe had overal aan gedacht – tot en met een wegrestaurantje in Houma, Louisiana. Dat ging naar de oude dame die het al die jaren had gerund. Er waren meer van dat soort zaken waarbij willekeurige burgers iets kregen. Maar de rest moest geliquideerd worden. Zelfs zijn huizen liet hij verkopen. En de resulterende fondsen, min tien procent, moesten we verdelen onder negen belangrijke begunstigden.'

'En dat waren?'

'Mishandelde vrouwen. Onderwijsinstellingen in de grote steden en antidrugsprogramma's. Langdurige medicijnleveranties in godvergeten uithoeken van Afrika. Zelfs een campagne om die tering zeeotters te redden, georganiseerd door een hippie ergens in Monterey. Die kreeg zeseneenhalf miljoen dollar om het goede werk voort te zetten. Ik moest de man bellen om het nieuws door te geven. Hij kreeg bijna ter plekke een hartaanval. Hij had Cranfield nog nooit van zijn leven gezien. Zelfs nooit van hem *gehoord*.'

'Waar ging die laatste tien procent naartoe?'

'Een door Burnell & Lytton beheerd trustfonds voor een internationaal liefdadigheidsnetwerk.'

'En wat vond de familie daarvan?'

'Wat denk je? Ze gingen over de rooie, Jack. Ik had mannen en vrouwen van ver in de vijftig in mijn kantoor, mensen die vanaf hun geboorte *alles* hadden gekregen wat hun hartje begeerde, en ze stonden te schreeuwen als doorgedraaide junkies die geen shot kunnen krijgen. Dat ging *weken* zo door. Die mensen hadden hun hele leven gedacht dat ze op een dag een vette cheque zouden krijgen en nu kwamen wij vertellen dat dat allemaal een droom was? Ze vochten het testament aan, natuurlijk. Maar het was getekend, in drievoud gedeponeerd in aanwezigheid van vier getuigen: notabelen die aantoonbaar bij hun volle verstand waren. We hadden mensen op kantoor die carrière hebben gemaakt met het schieten van gaten in dit soort papieren, echte wolven, en zelfs zij konden er geen speld tussen krijgen. De enige die haar kalmte bewaarde was Cranfields vrouw, en daar kom ik nog op terug. Waar het op neerkomt, is dat hij wist wat hij wilde doen en dat hij het deed. Al het andere is achterafgepraat. Dus... toen klaagden de kinderen ons maar aan.'

We stopten voor een volgend kruispunt. In de voorafgaande minuten had mijn geest de weg teruggevonden naar de foto van Amy. Ik probeerde me voor te stellen wat de mannenhand had gedaan nadat de foto was genomen. Gary had nog ongeveer een minuut waarin ik hem beleefd zou aanhoren.

'Hoe is dat uitgepakt?'

Fishers gezicht verstrakte en ik kreeg de indruk dat de lijntjes rond zijn ogen van recente datum waren. 'Loopt nog steeds. Alle anderen op het kantoor hebben zich van Cranfields zaak afgekeerd, alsof het stonk. Maar dat kon ik niet. Een maand geleden stuitte ik op iets wat nog geregeld moest worden. Ik dacht, kan mij wat schelen, en vloog hiernaartoe, naar Seattle. Ik ging naar het kantoor van Burnell & Lytton.'

'En?' vroeg ik.

'Dat was er niet.'

'Wat bedoel je?'

'Ik had toen al drie maanden met die jongens gewerkt, oké? Ik kende hun adres en telefoonnummer uit mijn hoofd. Ik landde op Sea-Tac, nam een taxi rechtstreeks ernaartoe. Het adres was in een buurt waarin ik eerder iemand zou verwachten die op borgtocht vrij was. En als ik naar het huisnummer loop, blijkt dat een dichtgetimmerde etalage te zijn. En al een poosje. Het ziet eruit als een voormalige koffiewinkel. Er groeit verdomme een *boom* uit het dak. Geen taal of teken van Burnell & Lytton. Er is een intercom, maar die is heel, heel erg oud. Er zijn tien bellen en alleen de op een na bovenste ziet eruit alsof er sinds mijn geboorte nog iemand op heeft gedrukt. Dus die probeer ik als eerste. Geen reactie. Ik druk op alle bellen. Niks.

Tegen die tijd ben ik een beetje in verwarring gebracht. Ik loop verder tot het kruispunt, neem een kop koffie, bel het kantoor, controleer het adres opnieuw. En toen belde ik Burnell & Lytton. Lyttons secretaresse neemt op. Ik vraag hem te spreken. Ze zegt dat hij er niet is. Ik vroeg of ze het adres van het kantoor nog eens wilde noemen, zei dat ik een belangrijk pakketje had. Ze ratelt hetzelfde adres op. Dus vraag ik haar op welke bel ik moet drukken.

En ze viel stil. Helemaal stil. Toen zei ze: "Bent u *hier*?" Ze klonk vreemd, heel aanmatigend, helemaal niet meer als een secretaresse.'

'Dat is een beetje raar.'

'Ja, dat is het. Dus zeg ik tot mijn eigen verbazing nee. Ik ben niet in Seattle, maar mijn assistent is ziek en ik wil de vrachtbrief correct invullen. Dan is ze weer een en al vriendelijkheid, vertelt me dat het er niet toe doet, het adres is genoeg. Ik bedankte haar, liet een boodschap achter voor haar bazen om me terug te bellen, legde de telefoon neer. Ik blijf een paar minuten zitten om na te denken, dan gaat mijn mobieltje over. Het is een van mijn collega's in Chicago. Lytton heeft net naar het kantoor gebeld en naar me gevraagd. Gelukkig had Cheryl alleen gezegd dat ik niet op kantoor was, niet dat ik in Seattle was. Het *kon* gewoon toeval zijn. Maar het blijft vreemd. Dus liep ik terug naar het opgegeven adres. Drukte op de bel. Nog steeds geen reactie. Toen draaide ik hun nummer op mijn mobiel. Er werd dit keer niet opgenomen. Maar ik besefte dat ik wel iets hoorde. Het geluid van een telefoon die overging, ergens boven.'

'Jouw telefoontje?'

'Precies. Ik hing op en belde opnieuw, gewoon om het te controleren. Ik deed een paar stappen achteruit en ik hoor ergens in het gebouw een telefoon overgaan. Ik laat hem overgaan maar... uiteindelijk ben ik weggelopen. Weer naar huis gevlogen.'

Hij stak zijn handen in de lucht ten teken dat hij klaar was, en ook bij wijze van vraag. Ik wist alleen niet zeker welke vraag dat was.

'Heb je daarna nog contact met ze gehad?'

'Meermaals. Toen ik weer terug was in Chicago ging het leven gewoon verder. We hebben de rest van de zaak afgehandeld. Het is bijna klaar.'

'Heb je het met een van die twee advocaten over je reisje gehad?'

'Nee,' zei hij. 'Ik wist nooit hoe ik de vraag moest formuleren: hé, vriend – hoe komt het dat jouw kantoor in een verlaten gebouw zit? Ik heb het verteld aan een van de senior partners, maar die stak nog net niet zijn vingers in zijn oren. Niemand wil ook maar iets horen over eventuele vreemde luchtjes aan Cranfields zaken.'

Mijn idee. 'Dus deze mannen hebben een goedkoop kantoor. Wat dan nog?'

'Jack – als jij sterft, geef je je nalatenschap dan in handen van een advocaat die kantoor houdt in een kartonnen doos? Aangenomen dat je tegen die tijd een paar honderd miljoen hebt verzameld en je al vaste klant bent bij een van de meest prestigieuze advocatenkantoren van Chicago?'

'Klinkt geen van beide aannemelijk. En weet je zeker dat jouw betrokkenheid meer omvat dan een poging om je positie in het kantoor te redden nu de oude man dood is?'

'Rot op, Jack.'

'Gary, vertel me nou gewoon wat je me wilt vertellen.'

Hij wees naar de overkant van de straat, voorbij het kruispunt, naar het volgende blok aan de noordzijde.

Ik draaide me om en zag een rij vervallen gebouwen. Een rafelige spandoek aan een lantaarnpaal vertelde dat we in Belltown waren. Op de hoek was een café, ervoor zaten twee mensen die eruitzagen als vermoeide straatrovers. Daarnaast was iets wat probeerde door te gaan voor een tweedehands boekwinkel maar dat er meer uitzag als de plek waar je naartoe ging voor porno en/of drugs.

En dan een dichtgetimmerde etalage in een bouwvallig vaalbruin gebouw. Het was breder dan zijn buren. Er had ooit misschien een klein warenhuis in gezeten. Boven het raam op de begane grond was een afgebladderd handgeschilderd bordje, wit op zwart, met de tekst DE MENSELIJKE BOON. Links van het lange raam was een nietszeggende deur in legergrijs. Ik haalde Fishers enveloppe tevoorschijn, pakte de eerste foto. Ik hoefde hem niet omhoog te houden om te weten dat dit de plek was waar Amy stond toen hij werd genomen.

Een secondelang was het of ik haar daar zelfs kon zien staan, hoofd licht gedraaid alsof ze over haar schouder naar me keek, hoewel ze er niet uitzag als iemand die ik kende.

hoofdstuk
TWINTIG

Ik stak de straat over, me nauwelijks bewust van de vrachtwagen die achter me toeterde. Op het trottoir aan de overkant draaide ik me om, keek naar het zuiden richting het centrum. Ik vergeleek het beeld met de tweede foto en zag genoeg overeenkomsten om te weten dat het dezelfde plek was.

'Ja,' zei Fisher, terwijl hij achter me op de stoeprand tot stilstand kwam. 'Ik stond op de volgende hoek.'

Ik liep door tot de etalage van de winkel. Probeerde door het raam naar binnen te kijken. Maar degene die het had dichtgetimmerd, had goed werk geleverd. Ik liep naar de deur en duwde er met mijn hand tegenaan. Geen beweging. Het was een grote, zware deur, aan alle kanten versierd met klinknagels, en precies sluitend. Door de vele lagen grijze verf leek hij volkomen ondoordringbaar. Ik bukte om naar de klink te kijken en zag rond het sleutelgat plekjes glimmend metaal. Het slot was onlangs nog gebruikt.

Ik zette een paar stappen achteruit en keek opnieuw links en rechts de straat in. De ingang van het gebouw lag duidelijk in het zicht voor iedereen in een straal van vierhonderd meter. Het had de grove, monumentale kwaliteit die zo in zwang is bij aanhangers van de bouwkunst van rond de vorige eeuwwisseling, een belofte om eeuwig winstgevend te blijven. Het gebouw stond er nog steeds. Maar niemand verdiende er nog geld aan. Elke verdieping had drie grote ramen. Op de eerste en tweede verdieping waren diverse ruiten gebroken, waarna iemand de gaten met board had dichtgetimmerd. Op de verdieping erboven leek het glas nog overal heel. Maar uit de reflecties van de grijze wolken in de ramen concludeerde ik dat daarachter geen lampen brandden. Uit een kapotte regenpijp vlak onder het dak groeiden enkele graspollen en een heel klein boompje.

Toen ik mijn blik weer omlaag richtte, zag ik dat de twee mannen voor het café op de hoek ons belangstellend opnamen. Ik liep naar ze toe, Fisher volgde.

De mannen waren allebei gekleed in een grijze fleece, een gevlekte spijkerbroek en spiksplinternieuwe Nikes. Op enkele onbelangrijke details als gelaatstrekken na, zagen ze er bijna identiek uit. Het gammele metalen tafeltje tussen hen in was leeg. Een van hen glimlachte traag tegen de ander toen ik naderbij kwam.

'Ik ruik iets,' zei hij. 'Ruik jij iets?'

De ander knikte. 'Doet me denken aan barbecue.'

'Die is behoorlijk oud,' zei ik. 'Ik bedoel, zo'n beetje middeleeuws. En jullie ruiken waarschijnlijk vooral elkaar. Ik ruik jullie in elk geval, vanaf hier. Volgende keer als het regent moeten jullie maar buiten blijven staan.'

De eerste hield op met glimlachen. 'Wat moet je?'

'Dat gebouw waar ik net voor stond. Weet je daar iets van? Iemand in of uit zien gaan?'

Ze schudden langzaam hun hoofd, alsof ze werden bestuurd door dezelfde trage aandrijfriem.

'Goed,' zei ik. 'Jullie weten niets van deze plek. Waarschijnlijk nieuw in deze buurt. Net ingevlogen uit Parijs in het kader van een uitwisselingsprogramma voor studenten. Eindje gewandeld voor een croissantje en een *café crème* tussen twee colleges door. Kom ik in de buurt?'

Ze keken me nu allebei geïrriteerd aan. Ik glimlachte op een neutrale, openhartige manier en verbrak als eerste het oogcontact. Ik haalde een stukje papier uit mijn zak en schreef het nummer van mijn mobiele telefoon op.

'Bel me. Ik betaal ervoor.'

Ik knikte naar de twee paar slome, enigszins ontstoken ogen en liep terug naar het gebouw. Ik vroeg me af of er een achterom was.

'Denk je dat dat werkt?' vroeg Fisher toen hij me had ingehaald. Hij klonk opgelucht, blij dat we weg waren bij het café. 'De openlijke confrontatie?'

'Ja,' zei ik, terwijl ik met mijn ogen de begane grond van het gebouw afzocht. 'En jij bent de volgende, als je niet doorgaat met vertellen wat...'

Ik stopte met praten en liep weer naar de deur. De intercom was een langwerpig apparaat vol vlekken en roestplekken met bovenaan een rooster en daaronder een rij brede knoppen. Ik drukte ze een voor een in en kreeg niet het gevoel dat er ook maar iets gebeurde, waar dan ook, dat er ook maar één verbinding werkte.

Toen keek ik naar de laatste bel, maar die drukte ik niet in. Hij was minder verroest en het patina was ook anders. Het leek, in Fishers woorden, of daar af en toe nog wel eens op werd gedrukt. Het was de op een na bovenste. Ik vroeg me af of ik de betekenis van Amy's laatst verstuurde sms'je had ontdekt.

Dat met 'Bell 9'.

Aan de achterkant was een parkeerterrein. Het gebouw zelf was afgebladderd en er ontbraken grote stukken pleisterwerk. De deur naar de straat was voorzien van stevige sloten. De ramen op de hogere verdiepingen waren afgedekt met board en de brandtrap viel van ellende uit elkaar. Ik stond er een poosje naar te kijken en liep toen weg. Een paar straten verderop richting het centrum kwamen we langs een bar. Ik stopte, draaide me om en ging naar binnen.

Het interieur was donker en de toog besloeg een hele muur. De verlichting was gedempt. De muren waren afgewerkt met houten panelen die eruitzagen alsof ze waren aangebracht in de tijd dat dergelijke decoraties helemaal in de mode waren. Veel klanten zagen eruit alsof ze zich zelfs nog konden herinneren hoe het er vóór die tijd uitzag.

De barman was mager als een lat en leek voor geen kleintje vervaard. Hij wierp één blik op me en begon zich toen onmiddellijk te verontschuldigen voor zaken waar ik niets van wist en die me niet interesseerden.

'Luister, ik ben verdomme geen politieman,' zei ik. 'We willen gewoon een biertje. Zou dat kunnen?'

Ik liep naar een tafeltje in de hoek en ging zitten. Fisher nam de drankjes mee. Een tijdlang zei ik niets, rookte een sigaret en keek hem aan.

'Oké,' zei ik. 'Vertel me nu de rest. En geloof me, je kunt maar beter niet uitweiden.'

'Terug in Chicago begon dit gedoe aan me te vreten,' vertelde Fisher. 'Ik had Joe aan het eind behoorlijk goed gekend. Hij kon goed overweg met zijn kinderen. De Cranfieldclan was hecht, gezamenlijke vakanties, een foto van de hele familie op de kerstkaarten. In mijn vakgebied kom je een hoop van dat soort families tegen. Eens in de zoveel tijd wordt het gecompliceerd als de oude bok de boerderij verlaat voor een striptease-danseres waar niemand iets van wist, maar de patriarch zal nooit alles tot op de grond toe afbreken.'

'Dat is duidelijk wel wat hij wilde.'

'Het slaat nog steeds nergens op. Ik verveel mijn vrouw ermee, heb bijna geen aandacht voor mijn kinderen. En daarom ging ik op bezoek bij Cranfields weduwe. Ik heb Norma in de loop der jaren vaak ontmoet, heb een paar keer bij ze gegeten. Dit is niet een vrouw die hij enkel en alleen had om mee te pronken. Ze zijn vijftig jaar bij elkaar geweest. Dus ging ik een paar weken geleden naar hun huis en nam samen met haar plaats in een grote kamer die half ingepakt was. Ze vertelde dat ze naar een klein appartement in de stad ging verhuizen. Af en toe dacht ik iets van verwarring in haar ogen te zien, alsof ze zich afvroeg wanneer ze wakker zou worden. Ten slotte moest ik het vragen. Begreep *zij* wat er aan de hand was?'

'Wat zei ze?'

'Eerst helemaal niets. Toen stond ze op en liep naar een bureau in de hoek. Ze opende een la, haalde er iets uit. Een kaart met op de voorkant een oude zwart-witfoto van een oude pier. Ik vroeg haar wat er op de foto stond en ze vertelde dat het Monterey was, de plek waar zij en Cranfield elkaar voor het eerst hadden ontmoet. Binnenin was een boodschap, in Joe's handschrift. Er stond: "Haat me niet".'

'Is dat alles?'

'Die drie woorden. Ik keek haar aan en ze haalde haar schouders op en zei – "Dat is alles wat ik weet". Ze had dit aan niemand verteld. Zelfs aan haar kinderen niet. Ik ging direct terug naar het kantoor, haalde alle papieren tevoorschijn en las alles voor de honderdste keer door. Niet om de zaak op te lossen, maar om het te begrijpen. Ik verdiepte me in de negen organisaties die veel geld hadden gekregen, maar daar zat geen luchtje aan. Zelfs de zeeotters klonken logisch, tot op zekere hoogte. Norma vertelde me dat ze tien jaar geleden een lang weekend hadden doorgebracht in Monterey en dat Joe toen onder de indruk was geweest van het aquarium, had genoten van de otters die erin rondzwommen. Dus verdiepte ik me in de kleinere begunstigden. Dat zijn er een stuk of dertig, mensen als de vrouw van het wegrestaurant, onbelangrijke figuren uit Joe's verre verleden. Het klinkt allemaal heel logisch, hebben allemaal wel iets te maken met een onderdeel van Joe's zaken, behalve een. Een man die geen enkele relatie lijkt te hebben met zaken waar Joe zich mee bezighield. En daarom heb ik wat gegoogeld. En *toen* kwam ik erachter dat deze persoon in Seattle woont, en dat zijn gezin onlangs is overleden.'

'Bill Anderson.'

'De koerier bracht hem een cheque van tweehonderdvijftigduizend dollar – hetzelfde bedrag dat Joe's eigen *kleinkinderen* kregen, weet je nog. Er is zeven weken geleden voor ontvangst getekend, een hele maand voor hij verdween. Maar de cheque is nog steeds niet verzilverd. Vier, vijf jaarsalarissen, en hij neemt niet eens de moeite om het geld op te nemen? Dat is trouwens nog een reden waarom ik geneigd ben om financiële motieven voor de moord op zijn vrouw uit te sluiten.'

'Dat begrijp ik,' zei ik. 'En misschien had je dat moeten zeggen toen je voor de eerste keer bij me op bezoek kwam.'

'Had dat verschil gemaakt?'

'Misschien.'

'Bill is mijn duidelijkste spoor wat betreft Cranfields nalatenschap, de sleutel tot een actie waar niemand – zijn advocaten, noch zijn kinderen of zijn eigen vrouw – iets van begrijpt. En ik heb je boek wel degelijk gelezen, omdat ik je naam herkende. En ik *had* werkelijk behoefte aan een smeris. Ik denk dat Andersons gezin vermoord is door een indringer. Jouw boek heet zelfs *De indringers*. Vertel mij dan eens waarom het niet logisch is om je op te zoeken, om je advies te vragen.'

'Vertel verder over Amy,' zei ik.

'Daar kom ik zo op. Maar je ziet er kwaad uit, dus vergeet niet dat ik slechts de boodschapper ben. Ik ging opnieuw naar Seattle, om meer te weten te komen over de moord op de Andersons. Het kost me geen moeite om daar tijd voor vrij te maken. Zoals jij het zo fijntjes verwoordde, mijn positie staat op de tocht.'

Ik begon iets te zeggen, maar hij stak zijn hand op. 'Nee, je had gelijk, Jack. Maar wat je *niet* weet, is hoe het er in mijn wereld aan toe gaat als je eenmaal begint te vallen. In de zakenwereld draait alles om vertrouwen, dat is het enige wat telt. Ofwel je herstelt razendsnel de schade, of ze halen gewoon de ladder weg. Ik accepteerde de roem die tijdens Joe's leven op mij afstraalde, dus...'

'En wat heb je ontdekt toen je hier was?'

'Wat ik je heb verteld in Birch Crossing. Het komt erop neer dat het me, als ik eerlijk ben, eigenlijk niet werkelijk kan *schelen* of Anderson zijn gezin heeft vermoord. Ik wil alleen weten waarom dat geld aan hem is nagelaten, en wat het betekent. Ondertussen zit ik in een hotelkamer met een internetverbinding en te veel vrije tijd. Dus blijf ik graven in elke richting die ik kan verzinnen. Het eerste wat ik vond was het gebouw dat jij en ik net hebben bekeken.'

'Het kantoor van Burnell & Lytton.'

'Voor zover het dat is. Ik ontdekte al snel dat ze het pand niet bezitten, ze leasen het. De koffiewinkel die er daarvoor heeft gezeten, werpt ook geen licht op de zaak. Het bedrijf is lang geleden opgedoekt. Toen ontdekte ik dat de eerste verdieping een paar jaar geleden, zo rond 1995, werd verhuurd als studioruimte voor foto- en video-opnamen. In die tijd was Belltown een achterbuurt, de pandjes kostten toen maar een schijntje. Als zodanig wordt het niet meer gebruikt, maar het bedrijf is nog wel eigenaar van het gebouw. Ze heten Kerry, Crane & Hardy.'

Ik liet bijna mijn glas vallen. Fisher legde zijn handen plat op tafel en leunde voorover met het air van de man die blij is dat er eindelijk iemand naar hem luistert.

'Ja,' zei hij. 'Dat zei me in eerste instantie niets. Ik trok ze na via het internet, kwam erachter dat het een of ander groot reclamebureau is. Ik snap niet wat dat ermee te maken heeft. Ik heb ze zelfs gebeld maar kreeg niemand te spreken die wist waar ik het over had. Op dit moment kom ik daar niet verder mee. Waardoor er nog maar een deur is overgebleven om tegen te duwen. Raad eens welke?'

'De liefdadigheidsinstelling die de tien procent van Cranfields nalatenschap heeft gekregen.'

Fisher glimlachte. 'Zie je wel,' zei hij zachtjes. 'Dat is waarom ik geloof dat je kunt helpen.'

'Wat heb je ontdekt?'

'De liefdadigheidsinstelling heet de Psychomachy Trust, is gevestigd in Boston. Absoluut onzichtbaar op de radar. Vraagt nooit geld aan individuele personen of aan het grote publiek. Wordt beheerd door Burnell, Lytton en een paar andere kerels waar ik niets over kan vinden, waarschijnlijk geen Amerikaanse onderdanen. Het interessante is dat de instelling deel uitmaakt van een netwerk. Liefdadigheidsorganisaties zijn gemakkelijker te traceren omdat ze belasting moeten betalen. Deze trust, samen met andere in Parijs, Berlijn, Jeruzalem, Tokyo en nog wat grote steden verspreid over de aardbol, koppelen allemaal terug naar een overkoepelende organisatie in Londen. Het is een oude organisatie. Minstens twee-, driehonderd jaar, voor die tijd is het spoor veel vager. Eigenlijk liep het daar dood. Maar juist toen dat gebeurde, vond ik meer informatie over het gebouw waar we net zijn geweest. Ik vind een kopie van de papieren en ontdek wiens namen erop staan.'

Hij reikte in zijn jaszak en trok een opgevouwen stuk papier tevoorschijn. Hij vouwde het open en legde het op de tafel voor me. Ik keek niet omlaag maar stak een sigaret op en wachtte.

'Er staan er drie op,' zei hij. 'Een is direct duidelijk – Todd Crane, belangrijkste persoon in het bedrijf dat het pand in bezit heeft. De tweede naam is een man genaamd Marcus Fox, ik denk dat hij ooit Joe Cranfields zakenpartner is geweest hier in Seattle.'

'De stukjes beginnen op hun plaats te vallen.'

'Precies. Fox verdwijnt halverwege de jaren negentig uit Cranfields wereld, ik kan nergens meer iets over hem vinden. Met de derde naam kan ik helemaal niets, tot ik nog eens rondsnuffel op de site van Kerry, Crane & Hardy. Waar ik iemand tegenkom met dezelfde voornaam.'

Het was niet moeilijk te vinden, zelfs niet op een pagina met zo veel tekst als een eigendomsakte.

De derde naam was Amy Dyer.

Toen ik haar naam daar in drukletters zag staan, had ik het gevoel dat de auto eindelijk tegen me aanknalde. Het duurde even voor ik opmerkte dat het document uit 1992 dateerde, zes jaar voor ik haar had ontmoet.

'Dit wist je toen je me kwam opzoeken.'

'Ja, Jack. Ik ontdekte dat Amy Dyer nu Amy Whalen heette, en dat jij haar echtgenoot bent. Maar op dat moment was ze nog steeds niet meer dan een naam op een stukje papier. Ik kwam om met je te praten, hoorde je standpunt en trok me terug. Maar ik heb voorlopig min of meer mijn kamp opgeslagen in Seattle, en...'

'Je bent een hele tijd van huis.'

'Terwijl ik dit uitzoek, ja. En ondertussen heb ik de gewoonte ontwikkeld om af en toe langs dat gebouw te lopen. Afgelopen vrijdag heb ik een paar uur op de volgende hoek gepost. Daar is ook een koffietent. Je kunt daar goed zitten. En aan het eind van de middag, toen ik het koud kreeg en me belachelijk begon te voelen – en niet voor het eerst, geloof me – zie ik iemand in die deuropening verschijnen. En op die foto's zie je wat ik zag.'

'Heb je er nog meer?'

Hij schudde zijn hoofd. 'Ik wilde niet te veel opvallen. Surveillance is niet mijn vak. Er liepen een paar ongure types rond en ik ga niet zo makkelijk met ze om als jij. Ik hield me op de achtergrond en kon niet meer dan die twee foto's maken. Heb de vent nooit goed gezien. Eerlijk niet.'

De deur van de bar ging open en in de korte schittering van licht verscheen een groep dorstige toeristen. Het begin van de drukte rond lunchtijd. Fisher zweeg terwijl ik toekeek, hoewel ik ze niet werkelijk zag. Voor mijn oog zag ik twee mensen, een man en een vrouw, dicht bij elkaar, die de straat uit liepen.

Ik drukte mijn sigaret uit. 'Ik wil de originelen van die foto's zien.'

Fisher trok meteen een kleine digitale camera uit zijn zak, haalde de geheugenkaart eruit en overhandigde hem aan mij.

'Betekent dit...'

'Op dit moment, ja,' zei ik. 'Geef me alles wat je hebt over Bill Anderson. Ga dan weg en laat me alleen.'

hoofdstuk
EENENTWINTIG

Todd Crane zat in zijn kantoor. Zijn bureau lag bezaaid met papieren, die op hun beurt wemelden van de opsommingstekens, reclamekreten en schetsjes. Het was de bedoeling dat hij al die papieren had gelezen, verwerkt en becommentarieerd. De creatieve teams stonden te trappelen om aan de slag te gaan. Ernaast lag een stapel dvd's van commercialregisseurs. Het was de bedoeling dat hij die ook allemaal had bekeken en er een mening over had geformuleerd, zodat de account- en productiemanagers konden nagaan welke acteurs beschikbaar waren en wat ze kostten, om ze daarna te contracteren en meer in het algemeen om KC&H voort te stuwen naar nog meer glorieuze mijlpalen in de strijd om mensen over te halen tot het kopen van rotzooi die ze niet werkelijk nodig hebben.

Maar hij had nog helemaal niets gedaan.

Hij had zijn stoel in de richting van het grote raam gedraaid en staarde met niets ziende ogen over Elliott Bay. Van hierboven kon je de kaden zien. Helemaal rechts was het dak van het marktgebouw en helemaal links waren de naar alle kanten uitwaaierende dokken. Daarachter was de grijsblauwe uitgestrektheid van de baai zelf, en daarachter lagen de in wolken gehulde Olympic Mountains. Todd en enkele collega's hadden daar lange tijd eenmaal per jaar een lang weekend doorgebracht in de bossen. Ze hadden er fanatiek gemountainbiket, bescheiden hoeveelheden bier gedronken en openlijk tegen elkaar opgeboden over de behaalde materiële successen. Hij kon zich niet herinneren wanneer ze dat voor het laatst hadden gedaan. Zes jaar geleden, zeven? Tien? Zoiets. In de loop der tijd zou de herinnering waarschijnlijk uitgroeien tot een aangename ervaring, een van de vele bruisende activiteiten waarvan hij in zijn rijk gevulde bestaan mocht genieten, het bewijs dat je met het juiste karakter en voldoende geld (en een welwillende vrouw) je hele leven kon doorbrengen in één langgerekte advertentie voor je eigen leven.

Maar op dit moment had hij het gevoel dat de herinnering hem door de vingers glipte, net als het idee dat hij ooit vloeiend Frans zou leren spreken of de rotstempels van Petra zou bezoeken of behoorlijk bluesgitaar zou leren spelen. Hij wist niet eens waarom die dingen zo belangrijk voor hem waren, of ooit waren geweest. Hij was er gewoon van uitgegaan dat ze vroeger of later zouden gebeuren, dat ze deel uit zouden maken van zijn leven. Om de een of andere reden was hij daar nu niet meer zo zeker van.

Op de grond in een hoek van het kantoor stond een oude radio. Hij had het ding een paar weken geleden in zijn studeerkamer zien staan. Het was een cadeau van zijn ouders, toen Todd een jaar of twintig was geweest. Een duur apparaat, een groot geschenk van twee mensen die nu allebei dood waren. De radio had het een paar jaar gedaan en was er toen mee opgehouden. Het defect was waarschijnlijk gering en radio's waren makkelijk en goedkoop te repareren, maar om de een of andere reden was hij er in al die dertig jaar nooit toe gekomen. De radio was weggeborgen op boekenplanken en in ladekasten, in en uit zijn bewustzijn gegleden, nooit officieel afgedankt of weggedaan, eeuwig balancerend op het randje van wel of geen reparatie. Het was absurd. Todd had hem een week geleden meegenomen naar zijn kantoor in de hoop dat dat hem zou motiveren om het ding nu echt te laten repareren. Maar daar stond ie dan. Misschien zou hij wel nooit meer gemaakt worden. Misschien was het leven vol met dat soort dingen.

Geïrriteerd draaide Todd zich om, weg van het uitzicht. Hij was nota bene vierenvijftig jaar oud. Amper van middelbare leeftijd. Maar waarom had hij dan het gevoel dat het leven hem door de vingers glipte? Waarom was hij zo gevoelig voor de dingen die hij *niet* had gedaan en had hij geen oog meer voor de vele zaken die hij wel had bereikt? Hij sliep allesbehalve goed. Hij wist dat dat niets te maken had met de steeds grotere warboel op zijn bureau. Hij had het zijn hele leven al druk gehad en had negenennegentig van de honderd nachten geslapen als een baby. Maar wat was het probleem dan wel? Bij gebrek aan een rationele verklaring kwam zijn beroemde creatieve geest met verschillende mogelijkheden die hem geen van alle overtuigden. Zo was hij er in het begin van het jaar een paar weken van overtuigd geweest dat de straten van deze stad anders aanvoelden wanneer hij erdoor liep. Dat het er voor de tijd van het jaar ongewoon druk was. Hij had zelfs korte tijd de gewoonte aangenomen om halverwege de middag naar een terras van een koffiewinkel te verhuizen, zogenaamd om rustig te kunnen werken, maar in werkelijkheid om het aantal mensen op straat in de gaten te kunnen houden. Toen bleek dat het er helemaal niet zo druk was. Zijn psychoanalyticus kon hem niet helpen. Had ze nooit gedaan, ook niet in de vijf maanden dat ze met elkaar sliepen. Het feit dat ze de relatie nu weer tot een strikt therapeutisch niveau hadden teruggebracht, betekende in Todds ogen dat ze geen van beiden erg onder de indruk waren geweest van de seks, noch van de therapie.

Iets anders wat niet had geholpen, was het bezoek van die ex-politieman. Amy's echtgenoot. De man straalde iets uit waardoor je het liefst een hoge muur rond jezelf wilde optrekken. En wat Todd nog meer verontrustte, was het feit dat hij ervan overtuigd was dat de man niet de waarheid had verteld. Hij geloofde niet dat Whalen ook maar het flauwste idee had wat zijn vrouw in Seattle deed, en dat verhaal over die verloren telefoon was ook onzin. Maar het was heel goed mogelijk dat Amy wel *degelijk* in de stad was geweest: haar man leek niet het type dat zich in dergelijke dingen zou vergissen. Wat had ze hier dan gedaan? Geheime onderhandelingen? Mogelijk, en in dat geval kon het hem niet schelen. Maar misschien was het niet zo eenvoudig. Misschien had het met andere zaken te maken. En hij had sterk het gevoel dat dat laatste het geval was, al was het alleen maar omdat Bianca die middag nog een andere man had afgepoeierd, iemand die vragen had gesteld over een zeker gebouw. Hij had zo'n vermoeden dat dit de oorzaak was van dat loodzware gevoel in zijn maag, dat er mensen aan de deur klopten die toegang gaf tot een deel van zijn leven dat hij nooit helemaal had begrepen.

Hij had nooit aan zichzelf getwijfeld of zich zorgen gemaakt over het verstrijken van de tijd. Maar nu wel. En de enige reden die hij kon bedenken, was dat iets uit dit verleden hem dwarszat.

Toen hij eindelijk was begonnen met het wegwerken van de administratie, werd hij opgeschrikt door het geluid van de intercom. Hij drukte op de knop.

'Christus, ja?'

'Met Jenni, van de receptie.'

Todd vroeg zich een secondelang af of hij haar eraan moest herinneren dat hij door niemand behalve Bianca gestoord mocht worden tenzij er iets wereldschokkends aan de hand was. Helaas was hij van mening dat mensen hem een goede baas vonden, en dat betekende dat hij zijn personeel maar heel af en toe kon uitkafferen. Hij had al lang geleden beseft dat een goede baas zijn alleen maar nadelen had, maar toen was het te laat om met die gewoonte te breken. 'Wat is er, Jenni?'

'Er is hier iemand van Meadows school,' zei ze. 'Die wil u spreken.'

Hij fronste zijn wenkbrauwen. Iemand van de school van zijn jongste dochter. 'Wat wil hij?'

'Ze wil alleen met ú praten.'

Todd zei dat ze de vrouw naar zijn kamer moest brengen. Hij greep de telefoon om Livvie te bellen om te vragen of zij wist wat er aan de hand was. Maar toen herinnerde hij zich dat zijn vrouw die middag naar pilates was, of naar yoga, of een ander soort gegoochel met haar lichaam. Het deed er niet toe. Hij had het nooit tot CEO van het meest succesvolle reclamebureau van Noordwest-Amerika kunnen schoppen als hij niet in staat was om mensen onvoorbereid te woord te staan. En er was toch zeker een grens aan de problemen die een twaalfjarige zich op de hals kon halen.

Hoopte hij.

Hij bekeek zichzelf even in de handspiegel die hij in de onderste lade van zijn bureau bewaarde. Hij zag er vermoeid uit, maar verder was alles in orde. De deur ging open en zijn assistente kwam binnen, vergezeld door iemand die duidelijk geen les gaf op de lagere school van zijn dochter, of op welke school dan ook. Todd was juist bezig om overeind te komen, maar verstijfde in die beweging.

'Wie is dit?'

Bianca gaf met een opgetrokken wenkbrauw te kennen dat ze geen flauw idee had. In de tussentijd stond de persoon in kwestie hem strak aan te kijken, en gaf vervolgens zelf antwoord.

'Mijn naam is Madison,' zei ze.

Bianca aarzelde. Een deel van haar baan bestond uit het in twijfel trekken en onopvallend ondermijnen van elk telefoontje van om het even welk meisje er op dat moment bij de receptie werkte. Zo werden de subtiele hiërarchieën van het bedrijfsleven in stand gehouden waar ze er werkelijk toe deden – onder aan de ladder.

'Is het...'

'Het is in orde,' zei Todd. Ze gaf een kort knikje en vertrok.

'Zo,' zei hij met warme stem. Hij kwam achter zijn bureau vandaan, ging op de rand van het blad zitten en wees naar de dichtstbijzijnde stoel.

'Jij zit op school bij Meadow, nietwaar?'

'Nee,' zei het meisje, terwijl ze precies in het midden van de stoel plaatsnam. 'Ik heb haar nooit ontmoet.'

'Maar je zei...'

'Hoe had ik anders hierboven moeten komen?'

Daar wist Todd geen antwoord op. Het meisje wees naar de foto op de rand van zijn bureau. 'Ze is, wat? Dertien?'

Todd knikte, vroeg zich af wanneer hij Bianca weer moest roepen. Snel, dacht hij. Misschien zelfs... erg snel. 'Ja. Bijna.'

Het meisje glimlachte opgewekt. 'En ik ben negen. Maar ik heb die dame beneden wijsgemaakt dat we in dezelfde klas zaten. En ze geloofde me. Dus ik denk dat ze niet zo slim is, hè.'

'Ze... heeft Meadow nooit ontmoet. Ik denk dat ze alleen maar beleefd wilde zijn.' De woorden kwamen gemakkelijk uit zijn mond, maar in stilte vroeg Todd zich af wat Jenni in hemelsnaam had bezield om het eerste het beste kind binnen te laten.

Het meisje knikte. 'Misschien. Ga je met haar naar bed?'

Nu had ze zijn onverdeelde aandacht. '*Wat?*'

'Je ziet er nogal antiek uit, dat is waar. Maar ik weet zeker dat je gehoor nog goed is. En dat je nog steeds van bil gaat.'

Van... *wat?* 'Luister eens, meisje, wat je naam ook...'

'Madison. Heb ik net gezegd.'

Todd liep weer naar de kant van zijn bureau waar zijn stoel stond. Het was de hoogste tijd om Bianca te roepen.

Maar toen viel hem iets in. Aarzelend hing zijn hand boven de telefoon. 'Als je niet bij haar op school zit, hoe weet je dan hoe mijn dochter heet?'

Het meisje trok een gezicht. 'Om u de waarheid te zeggen, dat weet ik niet. Ik ken hem gewoon. Net als ik weet dat uw andere dochters een stuk ouder zijn. En dat uw vrouw vroeger dronk...'

Ze hield op met praten en haar hoofd zakte naar voren. 'He spijt me,' zei ze. 'Dat is erg onbeleefd.'

Een moment staarde ze met lege ogen voor zich uit. Toen keek ze plotseling weer op, en haar gezicht leek anders. Ze knipperde snel met haar ogen, was uiterst opgewonden.

'Alstublieft,' zei ze. 'Hebt u een stukje papier? En een pen?'

Todds hand hing nog steeds boven de telefoon om zijn assistent te roepen. Nu bewoog hij hem opzij om naar een blokje Post-it-briefjes te wijzen. Het meisje graaide een balpen van zijn bureau en schreef iets op het bovenste velletje. Het zag eruit als een rijtje cijfers.

Ze schreef er vier of vijf op en begon toen te aarzelen. 'Nee,' zei ze boos. 'Nee...'

Snel voegde ze aan het begin nog twee cijfers toe. Ze trok het velletje los en stopte het diep weg in haar jaszak. Even zag ze eruit als een jeugdige zwerfster die haar favoriete stukje touw zorgvuldig verstopte voor buitenaardse wezens, de CIA of boze geesten. Toen liet ze zich in haar stoel achterovervallen en bedekte haar gezicht met haar handen.

Todd keek verbaasd toe. Daarna hoorde hij dat ze achter haar handen zat te huilen. Het was een laag, regelmatig geluid, meer van uitputting dan van verdriet. Hij kwam opnieuw overeind, ontdaan. Waarom was Bianca in hemelsnaam weggegaan?

'Luister,' zei hij, terwijl hij probeerde om zijn stem meer vriendelijk dan verbijsterd te laten klinken. 'Wil je iets hebben? Wil je wat drinken?'

Het meisje zei niets en Todd begon net te denken dat ze hem niet had gehoord. Toen hoorde hij haar stem. Het klonk gedempt omdat ze haar handen voor haar gezicht hield. 'Koffie.'

'Koffie? Werkelijk? Geen... frisdrank, of water?'

Ze schudde haar hoofd. 'Koffie. Zwart.'

Hij liep naar het apparaat in de hoek, schonk een kopje in en bracht dat naar haar toe. Hij was vertrouwd met de rol van onderdanige bediende, had die vaak genoeg gespeeld tegenover zijn eigen dochters. Soms was een schijnbare omkering van de macht het enige wat een kind genoeg kalmeerde om het te laten doen wat jij wilde. Het leek wel of de strategische vaardigheden van kinderen aangeboren waren, ze begrepen vanaf het begin hoe die dingen werkten.

'Hier,' zei hij toen hij besefte dat ze hem niet kon zien.

Langzaam liet ze haar handen zakken. Ze keek naar het kopje en pakte het vervolgens met beide handen aan. Toen bracht ze het naar haar mond en nam een grote slok, hoewel Todd wist dat de koffie direct van het warmhoudplaatje kwam en zo heet was dat hij haar keel wel moest schroeien. Daarna bleef ze het kopje met beide handen vasthouden en staarde in de resterende vloeistof.

'Dat is beter,' zei ze. Toen hief ze haar gezicht op, keek hem aan en glimlachte traag.

'En, Todd,' zei ze. 'Hoe gaat het met jou?'

Hij knipperde met zijn ogen. Alles aan haar – haar stem, haar glimlach – leek anders. Het ontredderde kind leek vervangen door... hij wist niet wat. Maar hij wist wel dat hij haar niet langer in zijn kantoor wilde hebben.

'Ik ben bang dat je nu moet vertrekken,' zei hij. 'Ik kan iemand vragen om een taxi te bellen om je naar huis te brengen.'

'Ja,' zei ze, terwijl ze langs hem heen door het raam keek. 'Altijd gul met kleine dingen.'

'Luister – wie *ben* jij?'

'Raad eens,' zei ze.

'Ik heb geen idee,' zei Todd kortaf. 'Je kon hier binnenkomen omdat je beweerde dat je een vriendin was van mijn dochter. We weten allebei dat dat niet waar is.'

'Alsjeblieft,' zei ze. 'Zeg het. Zeg me wie ik ben.'

'Je bent een klein meisje.'

Ze lachte, schijnbaar oprecht, een hilarisch gebulder dat hem volkomen verraste.

'Ik weet het,' zei ze. 'Is het niet kostelijk?'

'Het is een giller,' zei hij, terwijl hij zich vooroverboog om op de knop te drukken waarmee hij Bianca kon roepen.

'Niet doen,' zei het meisje. 'Waag het niet.'

'Luister,' zei Todd op zelfverzekerde toon, 'ik heb er genoeg van. Ik weet niet wat je hier doet en ik vind je nogal vreemd voor een kind. Dat is de zorg van je ouders, gelukkig, niet die van mij. Ik heb werk te doen.'

'Stil toch,' zei ze. 'Ik blijf geen seconde langer in je gezelschap dan nodig is, geloof me. Ken je dat gezegde over de orgeldraaier en de aap? Je bent een vlo op de kont van de aap, dat ben je altijd geweest. Maar ik kan niet kieskeurig zijn en daarom ga je een paar dingetjes voor me doen. Bofkont.'

'Ik ga helemaal niets...'

Ze negeerde hem. 'Ten eerste een plek waar ik kan overnachten. Ik wil douchen en ik heb geen zin meer om op gelijke voet te verkeren met straatslijpers. Om nog maar te zwijgen over mijn behoefte om eens flink te slapen. Net als jij, zo te zien.'

Haar stem klonk nu stevig en zelfverzekerd, Todd begreep nu hoe ze Jenni had kunnen overhalen om haar door te laten. Het herinnerde hem ook op afschuwelijke wijze aan zijn nicht, toen die in 1998 in het ziekenhuis lag te herstellen van een zwaar auto-ongeluk. Toen haar toestand kritiek was, had ze de meeste tijd op een rivier van morfine gedreven. Maar af en toe wist ze zich aan de chemicaliën en de pijn te ontworstelen om opmerkingen te maken die zo normaal waren dat ze uiterst vreemd en bizar overkwamen. Het contrast deed je de haren te berge rijzen. Dit meisje riep hetzelfde gevoel op, ondanks het feit dat ze natuurlijk gewoon een volwassene uit haar omgeving nabootste.

Ze leek zijn zwijgen op te vatten als instemming. 'Als ik opsta, stralend als een feniks uit Lethes sluimerende vlammen, is er iemand die ik *heel* graag weer wil zien. Een gemeenschappelijke vriendin. En dat ga jij voor me regelen.'

'Ik weet niet waar je het over hebt,' zei Todd, die eindelijk de knop indrukte, blij dat hij zich weer op vertrouwd terrein bevond. 'We gebruiken nooit beroemdheden uit jongensbands of televisieshows. Dat is ons beleid.'

'Een "jongensband"? Waar *heb* je het in hemelsnaam over?'

Hij hoorde de deur van de kamer van zijn assistente opengaan en daarna haar gehaaste voetstappen in de gang. Bianca's salaris lag twintig procent hoger dan dat van alle andere werknemers in dezelfde loonschaal. Dat was ze waard.

Het kleine meisje hoorde de voetstappen ook. Haar gezicht betrok. 'Toddy, dit is een van die momenten waarop je een foute keuze kunt maken, of een goede. Verpest het nou niet.'

De deur ging open en Bianca beende naar binnen. 'Deze jongedame gaat nu vertrekken,' zei Crane tegen haar.

Het meisje zuchtte dramatisch. Hij negeerde haar. 'Als ze moeilijk doet, bel je de politie. Ze is hier onder valse voorwendselen binnengedrongen, ze wil een beroemdheid ontmoeten.'

Bianca ging bij de stoel staan en keek dreigend op het meisje neer. 'Opstaan,' zei ze. 'Nu, prinses.'

'O, wat zijn jullie vervelend volk,' mopperde het meisje vermoeid. Ze stond op, negeerde de hand die Bianca uitstak, haar ogen nog steeds op Crane gericht. 'Ik wil geen heibel maken. Maar je laat me geen keus, snap je dat niet?'

Todd trok zich stijfjes terug achter zijn bureau. Bianca zou dit verder afhandelen. Ze had het meisje al bij haar bovenarm gepakt en naar de openstaande deur gesleept.

Hij keek omlaag naar zijn papieren, voelde plotseling een enorme behoefte om zich onder te dompelen in zijn werk. Iets in de manier waarop het meisje zojuist had gesproken zat hem dwars, erg dwars.

'Tot ziens,' mompelde hij.

Hij meisje knipoogde. 'Pas op je tellen,' zei ze, en toen was ze weg.

Todds hoofd schoot met een ruk omhoog en hij staarde haar na terwijl ze door de gang verdween.

Vijf minuten later zag hij haar opduiken in Post Alley, twee verdiepingen lager. Ze vertraagde haar pas. Langzaam begon ze zich om te draaien, wendde haar hoofd omhoog – en hoewel Todd haastig wegdook, betrapte ze hem.

Toen hij zich voorzichtig weer naar voren boog, stond ze er nog steeds en keek hem recht in het gezicht. Ze toverde een soort glimlach tevoorschijn en tilde een hand op, de wijsvinger uitgestrekt. Met haar hele arm maakte ze een teken in de lucht. Een korte spiraal, als het cijfer 9.

Toen draaide ze zich om alsof hij haar niet langer interesseerde en liep snel door de straat tot ze uit het zicht was verdwenen.

Todd hield de straat nog even in de gaten, voor het geval ze zou terugkomen. Hij wist niet waarom dat vooruitzicht hem verontrustte. Iets in de laatste woorden die ze had gezegd. Het klonk zo belachelijk uit de mond van een klein meisje dat het... dat het hem aan iets herinnerde. Aan iemand.

Stom toeval, dat was alles. De geest koppelt onsamenhangende brokjes informatie uit heel verschillende periodes aan elkaar. De tijd drukte zwaar op hem, dat was alles – hij had dat al eerder bedacht. Wat hij nodig had was een verjongingskuur. Hij probeerde zich precies voor de geest te halen hoe Jenni van de receptie eruitzag, en was een beetje verontrust toen dat niet lukte. Daar moest hij later maar eens over nadenken. Misschien onder het genot van een drankje.

Toen zijn geest weer in het vertrouwde spoor terugsprong en het werk voor zijn neus langzaam maar zeker af kwam, voelde Todd zich weer zichzelf worden.

hoofdstuk
TWEEËNTWINTIG

Het huis van de familie Anderson stond aan Federal, in de buurt van Broadway Avenue, op de landrug die uitkijkt over het centrum en Elliott Bay. De avenue zelf is een belangrijke verkeersader, een lange, brede straat omzoomd door onpersoonlijke winkels, rode bakstenen bankjes en nog meer koffietentjes. Amerikanen zijn een koffieminnend volk, maar het Noordwesten maakt het wat dat betreft wel heel erg bont. Het verbaast me dat je er geen koffie uit de geldautomaat kunt halen. Federal lag een paar straten naar achteren en werd overschaduwd door bomen met gele en koperkleurige blaadjes. Er gold een maximumsnelheid van 30 kilometer per uur omdat de mensen zich hier nog te voet verplaatsten, en veel huizen hadden een goed onderhouden heg of een laag hekje dat niet eens zo heel erg lang geleden was geschilderd. De meeste huizen waren klein. Uit de auto's die op straat geparkeerd stonden kon je afleiden dat je niet rijk hoefde te zijn om hier te wonen, maar het was makkelijk te zien waarom je dat wel graag zou willen.

Het huis was het op een na laatste voor een kruispunt. De buitenkant had weinig brandschade opgelopen, hoewel de ramen op de begane grond waren afgedekt met platen hardboard. Ik liep direct via het trapje naar de ondiepe veranda, zoals je doet wanneer je het recht hebt om ergens te zijn. De deur was verzegeld met tape, maar daar had ik een instrumentje voor. Het slot leverde evenmin problemen op. Veel politiemensen beheersen wel een paar elementaire inbraaktechnieken. De mijne zijn net iets beter dan die van de meesten.

Ik kwam in een donkere ruimte waar een verschaalde rooklucht hing en deed de deur achter me dicht.

Ik bleef een paar minuten doodstil staan om mijn ogen aan het donker te laten wennen. De hardboardplaten voor de ramen lieten maar weinig buitenlicht door en veel lichter dan heel erg donker werd het niet. Ik tastte naar de zijkant van de deurpost en vond een schakelaar. De lichten sprongen aan. Blijkbaar werd de rekening nog steeds automatisch afgeschreven, hoewel de verblijfplaats van de eigenaar onbekend was.

Ik ging eerst naar boven. Het stonk er en er zaten wat donkere vlekken op de muren, maar voor het overige had het vuur hier weinig schade aangericht. Twee slaapkamers, een badkamer, nog een kamer met kasten en paperassen. Een luik op de overloop leidde naar een stoffige vliering waar al heel lang niemand meer was geweest. Ik wierp een korte blik in de slaapkamers, deed weinig meer dan wat laden opentrekken en in kasten kijken, en controleerde vervolgens de meest voor de hand liggende geheime bergplaatsen in de badkamer. Alles wat ik vond duidde op een echtpaar van middelbare leeftijd met een tienerzoon. Geen enkele aanwijzing dat er op een voor de hand liggende plek een revolver had gelegen: geen afgesloten kast, geen doek met vetvlekken, geen doos met oude patronen.

Ik liep de trap af maar hield een paar treden voor het einde stil om mijn blik over de woonkamer te laten glijden. Er hing een doodse, verstilde sfeer. Dit was duidelijk de plek waar Joshua Anderson was gestorven. Dat bleek uit de langgerekte bloedspatten op de beroete muur en de zwartgeblakerde plek in het tapijt. Ik daalde de laatste treden af en wandelde door de kamer, ik probeerde geen enkele conclusie te trekken. De mensen van de recherche hadden de ruimte geïnventariseerd en gedocumenteerd en ik kon niet bepalen in hoeverre er dingen waren verplaatst. Maar ik had het gevoel dat ik wel wist wat hier was gebeurd. Ik had zoiets al veel vaker gezien.

Ik liep naar de keuken en toen terug door de hal naar een studeerkamer waar een kleinere tv stond met een ingeplugd playstation. Tegen de muren waren planken bevestigd met daarop dvd's en boeken. Die laatste waren onderverdeeld in een afdeling paperbacks van het genre King/Koontz/Rice en een groot aantal gebonden boeken en tijdschriften over natuurkunde. Van Anderson, waarschijnlijk. Ik liet mijn ogen een poosje ronddwalen, zag een paar verrassende titels – Cremo, Corliss, Hancock, alternatieve theoretici op het gebied van de archeologie – maar niet verrassend genoeg om er nog langer te blijven.

Naast de deur naar de keuken was nog een smallere deur. Daarachter verdween een trap met onregelmatige treden de kelder in. Beneden vond ik een trekkoord waarmee ik licht wierp op het meest beschadigde deel van het huis. De vloer was tot op enkelhoogte bezaaid met papieren die eerst verbrand en vervolgens doornat gespoten waren. Tegen een van de muren lag het restant van een houten werkbank. Gereedschap en elektrische onderdelen van verschillende afmetingen lagen kriskras tussen andere troep, en een stel omgekrulde opbergkasten was op zijn kant in een hoek gesmeten. Het zag er niet uit alsof iemand de kelder overhoop had gehaald. Het zag eruit alsof er een bom was afgegaan.

Soms is het nodig om ergens fysiek aanwezig te zijn. Je moet er staan om het te weten. Mensen doen rare dingen in hun eigen omgeving, gedragen zich op manieren die jij of ik onmogelijk kunnen begrijpen. Maar de chaotische inbreuk van iets wat anders is laat een duidelijke indruk achter, het veroorzaakt een breuk op een heel diep niveau. De plek is veranderd.

Ik haalde mijn mobieltje tevoorschijn. Ik nam een foto. Ik vertrok.

Toen ik over het pad naar de weg liep, zag ik een man die in de deuropening van een huis aan de overkant stond. Ik veranderde van richting en liep op hem af.

'Mag u wel in dat huis zijn?' vroeg hij.

'Ja. U woont hier?'

Hij knikte. Hij was begin zestig. Grijs haar dat van boven wat dunner werd, de milde ogen van een man die kijkt en denkt en tevreden is met zo'n manier van leven. 'Afschuwelijk wat er is gebeurd.'

'En dat is?'

'Nou ja, u weet wel – de moorden.'

'Denkt u dat Bill het heeft gedaan?'

Hij opende zijn mond, aarzelde. Ik wist wat hij van me wilde horen.

'Ik niet,' zei ik. 'Ik denk dat Gina en Josh die avond iemand anders op bezoek hebben gehad.'

'Ik heb niemand gezien,' zei de man beslist. 'En ik weet niets, werkelijk niet. Ik, nou ja, ze woonden hier meer dan tien jaar. Ik zag ze elke dag, bijna elke dag, de een of de ander, soms alle drie. Ik zwaai naar ze, zeg dag, u weet wel. Minder dan een week voor het gebeurde, drie, vier dagen, zag ik ze op een avond met z'n tweeën vertrekken. Ze hadden ruzie, waren aan het kibbelen, zoiets. Niet erg hard, maar open en bloot, terwijl ze naar de hoek liepen. Gebeurde af en toe. Begrijpt u wat ik bedoel?'

Ik begreep het. 'Dank u. Dat is waardevolle informatie.'

De man knikte opnieuw, sloeg zijn armen over elkaar en liep langzaam naar binnen, met een laatste blik op het huis aan de overkant.

Ik volgde Federal een blok verder naar het zuiden en klopte aan bij de voordeur van wat wellicht ooit een Craftsmanbungalow was geweest, rijp voor de monumentenlijst. Na een hele, hele lange tijd ging er binnen een licht aan. Dat verbaasde me een beetje – het was pas het begin van de middag en voor Seattles begrippen nauwelijks bewolkt – tot de deur openging en ik zag dat het binnen erg donker was, bijna net zo donker als in het huis van de Andersons.

Ze stond voor me. Een jaar of tachtig, gebogen en niet eens half zo lang als ik. Haar gezicht leek op een appeltje dat een hele zomer in de zon heeft gelegen. Toen ze opkeek herinnerden haar ogen me aan de ramen van het gebouw in Belltown waar ik die ochtend voor had gestaan. Ze weerspiegelden niets anders dan de wolken achter mijn hoofd.

'Mevrouw McKenna?'

'Yep.'

'Heeft u er bezwaar tegen als ik u een paar vragen stel?'

'Nope.'

'U hebt de politie verteld dat u in de nacht van de brand in het huis van de Andersons iemand door de straat hebt zien lopen. Iemand die zag wat er was gebeurd en toen wegrende. Klopt dat?'

'Nope.'

Ik aarzelde. 'Zei u "nee"?'

'Yep.'

'Ik heb begrepen dat...'

'Ik heb niet gezegd "iemand". Ik zag Bill Anderson. Begrijpt u me nu?'

'Ja, ik begrijp u.'

'Goed. Wat wilt u?'

Ik keek naar de voorkant van haar huis. 'Houdt u uw gordijnen altijd gesloten? Dag en nacht?'

'Houdt het licht buiten.'

'Ik begrijp het. Maar, vergeef me de vraag, hoe kon u dan zien dat meneer Anderson die avond langskwam?'

De oude vrouw hief abrupt haar gezicht op, haar blik was niet langer gesloten. Je kon er nu iets in zien, en het bleek dat ze nog vol leven zat.

'Bent u een van hen?'

'Een van wie?'

Ze staarde me een moment lang ingespannen aan, schudde toen haar hoofd. 'Ik kan zien dat u dat niet bent. Oké, goed. Ik houd de wacht. Vooral 's avonds. Ik hoor dat iemand over straat loopt. Ik kijk. Iemand moet het doen. De wacht houden. Altijd. In deze omgeving ben ik dat.'

'Op wacht voor wat, mevrouw?'

'U weet wel. Lieden die niemand kan zien. Dus ik hoor voetstappen. Klinkt bekend, maar ik denk, ik kijk toch maar. Schuif het hoekje van het gordijn opzij, een klein beetje. Zie dat het Bill is. Hij is oké. Ik heb niets tegen Bill. Hij loopt nog een paar meter verder en stopt. Staat daar maar te staren. Ik kan niet zien waar hij naar kijkt. Maar dan begint hij achteruit te lopen en vervolgens draait hij zich om en rent weg. Ik heb Bill nooit eerder zien rennen. Twintig minuten later komen de sirenes en begint het hele circus te draaien.'

Ze hoestte, heftig en onverwacht. Ze deed geen moeite om een hand voor haar mond te houden, liet de losgewrikte materie wegvliegen en tegen de grond te pletter slaan. Toen ze klaar was schudde ze vermoeid haar hoofd.

'Zorg dat je geen kanker krijgt, zoon. Het is een doffe ellende. Nog iets nodig? Ik zat tv te kijken.'

Ik liep terug naar het kruispunt en stond op het trottoir een sigaret te roken terwijl ik naar de vallende blaadjes keek. In de rechtszaal zou ik niet op mevrouw McKenna rekenen, maar ze kwam ook weer niet helemaal onbetrouwbaar over. Zelfs als ik niet in het huis was geweest, had het gesprek met de man aan de overkant me wel aan het twijfelen gebracht. In huwelijken waarin sprake is van langdurige mishandeling, waarin iemand stelselmatig wordt afgetuigd, maken de echtelieden zelden in het openbaar ruzie. Voor de buitenwereld is alles pais en vree, of anders zijn de partners ijzig beleefd tegen elkaar. Af en toe een woedende blik, maar meer niet. De werkelijke strijd is privé, een indoorsport. Tel dit op bij wat Fisher me had verteld en dan kom je tot de conclusie dat Bill Anderson zijn vrouw en zoon wellicht toch niet heeft vermoord. En dan was het de vraag wie wel.

Dat, en waar Anderson nu uithing.

Ik hoefde niet lang te wachten op het bureau, en dat verbaasde me. Misschien was het een rustige dag, misschien was hij gewoon nieuwsgierig.

Blanchard bracht me naar een ander vertrek dan de kamer waar ik drie dagen eerder met mijn katerhoofd had gezeten. Deze kamer zag eruit alsof het zijn kantoor zou kunnen zijn. Het was er in elk geval rommelig genoeg voor.

'Ik wilde me verontschuldigen,' zei ik.

'Dat klinkt aardig.'

'Je had gelijk. Over mijn vrouw. Ze *was* mijn nummer gewoon vergeten en ze *was* gewoon thuis.'

Hij knikte. 'Dus alles is in orde?'

'Kan niet beter.'

'Dat is mooi. Je had niet helemaal hiernaartoe hoeven komen, maar ik waardeer het gebaar.'

'Eigenlijk wilde ik je iets vragen, nu ik hier toch ben.'

'Ik begrijp het. Brand maar los.'

'Wat weet je van de moord op de Andersons? In de buurt van Broadway, drie weken geleden?'

Hij keek verbaasd op. 'Niets. Nou ja, twee mensen bruut vermoord, men zegt dat de echtgenoot het heeft gedaan. Dat is alles.'

'Staat Anderson geregistreerd als vermist?'

'Nee. Als verdachte van een dubbele moord. Andere afdeling, zoals je weet.'

'Geloof jij dat? Dat hij ze vermoord heeft?'

'Ik weet niets van die zaak af. Meestal komt het er wel op neer dat de man het heeft gedaan, zoals je ook weet. Waarom – heb jij een ander idee?'

'Ik ben er net geweest,' zei ik. 'Heb een paar mensen gesproken.'

Blanchard fronste zijn wenkbrauwen. 'Moet ik je feliciteren? Ben je in dienst getreden van de politie van Seattle en ben je op diezelfde dag al bevorderd tot rechercheur? Het verbaast me dat ik daar niets over heb gehoord.'

'Gewoon als privépersoon,' zei ik. 'Een praatje met andere privépersonen.'

'Ja, ja. En wat is jouw belang hierbij, privépersoon?'

'Dat is persoonlijk.'

'En wat denk je dat je hebt ontdekt met deze nieuwe hobby van je?'

'Ik denk niet dat Anderson ze heeft vermoord.'

'Ja, ja.' Blanchard begon wat te tekenen op de onderlegger voor hem, kleine, kronkelende spiralen.

'De enige ooggetuige zegt dat ze heeft gezien hoe Anderson zijn huis na de gebeurtenis is genaderd. Oké, ze is geen groot licht, maar we kunnen haar ook niet negeren. Ik sprak iemand anders die bevestigt dat de Andersons een heel normaal stel waren, wat naar ik aanneem past in het algemene plaatje. Als er geen sprake is van een langdurig smeulende irritatie, kan ik geen reden verzinnen waarom dit zou gebeuren. Jij wel?'

'Weet je dat er een levensverzekering van tachtigduizend dollar was afgesloten op Gina Anderson?'

'Wist niet wat het bedrag was. Maar dat is een flauwekulmotief. Als Anderson het soort man was dat zijn eigen vrouw om zeep brengt voor tachtig duizendjes, was hij al veel eerder bekend geweest bij de politie. Hij had niet eens een wapen.'

'Voor zover we weten.'

'Geen strafblad, geen alarmsignalen, geen voortekenen.'

'Kom op, Jack, jij hebt dit werk ook gedaan. Je weet hoe het is. Dat soort mensen leidt een slapend bestaan. Ze staan op en gaan naar hun werk, dag in dag uit, barbecueën in de tuin, dagje uit met de buren. Net als gewone mensen. Dan, op een avond, blijken ze toch knettergek te zijn. Alles wat ze tot dan toe binnen hebben gehouden komt naar buiten en pats – de hele wereld op zijn kop en bloed op de muren. Tachtigduizend is meer dan genoeg, vooral als er nog iets anders aan de hand was in zijn leven.'

'Dat is het nou juist,' zei ik. 'Er *was* iets anders aan de hand, maar niet wat jij denkt. Iets waar de rechercheurs niets vanaf weten.'

Blanchard hield op met tekenen. 'Wat dan?'

'Een paar maanden geleden bleek dat Anderson een van de begunstigden was in het testament van een rijke dode vent uit Chicago. Hij ontving een cheque ter waarde van een kwart miljoen dollar.'

Nu had ik zijn onverdeelde aandacht. 'Hoe weet jij dat?'

'Een advocaat die bij die zaak betrokken is. Hij heeft zich erin verdiept en hij gelooft honderd procent zeker dat Anderson het niet heeft gedaan.'

'Alleen vanwege dat geld? Bewijst niets.'

'Weet ik,' zei ik. 'En dat is iets waar mijn mannetje geen rekening mee heeft gehouden, want hij is nooit politieman geweest. Jij denkt: Anderson krijgt dit geld in handen, beslist dat hij zijn leven helemaal wil omgooien, en hoewel hij tot dan toe best tevreden was met vrouw en kind, hangen ze nu als een molensteen om zijn nek, nemen te veel ruimte in op zijn nieuwe strandlaken.'

'Waarom *ben* je eigenlijk gestopt?' vroeg Blanchard. 'Zo'n slechte politieman lijk je me nu ook weer niet.'

'Maar dit is waar het om gaat,' zei ik. 'Die cheque is nooit verzilverd. Hij kreeg hem een maand voordat hij verdween. Zelfs als je besluit om naar Mexico te verhuizen om je met een stel luidruchtige vrouwen misselijk te eten aan taco's en lam te drinken aan Dos Equis, open je een rekening en breng je dat geld naar de bank. Je wilt niet het risico lopen dat je dit nieuwe leven verliest of dat het gestolen wordt – of dat je vrouw het vindt.'

Blanchards ogen rustten nu op de muur achter mijn hoofd, of op een punt ergens tussen de muur en mij. Hij liet zijn tong door zijn mond dwalen en knikte vervolgens eenmaal.

'Oké. Misschien. Hoe heet deze man? De advocaat?'

'Gary Fisher. Ik weet niet bij welk kantoor hij werkt.'

'Maar hij is te vertrouwen?'

'Ik ken hem al een hele tijd.'

'Heb je zijn telefoonnummer?'

'In mijn hotel.'

Hij keek me aan. 'Goed. Jij je zin, betrokken privépersoon. Ik praat met wat mensen, gooi dit in de groep. Kijk of ik er iemand warm voor kan maken.'

'Dank je,' zei ik, en ik stond op.

'Tot uw dienst. In de tussentijd, ga naar huis en doe geen domme dingen.'

'Wat?'

Hij keek me scherp aan. 'Je hebt die blik in je ogen. Dezelfde als de eerste keer dat ik je zag.'

Ik maakte mezelf wijs dat ik het niet zou doen, maar ik wist dat ik loog. Ik deed mijn uiterste best om het te vermijden. Ik belde Fisher, maakte een afspraak voor later die dag in de bar aan het eind van Madison, waar ik Georj had ontmoet. Toen liep ik een heel eind de andere kant op, terwijl de middag steeds grijzer, donkerder en kouder werd. Onder het lopen viel de vorm van het landschap me meer dan ooit op, de manier waarop het terrein steil afloopt naar Elliott Bay. Omdat ik de natuurlijke contouren volgde, waarbij de gebouwen niet meer dan obstakels waren, leek al het mensenwerk haast onwezenlijk. Van mijn eerste toeristische bezoek met Amy herinnerde ik me dat er de afgelopen eeuw her en der in de stad uitgebreide egaliseringswerkzaamheden hadden plaatsgevonden. Omdat de hoogteverschillen nog steeds aanzienlijk waren, was het moeilijk voor te stellen wat de eerste bewoners hier zo had aangetrokken, tenzij je wist dat de landrug ooit overdekt was geweest met winstgevende bossen. Ik sloeg schuin af naar 1st Avenue en liep verder naar het zuiden. Ik volgde de vreemde hoek van veertig graden die de straat maakte om het eind van James Street te ontwijken en liep verder richting Yesler Way, waar de straten plotseling oost-west lopen in plaats van evenwijdig aan het water. Ik was niet opzettelijk deze kant op gelopen, maar het leek wel of ik bij elk bezoek aan Seattle hier uitkwam, alsof de stad me deze kant op duwde.

Ik stopte op de hoek van 1st en Yesler en keek naar de totempaal aan de overkant, op de hoek van Pioneer Square. Aan de andere kant stond het imposante bakstenen Yesler Building, met rechts daarvan de monstrueuze parkeergarage die in de jaren zestig was verrezen op de plek van het prachtige oude Occidental Hotel. Het gedrocht was zo lelijk dat het een belangrijke aanzet is geweest tot een campagne tegen de afbraak van de oude stad voor nog meer parkeergarages. Een paar zwervers slenterden in de miezerregen heen en weer, eenzame mannen met gebogen schouders. De omringende gebouwen leken hier nog onwezenlijker, alsof ze geen enkel verband hielden met deze voorbijgangers en hun levens. Dit waren mensen van de straat, niet het soort dat zich in gebouwen ophoudt. Als ze al een huis bezaten in deze stad, telde dat waarschijnlijk slechts een verdieping, de aanleg van trottoirs en plaveisel had daar weinig aan veranderd.

Ik liep verder naar Pioneer Square en hield midden op het plein stil onder de bomen met hun bloedrode blaadjes, vlak voor het drinkkraantje met het hoofd van de indiaan. Ik las dat het Seattle zelf was, het opperhoofd van de plaatselijke Suquamishstam, een van de volken die hier hadden gewoond voordat de blanke man was verschenen. Dit drinkkraantje, de naam van de stad en de totempaal leken het enige wat nog aan dat verleden herinnerde. Er zijn honden uit modale gezinnen die het verder hebben geschopt. Ik vroeg me af of de indiaan Seattle of een van zijn voorvaderen ooit aan de rand van de baai had gestaan en de grote schepen in de verte had gezien, en wat zijn reactie was geweest. Of hij dingen anders had kunnen doen, en zo ja, of dat iets had uitgemaakt.

Er hing een geruststellende sfeer op het plein en ik bleef een poosje op een bankje zitten kijken. Toen liep ik verder door de oude stad. Om de tijd te doden, stapte ik binnen bij de Elliott Bay Book Company. Ik ging naar de afdeling Misdaad en vroeg me af of ik in staat zou zijn om een boek te maken dat een plekje verdiende naast het enige exemplaar van *De indringers* dat de winkel in voorraad had. Ik betwijfelde het, en ik wist niet eens zeker of ik dat wel wilde. De grote klapper van dit moment was een opzichtig en slordig uitgevoerd boekwerk over enkele duistere episodes uit Seattles recente verleden. Brandstichting en schandalen. Beroemde zelfmoorden en moorden. Een lange reeks onopgeloste verdwijningen in de jaren zeventig, tachtig en begin jaren negentig; ontvoeringen van jonge meisjes. Slechts van een enkeling was het ernstig toegetakelde lichaam teruggevonden. De messteken in hun gezicht waren zo diep dat het bot bloot was komen te liggen en ze waren zo zwaar mishandeld dat zelfs deze auteur het bij algemeenheden hield.

Ik legde het boek terug op de stapel. Zoiets wilde ik niet schrijven. En zelfs al had ik het gewild, iemand was me voor geweest. Uiteindelijk kocht ik een dun resumé over de vroege geschiedenis van Seattle en vervolgde mijn zwerftocht door de straten. Tot die op waren en ik zonder omhaal werd uitgespuwd in een wirwar van drukke, nieuwe wegen waar ik zo veel kanten op kon dat ik niet kon beslissen.

Dus draaide ik me om en probeerde ergens anders naartoe te gaan. Overal naartoe, behalve naar de plek waar ik de hele tijd naar op weg was. Maar even voor vijf uur merkte ik dat ik nog steeds richting Post Alley liep, richting het kantoor van Kerry, Crane & Hardy.

Ik passeerde het kantoor zonder opzij te kijken en controleerde en passant een aantal dingen. Daarna liep ik terug naar de delicatessenzaak op de hoek, die met de tafeltjes achter het raam. Ik bestelde een koffie en ging zo zitten dat ik de straat in de gaten kon houden. Ik wist niet of Crane op zijn werk was en ik maakte mezelf wijs dat dat alleen maar gunstig was. Ik zou daar gewoon een poosje blijven zitten. Kijken naar mensen die naar binnen gingen en weer naar buiten kwamen. Toen naar mensen die naar buiten kwamen, en ten slotte naar de lichten die gedoofd werden en iemand die de deur aan het eind van de werkdag achter zich op slot draaide. Crane was een belangrijk man. Het was mogelijk dat hij niet op kantoor was, in de bestuurskamer van iemand anders zat, bezig om iemand over te halen om te willen wat hij van hem wilde. Dat was zijn werk. En tijdens onze eerste ontmoeting had ik gemerkt dat hij daar waarschijnlijk erg goed in was. Direct na de vergadering zou hij met een klant gaan dineren, of naar huis gaan, naar zijn voorbeeldige gezin, en dat was maar goed ook. Vroeg of laat zou ik moe en verveeld en dorstig worden en mezelf van de kruk hijsen en in de nacht verdwijnen.

Toen ik daar veertig minuten had gezeten, raakte ik er meer en meer van overtuigd dat het scenario er zo zou uitzien. Maar toen kwam Todd naar buiten.

Hij was alleen en keek verontrust. Ik had al betaald en kon meteen vertrekken. Ik was binnen een paar seconden bij de deur. Hij deed echter niet wat ik verwachtte. Tijdens mijn verkenningstocht had ik de dichtstbijzijnde toegang tot de parkeergarage gezocht. Die bevond zich iets verderop in de straat en ik was ervan uitgegaan dat Crane het type was dat in een duur vervoermiddel naar zijn werk ging. Maar hij kwam mijn kant op.

Ik trok me terug tussen de schappen met geïmporteerde producten. Hij liep me echter straal voorbij, het hoofd gebogen en de handen diep in zijn jaszakken.

Ik glipte de winkel uit en begon hem te volgen.

Hij liep snel in de richting waar de straat uitmondde in de doorgang onder de oprit. Ik wilde hem vragen of hij de man was die op Gary's foto's stond, degene die zijn arm om de schouders van mijn vrouw had geslagen. En daarbij had ik graag wat privacy. Daarom versnelde ik mijn pas.

Mijn telefoon ging. Het klonk zo luid dat ik het niet kon negeren. Onder het lopen trok ik het ding uit mijn zak, er plotseling van overtuigd dat het Amy was. Op het scherm stond echter geen AMY. Er stond ROSE.

Ik ken niemand die Rose heet. Ik bracht de telefoon naar mijn oor. 'Wie is...'

'Niet doen,' zei een vrouwenstem. Ze zei het heel snel en met luide stem. En toen werd de verbinding verbroken.

Tot twee keer toe probeerde ik het nummer terug te bellen, maar de telefoon bleef overgaan zonder dat er werd opgenomen. Ondertussen keek ik om me heen, achter me en omhoog naar de ramen van de gebouwen, maar ik zag niemand.

Tegen de tijd dat ik het opgaf en naar het einde van de straat liep, was Todd Crane verdwenen.

hoofdstuk
DRIEËNTWINTIG

Toen ik bij de bar aankwam was het nog te vroeg voor mijn afspraak met Fisher. Maar ik had behoefte aan een plek waar ik kon nadenken. En waar ik naar huis kon bellen. Ik moest Amy laten weten dat ik vanavond niet thuis zou komen. Aan haar denken maakte me defensief en boos, hoewel ik niet precies wist waarom. Het gebouw in Belltown was Fishers obsessie, niet de mijne. Het feit dat Amy's naam op de eigendomspapieren stond, hoefde niet per se iets te maken te hebben met mijn leven. Toen ze daarbij betrokken was, kenden we elkaar niet eens. Een zakelijke transactie, een bedrijfsnaam boven een zakelijke deal. Maar ik moest toch over deze dingen nadenken, en dat haatte ik. Net als ik het haatte dat ik niet in staat was om mijn gedachten over de man op de foto's stil te zetten. Uiteindelijk gaf ik mijn pogingen om mezelf geestelijk voor te bereiden op en toetste gewoon haar nummer in.

'Hoi,' zei ze. Ze had vlug opgenomen, alsof ze de telefoon al in haar hand had gehad. Was dat zo? En betekende het iets als dat inderdaad het geval was? 'Nog iets meegemaakt in de grote stad? Dacht dat je nu wel thuis zou zijn.'

Haar stem klonk net als altijd. De telefoon is een opmerkelijk apparaat, maar het ding is niet ontworpen voor werkelijke communicatie, voor het zware werk van de persoonlijke interactie. Daarvoor moet je fysiek bij elkaar in de buurt zijn. Het stellen en beantwoorden van vragen vindt plaats op een chemisch niveau: miljoenen jaren voordat de mensheid een enigszins ontwikkelde taal had, was onze soort al in staat om met elkaar te leven, elkaar te beminnen en onderlinge problemen op te lossen. Taal is nog steeds niet meer dan achtergrondmuziek.

'Heb een paar mensen gesproken, duurde langer dan ik dacht. Misschien kan ik later op de avond nog aanschuiven bij een paar misdaadverslaggevers.'

'Dat klinkt goed. Denk je erover om daar vannacht te blijven?'

'Misschien. Gaat de verkeerstoren akkoord?'

'Natuurlijk. Ik geef het door aan de keuken. Dus misschien wordt het wat? Je idee voor een boek?'

'Zou kunnen.' Ik voelde me schuldig omdat ik zat te liegen. Ik besefte dat ik weinig meer had dan een handjevol sms'jes, voornamelijk lege, en een paar foto's waar nauwelijks iets op te zien was.

'Nou, dat is goed. En liefje, sorry dat ik gisteravond niet enthousiaster reageerde op je idee. Ik was een beetje in een vreemde bui.'

'Ja, dat dacht ik al.' Ik haalde diep adem en zette nog een stap in de richting van de afgrond. 'Is alles vandaag weer in orde?'

'Jazeker,' zei ze. Ik kon niet bepalen of het antwoord te snel kwam, of te langzaam, of gewoon normaal. Ik luisterde te goed. 'Alleen het werk, je weet wel, het gebruikelijke gedoe met werk. Bla, bla, bla in het hoofd.'

'Ik dacht dat dat zou ophouden zodra we uit L.A. weg waren.'

'Dat gebeurt ook. Wacht maar af.'

Ze zei nog iets, maar dat verstond ik niet want ergens op de achtergrond zwol een geluid aan.

'Dat laatste verstond ik niet.'

'Sorry,' zei ze, snel. 'Het is de tv – er begint zo een retromarathon van *Sex In The City* en de magnetron kan elk moment ping zeggen.'

'Dus je bent wel tevreden.'

'Helemaal. Maar morgen kom je naar huis, toch?'

'Rond lunchtijd.'

'Goed. Ik mis je, maatje.'

Toen ze die woorden uitsprak, klonk ze zo als Amy, zo als de persoon die ik had gekend en met wie ik was getrouwd, als de persoon met wie ik vele dagen had doorgebracht, zowel korte en zoete als lange en bittere, dat ik niet kon geloven dat er iets mis was, of dat het dat ooit zou kunnen zijn. Maar het duurde toch net iets te lang voordat ik zei:

'Ik mis jou ook.'

Fisher beweerde dat Anderson het belangrijkste spoor was. Ik wist niet zeker of dat klopte, maar ik was er evenmin van overtuigd dat ik iets beters in handen had. Misschien had ik Amy gewoon moeten *vragen* naar het gebouw in Belltown. Dat was waarschijnlijk de plek waar de taxichauffeur haar had afgezet op de avond dat ze verdween. Maar hoe moest ik het onderwerp ter sprake brengen? Ik zou in feite iets anders vragen en ik wist niet zeker of ik die beerput wel wilde openen. Zelfs als hij leeg bleek te zijn, zouden we hem nooit meer helemaal kunnen sluiten. Iets uitspreken is als een straat met eenrichtingsverkeer. Een eenmaal gestelde vraag kun je niet ongedaan maken.

Mijn telefoon ging over. Ik had een sms'je. Het was van Amy en het luidde:

Veel plezier. Niet tevEl drnkn!:-D x

Het was een aardig sms'je en ik moest erom lachen, maar het lachen verging me snel. Twee voorbeelden – dit bericht en het bericht van vanmorgen – waren voldoende om duidelijk te maken dat de vrouw die een lach altijd had aangeduid met:-) nu was overgestapt op:-D en dat ze opeens steno gebruikte. Vroeger had ze altijd zorgvuldig elke letter van elk woord ingetoetst. Vanwaar die veranderingen, tenzij ze die had overgenomen van iemand anders? Of was het gewoon een nietszeggend stofwolkje dat alleen betekenis krijgt als je het bij de rest optelt, alsof je je *best* doet om een stapel te maken die groot genoeg is om een schaduw te werpen?

Ik wreef met mijn handen over mijn gezicht en schudde mijn hoofd. Ik besloot het even van me af te zetten. Het werd tijd om me weer te verdiepen in het onderwerp waarmee ik bezig was geweest nadat ik Crane uit het oog had verloren.

Ik moest erachter komen wie Rose was, en wat ze op mijn mobieltje deed.

Ik had al bedacht dat het feit dat de naam in het scherm verscheen, betekende dat het nummer in mijn adresboek moest staan. Ik controleerde dat en inderdaad, daar was het. Een telefoonnummer en een naam. ROSE. Maar die had ik er niet ingezet. Ik had deze telefoon pas een maand. Ik had hem gekocht toen ik van provider was gewisseld na onze verhuizing naar Birch Crossing, toen bleek dat de dekking van mijn oude provider absoluut onvoldoende was. Ik had nog niet eens twintig nummers opgeslagen en ik kon ze allemaal thuisbrengen, behalve dit. Ik *kende* zelfs niemand die Rose heette. Ook vroeger niet.

Ik belde het nummer opnieuw, de vijfde keer sinds iemand met die naam me – opzettelijk, nam ik aan – had weerhouden om een privégesprek aan te knopen met Todd Crane. Net als de keren daarvoor bleef de telefoon ein-

deloos overgaan zonder dat de voicemail aansprong. *Als ik bij de politie van Seattle had gewerkt, had ik in een omgekeerde telefoongids kunnen kijken om op die manier informatie over haar te achterhalen. Maar daar werkte ik niet, en ik had zo'n vermoeden dat het hoe dan ook nergens toe zou leiden.*

Dus bleef ik maar piekeren over de vraag hoe het nummer in mijn adresboek terecht was gekomen. Ik kon maar een gelegenheid bedenken. Na de vechtpartij met de mannen die Georj zogenaamd niet kende, was ik weer bijgekomen in de bar in de buurt van Pioneer Square. Er zat een groot zwart gat tussen het moment dat ik daar op een kruk zat en het moment waarop ik in het park ontwaakte. Ik was duidelijk straalbezopen geweest. Had ik het nummer in die tijd opgeslagen, was het soms het nummer van iemand met wie ik had zitten praten? Dat zou een mogelijkheid kunnen zijn, maar een ding klopte niet. De naam stond in hoofdletters. ROSE. Ik gebruikte hoofdletters en kleine letters, altijd, en als ik een sms'je maak, schrijf ik elk woord helemaal uit – net als Amy vroeger deed. Je zou kunnen denken dat als ik dronken genoeg ben om een naam van een vrouw in te voeren zonder me daar later ook maar iets van te herinneren, ik wellicht ook de typografische details zou overslaan. Maar dat geeft alleen maar aan hoe slecht je me kent. Als ik zo verschrikkelijk dronken ben, doe ik alleen nog maar *meer* mijn best om het goed te doen.

Om mezelf te bewijzen dat ik niet dronken ben, snap je?

En zo kwam ik weer uit bij de theorie dat iemand anders het nummer moet hebben ingevoerd. En daarmee bleef ik midden in mijn eigen vraag steken, een vraag die ik niet op kon lossen en die ik aan niemand kon voorleggen.

Even na zeven uur kwam Fisher de bar binnenwandelen. Hij had iemand bij zich. Ze liepen mijn kant op.

'Wie is dit?'

'Peter Chen,' zei Fisher. 'Een vriend van Bill Anderson. Ze waren samen uit op de avond dat... je weet wel.'

Chen was een van die schriele ventjes met afhangende schouders wier lichaam zich maar al te bewust is van het feit dat het slechts dient om de hersenen te vervoeren. Ik stak mijn hand uit en hij schudde hem. Het was of ik de hand van een kind vasthield.

Hij keek met beschuldigende blik naar Fisher. 'Je zei dat hij geen smeris was.'

'Jezus,' zei ik. 'Luister, Peter, ga gewoon zitten.'

Dat deed hij, bedeesd. Hij keek aarzelend naar een klein schaaltje noot-
jes dat de serveerster ongevraagd had neergezet.

'Waarom wil je niet met een politieman praten?' vroeg ik. 'Je ziet er
niet uit als iemand die problemen heeft met de sterke arm.'

'Natuurlijk niet,' zei Chen. 'Het is alleen dat ze er zo naast zitten met
Bill en dat ik er genoeg van krijg om te horen hoe ze hem zwartmaken.'

'We weten dat Bill noch Gina, noch Josh heeft vermoord.'

'Echt waar?'

'Ik heb genoeg gehoord om te geloven dat hij daar niet de man naar
was. En ik heb gezien wat er in Bills kelder is gebeurd. Dat heeft hij niet
zelf gedaan.'

Fisher onderbrak me. 'Ben je in het *huis* geweest?'

Ik negeerde hem, hield Chens aandacht gevangen. 'Dus wat denk jij
dat er is gebeurd?'

'Ik weet het niet.' Hij leek zich nu iets meer op zijn gemak te voelen.
'Ik heb al tegen de politie gezegd dat Bill sinds een paar weken erg gespannen was, misschien sinds een paar maanden. Ik heb dat tegen ze gezegd en ze gingen onmiddellijk aan de haal met het idee dat het iets in
zijn privéleven was. Maar dat had Bill niet. Een privéleven. Ik bedoel, hij
had Gina, en Josh. Meer wilde hij niet.'

'En wat zat hem dwars? Enig idee?'

'Niet echt. Maar ik denk dat het misschien met zijn werk te maken had.'

'Met zijn werk? Op de universiteit?'

Chen haalde zijn schouders op. 'Ik weet het niet. Waarschijnlijk niet,
dan had hij dat wel gezegd. Het rommelt daar, we hebben het er allemaal
over.'

'Gesprekken rond de koffieautomaat.'

'Precies. Klopt.'

Fisher verhief zijn stem. 'Maar je denk dat dit met zijn werk te maken
had?'

'Misschien. We hebben allemaal privéprojecten, weet je – hobby's. Daar
hebben we het de hele tijd over. Maar sinds een poosje, ik weet het niet,
leek het of Bill iets achterhield.'

Ik knikte. 'En ik neem aan dat je niets van hem hebt gehoord, toch?
Hij heeft geen contact met je opgenomen, iets wat je voor ons verzwijgt?'

'Ik wou dat dat zo was.' Chen keek omlaag. 'Ik heb mijn mobieltje de
hele tijd bij me. Ik heb hem de eerste twee weken elke dag e-mails gestuurd, ik kijk voortdurend in mijn postvak. De eerste dagen liet ik zelfs
de achterdeur van mijn huis open. Gerry deed dat ook.' Hij keek op. 'Ik
denk dat Bill dood is.'

'Naar welk e-mailadres stuur je je berichten? Eentje van de universiteit?'

'Ja.'

'Dat zal hij niet gebruiken. En hij zal je evenmin bellen. Hij weet dat hij via beide kanalen gepakt kan worden. Als hij onschuldig is, zal hij doodsbang zijn en intens verdrietig, en hij zal zich schuldig voelen omdat hij het heeft overleefd. En al die gevoelens bij elkaar zit hij in zijn eentje te verwerken. Dat is genoeg om de meeste mensen binnen twee dagen af te voeren naar een psychiatrisch ziekenhuis. Op dit moment is hij waarschijnlijk een van de meest paranoïde mensen van de Verenigde Staten. Heb je geen ander e-mailadres van hem, iets waar hij anoniem bij kan via het web?'

'Nee. Daar heb ik al over nagedacht, maar ik ken geen andere e-mailadressen. En hij had er zelf ook een kunnen aanmaken en mij mailen.'

'Behalve dat jij, voor zover hij weet, geloof hecht aan de heersende mening en hem zou proberen over te halen om zichzelf aan te geven.'

'Nee. Hij weet dat ik dat niet zou doen.'

'Met alle respect, Peter, je hebt geen idee hoe een paranoïde persoon zich voelt. Hoe zit het met onlineforums, discussiegroepen, dat soort dingen? Virtuele plekken waar hij misschien wel eens rondkijkt?'

Chen spitste zijn oren. 'Daar had ik niet aan gedacht.'

'Hij zal heus geen vergelijkingen uitwisselen,' zei Fisher. 'Niet in zijn situatie.'

'Natuurlijk niet. Maar vergeet niet: voor ons is Bills tragedie slechts een onderdeel van het leven. Voor hem is het het enige wat er bestaat. Als hij nog in leven is, zit hij al drie weken ergens ondergedoken. Hij heeft behoefte om met iemand te praten, snel, en hij probeert uit te zoeken hoe. Maar waarschijnlijk is hij erg bang voor fysiek contact of voor wat dan ook waarvan hij vreest dat het mensen met kwade bedoelingen op zijn spoor zal zetten. We moeten een manier verzinnen om het hem gemakkelijker te maken.'

'Maar we hebben geen idee waar hij is.'

'Hij is in de stad,' zei ik. 'Hij is geen Rambo. Ik kan me niet voorstellen dat hij de bergen is ingetrokken met een jachtmes tussen zijn tanden. Hij heeft geen geld omdat hij weet dat een opname bij een geldautomaat hem zou verraden. Maar het is een slimme vent en ik weet zeker dat hij genoeg kleingeld bij elkaar kan bedelen om een halfuur online te gaan. Dat is de beste manier die ik kan bedenken om contact met hem te zoeken.'

Ik pakte een servet van de tafel en schreef daarop het nummer van mijn mobiele telefoon. Ik gaf het aan Chen.

'Ga naar huis,' zei ik tegen hem. 'Start je computer en ga naar de sites waar jij en Bill en Gerry vaak rondsurften. Laat boodschappen achter. Zorg dat Jan en alleman niet meteen kan zien dat ze voor Bill bestemd zijn, zet er iets in dat zijn aandacht zal trekken en waar tegelijk uit blijkt dat het bericht van een vriend afkomstig is. En zet dit telefoonnummer erbij. Natuurlijk niet open en bloot. Verzin een manier om het te verbergen, maar wel een manier die Bill zal begrijpen. Kun je zoiets verzinnen?'

Hij knikte vlug. Ik wist dat hij het kon. Hij zag eruit als een echte puzzelfreak.

'Oké. Maar waarom jouw nummer? Waarom niet dat van mij?'

'Omdat, als we gelijk hebben, iemand anders dan Bill verantwoordelijk is voor de gebroken nek van zijn vrouw en het kapotgeschoten gezicht en verbrande lichaam van zijn zoon. Iedereen met wie Anderson in contact treedt, loopt het risico dat hij deze persoon zal tegenkomen.' Ik drukte mijn sigaret uit en keek Chen aan. 'Wil je dat?'

'Eh, nee,' zei hij.

hoofdstuk
VIERENTWINTIG

Toen hij vertrokken was, wendde Fisher zich tot mij.

'Je hebt niet gezegd dat je het huis binnen zou gaan. Ik had het ook graag willen zien.'

'En dat is een van de vele redenen waarom ik het niet tegen je heb gezegd,' zei ik. 'En je had er niets gevonden.'

'Jack...'

'Jack niets. Je hebt me hierbij betrokken door me de naam van mijn vrouw in het gezicht te slingeren. Zij is degene waar het me om gaat en ik doe alles wat ik moet doen om uit te vinden wat er aan de hand is. Jij kwam hier ook met die vriend van Anderson aanzetten zonder me daar van tevoren iets over te zeggen.'

'Stom idee? Om met hem te praten?'

'Niet, tenzij hij contact heeft met degene die Andersons gezin heeft vermoord.'

'Hemeltje – denk je dat dat zo is?'

'Nee, dat denk ik niet. Maar jij hebt je dat niet eens afgevraagd. Stel dat Chen iemand heeft getipt dat Anderson die avond niet thuis zou zijn? Of dat hij er zelfs voor heeft *gezorgd* dat Anderson weg zou zijn? Als er iets dergelijks aan de hand is, hebben we onszelf zojuist heel erg duidelijk in de kijker gespeeld.'

Fisher staarde naar het tafelblad. 'Jezus. Ik heb niet nagedacht. Sorry. Ik ben... dit is niet mijn sterkste kant.'

'Als je dat maar weet. Iets anders – toen je me belde, wist je dat ik naar

Seattle was geweest. Ik wil weten hoe je dat wist.'

'Zag je toevallig ergens lopen,' zei hij schouderophalend. 'Was niet eens van plan om je dat te vertellen.'

'Waar?'

'Straat aan het eind van Post Alley, in de buurt van het kantoor van Kerry, Crane & Hardy.'

'We waren *toevallig* op dezelfde tijd op dezelfde plek?'

'Ik heb geen idee waarom jij daar was,' zei hij geprikkeld. 'Ik wilde met Crane gaan praten. Over het gebouw in Belltown. Ik zei tegen de receptioniste dat ik het misschien wilde kopen. Hij was er niet.'

'In werkelijkheid,' zei ik, 'was hij er wel. Ik kwam er net vandaan.'

'O,' zei Fisher met opgetrokken wenkbrauwen. 'Waarom?'

'De avond daarvoor kreeg ik een telefoontje. Van een taxichauffeur. Hij had Amy's mobieltje achter in zijn auto gevonden.' Ik aarzelde of ik verder zou gaan. Ik had het gevoel dat ik Amy ontrouw was door tegen Fisher over haar te praten, alsof ik me daarmee aansloot bij een soort campagne tégen haar. Maar dat was absurd. 'Er leek iets niet te kloppen met waar ze uithing. Ik ging naar Crane om erachter te komen waar ze die dag afspraken had, om erachter te komen wanneer ik haar haar telefoon kon teruggeven.'

'En?'

'Hij wist niet dat ze in de stad was. Dat zei hij in elk geval.'

'Maar nu vraag je je af of hij soms de man is op de foto's die ik heb genomen.' Ik gaf geen antwoord. Dat was niet nodig. 'Het spijt me, Jack,' zei hij.

'Ik weet niet zeker of er iets is wat je moet spijten.'

'Ik hoop dat je gelijk hebt. Maar wat je me net hebt verteld, is slecht nieuws. We hebben beiden binnen een tijdsbestek van een halfuur een bezoek gebracht aan Cranes kantoor en we hebben allebei de naam van je vrouw genoemd. We hebben onszelf waarschijnlijk in *zijn* kijker gespeeld, denk je niet?'

'Kan me niet schelen,' zei ik. 'Ik heb de man gesproken. Ik zie geen moordenaar in hem.'

Fisher zei niets. Even had ik het gevoel dat mijn handen niet van mij waren. 'Je moet ophouden met op die manier naar me kijken,' zei ik zachtjes.

'Hoe?'

'Alsof we weer op school zitten en ik net iets naïefs heb gezegd.'

'Dat verbeeld je je maar, Jack.'

'Ik hoop het,' zei ik.

'Denk je dat Anderson zal bellen?'

'Ik heb geen idee. Misschien heeft Chen gelijk. Anderson kan ook dood zijn. Misschien heeft de man die zijn gezin heeft afgemaakt hem ook weten te vinden. Hij kan toevallig beroofd en vermoord zijn. Hij kan zichzelf verzopen hebben in de baai. Ik geef hem tot morgenochtend twaalf uur. Dan houd ik ermee op.'

'Maar wat als hij daarna belt?'

'Dan stuur ik hem door naar jou. Anderson interesseert me niet. Hij interesseert jou evenmin, hoewel ik begrijp dat je je afvraagt of Bills veranderde stemming misschien samenhangt met de ontvangst van die cheque uit Cranfields testament. Ik geef je vierentwintig uur, als gunst en omdat je me iets hebt laten zien wat ik misschien moet weten. Daarna ga ik naar huis. Als ik werkelijk problemen heb, moet ik ze daar oplossen.'

'Dank je dat je gekomen bent,' zei hij. 'Dat waardeer ik.'

'Goed. Haal dan nog maar een biertje voor me.'

Onze serveerster leek ontvoerd door buitenaardse wezens, dus liep Fisher naar de bar om de zaken zelf te regelen. Ik keek hoe hij het barmeisje aansprak, zag zijn ontwapenende glimlach en besefte dat ik uiteindelijk toch met hem zou meedoen. Hij kwam al snel terug en daarna deden we wat twee mannen in een bar in een vreemde stad meestal doen.

We werden dronken.

Kort daarna waren we in Fishers hotel. Dat stond min of meer in het centrum, maar verder was er weinig aan. Amy zou hier geen stap binnen zetten, om het zo uit te drukken.

De man achter de bar was een hufter, waarmee ik bedoel dat hij weigerde om ons te bedienen. Dus gingen we naar boven. Fishers kamer was ruim en ongecompliceerd rechthoekig. Het raam keek uit op een van de alomtegenwoordige, ruimteverslindende parkeerterreinen. Ik stond naar buiten te staren terwijl Fisher een paar lampen aanknipte. Er kwamen en vertrokken meer mensen dan je zou verwachten. De meesten hadden niet eens een auto. Mijn instinct vertelde me dat als ik behoefte had aan een gemakkelijk arrestatie wegens drugshandel, dit parkeerterrein een goede plek zou zijn om te beginnen. Na een poosje kreeg ik de dealer in het oog, ik herkende hem onmiddellijk. Niet omdat ik hem eerder had gezien, maar omdat ik zijn type kende. De ondersoort, mager, bleek, verstard gezicht, donker en kortgeknipt haar dat als een vachtje over zijn schedel lag. De soort die je 's ochtends vroeg nonchalant tevoorschijn ziet komen uit een auto die hij net heeft leeggehaald. Geen principes, schuldgevoel of empathie, cultureel imbeciel. Ratachtig, misschien, hoewel ratten in feite veel nobeler zijn. We hebben de reputatie van deze soort bezoedeld om ons een goedkoop symbool te verschaffen voor leden van onze eigen soort, degenen die bereid zijn om zich een weg te knagen in het leven van iemand anders op zoek naar een gemakkelijke buit.

De minibar was goed voorzien en bereid om ons ter wille te zijn. Fisher en ik zaten tegenover elkaar in de twee leunstoelen. De wandeling was lang en koud geweest. Het was even na elven en ik had bedacht dat ik Amy wel een sms'je kon sturen. Ik wist niet wat. Iets korts. Waarschijnlijk iets liefs. Ik wist dat ik dat waarschijnlijk niet zou moeten doen, in elk geval niet als ik er geen duidelijke bedoeling mee had en ik had al besloten dat ik het niet zou doen. Twee keer. Maar het idee had duidelijk niet het gevoel dat de zaken naar wens waren afgehandeld en weigerde om mijn hoofd te verlaten. Als ik het veel langer zou uitstellen, zou ze in bed liggen.

Ik zat daar maar, mijn armen hingen over de zijkanten van de stoel, mijn hoofd lag achterover, ik wist niet wat te doen, ik was vermoeid maar het voelde alsof ik nooit meer zou slapen.

'Waarom heb je geen kinderen?' vroeg Fisher na een poosje.

'Amy werkt hard,' zei ik, met een ellendig gevoel.

Het bleef weer een poosje stil. Toen sprak Fisher opnieuw. 'Ik droom van haar,' zei hij.

Ik begreep hem niet. 'Wie?'

'Donna.'

Ik was even de weg kwijt, toen besefte ik over wie hij het had. Ik hees mijn hoofd overeind om hem aan te kijken. 'Van school? Het meisje dat zelfmoord heeft gepleegd?'

'Ja.'

Ik wist niet wat ik moest zeggen. 'Ik denk dat het weer naar boven komt. Van wat ik ervan begreep heeft het je leven veranderd.'

'Dat klopt,' zei hij. 'Maar je begrijpt het niet. Ik heb een hele tijd helemaal niet aan haar gedacht. Wat gebeurd is, is erg, natuurlijk. Ik was een tijdlang volkomen van slag.'

'Het was niet jouw schuld.'

'Dat weet ik,' zei hij met een heel kort lachje. 'Dat heb je me toen ook al gezegd, en daar was ik je dankbaar voor. Eerlijk gezegd, als we dat gesprek op de atletiekbaan die middag niet hadden gehad, is de kans groot dat ik me helemaal niet had herinnerd wie je was. Wat ik bedoel is: na een poosje kreeg ik vrede met wat Donna had gedaan, besefte dat ik niet verantwoordelijk was voor haar keuzes. Ik was een kind, ik was waarschijnlijk een beetje dom en liep absoluut naast mijn schoenen – maar geen van beide is een misdaad, nietwaar? Ik heb niets gedaan om haar te misleiden en zeker niets om haar tot zelfmoord te drijven. Ik ben een paar jaar in therapie geweest tijdens mijn studie en uiteindelijk verdwenen de nare gevoelens. Ik ging door met mijn leven. Het was een behoorlijk goed leven.'

'Was?'

Hij negeerde me. 'Daarna heb ik jarenlang niet aan haar gedacht – en als ik dat wel deed, was het als een soort verhaal dat ik wel eens had gehoord, een verhaal met een moraal die ik me al had eigengemaakt en niet nog eens hoefde te horen. Toen, ongeveer een jaar geleden, droomde ik op een nacht over haar.'

Hij staarde naar zijn handen. De kamer was slecht verlicht, maar ik kreeg de indruk dat ze trilden.

'Ik droomde dat ik vroeg thuiskwam van mijn werk en dat het huis leeg was. Ik was niet ongerust, ik wist dat mijn kinderen nog op de crèche waren en dat mijn vrouw boodschappen deed of koffie dronk bij de buren. Ik moest wat papieren doornemen en daarom ging ik naar de studeerkamer. Maar na een poosje dacht ik dat ik water hoorde stromen. Ik kon er niet achterkomen waar het geluid vandaan kwam. Uiteindelijk besefte ik dat het van boven kwam. Dat is heel raar omdat ik alleen thuis ben en daarom loop ik naar de trap. Ik kijk omhoog.' Zijn gezicht vertoonde een nerveuze trek. 'En op de overloop boven aan de trap zie ik een schaduw bewegen.'

'Ging je naar boven?'

'Natuurlijk. Het is een droom, weet je nog? Het draait om hoe ik die trap oploop. Eigenlijk holde ik naar boven, omdat de schaduw... die was behoorlijk laag tegen de muur. Ik heb twee kleine kinderen en ik ben ongerust. Bang. Ik ren de trap op in de overtuiging dat een van hen in de problemen zit en als ik boven kom is het geluid van het water veel sterker. Ik ren naar het eind van de overloop en de deur naar de badkamer is gesloten. Ik trek aan de deurknop maar ik kan 'm niet openen. Ik weet dat er geen slot op de deur zit, we hebben het laten weghalen toen de kinderen oud genoeg werden om zichzelf op te sluiten. Ik trap ertegenaan. Ik kan horen dat er iemand binnen is, iemand die een geluid maakt, geen woorden, een geluid alsof hij of zij bang is en ik weet dat het een van mijn kinderen is. En ik ben zo wanhopig dat ik een stap achteruitzet en me met mijn schouder vooruit tegen de deur werp. En plotseling is er geen weerstand en tuimel ik zo de badkamer binnen.

Daar is niemand. Geen water in het bad. De ruimte is precies zoals die hoort te zijn. Shampoos van de vrouw in tien keurige rijtjes. Een paar boeken boven de wc. Een groene plastic walvis vol kleine figuurtjes. Alles is in orde. Maar dan hoor ik die zachte *klik*.

Ik loop weer naar de overloop en een van de deuren voor me glijdt open, een klein eindje. Ik reik naar de deurknop, maar plotseling wil ik 'm niet opendoen. De deur staat ver genoeg open om in mijn dochters slaapkamer te kunnen kijken, stukje vloerkleed en een reepje muur. En ik zie een schaduw die eroverheen valt, maar deze keer is hij te groot voor een kind, en ik hoor het kinderbedje ritselen alsof iemand de sprei opzij heeft getrokken en erin geklommen is, opgekruld in de ruimte, en ik begrijp niet hoe ik dit weet, maar ik weet dat die persoon naakt is en dat ze op me wacht – maar pas als ik de deur verder openduw, besef ik dat Donna in dat bed zal liggen.'

Hij stopte abrupt. 'En dan is het te laat.'

'Te laat voor wat?'

Hij schudde zijn hoofd, ofwel omdat ik dat zou moeten weten, of omdat hij het gewoon niet kon zeggen. 'En sindsdien kan ik haar niet uit mijn gedachten krijgen. Ik heb die droom om de zoveel weken, soms vaker. Elke keer gaat de deur een klein beetje verder open voordat ik wakker word. En ik weet dat als hij ooit zo ver opengaat dat ik haar gezicht kan zien, dat ik dan *niet* wakker zal worden. Dat ik bij haar in bed zal stappen en dat ze daar glimlachend zal liggen en dat de deur dicht zal gaan en ik er nooit meer uitkom.'

Ik wist niet wat ik moest zeggen. 'We worden ouder,' probeerde ik ten slotte. 'Het heden is te ingewikkeld en te verwarrend en daarom zoek je je toevlucht tot een periode waarin het allemaal eenvoudiger leek, zelfs als dat in werkelijkheid niet zo was.'

Hij stootte een kort, rauw lachje uit. 'Wat zij deed was niet eenvoudig.'

'Ik weet het, maar...'

'Er is iets anders. De droom bleef terugkomen. Ik was uitgeput, kon me niet op mijn werk concentreren.'

'Heb je er met iemand over gepraat?'

'Niet echt. Ik heb mijn vrouw nooit verteld wat er is gebeurd. Toen we elkaar ontmoetten had ik het helemaal achter me gelaten. En... je weet wel, als iets werkelijk in je kop zit en je dat aan iemand anders *vertelt* en die snapt het niet, voelt niet aan hoe belangrijk het voor je is, dan voel je je nog ellendiger omdat je je mond hebt opengedaan en je je duistere geheim hebt verklapt. Dus...'

Hij stopte opnieuw. Buiten reed een politieauto met loeiende sirene

voorbij. Ik stelde me voor hoe de dealer en zijn klanten als angstige mui-
zen uiteenstoven, om binnen een paar minuten terug te keren.

'Afijn... hoe dan ook,' zei Gary. 'Wat herinner jij je nog van Donna?'

'Weinig. Ik kende haar amper. Ze was niet onaantrekkelijk. Plus, je weet
wel, ze stierf.'

Hij knikte. 'Al die tijd dat ik in therapie was tijdens mijn studie kon ik
me nauwelijks herinneren hoe ze er überhaupt uitzag. Maar sinds ik die
dromen heb kan ik me elk detail van haar voor de geest halen.'

'Dat komt doordat...'

'Hou je kop, Jack, en laat me uitpraten. Dus op een zaterdagmiddag
ben ik in het park met Bethany. Mijn dochter. Net twee geworden. Ik
duw haar rond in zo'n driewielerding, je weet wel, met een stok aan de
achterkant zodat ze niet hoeft te trappen. En ik ben erg moe door mijn
werk en door slaapgebrek. De hemel is bewolkt en het gaat duidelijk regenen en in feite heb ik er gewoon genoeg van. Ik zeg tegen haar dat het
tijd is om naar huis te gaan. Ze draaide zich om en keek naar me op, en
toen zag ik het.'

'Zag wat?'

'Ik weet niet hoe ik het moet omschrijven. Ze was verschrikkelijk
kwaad omdat ze in het park wilde blijven om rondjes te rijden, maar dat
was het niet. Niet alleen dat. Er was iets anders. Ze straalden iets anders
uit, in mijn richting. Haar ogen.'

'Ik begrijp niet wat je bedoelt.'

Hij haalde zijn schouders op. 'De dagen daarna... Nou ja, kinderen veranderen per week, zelfs per dag. Dat weet je. Ze is op die leeftijd. Maar...'

'Maar *wat*, Gary?'

'Een paar weken later zitten we met z'n allen te ontbijten, de gebruikelijke chaos. En mijn vrouw leunt voorover en tuurt naar Bethany's gezicht. "Hoe is ze daaraan gekomen?" vraagt ze. Ik heb geen idee waar ze
het over heeft. Ze wijst naar de zijkant van Bethany's gezicht. En dan zie
ik dat streepje. Als een klein kommaatje, een litteken. Ik zeg dat ik geen
idee heb, dat het niet in mijn bijzijn is gebeurd. Megan zegt dat het zeker niet is gebeurd toen zij op Bethany paste. Het loopt uit de hand. En
de hele tijd dat we hierover "praten", kijkt Bethany me aan. Ik zie opnieuw die... *blik* in haar ogen, en plotseling weet ik waar ik dat litteken
eerder heb gezien. Ik moest daar weg. Onmiddellijk. Ik stond op en verliet het huis terwijl Megan me nastaarde, pisnijdig. En terwijl ik naar mijn
werk rij snap ik het eindelijk.'

Zijn stem klonk schor. 'Ik denk aan die dromen die ik al een paar maanden heb en dat ik zeker weet dat ze iets moeten betekenen. Dat ze me

iets proberen te vertellen. En pats – dan komt die gedachte in me op. De klap is zo hevig dat ik de auto moet stilzetten. Waar ik dat litteken eerder had gezien. Op wiens gezicht, in mijn dromen. Donna.'

Nu staarde ik hem aan. 'Vertel me alsjeblieft dat je dat niet meent.'

'Natuurlijk meen ik dat niet. Maar toen jij politieman was, heb je ongetwijfeld ook dat soort dingen meegemaakt, dat je dacht: *ja*, dat is wat er is gebeurd, of: *ja*, dat is de man, en dat je daarmee alleen maar zegt wat een deel van jou al dagen- of wekenlang weet. En als je het eindelijk doorhebt, is het alsof alles op z'n plaats valt en je weet dat je gelijk hebt.'

'Ja, dat gevoel ken ik. Maar soms betekent het gewoon dat je er zo verschrikkelijk naast zit dat niemand je meer kan volgen behalve jijzelf.'

Maar Fisher luisterde niet naar me. 'Een moment vroeg ik me af of ze soms was teruggekeerd,' zei hij zachtjes. 'Donna. En dat ze deze keer een stuk dichter in de buurt had weten te komen.'

Ik zat hem met open mond aan te staren.

'Ik *weet* hoe idioot het klinkt,' zei hij. 'Erger dan idioot. Maar waarom die dromen, Jack?'

'Omdat... luister. Ben je ooit met Donna naar bed geweest?'

'Jack, ik was me nauwelijks bewust van haar bestaan. Dat is het 'm nu juist. Daarom voelde ik me zo schuldig, dat er iemand was die zo veel aan mij had gedacht terwijl ik nauwelijks doorhad dat ze zelfs maar ruimte innam op Planeet Aarde.'

'Weet je wat ik denk,' zei ik. 'Donna is dood en helemaal weg, behalve uit jouw hoofd. Je denkt nog steeds dat het jouw fout is. Maar de waarheid is dat je helemaal geen invloed hebt op andere mensen. Uiteindelijk is iedereen een eiland. Er is iemand die je kent en iemand die je niet kent – degene die er was voordat je hem of haar ontmoette, die dingen doet als jij er niet bij bent, die nog meer dingen zal doen nadat jij bent vertrokken. De persoon die je *wel* kent, wordt bijna een onderdeel van je eigen geest, van je eigen zelf. Dus is degene die je *niet* kent de werkelijke ander.'

'Ja,' zei hij. 'Ja. Ik denk dat je gelijk hebt.'

Ik knikte, mijn lippen samengeknepen als een wijze achttienjarige. En even was het alsof de muren waren verdwenen en we samen in onze leunstoelen aan de rand van de verlaten atletiekbaan zaten, alsof al onze vrienden naar andere oorden waren vertrokken en ons hadden achtergelaten en dat we daar voor eeuwig zouden moeten blijven zitten.

Ik denk dat we nog wat gepraat hebben, maar niet veel. En op een gegeven moment viel ik in slaap. Ik werd wakker door een geluid. Ik tilde mijn hoofd op en zag dat Fisher uit de andere stoel overeind schoot. De rode lampjes op het klokje naast het bed zeiden dat het 3:18 was.

Het geluid kwam uit mijn telefoon. Met enige moeite haalde ik hem tevoorschijn.

'Hm,' mompelde ik.

'Spreek ik met Jack Whalen?'

'Wie is dit?'

Het bleef even stil. 'Mijn naam is Bill Anderson.'

hoofdstuk
VIJFENTWINTIG

Uiteindelijk belde Shepherd Rose terug. Hij had meer vrijheid dan de meesten: maar er waren grenzen. Hij had gehoopt dat ze het via de telefoon konden afhandelen, maar ze stond erop om hem persoonlijk te ontmoeten. Ze had in de oude stad willen afspreken, in de buurt van het plein, maar hij had nee gezegd. Hij had zich daar nooit op zijn gemak gevoeld. De atmosfeer was te vol. Zelfs als er niemand in de buurt was leek het er druk.

Hij was vroeg. Victor Steinbrueck Park lag ten noorden van de vismarkt, op de uitloper van wat ooit een steile oever was geweest, hoog boven de baai. Verspreid op het gras lagen of sliepen zwervers. De picknicktafels waren in beslag genomen door kleine groepjes alcoholici en/of junks. Hij wist dat er meer mensen in de buurt waren. Het gevoel was minder duidelijk dan op Pioneer Square, maar waar je je ook bevond, 's nachts was het sterker. Hij voelde het steeds vaker de laatste tijd, overal. Hij koos een tafeltje in het geplaveide gedeelte bij de ingang van het park, waar hij uitzicht had op de lagergelegen Alaskan Way en het viaduct en op de weidse kilte van Elliott Bay daarachter. Op een heldere dag kon je helemaal van de monding van Puget Sound tot aan Mount Rainier in het zuiden kijken. Nu was het donker, en bewolkt, en doods.

Voor de eerste keer sinds zijn aankomst in de stad was hij niet in beweging. Hij had de hele dag gelopen. Hij was naar een straat in een woonwijk in het Queen Annedistrict geweest. Hij had een chique hotelbar in het centrum bezocht. Hij had de straten afgeschuimd, overal gezocht, het centrum uitgekamd plus het internationale district en Broadway, systematisch.

Hij had haar niet gevonden.

Rose kwam een uur te laat opdagen. Ze was alleen. Maar Shepherd merkte dat geen van de zwervers de vrouw meer dan een blik waardig keurde, een vrouw die klein van stuk was en 's avonds alleen door het park liep. Veel sterker dan de mensen die in het centrum van de samenleving verkeren, beschikken degenen aan de randen ervan over een subtiel zintuig dat hun vertelt wie ze beter kunnen mijden. Ook de bezitlozen maken een evolutie door. Natuurlijke selectie doet zijn werk via geweld en inferieure drugs: ze voelen dingen die anderen niet voelen.

Rose ging aan de andere kant van de betonnen tafel zitten, zonder glimlach, zonder begroeting.

'Blijkbaar heb ik het verkeerd begrepen,' zei ze. 'Ik dacht dat het de bedoeling was dat je alle telefoontjes direct zou beantwoorden. Dat je ze niet drie godvergeten weken zou negeren.'

'Ik heb het druk gehad,' zei hij. 'Met de dingen die jij me hebt opgedragen.'

'En?'

Shepherd merkte dat er nu een paar eenzame figuren, mannen en vrouwen, aan andere tafeltjes in het park hadden plaatsgenomen, mensen in onopvallende kleren. Vijfentwintig meter verderop stond een man met kort rood haar. Niemand keek naar hem en niemand kwam hem bekend voor. Toch wist hij wie ze waren. Anderen zoals hij, mensen die hun leven in een koffer met zich meedroegen. Het intrigeerde hem dat Rose vanavond behoefte had aan bescherming.

Ervan uitgaande dat het dat was.

Hij sloeg zijn armen opnieuw over elkaar waardoor hij zijn rechterhand in zijn jas kon laten glijden, naar de revolver die hij daar verborgen hield.

'De laatste is geregeld,' zei hij. 'Tijdverspilling. Niemand had naar Oz Turner geluisterd. Maar hoe dan ook. Iedereen die hier met Anderson over heeft gecommuniceerd is nu dood. Zijn aantekeningen zijn vernietigd. Het is voorbij.'

'Denk je dat ik achterlijk ben?'

Hij haalde zijn schouders op. 'Hij is verdwenen. Waarschijnlijk dood. Dus...'

'Een van je collega's heeft hem gezien,' zei ze. 'Gisteren. Hij is nog steeds in de stad.'

'Als iemand weet waar hij is, waarom rekent *die* dan niet met hem af?'

'Omdat het jouw verantwoordelijkheid is. En je werk.'

'Deze situatie is niet mijn schuld,' zei hij kalm. 'Ik heb vanaf het begin gezegd dat het niet nodig was om Anderson koud te maken.'

'Vreemd. Ik heb altijd gehoord dat jij de man bent naar wie je toegaat als je een zwart-witoplossing zoekt. Dat was je in elk geval toen we elkaar ontmoetten.'

'Dat ben ik nog steeds. Maar dat betekent ook dat je af en toe wit moet kiezen. Het was voldoende geweest als we ervoor hadden gezorgd dat Anderson zijn baan verloor. Ze hadden niet moeten toestaan dat een van De Negen het op eigen houtje probeerde op te lossen.'

'De anderen waren er niet op bedacht. Toen Joe Cranfield eenmaal had gedaan wat hij had gedaan, moest de schade hoe dan ook worden hersteld. Het was mijn taak om dat te coördineren. Het is niet aan jou om daar vraagtekens bij te zetten, Shepherd.'

'Doe niet zo uit de hoogte,' zei hij. 'Ik deed dit werk al toen jij nog in je broek poepte.'

'Gefeliciteerd. En wat wil je daarmee zeggen?'

'Na verloop van tijd ga je je afvragen waarom.'

'Maar dan doe je nog steeds wat je gezegd wordt, nietwaar? Dat is de afspraak.'

De afspraak, ja. Vanaf de baai stak een koude wind op. Shepherds blik rustte op de auto's die over het Alaskan Viaduct voorbijreden, ezels die achter de wortels van hun eigen koplampen aan liepen. In zijn jeugd was het idee van een auto die niet door mensen bestuurd werd, die een vast traject volgde, sciencefiction geweest. Hij vroeg zich af hoeveel mensen beseften dat het al werkelijkheid was, en dat je zelfs geen auto meer nodig had.

'Ik maak me zorgen over je,' zei ze. 'Gaat het wel goed?'

'Prima,' zei hij.

'Echt? Je ziet er niet zo best uit.'

Toen hij zijn blik van het uitzicht afwendde, zag hij dat haar scherpe, grijze ogen op hem gericht waren. 'Het gaat prima, Rose.'

'Ik neem aan dat je gelijk hebt. Want het zou heel stom zijn als je het niet zou zeggen.'

'Geef me wat je hebt,' zei hij.

Ze overhandigde hem een stuk papier waarop iets geschreven stond. 'Geen bijkomstige schade deze keer. Met andere woorden, verknal het niet.'

Hij keek langzaam naar haar op en het deed hem goed dat ze een beetje achteruitdeinsde. Hij was zich ook vagelijk bewust van het feit dat de mannen en vrouwen aan de andere tafeltjes waren opgestaan, alsof ze haar wilden beschermen. Hij vroeg zich af hoe hoog Roses ster al gestegen was.

'Dat doe ik niet,' zei hij.

De anderen verdwenen in de duisternis en lieten Shepherd en Rose alleen. Die beklommen de steile helling van het park. Ze liepen langs de hoge, ranke omtrekken van de totempalen die daar in het verleden door betrokken burgers waren neergezet. Mensen die ofwel niet wisten, of die het niet kon schelen dat geen enkele indianenstam in de Verenigde Staten die dingen had gemaakt voordat de blanken met hun metalen gereedschappen ten tonele waren verschenen. Blanken die het heel normaal vonden om die palen vervolgens uit indiaanse dorpen honderden kilometers verderop te stelen om ze in de stad neer te zetten, inclusief de beroemde totempaal op Pioneer Square.

Net voordat ze bij Western Avenue aankwamen, het einde van het park, stopte hij. Nu was het moment om het in gang te zetten.

'Er is nog een probleem,' zei hij plompverloren. 'Misschien. Er is een meisje vermist in Oregon.'

'En?'

'Ik denk dat het er een van jou is.'

'Waarom denk je dat?'

'Ik heb haar opgespoord, heb een gesprekje met haar gehad. Ze is uiterst verward. Het kan gevaarlijk worden als ze met iemand praat. Ze is me ontglipt.'

'Dat is slordig.'

'Het was een openbare ruimte.'

Ze trok een wenkbrauw op. 'Een willekeurig kind loopt weg van huis en jij denkt meteen dat er sprake is van een crisis?'

'Ik doe dit al een hele tijd, Rose. Zo gaat dat soms. Ze beginnen zich dingen te herinneren, de gebeurtenissen lopen op zichzelf vooruit. Een kind, een goed gezin, normaal leven, geen problemen in het verleden – op een ochtend is ze gewoon verdwenen. Volwassenen ook. Verdwijnen van de aardboden. Iedereen gaat ervan uit dat ze per ongeluk of met opzet zijn omgekomen, of dat ze twee staten verderop verslaafd zijn geraakt aan crack. Is niet altijd het geval. Ze duiken elders op, soms, ja. Maar levend. En dan hebben ze een ander gevoel over zichzelf.'

Ze dacht hierover na. 'En?'

'Ik denk dat ze in Seattle is. Of in elk geval op weg hiernaartoe.'

Rose vloekte. Shepherd wist dat het laatste wat deze vrouw wilde was dat er in de stad problemen zouden ontstaan. Vooral nu niet.

'Je zegt "op zichzelf vooruitlopen" – hoe oud is ze?'

'Negen.'

'*Negen*?' Ze staarde hem aan. 'Shepherd, is er iets wat je me niet vertelt?'

'Ik?' zei hij terwijl hij haar blik gevangen hield. Dat was niet gemakkelijk. 'Ik ben hier alleen om te dienen.'

'Dood haar,' zei ze, en ze liep weg.

Shepherd keek haar na. Hij glimlachte.

hoofdstuk
ZESENTWINTIG

'Hij komt niet.'

'Dan komt-ie niet,' zei ik.

Fisher schudde zijn hoofd en ging verder met uit het raam staren. Het was iets na achten. We zaten in Byron's, op gelijke hoogte met Pike Place. Je moest via de markt naar binnen, langs dikke mannen die met luide stem hun vis aanprezen. Het restaurantje had een laag plafond en het stof danste er in het zonlicht. Het etablissement leek maar niet te kunnen beslissen of de belangrijkste handelswaar nu uit vette ontbijten of uit stevige cocktails bestond. Sommige klanten hadden daar ook moeite mee. In het midden van de ruimte bevond zich een aftandse en smerige open keuken, met daaromheen aftandse en smerige mannen op barkrukken, die bezig waren een van de twee handelswaren op te slobberen, in enkele gevallen beide. Sommige mannen droegen de vuilwitte schorten van degenen die al uren bezig waren geweest met het verplaatsen van verse vis en ijs. Anderen droegen nettere kleding, waren op weg naar hun kantoorbaan. Ze probeerden eruit te zien alsof ze hier per ongeluk terecht waren gekomen en even onverwacht een biertje in hun hand hadden aangetroffen. Een van de wanden bestond grotendeels uit glas en bood uitzicht over Elliott Bay. Daar waren de tafeltjes allemaal in beslag genomen door toeristengezinnen, angstvallig dicht tegen elkaar aan gekropen terwijl de patriarchen met bevreesde blik in hun reisgidsje tuurden.

Ik dronk een grote kop sterke koffie. Fisher probeerde het ontbijt. Hij had verteld dat hij tegenwoordig nog maar weinig dronk en zijn trage bewegingen deze ochtend bevestigden dat hij inderdaad weinig oefening had gehad. Ik voelde me ook niet zo geweldig. Toen de serveerster bij ons tafeltje stilhield om koffie bij te schenken, zei ik ja. Fisher zat somber met zijn gestolde voedsel te spelen. Ik ging buiten een sigaret roken.

Mijn telefoongesprek met Anderson was kort geweest. Hij wilde niet zeggen waar hij was. Wilde niet naar Fishers hotel komen. Wilde niet dat we naar hem toe kwamen. Koos waarschijnlijk voor Byron's omdat er heel veel mensen kwamen. Ik zei ja omdat ik het kende. Ik was daar tot mezelf gekomen nadat ik was ontwaakt in Occidental Park, voordat ik Amy's vermissing ging melden.

Ik trapte mijn sigaret uit op de met kinderhoofdjes geplaveide straat en staarde zonder iets te zien naar de drukke mensenmassa om me heen. Toeristen, marktkooplui, volwassenen, kinderen. Bezig met verkopen, kopen of gewoon wat rondkijken. Pratend, schreeuwend, zwijgend. Iedereen deed normale dingen en toch zagen ze er zo vreemd uit. Lichamen bewogen ogenschijnlijk doelgericht, maar ze werden beheerst door een intelligentie waarvan ik het bestaan alleen kon afleiden uit hun acties. Dat kon natuurlijk ook aan mijn kater liggen.

Om de tijd te doden stak ik de straat over en nam wat geld op uit een geldautomaat. Terwijl ik op de biljetten stond te wachten, wreef ik in mijn ogen, stevig. Ik moest mijn hoofd erbij houden. Ik voelde me uiterst kwetsbaar, geradbraakt en oververmoeid.

Na twintig minuten en een halve kop koffie zag ik iets.

'Oké,' zei ik tegen Fisher. 'Ik denk dat het gaat beginnen.'

Hij keek op. De deur van het restaurant was opengevlogen en daarachter zag en hoorde je de menigte voorbijgaan. Af en toe viel er een gat in de muur van lichamen. En door een van die gaten zag ik een man die zo'n vijfentwintig meter verderop stond, niet ver van de plek waar ik mijn sigaret had gerookt. Hij was even weg, kwam toen terug, iets dichterbij. Hij was van gemiddelde lengte, tenger. De huid rond zijn kaken was grijs en hing een beetje te los. Maar over het algemeen zag hij er niet zo heel anders uit dan de mensen om hem heen, behalve zijn ogen. Hij stond ofwel op het punt om de Amerikaanse regering op gewelddadige wijze omver te werpen, of hij bevond zich op het randje van een steile afgrond die alleen hij kon zien.

'Dat is 'm,' zei Fisher. 'In elk geval, dat denk ik. Hij is magerder dan op de foto die ik heb gezien.'

Ik keek de man recht in de ogen en maakte een kleine opwaartse beweging met mijn hoofd. Toen leunde ik achterover in mijn stoel en maakte Fisher duidelijk dat hij hetzelfde moest doen. Zo probeerde ik Anderson te overtuigen van het feit dat we slechts met z'n tweeën waren, dat onze handen leeg waren en op de tafel rustten en dat er nog een stoel vrij was. Ik verdiepte me in mijn koffie.

Een paar minuten later kwam hij bij ons zitten.

Van dichtbij was de heldere, opgezwollen angst in zijn ogen werkelijk afschuwelijk. Ik duwde mijn koffie in zijn richting. Hij pakte het kopje op, nam een slok.

'Gaat-ie?'

Hij deed iets met zijn gezicht. Ik weet niet of het een glimlach moest voorstellen. Als ik in zijn schoenen had gestaan weet ik ook niet hoe ik had moeten antwoorden. Het was een stomme vraag. Soms moet je die stellen.

'Ik ben Jack,' zei ik. 'Dit is Gary. En Bill, ik wil dat je meteen weet dat we geen van tweeën denken dat je hebt gedaan was ze zeggen dat je hebt gedaan. Ik ben in je huis geweest en ik weet dat het het werk van een indringer was.'

'Daar kan ik op dit moment niet aan denken.'

Zijn stem was hees, alsof hij op het punt stond om griep te krijgen.

'Natuurlijk,' zei ik. Het leek me heel verstandig om alle gedachten aan wat er met zijn vrouw en kind was gebeurd uit te bannen. Ik weet zeker dat traumadeskundigen iets anders zouden adviseren, maar die hebben een huis en een gezin waar ze aan het eind van de dag naartoe kunnen.

'Waar slaap je?'

'Hier en daar,' zei hij. 'Ik blijf in beweging.'

'Heb je geld?'

'Ik had bijna vijftig,' zei hij. 'Ik heb een tandenborstel en zeep gekocht. Goedkope kleren. Wat voedsel.'

Ik legde mijn hand op de tafel in de buurt van de zijne, ik verschoof hem een stukje zodat een hoekje van het geld dat ik er klein gevouwen onder had verstopt zichtbaar werd. Toen hij dat zag, leek zijn gezicht te verschrompelen.

'Nee,' zei hij en schudde zijn hoofd.

'Het is een lening. Ik wil het terug.'

Na een kleine aarzeling bewoog zijn hand in de richting van waar de mijne had gelegen en toen omlaag in zijn zak. Daarna lag er niets meer op de tafel.

'Wil je iets eten?'

Hij schudde zijn hoofd. 'Koffie.'

Ik wenkte de serveerster en we zwegen tot dat was geregeld. Ik wist dat Anderson tijd nodig had om tot rust te komen.

Fisher nam het initiatief. 'Wat is er gebeurd, Bill?'

Hij schudde zijn hoofd. 'Hoe moet ik dat weten?'

'Waarom ben je gevlucht?'

'Omdat ik bang was.'

'Je wilde niet naar het huis gaan, controleren of ze veilig waren?'

'Ik was ook gevlucht,' zei ik. 'Je weet dat je niet meer kan doen dan de buren al hebben gedaan. Dat de politie onderweg is. En je weet ook dat wat er ook gebeurd is, het geen ongeluk was, nietwaar?'

Anderson zat nu te huilen. Er was geen verandering in zijn gelaatsuitdrukking of lichaamshouding, geen indicatie dat hij wist dat het gebeurde. Zijn wangen waren droog geweest, en nu waren ze nat. Hij zette zijn koffiekopje met trillende handen terug op de tafel.

'Ik had toch naar binnen moeten gaan,' zei hij.

Daar had hij gelijk in – vooropgesteld dat hij zich hadden kunnen weerhouden om zijn vrouw of kind aan te raken. Anders waren de bewijzen tegen hem wel erg sterk geweest. Maar hij had geen behoefde om dat te horen.

'Natuurlijk voel je dat zo, maar het is voorbij en je kunt het niet meer veranderen. Ze waren al dood voordat jij de straat in kwam. Je had er niets mee bereikt behalve dat jij ook gepakt of vermoord zou worden. Dat besef je toch wel? Het is belangrijk dat je dat beseft.'

Hij zei niets. In de open keuken begon de grill plotseling te sissen toen iemand een stel hamburgers omdraaide. Aan de andere kant van de ruimte zaten twee kinderen te ruziën, luidruchtig. Het ging er zo heftig aan toe dat je bijna zou geloven dat ze zich morgen nog konden herinneren waar het over ging.

'Bill,' zei Fisher. 'Ik weet dat het moeilijk is, maar...'

'O, weet je dat?' zei Anderson. Hij wendde zich van ons af, de beweging was resoluut en misschien onomkeerbaar. 'Je hebt absoluut geen...'

Hij liet zijn hoofd vallen. Hij zou niets meer zeggen.

Fisher trok een gezicht. Ik liet de stilte voortduren, gaf Anderson de ruimte om de gedachte in zijn hoofd af te maken en met lege handen achter te blijven als die was verdwenen.

'Mijn vader is vermoord,' zei ik.

Het voelde vreemd om het te zeggen, om dit feit bloot te geven. Het lag al zo lang als een semipermanente sfeerbepaler in mijn achterhoofd opgeslagen dat het bijna onvoorstelbaar was dat niet iedereen het al wist. Vreemd, en ook berekenend. Maar als iemand het recht had om deze informatie te gebruiken, dan was ik het wel.

Fisher staarde me aan. 'Dat heb ik nooit geweten.'

'Dat kon ook niet. Het gebeurde een paar jaar nadat we van school waren. Toen ik studeerde.'

'Wie heeft hem vermoord?'

'Dat weet ik niet,' zei ik, en nu zat Anderson me ook aan te staren. 'Daar zijn we nooit achtergekomen. Ik was het huis al uit. Mijn moeder logeerde bij haar zuster. Er werd ingebroken in het huis. Mijn vader kwam naar beneden, stuitte op de inbrekers. Hij was een man die zich in zo'n situatie onmiddellijk zou terugtrekken. Ze hebben hem vermoord – opzettelijk, per ongeluk, ik weet het niet – toen hebben ze de spullen meegenomen. Een oude televisie en een videorecorder, een handjevol juwelen en zo'n tachtig dollar aan contanten.'

Fisher keek alsof hij niet wist wat hij moest zeggen.

'Ik stel dit niet gelijk aan jouw verlies,' zei ik tegen Anderson. 'Waar het om gaat is dat ik hem niet kan terugbrengen. Jij kunt je gezin evenmin terugbrengen. Een onbekende is naar een plek gegaan die niet van hem was en heeft deze mensen gedood. Dat was niet eerlijk. De vraag is wat je eraan doet.'

Anderson bleef misschien wel een minuut volkomen roerloos zitten. Toen draaide hij zich terug om ons rechtstreeks aan te kijken.

'Wat *kan* ik doen? De politie denkt dat ik het heb gedaan.'

'Vertel ons dan iets wat helpt om hen van gedachten te doen veranderen. Zoals wat dit te maken heeft met een cheque van een kwart miljoen dollar die je hebt ontvangen.'

Hij sperde zijn ogen open. 'Hoe weet jij daar in hemelsnaam iets vanaf?'

Ik knikte naar Fisher. Ik snakte naar een sigaret. Dit gesprek met Anderson maakte me zo intens triest en ik hield het niet langer uit.

'Ik werk aan de nalatenschap van Joseph Cranfield,' zei Fisher. 'Ik ben advocaat. Er waren maar heel weinig individuele begunstigden, een daarvan was jij. Het viel me op dat de cheque nooit is verzilverd. Waarom niet?'

'Ik heb de man nooit ontmoet,' zei Anderson. 'Ik had zelfs nog nooit van hem gehoord. Toen op een ochtend lag daar die belachelijke cheque. Ik heb geen idee wat ik ermee moet doen, waarom die daar ligt, niets. Maar er is een brief bij.'

'Ik weet het,' zei Fisher. 'Die heb ik geschreven.'

'Wie denk je wel niet dat je bent?'

'Pardon?'

'Iemand zo veel geld sturen, onder die voorwaarden?'

'Wat bedoel je? Welke voorwaarden?'

'Jij hebt 'm zelf geschreven.'

'In mijn brief stond alleen "Hier is het geld, veel plezier ermee". En waar het geld vandaan kwam. Dat is alles. Er zijn geen voorwaarden bedongen in het testament.'

Anderson bleef Fisher aankijken, duidelijk niet bereid om hem te geloven. Een moment vroeg ik me af of ik hem wel geloofde, maar Fisher keek gewoon te verbijsterd.

'Wat stond er in de brief die jij hebt ontvangen?' vroeg ik.

Er waren twee kleine gekleurde vlekjes op Andersons wangen verschenen, blauw tegen het grijs. 'Er stond in dat deze man Cranfield me het geld had nagelaten op voorwaarde dat ik zou stoppen met mijn werk. Als ik dat zou doen, zou het geld van mij zijn. Als ik het geld aannam en toch door zou gaan, zou dat gevolgen hebben. En tussen de regels door begreep ik dat ik het geld maar beter wel kon aannemen.'

'Welk werk? Lesgeven op de universiteit?'

'Nee,' zei Anderson, en even zag ik iets van achterdocht in zijn blik. 'Een geheim project.'

'Geheim?' vroeg Fisher. 'Hoe geheim?'

'Niemand wist ervan.'

Ik herinnerde me hoe de werkplaats in de kelder van zijn huis eruit had gezien. 'Maar hoe kon Cranfield het dan weten?'

'Ik heb geen idee. Via het internet had ik contact met een stel mensen. We hebben een paar geheime discussies gevoerd. Het enige wat ik kan bedenken is dat hij op die manier aan de informatie is gekomen.'

'En je besloot het geld niet aan te nemen?'

'Inderdaad.'

'Heb je dat aan iemand verteld?'

'Nee. Ik heb de cheque gewoon niet verzilverd.'

'Heb je hem nog steeds?'

'Hij lag in huis.'

Fisher staarde voor zich uit. Ik meende wel te begrijpen waarom. Hij had in de veronderstelling verkeerd dat hij de nalatenschap van Cranfield beheerde, of in elk geval verantwoordelijk was voor zijn deel. Maar iemand had zijn brief aan Anderson vervangen door een andere en iemand had in de gaten gehouden of het legaat inderdaad van de rekening werd afgehaald. Hoe hadden ze anders geweten dat Anderson zich niet liet afkopen, wat uiteindelijk de aanleiding was geweest van het bezoek aan zijn huis drie weken geleden?

'Hoe hebben ze dat kunnen doen?' vroeg ik. 'De brief vervangen?'

'Hij zat bij een aantal spullen die via het kantoor van Burnell & Lytton werden verstuurd,' zei Fisher zacht. 'Een van hen moet het hebben gedaan.'

'Ben je iets kwijtgeraakt?' vroeg ik aan Anderson. 'Door de brand? In verband met je werk, bedoel ik?'

Anderson knikte. 'Alles. Ik was die avond vergeten om mijn back-up mee te nemen. De enige plek waar nog iets zit, is in mijn hoofd.'

'Wat was het?' vroeg Fisher. 'Waar werkte je aan?'

'Dat kan ik je niet vertellen.'

'Ja,' zei Fisher gedecideerd. 'Dat kun je wel. Ik moet meer weten.'

Misschien was het alleen het harde ochtendlicht dat door het venster op zijn gezicht viel, maar op dat moment zag Fisher er een beetje vreemd uit. De rimpels rond zijn ooghoeken waren dieper, zijn mond vertrokken tot een dunne streep.

'Meer?' zei ik. 'Ik wist niet dat je hier ook maar iets vanaf wist.'

Fisher wendde zijn blik af en ik wist dat hij tegen me had gelogen.

'Wat Gary bedoelt,' zei ik terwijl ik me tot Anderson wendde, 'is dat het ons zou helpen als je ons een indicatie kon geven van de dingen die hebben geleid tot de gebeurtenissen die in je huis hebben plaatsgevonden. Als we de politie willen helpen om er anders tegenaan te kijken, moeten we een geloofwaardig verhaal hebben dat naar een andere dader wijst.'

'Hoe weet ik of jij niet een van hen bent? Of *hij*?'

'Dat weet je niet,' zei ik. 'Geen van ons heeft een badge bij zich met "Gegarandeerd Oké". Als je dat wilt, zul je moeten wachten tot je in de hemel bent.'

'Ik zal het jou vertellen,' zei hij terwijl hij me aankeek.

De boodschap was duidelijk. Ik wendde me direct tot Fisher. 'Gary. Zou jij een kop koffie willen halen voor Bill? En ik wil er ook nog wel een, als je toch die kant op gaat.'

Fisher hield zijn gezicht in de plooi. 'Wat jij wilt.'

Hij kwam moeizaam overeind en ging op weg naar het buffet. Anderson keek voor de honderdste keer het hele restaurant rond, zijn ogen schoten alle kanten op.

'Ik geef je een tip,' zei ik. 'Kijk niet de hele tijd op die manier om je heen. Als je onzichtbaar wilt zijn, moet je eruitzien alsof je op weg bent van a naar b en dat je het volste recht hebt om alle punten daartussen te passeren. Als een politieman even niets te doen heeft en hij ziet jou met die blik van overal-zijn-vijanden, zal hij je papieren vragen, gewoon, omdat je nooit kunt weten.'

'Hoe weet jij dat?'

'Omdat ik er vroeger zelf een was.'

'Jij bent een *politieman*?'

'Luister naar alle woorden, Bill. *Vroeger*. Nu niet meer. Ik sta niet per se aan hun kant. Hoewel ik weet dat het ook niet allemaal hufters zijn. In deze zaak zou je in elke stad in de Verenigde Staten de belangrijkste verdachte zijn, geloof me. Politiemannen leren situaties te ontleden tot de onderdelen waaruit ze meestal blijken te bestaan. Dat scheelt tijd. Dat kan hen letterlijk het leven redden. Jij bent een ongelukkig slachtoffer van dat proces. Maar dat wil niet zeggen dat de politie de as van het kwaad is. Het beste wat je nu kunt doen is ervoor zorgen dat jij naar hen toe kunt gaan in plaats van je te verschuilen.'

Anderson schudde zijn hoofd. 'Hoe kan ik...'

'Vertel me waar dit over gaat,' zei ik. 'Ik begrijp dat het geheim is. Iets waar zelfs Peter Chen niets vanaf weet. Het zijn mijn zaken niet en het kan me zelfs niet schelen. Maar op dit moment heb je niet veel mogelijkheden, en dit geheim heeft al mensen het leven gekost.'

'Je zult me niet geloven.'

'Iemand anders gelooft je duidelijk wel,' zei ik. 'Dus probeer het maar.'

Hij aarzelde lange tijd. Ik wierp een blik naar het buffet om Fisher duidelijk te maken dat ik misschien iets verder kon komen, maar hij was er niet. Naar het toilet, dacht ik, of hij loopt buiten te ijsberen. Hij was opvallend geprikkeld vanmorgen, vooral voor iemand die had gevonden waar hij zogenaamd naar op zoek was.

Toen Anderson uiteindelijk begon te praten, wist ik dat hij dat niet alleen deed omdat hij hoopte dat ik hem kon helpen, maar ook omdat het iets was wat hij lange tijd voor zichzelf had gehouden. Lang niet iedereen wil een misdaad opbiechten, maar de meeste mensen hebben wel behoefte om iets van hun verhaal kwijt te kunnen, om zich even niet te hoeven verstoppen.

'Mijn vakgebied is de golfdynamica,' zei hij. Met name golflengten die verband houden met geluid. Op de universiteit behandel ik alleen de natuurkundige kant, en alleen in grote lijnen. Maar een paar jaar geleden begon het onderwerp me ook in bredere zin te interesseren. Hoe geluiden ons op andere manieren beïnvloeden.'

'Zoals?' vroeg ik. Na een paar zinnen kostte het me al moeite om te geloven dat zijn verhaal ook maar iets te maken zou kunnen hebben met wat in mijn wereld belangrijk is.

Uit Andersons antwoord bleek dat hij dat van mijn gezicht kon aflezen. 'Geluid wordt onderschat,' zei hij op ernstige toon. 'Iedereen heeft het altijd over dingen *zien*, maar geluid is *heel* veel belangrijker dan mensen beseffen. We staan er niet bij stil. Iedereen weet dat we hardrockmuziek hebben gedraaid om Noriega uit zijn hol te verdrijven. Sommige mensen weten dat de fbi muziek gebruikte bij de bestorming in Waco. Maar geluid heeft heel wat meer aspecten dan mensen bombarderen met deuntjes die ze niet leuk vinden. Ga maar eens naar een restaurant waar ze harde muziek draaien, je zult merken dat je veel minder van je eten geniet. Je kunt je niet concentreren op het voedsel – je kunt het bijna niet meer *proeven*. Een deel van de hersenen wordt uitgeschakeld. Als je na jaren weer muziek uit je jeugd hoort, word je direct naar die tijd teruggevoerd. Je voelt je hetzelfde, herinnert je zelfs geuren, smaken, je herleeft andere sensorische informatie uit die andere tijd. Dat ken je toch?'

'Ik geloof het wel. Ja, jazeker.'

Nu hij de mogelijkheid had om te vertellen over iets wat hem na aan het hart lag, leek Anderson de rest van zijn wereld even te vergeten. 'Of het is nacht en je bent alleen op een plek die je niet kent – plotseling hoor je een geluid. Het doet er niet toe dat je niet kunt *zien* dat er iets mis is – plotseling is dat gezichtsvermogen niet meer zo belangrijk. Je hoeft niets te kunnen zien om toch doodsbang te zijn. Je hersenen en je lichaam begrijpen dat geluid wel degelijk belangrijk is.'

'Oké,' zei ik. Ik wist dat ik hem moest laten praten, maar om de een of andere reden voelde ik me niet op mijn gemak, onrustig. Ik zag Fisher nog steeds niet en dat duurde zo ondertussen al veel langer dan een gemiddeld bezoek aan de toiletten. 'Ik geloof je op je woord, Bill. Jij bent de wetenschapper. Maar waar wil je naartoe? Waar was je nou precies mee bezig?'

'Infrageluid,' zei hij. 'Geluiden met een hele lage frequentie. De meeste mensen hebben onderzoek gedaan bij 18 Hz, maar ik ben doorgegaan naar 19 Hz. Dat heeft... effecten. Als je eraan wordt blootgesteld, kunnen je ogen gaan tranen of je blik wordt vertroebeld. Je kunt rare sensaties krijgen in je oren, hyperventilatie, spierspanningen – een natuurkundige genaamd Vladimir Gavreau heeft zelfs beweerd dat infrageluid een kernonderdeel is van stedelijke angst. Eenvoudiger gezegd, het geeft je het gevoel dat je bang bent. En als je op de resonantiefrequentie van het oog gaat zitten, die precies rond dit punt ligt, kun je gaan denken dat je ook vreemde dingen *ziet*. Iedereen is ervan uitgegaan dat dit effect fysiologisch is, een gevolg van de fysica van het oog, maar dat is het... niet. Het ligt gecompliceerder. Infrageluid doet vreemde dingen met ons. Hele vreemde dingen. Het stelt ons in staat om een glimp op te vangen van dingen die we normaal niet kunnen zien.'

Ik merkte dat ik de mensen in het restaurant in de gaten zat te houden, precies zoals ik Anderson had afgeraden. Ik zag niets wat kon verklaren wat ik voelde, een sensatie die ik niet eens kon beschrijven. Ik keek door de geopende deur naar buiten, naar de menigte. Ik zag alleen mensen die voorbijliepen.

'Wat voor soort dingen, Bill? Waar heb je het nu eigenlijk over? Wat heb je gedaan?'

Ik dwong mezelf om hem weer aan te kijken. Hij staarde naar zijn handen. Toen hij sprak, was zijn stem heel erg zacht.

'Ik heb een geestmachine gebouwd.'

Maar toen zag ik een lange figuur tussen de menigte die zich haastig een weg baande in de richting van het restaurant. Hij droeg een donkere jas en keek niet op of om, zijn blik was strak gericht op Anderson.

'Bukken,' zei ik snel.

Anderson keek me aan, knipperde met zijn ogen, verward. Ik probeerde op te staan, duwde hem ondertussen opzij. Maar ik raakte verward in de tafelpoten. Ik zag hoe Fisher van achter de open keuken tevoorschijn kwam, koffiekopjes in zijn handen, juist op het moment dat de man in de lange jas zich het restaurant in wrong en een hand uit de binnenzak van zijn jas haalde.

Eindelijk had ik me van de tafelpoten bevrijd en ik duwde nog harder tegen Anderson, ik schreeuwde – 'Bill, *ga uit de...*'

Het was te laat. De man vuurde drie keer, afgemeten, kalme schoten uit een revolver met geluiddemper.

Hij was alweer in de menigte verdwenen voordat ik zelfs maar besefte dat ik door geen van de kogels was geraakt. De schoten waren onopvallend geweest, maar Andersons bloedspatten tegen het raam waren dat niet – en iedereen begon tegelijk te rennen en te schreeuwen. En toen ik me over Andersons lichaam heen boog en probeerde uit te vinden waar hij geraakt was, kon ik niet verstaan wat hij me probeerde te vertellen, door het lawaai en door het bloed dat uit zijn mond stroomde. Maar ik zag de mond open en dicht gaan en ik wist dat dat voor het laatst zou zijn.

hoofdstuk
ZEVENENTWINTIG

'Hij is dood.'

Ik keek op en zag Blanchard boven me uittorenen. Er waren twee uren verstreken sinds Anderson was neergeschoten en ik zat op een grijze plastic stoel in een gang van een ziekenhuis waarvan ik de naam niet kende. Aan het andere eind stond een groepje politiemannen. Twee van hen hadden me ondervraagd.

'En wat moeten wij nu?'

'Geen idee,' zei hij. 'En er is geen "wij". Laat dat duidelijk zijn. Ik ben hier alleen omdat ik de vroegere partner ben van een van de hoofdrechercheurs. Jouw aanwezigheid hier is een vriendendienst en omdat getuigen heel duidelijk aangaven hoe je reageerde toen de schutter binnenkwam. Waar is je maatje? Fisher?'

'Luchtje scheppen.'

Blanchard liet zich moeizaam neerzakken op de stoel naast me. 'Wat is er in hemelsnaam gebeurd? Echt?'

'Wat ik je heb verteld. We hebben Anderson een boodschap gestuurd via een van zijn collega's. Hij kwam met ons praten.'

'Waarom? Dat begrijp ik niet. Waarom met jou?'

'Misschien omdat we hem duidelijk konden maken dat we wisten dat hij zijn gezin niet had vermoord. We hadden afgesproken in het restaurant, dat was Andersons idee. Hoe de man met de revolver hem heeft gevonden, weet ik echt niet.'

'Wat heb je uit Anderson losgekregen?'

'Hij was nog maar net begonnen met praten toen het gebeurde. Hij kreeg die cheque waarover ik je heb verteld, maar hij heeft er niets mee gedaan omdat er een voorwaarde aan was verbonden waar hij niet op in wilde gaan.'

'En dat was?'

'Dat hij stopte met een geheim project.'

'En dat was?'

'Daar waren we net aan toe gekomen toen het plafond omlaag kwam.'

Blanchard draaide zich opzij om me aan te kijken, maar hij zei niets. Ik haalde mijn schouders op.

'Denk maar wat je wilt. Ik hielp Gary. Nu Anderson gevonden is, is het voorbij. Nu mogen jouw jongens de rotzooi uit de knoop trekken.'

'Rotzooi?'

'Dit maakt Anderson een opvallend minder geloofwaardige verdachte van de dubbele moord, denk je ook niet?'

'Misschien is er geen enkel verband tussen de twee gebeurtenissen.'

'Ja hoor. Ik wil wedden dat elke politieman in Seattle dat zichzelf wijs probeert te maken. Beter dan toegeven dat ze een maand verspild hebben met zoeken naar een onschuldige man, die ze niet konden vinden voordat iemand anders uit het niets opdook en hem aan flarden schoot.'

'Anderson heeft het voor zichzelf verknald. Hij had zich moeten aangeven. Contact opnemen, op z'n minst.'

'Dat is wat jij had gedaan onder die omstandigheden?'

'Ja.'

Ik knikte langzaam. Eerlijk gezegd begreep ik nog steeds niet helemaal waarom Anderson had gedaan wat hij had gedaan. De enige reden waarom ik had ingegrepen toen Fisher hem het vuur aan de schenen legde, was omdat ik wist dat het aanwakkeren van Andersons schuldgevoelens niet de manier was om hem aan het praten te krijgen. Maar door de achterdocht die hij tentoonspreidde toen hij over zijn werk vertelde, plus de indruk van Chen en anderen dat zijn gedrag al een paar weken vóór de moorden was veranderd, had ik het idee dat Anderson al voor die rampzalige avond het gevoel had dat hij in gevaar verkeerde. De brief bij de cheque had een onheilspellende lading gehad. Was dat genoeg reden om 'm te smeren? Of hing zijn vlucht samen met het project waaraan hij werkte? Had hij iets ontdekt wat hem de stuipen op het lijf had gejaagd?

'Ja,' zei ik. 'Ik ook.'

Ik stond op. Ik had hier niets meer te zoeken. 'Ik waardeer de manier waarop je dit hebt afgehandeld.'

'Graag gedaan. Zorg dat ik er geen spijt van krijg.'

'Wat bedoel je daarmee?'

Hij keek naar zijn samengevouwen handen. 'Ik weet nu iets meer over de omstandigheden waaronder je de politie van L.A. hebt verlaten,' zei hij. 'Zoiets willen we hier liever niet meemaken.'

'Wat jij denkt te weten is niet wat er werkelijk is gebeurd.'

'Ik weet dat er een paar dode kerels aan te pas kwamen. En jij.'

'Zit ik op dit moment in de gevangenis?'

'Nee. Maar wat ik net zei, staat nog steeds.'

'Ik hoor je.' Ik begon weg te lopen.

'Jack,' zei hij toen ik zo'n drie meter van hem vandaan was. 'In hoeverre ben jij betrokken bij Fishers universum?'

Ik stopte, draaide me om. 'Helemaal niet. Hoezo?'

'Hou dat zo. Ik heb ook met iemand van Fishers kantoor gesproken. Waarom denk jij dat hij hier is?'

'Hij werkt de losse eindjes weg.'

'Mis. Hij is met gedwongen verlof. "Persoonlijke omstandigheden". Degene met wie ik gesproken heb, was erg discreet. Maar ik kreeg de indruk dat ze zich van hem distantieerden. Als ik jou was, zou ik dat ook doen. Ik denk dat er in het hoofd van die vent dingen omgaan waar jij helemaal niets vanaf weet.'

Ik vertrok, ik had opeens haast. Fisher stond niet bij de ingang van het ziekenhuis. Dat kon zijn omdat er steeds meer mediamensen bij kwamen – de moordpartij had nogal in het openbaar plaatsgevonden – maar hij nam ook zijn telefoon niet op.

En toen ik weer bij zijn hotel aankwam, vertelde de man van de receptie dat hij een halfuur geleden had uitgecheckt.

Ik haalde mijn auto op en reed de stad uit. Op weg naar de snelweg remde ik af tegenover Pioneer Square. In een opwelling stapte ik uit en liep ernaartoe. Mijn handen trilden. Ik weet niet waarom. Misschien vanwege Anderson. Misschien vanwege de dingen die in L.A. waren gebeurd en die Blanchard weer had opgerakeld. Ik zat twintig minuten op een bankje en haalde diep adem tot ik me weer wat beter voelde.

Toen verliet ik de stad. Ik zette koers naar het oosten, richting de bergen. In het begin was de ochtend helder en fris, met slechts een paar ijle wolkjes als decoratie. Er was weinig verkeer en het invoegen ging bijna te makkelijk, alsof de wereld samenspande om me te laten wegvluchten van een plek waar ik had bijgedragen aan iemands dood.

Ter hoogte van de afslag naar de top van de Cascades begon het kouder te worden. De omgeving werd stiller, het roestbruin van de kornoelje was de enige kleur te midden van de bomen en struiken. Maar de stammen leken me net iets te veel op stralen gedroogd bloed. De lucht werd ijzig en wolken daalden neer om het land aan te raken. Ze rustten in de bomen als de geesten van lang geleden gedoofde kampvuren, een vochtige en stille echo van de levens van de mensen die hier ooit vredig hadden verkeerd tussen de bomen en de aarde en het water.

Zou een soortgelijke sensatie nu nog in Byron's bestaan, de indruk van een man die in het schuin binnenvallende ochtendlicht ineengedoken aan een tafeltje zit? Zouden mensen wel eens een omtrek zien of voelen bij de deur of bij het raam van dat huis in de buurt van Broadway, de restanten van een man die gevangen zit aan de andere kant van een gordijn, die de weg naar huis probeert terug te vinden?

In ons huis in Barstow was na zijn dood een schaduw van mijn vader achtergebleven, dat wist ik zeker. Mijn moeder had het er nog vijf maanden uitgehouden voordat ze de boel verkocht en dichter bij haar zuster ging wonen, op wie ze niet eens overdreven gek was. Ik ging in die periode misschien drie, vier keer een weekend naar huis, en elke keer voelde het huis alsof het tijdens mijn afwezigheid was ontmanteld en weer op precies dezelfde wijze in elkaar gezet. Ik had altijd het gevoel dat ik bezig was een achterstand weg te werken ten opzichte van wat zich daarbinnen had afgespeeld. Dat had ook te maken met de manier waarop ik het bericht had ontvangen.

Op de universiteit had ik een bijzonder progressieve docent die over verschillende voortreffelijke kwaliteiten beschikte. Een daarvan was dat hij enkele uitverkoren studenten toestond om op vrijdagavond naar zijn huis te komen waar ze tijdens beschaafde intellectuele gesprekken vrijelijk konden genieten van de alcoholische inhoud van zijn koelkast. Op een ochtend na een van deze vrijzinnige werkgroepen werd ik gewekt door twee politieagenten die op de deur van mijn kamer in het studentenhuis klopten. Ik had een kater, ik was behoorlijk stoned – er lag een kleine voorraad marihuana in mijn la – en hun aanwezigheid gaf me het gevoel dat ik betrapt was, te laat, en permanent op het verkeerde been gezet.

Mijn vader lag op de keukenvloer, hij droeg alleen een pyjamabroek. Hij had 's nachts iets gehoord, was naar beneden gegaan om het uit te zoeken – zoals van mannen verwacht wordt. Hij had ernstige verwondingen van een groot, gekarteld jachtmes, maar hij stierf door slagen op het hoofd met een klauwhamer. De hamer lag naast hem op de vloer. Het was de zijne. Ik was erbij toen hij hem kocht, tijdens een wandelingetje op zaterdagochtend, en ik had toegekeken toen hij hem gebruikte om stoelen en hekken te repareren en om schilderijen op te hangen. Zoals ik Anderson had verteld, hadden de indringers weinig gestolen. Het huishoudgeld was altijd opgegaan aan eten en kleren en schoolboeken voor mij. Wat werkelijk belangrijk is kunnen ze niet meenemen – behalve, denk ik, vaders: ontvreemd door vreemdelingen op zoek naar geld voor een drankje of een nieuw stel banden of een weddenschap op een paard dat gedoemd is te verliezen.

Het was duidelijk dat degene die Bill Andersons leven aan flarden had geschoten niet zo'n alledaags doel voor ogen had gehad. Over een paar dagen zou je er op radio en tv niets meer over horen, maar in mijn leven zou het langer blijven hangen. Ik had gelogen tegenover Blanchard. Tot 8:51 die ochtend had Andersons existentie nauwelijks een rol gespeeld in mijn bestaan. Maar daarna wel. Als je het bloed van iemand anders op je handen krijgt, brengt dat een zekere intimiteit met zich mee, net als wanneer je in zijn ogen kijkt terwijl hij zich bewust wordt van de scherpe en definitieve grens van wat hij nog van deze wereld zal zien. Andersons geest was nu vastgeklonken aan die van mij. En dat betekende dat Joe Cranfields nalatenschap en het gebouw in Belltown problemen waren die ik moest oplossen, net als de vraag wat dit allemaal met mijn vrouw te maken had.

Tegen de tijd dat ik bij de afslag naar de 1-97 was aangekomen en de bossen rond Birch Crossing binnenreed, wist ik dat dit iets was wat ik niet kon laten zitten, en dat dat slecht nieuws was voor mij, of voor anderen. De God van Nare Zaken wist me nog steeds te vinden. Dat zou altijd zo zijn. Als ik niets deed, zou hij naar me toekomen en me hoe dan ook vinden.

Misschien was het tijd om het gevecht aan te gaan.

hoofdstuk

ACHTENTWINTIG

De tweede nacht die Madison op straat had doorgebracht, had nog langer geleken dan de eerste. Nadat ze die rare man in zijn kantoor had opgezocht – een episode die nu een beetje in nevelen gehuld leek – had ze een hele tijd gelopen. In een kleine supermarkt had ze wat te eten gekocht en dat in het park opgegeten. Ze had een poosje zitten huilen en was toen weer gaan lopen. Ze was in beweging gebleven tot lang nadat alle winkels en restaurants waren gesloten. Ze had kleine straatjes genomen en was zo veel mogelijk in de schaduw gebleven. Ze stond een poosje aan de overkant van een gebouw met dichtgetimmerde ramen, ze ging er zelfs naartoe en drukte op een van de bellen. Ze haalde de sleutels tevoorschijn die ze achter in het opschrijfboekje had gevonden en probeerde of ze op de deur pasten. Dat was niet het geval. Dat maakte haar erg boos. Er was haar iets ontstolen, dacht ze nu. Dit was waar het was.

Ze keerde het gebouw de rug toe en liep snel terug naar het centrum en verder langs Barnes & Noble, voorbij de openbare bibliotheek met de rare gevel van glas en metaal. Ze volgde de rechterzijde van de helling die schuin afliep naar de baai. Ze liep zo lang dat het na een poosje leek of ze sliep en alleen *droomde* dat ze een klein meisje was dat altijd in beweging was, dat iets probeerde te vinden waarvan ze wist dat het belangrijk was. Het enige probleem was dat niemand haar ooit had verteld wat het was. Ten slotte kwam ze op een plek waar ze die druk om in beweging te blijven niet langer voelde. Het was een klein park tegenover een oud gebouw. Maar het had niets opvallends – behalve, zo merkte ze op, dat het gebouw de naam 'Yesler' droeg, en die naam herkende ze uit het opschrijfboekje. Er was geen gras in het park, alleen bomen en een overdekte plek om te zitten, en een totempaal. Er was ook een klein beeld met het hoofd van een indiaan, waar je water uit kon drinken.

Ze moest vaak verhuizen omdat er anderen in de buurt waren, zwervers die aan de overkant van de straat opdoken en naar het park slenterden, daar een poosje bleven staan zonder iets te doen, waarna ze weer verder schuifelden. Soms namen ze een slokje water. Het leek of ze daar gewoon een poosje wilden zijn, maar dat ze er niet wilden blijven. Zij wilde wel blijven, maar dat kon niet. Als je een klein meisje bent, mag je een *heleboel* dingen niet doen. Het was waardeloos om een klein meisje te zijn. Ze had zich nog nooit gerealiseerd hoe waardeloos, hoe rot je je daardoor kon voelen.

Na een poosje werd ze gewoon te moe om te blijven lopen. Ze klom over een laag muurtje en vond een deur waarvan het onderste deel kapot was. Via een smal gangetje kwam ze bij een parkeergarage in de vorm van een zinkend schip. Op de bovenste verdieping stond een eenzame auto, voor de nacht alleen gelaten en helemaal op zichzelf aangewezen.

De auto was net als zij, besloot ze. Het achterportier was open.

Ze klom naar binnen en maakte het zichzelf gemakkelijk.

En ontwaakte, heel abrupt, een uur later. Even had ze absoluut geen idee waar ze was. Maar er was iets wat ze zichzelf *wel* kon herinneren. Heel duidelijk.

Ze haalde het Post-it-briefje en een pen uit haar zak en schreef vlug de vier cijfers op die ze in haar hoofd had, zo snel ze kon. Ze was ervan overtuigd dat ze voor haar neus weggegrist zouden worden, zoals al eerder was gebeurd.

Maar nee, deze keer haalde ze het wel. Ze telde de cijfers, voelde hoe haar hart tekeerging. Het leken er genoeg te zijn. Eindelijk had ze het hele nummer.

Nu kreeg ze haast. Ze klom uit de auto en rende door de parkeergarage en via het smalle gangetje naar buiten. Op straat draaide ze om haar as, op zoek naar een telefoon. Ze zag er geen en begon weer te rennen. Ze wist dat ze daarmee de aandacht trok, maar ze wist ook dat ze heel weinig tijd had.

Ze rende en rende, tot ze eindelijk een telefoon vond die het deed. Ze griste de hoorn van de haak en toetste de cijfers van het stukje papier in. Toen ze het laatste cijfer had ingetoetst, slaakte ze een korte, trotse triomfkreet.

Van de ene op de andere voet springend wachtte ze tot de telefoon aan de andere kant werd opgenomen en ze een stem hoorde. En toen begon ze te brabbelen, ze sprak zo snel als ze kon.

Maar aan de binnenkant van haar ogen zakte langzaam een duister waas omlaag en ze was niet langer in staat om te horen wat ze zei. Ze vocht ertegen, zoals ze er gistermiddag in het kantoor van die man tegen had gevochten. Ze leek tegenwoordig altijd te vechten, worstelend met deze donkere wolk die steeds dichter om haar heen kroop, een wolk die ontbrandde en van binnenuit werd aangewakkerd door gedachten en herinneringen die nergens op sloegen, die het verlangen naar slechte dingen in haar opriepen. Ze schreeuwde geluidloos en duwde harder en harder, probeerde ze van zich af te houden.

Voor ze het wist liep ze bij de telefoon vandaan, een telefoon die nu kapot was. En het stukje papier in haar hand was verscheurd tot snippers die wegdwarrelden in de wind. Haar knokkels deden pijn en toen ze besefte dat er bloed op haar handen zat, was haar eerste gedachte er een van verrassing, omdat het ditmaal haar eigen bloed was.

Korte tijd later werd ze opnieuw gewekt, deze keer door het geluid van een autoportier dat werd geopend.

'Jezus christus,' zei een stem.

Madison ging snel overeind zitten. Ze was terug in de auto en ze voelde zich helder. Ze had het gevoel dat ze een hele tijd had geslapen. Ze voelde zich ook iets beter. Minder... verward.

Naast de auto stond een man die haar met wijd open ogen aanstaarde. Hij had een bleke huid en stroblond haar. Hij keek niet naar haar gezicht, maar lager. Ze keek ook en zag dat haar beide handen overdekt waren met roestbruine spatten opgedroogd bloed. Er zaten ook wat spatten op haar jas.

'Het is in orde,' zei ze, hoewel ze nu besefte dat haar handen behoorlijk pijn deden. 'Ik ben in orde. Ik heb een telefoon gesloopt, dat is alles.'

'Wat *doe* je hier?'

'Ik had een slaapplaats nodig. U hebt het portier opengelaten. Maakt u zich geen zorgen. Ik heb niets gestolen.'

'Dat is... Luister...'

De man wist duidelijk niet wat hij moest doen. Hij droeg een net pak en een stropdas en had een blik in zijn ogen die Madison herkende van haar vader als die het *werkelijk* druk had en van voren niet wist dat hij van achteren leefde. Maar het was ook duidelijk dat hij vond dat hij iets aardigs moest doen.

'Het is oké,' zei ze sussend. 'Ik ben oké, eerlijk.'

'Ik moet... Ik breng je naar het dichtstbijzijnde politiebureau. Kom mee.'

'Dat is werkelijk niet nodig,' zei Madison terwijl ze uit de auto gleed en glimlachend naar hem opkeek.

'Ik denk dat het dat wel is. Nodig. Ik kan je niet gewoon...'

Ze schudde haar hoofd. 'Hoe laat is het, vriend?'

'Wat? Het is bijna midden op de dag. Maar...'

'Perfect,' zei ze. 'Bedankt voor alles. Ik zal uw faciliteiten *zeer* aanbevelen.'

Ze stak haar rechterhand naar hem uit. Enigszins van zijn stuk gebracht reageerde de man automatisch en schudde haar zwakjes de hand. Madison gaf hem een stevige handdruk en liep vervolgens weg. Toen ze boven aan de trap kwam, draaide ze zich om en keek achter zich. Hij stond daar nog steeds en staarde naar zijn hand. Ze wist dat hij niet achter haar aan zou komen. Ze had nooit geweten dat het zo makkelijk was om met volwassenen om te gaan, als je eenmaal doorhad dat de meesten in feite bang voor je waren. Natuurlijk, ma's en pa's waren oké met hun eigen kinderen, maar andere kinderen hielden ze altijd vanuit hun ooghoeken in de gaten; alsof die per definitie wild en onhandelbaar waren. En dat konden kinderen zijn, wist Madison. Kleine meisjes hadden een heel eigen energie. Het was iets wat de meeste volwassenen niet konden zien – maar als je het eenmaal had opgemerkt, wilde je erin delen. Je wilde in hun buurt zijn om ze goed te leren kennen, om ze heel goed te leren kennen. Dat had de man in de gele auto in Portland geprobeerd, besefte ze nu, hoewel hij een amateur was. Hij wist niet dat je de vonk zowel kon vinden als behouden. Als ze de tijd weer aan zichzelf had, zou ze eens goed met de man praten, hem vertellen wat ze wist.

Ze verliet de parkeergarage en liep omlaag richting het plein met de totempaal en het drinkkraantje. Veel dingen waren haar nu een stuk duidelijker, zelfs delen uit het opschrijfboekje die eerst onbegrijpelijk waren geweest:

De zeven leeftijden van de mens?

Natuurlijk niet. Net als met alle dingen zijn het er negen.

Rond 9 – moeten we geworteld zijn, veilig levend boven of onder. 18 – we kunnen beginnen met de touwtjes in handen te nemen. Rond 27 – zou er voldoende controle moeten zijn om consistent en doelgericht te werk te gaan. Rond 36 – volwassenheid, begin van de ware Dominantie. 45 – zonder integratie, crisispunt. 54 – leeftijd van Macht. 63

– Wijsheid. Rond 72 – de zoektocht begint opnieuw. 81 – tijd om te vertrekken: we sterven niet, zoals anderen, en daarom moeten we ons vertrek vanaf hier zelf regelen. Tel de cijfers van deze negen leeftijden bij elkaar op – 3+6 of 7+2 – stuk voor stuk komen ze uit op een discrete wortel van negen. Zo is het bepaald, verborgen, maar duidelijk zichtbaar. Een driehoek = 180° (1+8+0=9); het vierkant en de cirkel zijn 360° (3+6+0=9) – alle regelmatige geometrische vormen hebben een discrete wortel van 9. Zelfs 666 – moet ik je nu nog vertellen dat je die drie cijfers bij elkaar op moet tellen, en de uitkomst ook?

Dit is geen toeval. Onze wiskunde is geschapen ter ere van de macht van 9. De macht van De Negen. Maar De Negen zelf zijn in de tussentijd zwak geworden, vergeestelijkt, ze zijn zelfs gaan geloven in hun eigen benauwde versies van de leugens. Om te geloven dat onze macht moet worden ingeperkt, dat we het leven moeten binnengaan als pasgeborenen – ons moeten verbergen terwijl we duidelijk zichtbaar zijn, de zoveelste boom in het bos.

Maar de bossen zijn allemaal gekapt.

Ik zal niet vallen met hen. Heeft Aristoteles niet gezegd: 'De zwakken zijn verlangend naar rechtvaardigheid en gelijkheid; de sterken trekken zich van geen van beide iets aan'? Wat gebeurt er met degenen die niet geloven wat De Negen geloven? Degenen die hen durven tegen te spreken? Ah – boven die zielen, de werkelijk vrije zielen, zouden ze zich tot goden verheffen, en oordelen over ons.

De heilige Thomas van Aquino zei: Leer een ziel kennen door zijn daden.

Je bent vrij om mij te kennen door de mijne.

En Lichtenberg zei: We verbeelden ons dat we vrij zijn in onze handelingen, zoals wanneer we dromen en geloven dat een plaats bekend is, terwijl we hem dan ongetwijfeld voor de eerste keer zien.

Ik ben wat jij droomt
Ik hou je in de gaten, altijd.
Ik ben wat jouw hand leidt.

Toen ze het plein opliep, zag ze haar spiegelbeeld in een ruit en het verbaasde haar hoe klein ze was. Ze bleef lang naar zichzelf staan kijken, herinnerde zich de dag dat zij en ma de jas kochten bij Nordstrom, boven aan Courthouse Square in Portland. Ze herinnerde zich hoe ze hem allebei voor de eerste keer hadden gezien, hoe ze er samen omheen cirkelden, wetende dat hij *echt* duur was, maar dat ze hem allebei wilden kopen. Madison had niets gezegd. Ze wist dat dit een beslissing was die haar moeder in haar eigen tempo moest nemen, dat een spontane extravagante gift appelleerde aan haar idee van hip moederschap, terwijl toegeven aan een vraag – hoe bescheiden of subtiel ook – dat niet deed. Ze begreep niet hoe ze dat wist, maar ze wist het wel.

Ze verlieten de winkel en bezochten een paar andere, ze keken maar keken niet echt, en Maddy had geweten dat ze, als ze zich maar stilhield en lief was, uiteindelijk weer naar Nordstrom zouden gaan.

Dat gebeurde.

En ze besefte nu hoe ze die dag, en andere dagen, had geweten hoe ze moest krijgen wat ze wilde. Ze besefte dat iets binnen in haar altijd had geweten hoe ze moest domineren, hoe ze mensen er onopvallend toe kon brengen om te doen wat zij wilde. Ook toen al had er iemand in haar gehuisd.

Hij had altijd in haar gezeten.

Het was prettig op het plein, maar het voelde anders dan de afgelopen nacht. Hoewel er meer mensen op straat waren, voelde het op de een of andere manier minder druk. Misschien kwam dat doordat er nu andere mensen waren dan vannacht. Het waren geen zwervers, maar toeristen, onderweg. Mensen die foto's maakten van dingen in plaats van ze te zien, die dachten dat ze een plek bezaten omdat ze erop stonden, zonder te begrijpen dat het andersom was.

Maar een van hen was anders. Ze was ongeveer een halfuur op het plein en nipte langzaam van haar Americano van de Starbucks op de hoek, toen ze een SUV zag die aan de overkant van de straat stilhield. Er stapte een man uit. Hij liep doelbewust tussen het verkeer door naar het plein. Hij scheen geen specifiek doel te hebben, maar zat gewoon een poosje op een bankje. Hij was tamelijk lang en breedgeschouderd en even voelde Madison de behoefte om naar hem toe te rennen en haar naam te noemen en hem om hulp te vragen. Ze kon zien dat hij anders was dan de man in wiens auto ze had geslapen, dat *deze* man, als hij wist dat er iets moest gebeuren, niet zou stoppen voordat het gebeurd was.

Maar toen gleed ze van haar bankje en liep snel het plein af – ze keek niet om tot ze zeker wist dat de man haar niet meer kon zien. Misschien dat Madison de man om hulp wilde vragen, maar de man in de wolk wilde dat zeker niet. Ze herinnerde zich vaag dat ze die nacht had geprobeerd te bellen – voornamelijk door de gevolgen daarvan voor haar handen – maar ze had geen idee waar het over ging. Ze kwam tot de ontdekking dat ze nu een ander telefoontje wilde plegen, naar de man die ze eerder had ontweken. Ze voelde het sterker nu. Ze kon hem wel aan.

Toen ze een telefoon had gevonden – ditmaal in de lobby van een hotel enkele straten verderop, een opzichtig pand met een rood en okergeel gestreepte markies – haalde ze het opschrijfboekje tevoorschijn en nam daar het witte visitekaartje met het nummer op de achterkant uit.

Hij nam direct op.

'Ik ben het,' zei ze. 'Ik heb wat informatie nodig.'

'Waar ben je?'

'Heb je gehoord wat ik zei, Shepherd?'

'Luister,' zei de man. Zijn stem klonk geduldig en irritant. 'Ik wil je helpen. Maar ik moet weten waar je bent. Je bent negen jaar oud. Je bent... niet veilig.'

'Ben je uitgepraat?'

'Nee,' zei hij. 'Madison, er gebeurt niets tot je me vertelt waar ik je kan ontmoeten. Dan praten we verder. Ik zoek alles uit wat je wilt weten. Maar op deze manier kan ik mijn werk niet doen.'

'Je *hebt* je werk al gedaan,' zei ze. 'En je bent ervoor betaald. Ondanks het feit dat je niet hebt gedaan wat je is opgedragen, nietwaar? En dat betekent dat ik geen reden heb om je te vertrouwen.'

'Wat heb ik verkeerd gedaan? Ik kwam naar je...'

'*Te vroeg.* Je werd geacht te wachten tot ik achttien was, net als altijd. Maar je wilde je beloning *nu* hebben en het kon je niets schelen dat ik er nog niet klaar voor was. Maar ik *ben* wel klaar, moet je weten. Ik ben *altijd* klaar geweest om de macht over te nemen. Maar ik denk dat je dat nog wel weet. Dat was in elk geval beter geweest.'

'Luister,' zei de man. 'Je hebt een ongeluk gehad, dat is alles. Je viel, daar op het strand. Je zag me staan en dacht dat ik je kwaad wilde doen. Je begon te rennen, je bent met je hoofd tegen de grond geklapt. Je hebt jezelf pijn gedaan. Daarom heb je steeds van die black-outs. Daarom heb je die vreemde...'

'O hou alsjeblieft op, Shepherd. Ik ga je vragen om iets voor me uit te zoeken. Dan leg ik de telefoon neer. Ik bel over vijftien minuten terug vanaf een andere locatie. Als je me de informatie niet geeft, en zorgt dat ik ze kan geloven, ga ik dingen doen die jouw leven *werkelijk* lastig zullen maken. Dingen doen en dingen vertellen. Begrepen?'

'Madison, je moet me vertrouwen.'

De stem van de man had nu een smekende klank gekregen, maar Madison wist dat die geveinsd was. Hij probeerde zwak over te komen, haar op het verkeerde been te zetten, in de hoop dat ze hem zou onderschatten. Deze man smeekte niet. 'Ik heb alles gedaan wat je van me vroeg...'

'Nee,' zei ze koud. 'Dat heb je *niet*. Maar dat ga je wel doen. Werkelijk. Jij en alle anderen.'

Ze vertelde hem wat ze nodig had en legde de telefoon zonder op antwoord te wachten neer. Ze controleerde de tijd en liep naar de liften. Dit was een behoorlijk groot hotel. Ze kon wel vijftien minuten in de gangen rondhangen zonder dat mensen haar lastigvielen, dacht ze, en het was weer eens wat anders dan over straat zwerven.

Toen ze in de lift stapte, passeerde ze een slanke jonge vrouw in een elegante rok en bloes, met heldere ogen en steil haar. Er hing een vage geur van koffie en adempepermuntjes om haar heen. Madison wist dat de vrouw alleen in haar hotelkamer had gezeten waar ze zichzelf moed had ingesproken, waar ze haar zakelijke masker had opgezet voor een of andere saaie vergadering, zichzelf had proberen te overtuigen dat ze nu volwassen was en geen klein meisje meer.

'Mooie tieten,' zei Madison.

Het verbijsterde gezicht van de vrouw verdween langzaam achter de dichtschuivende liftdeuren.

Terwijl de lift omhoogging, naderde een auto met hoge snelheid de rand van de stad. Simon O'Donnell reed. Alison zat in de passagiersstoel met twee kaarten en haar mobiele telefoon op schoot. Ze was net klaar met een telefoontje naar iemand van de afdeling Vermiste Personen bij de politie van Seattle, een man genaamd Blanchard, die haar serieus leek te nemen. Hij zei in elk geval dat hij hen wilde spreken.

'Deze afslag?' vroeg Simon.

'Volgende,' zei ze. 'Denk ik. Ik zou het moeten weten, maar...'

'Ik weet het,' zei hij. 'Het is een tijd geleden.'

Het was iets meer dan tien jaar geleden, een getal dat gemakkelijk te onthouden was omdat ze waren verhuisd nadat Alison had ontdekt dat ze zwanger was, nadat ze besloten hadden om hun baby de naam te geven van de straat waar ze elkaar voor het eerst hadden ontmoet. Simon schoof tussen het drukke verkeer door naar de rechterbaan. Hij deed dat met zijn gebruikelijke verstandige zorgvuldigheid. Er waren tijden geweest dat Alison zich daar aan had geërgerd. Maar op dit moment deed ze dat niet.

De afgelopen vierentwintig uur hadden ze gewacht, en de wanhoop was zo intens geweest dat het verstrijken van tijd nooit meer hetzelfde zou aanvoelen. De politie zei dat het meisje mogelijk was gezien toen ze in Portland op het vliegtuig probeerde te stappen, wat haar niet was gelukt. Daarom moesten ze op hun plek blijven en wachten. En dat hadden ze gedaan. Maar ze hadden ook gepraat. Midden in hun bestaan gaapte zo'n enorme leegte dat het zinloos leek om niet alle laatjes te openen en de inhoud naar buiten te gooien, om de afgrond universeel te maken. Alison biechtte op dat ze bevriend was geweest met een man die haar echtgenoot nooit had ontmoet, ze bezwoer hem – naar waarheid – dat het nooit meer was geweest dan dat. En terwijl ze dat deed, barstte er een luchtbel in haar hoofd die onthulde dat de vriendschap nooit iets had voorgesteld.

Veel zogenaamde gebreken van Simon, van hun relatie, waren ook volkomen onbelangrijk geworden. Niet dat ze niet hadden bestaan of dat ze simpelweg waren verdwenen. Maar als alles in de wereld verkeerd en kapot leek, bewees dat misschien in feite het tegenovergestelde. Toch niet alles in het universum kon fout zijn. Simon had de tact (voor de afwisseling) om dat niet hardop te zeggen. Dat was niet nodig. Ze kwam er zelf wel achter, op een bepaald moment tijdens die urenlange gesprekken, misschien tijdens de weinige uren slaap die erop volgden. Het loste niets op, maakte niet alles in orde – maar het wierp een ander licht op de zaken, kantelde ze een beetje zodat het licht er anders op viel, en op dat moment was dat genoeg.

Ondertussen had Simon toegegeven dat hij soms deed of Alisons stemmingswisselingen opzettelijk waren, en dat was niet fair. Hij erkende ook – alleen aan zichzelf – dat zijn slippertje met een collega drie jaar geleden er *wel degelijk* toe deed. Hij besefte dat de prijs die hij voor het geheimhouden van deze gebeurtenis moest betalen misschien in het voordeel van zijn vrouw was; niet in de laatste plaats omdat zijn eigen dronken misstap hem meer verwarring en ongemak had bezorgd dan Alison ooit had gedaan. Tegen andermans gedrag kun je je verweren. Maar dat geldt veel minder voor de keren dat we *onszelf* in de rug aanvallen. De kortstondige haat van een ander kan verfrissend zijn voor de ziel. Maar dat geldt niet voor de haat van je eigen andere zelf, die is nooit kortstondig.

Beiden wisten, zonder dat toe te geven, dat ze deze dingen zeiden of dachten als een soort offerande aan wat of wie dan ook die hun dochter in zijn of haar macht had. Maar hoe lang ze ook praatten, de afwezigheid groeide met elke minuut dat de telefoon niet overging.

Uiteindelijk werd de leegte te groot om met woorden te kunnen overbruggen en er viel een stilte waarin ze naar de duisternis achter het raam staarden.

Ten slotte waren ze samen in bed gekropen, dichter bij elkaar dan ze in lange tijd hadden gedaan. Om 3:02 was Alison wakker geworden door het geluid van haar mobiele telefoon. Ze kroop over het bed, viel er aan de andere kant af en liet de telefoon kletterend op de vloer vallen. Ze opende het ding en kreeg hem net op tijd bij haar oor om iemand luid en snel te horen praten. Het waren nauwelijks twee zinnen, maar de stem sneed Alison door haar ziel. Toen viel de lijn dood.

Alison draaide zich om, ogen opengesperd, en zag hoe Simon zich op een elleboog hees.

'Wie was dat?' mompelde hij. 'Politie?'

'Nee,' zei ze, terwijl ze probeerde niet alle kanten tegelijk op te rennen. 'Het was Madison. Ik denk dat ze ons net heeft verteld waar ze is.'

hoofdstuk
NEGENENTWINTIG

Toen de deur van het huis op slot bleek, was ik even in verwarring. Tot ik besefte dat Amy blijkbaar uit was. Ik haalde mijn sleutels tevoorschijn en liet mezelf binnen in een ruimte die extreem stil was, vervuld van de onmiskenbare leegte die wordt veroorzaakt door de afwezigheid van de persoon met wie je je leven deelt.

Ik begon de trap naar de woonkamer af te dalen, heimelijk blij dat ik wat tijd voor mezelf had om te beslissen hoe ik het onderwerp van de foto's ter sprake zou brengen, plus het feit dat haar naam op de papieren stond die Fisher me had laten zien. De woonkamer was opgeruimd. De aanval van werklust was voorbij, of tijdelijk opgeschort, en ze was waarschijnlijk te voet op weg naar de stad. In dat geval zou ik haar misschien moeten bellen zodat we elkaar ergens konden treffen. Lunchen. Lang genoeg met haar praten om de donkere nasleep van die ochtend te vergeten en te beslissen wat ik met de rest aanmoest. We waren altijd in staat geweest om de wereld van ons af te praten. Ik hoopte dat dat nog steeds het geval was.

Ik daalde verder af, maar hield even stil om een blik te werpen in Amy's studeerkamer.

Wat ik zag, zou ieder ander minder opvallen dan mij. Je moet Amy kennen, met haar getrouwd zijn en begrijpen hoe belangrijk haar werkplek voor haar is. Haar kantoor was waar ze leefde, wie ze was. En wat ik zag was niet zoals het zou moeten zijn.

De computer stond aan, het scherm was een wirwar van geopende ven-

244

sters. Wat computervensters betreft was Amy net een oud mannetje dat bij binnenkomst van een kamer het licht aanknipte en het bij vertrek direct weer uitdeed. Haar bureau was overdekt met papieren, opschrijfboekjes. De archiefdozen waren van de planken gehaald en stonden halfopen op de vloer. Degene die hier was geweest had de plek nauwelijks overhoop gehaald – waarschijnlijk zijn er weinig mensen met zo'n nette studeerkamer als Amy – maar hij of zij was wel grondig te werk gegaan. Haar laptop was weg. Net als haar organizer.

Ik haalde mijn telefoon tevoorschijn om Amy te bellen, maar stopte daarmee toen me twee dingen te binnen schoten. Ten eerste zou zij mij bellen als ze had geweten dat er iemand had ingebroken. Dat had ze niet gedaan. Dus moest dit kort geleden zijn gebeurd.

En ten tweede was de voordeur op slot geweest.

Mijn duim zweefde boven Amy's naam in het adresboek en zo liep ik naar de woonkamer. Ik stond stil en luisterde, liet mijn mond openvallen. Het huis was nog even stil als bij mijn binnenkomst. Snel en geruisloos doorzocht ik de andere kamers op die verdieping en toen op de verdieping erboven. Mijn studeerkamer zag er net zo uit als ik hem had achtergelaten, de laptop eenzaam midden op het bureau.

Ik doorzocht de rest van het huis. Binnen vijf minuten wist ik zeker dat er niemand was.

En met niemand bedoelde ik op dat moment Gary Fisher. Ik kon me niet voorstellen wie hier anders zou komen. Hij wist niet alleen waar ik woonde, hij had Amy ook meegesleurd in het fantastische verhaal dat hij rond de nalatenschap van Cranfield had opgebouwd. Als hij direct vanuit het ziekenhuis naar zijn auto was gelopen en op weg was gegaan, was hij hier eerder aangekomen dan ik.

Maar niet veel eerder – en dan zat ik nog steeds met die voordeur. De enige manier waarop hij dat kunstje had kunnen flikken was met een stel sleutels. Ik had de mijne nog en hij was niet in de gelegenheid geweest om ze te laten namaken. Tenzij hij de reservesleutels uit de schaal in de keuken had gejat toen hij hier was...

De reservesleutels lagen op hun plek. Tegenover de bar was de deur naar de garage, maar na een snelle beweging met de deurknop wist ik dat die ook op slot zat. Dan was er nog maar een mogelijkheid. Ik ging terug naar beneden en liep naar het raam. Ik greep de hendel van de schuifpui en trok hem hard naar rechts, in de verwachting dat de deur open zou glijden. Maar dat gebeurde niet.

Ik ontgrendelde het slot en stapte naar buiten op het dakterras. Toen drukte ik eindelijk op Amy's naam in het adresboek van mijn telefoon.

Het duurde even voordat ze opnam, en toen het gebeurde klonk ze verstrooid.

'Ja?' vroeg ze.

'Ik ben het. Luister...'

'Wie?'

'Wie zie je in je scherm staan, liefje?'

Hij hoorde een tik. 'Opgenomen zonder te kijken. Sorry, mijlenver weg.'

Alweer, voegde ik daar in stilte aan toe. 'Luister, waar ben je?'

'Thuis,' zei ze. 'Waar ben jij?'

Ik draaide me om naar het raam, ten prooi aan het bizarre idee dat ik haar op de een of andere manier over het hoofd had gezien, dat ze toch binnen was en iets heel alledaags deed, werken, koffiezetten, of thee. Dat ze zich steeds toevallig van de ene naar de andere kamer had verplaatst op het moment dat ik daar binnen kwam, dat ik haar daarom sinds mijn terugkeer niet had gezien.

'*Thuis?*'

'Wanneer kom je terug?'

'Amy, je bent niet thuis. Ik ben in ons huis. Jij bent hier niet.'

Er viel een stilte. 'Niet in ons *huis*.'

'In Birch Crossing?'

'Nee. Ik ben in L.A.'

'Je bent in *Los Angeles*?'

'Ja. De stad waar ik ben geboren? Opgegroeid? Die goeie ouwe tijd?'

'Waar *heb* je het over? Waarom ben je in L.A.?'

'Ik heb een boodschap achtergelaten op je telefoon,' zei ze. Ze klonk nu zelfverzekerd, alsof ze precies had uitgedokterd hoe ze me om de tuin kon leiden. 'Ongeveer een uur nadat we elkaar gisteravond hebben gesproken? Ik ben gisteravond naar LAX gevlogen.'

'Waarom?'

'KC&H heeft een belangrijke pow-wow belegd. God en al zijn engelen worden ingevlogen, businessclass.'

Ik hield de telefoon een eindje van mijn oor en keek naar het scherm. Er stond inderdaad een icoontje dat zei dat ik een voicemail had.

'Ik heb het gezien,' zei ik. 'Amy...' Ik wist niet wat ik moest zeggen en raakte verstrikt in onbenulligheden. 'En telefonisch vergaderen was geen optie?'

'Vond ik ook, liefje. Ik heb me met hand en tand verzet. Maar dat kon blijkbaar niet. We moeten lijfelijk aanwezig zijn.'

'En hoe lang gaat dat duren?'

'De vergadering is morgenochtend, idioot vroeg. Ik ben de hele ochtend op kantoor geweest. Ben nu op weg naar Natalie. Even bijpraten met die blaag, de grote zuster uithangen. Ze zal mijn getreiter wel gemist hebben.'

'Goed.' Ik werd afgeleid door een klein stipje in het kreupelhout, zes meter onder het terras. Het had een onverwachte kleur, wittig en beigegeel.

'Ben je daar nog?'

'Ja,' zei ik. Ik hing nu over de balustrade. 'Was alles in orde toen je hier wegging?'

'Eh, natuurlijk,' zei ze. 'Waarom – is er iets?'

'Nee. Voelt alleen een beetje... koud, dat is alles.'

'Controleer de ketel dan, holenmens. Daar waar de grote vuurgeest woont. Ik wil dat je er lekker warm bij zit als je werkt.'

Ze zei dat ze me op de hoogte zou houden en was verdwenen.

Ik had de laatste zinnen nauwelijks gehoord. Ik liep naar het eind van het dakterras en holde de trap af naar het pad. Dat leidde niet naar het stukje direct onder het balkon, waar het erg steil was, maar naar het meer verzorgde gedeelte eronder.

Het duurde een paar minuten voordat ik het eerste stipje had gevonden. Kort daarop vond ik er nog drie.

Ik baande me een weg terug naar het pad, stond daar stil en keek naar mijn handpalm. Daar lagen vier sigarettenpeukjes in. Alle vier uitgedrukt op een stevig oppervlak en toen over de rand gegooid. Uit de kleur en toestand van de filters kon ik opmaken dat ze daar niet lang gelegen hadden. Hoogstens sinds gisteren, waarschijnlijk pas sinds vanmorgen: anders waren ze door de mist van afgelopen nacht doorweekt en slap geweest.

Ik liep terug naar het dakterras. Ik vond het punt boven de plek waar ik de peuken had gevonden en ontdekte een vlek op de balustrade. Ik drukte mijn peuken altijd tegen de onderkant uit, juist om dit soort vlekken te voorkomen. Ik wierp de restanten ook niet zomaar tussen de struiken maar nam ze mee naar binnen om ze in de vuilnisbak te gooien.

Iemand heeft precies op deze plek staan roken.

Er waren twee dingen die ik niet begreep. Ten eerste was degene die daar buiten had gestaan duidelijk zichtbaar voor iedereen die zich in het huis bevond.

Ten tweede wist ik dat Gary Fisher niet rookte.

Er kwam nog een andere vraag in me op. Ik had de suv meegenomen naar Seattle. Dus hoe was Amy naar de luchthaven gegaan? Birch Crossing heeft geen taxibedrijf. De enige oplossing die ik kon bedenken was wat ik een paar dagen terug zelf had gedaan. De Zimmermans. Dat bracht me op iets anders.

De Zimmermans hadden de sleutels van ons huis.

Sterker nog, ze waren de enigen ter wereld die sleutels hadden. Maar ik kon me absoluut niet voorstellen dat een van hen in ons huis zou binnendringen. Hoewel, het waren behulpzame mensen. Als iemand naar ze toe kwam met een overtuigend verhaal, wist ik nog niet zo zeker of ze niet zouden proberen te helpen. Ben in elk geval – Bobbi was moeilijker over te halen. Maar zelfs Ben zou met hen mee naar binnen zijn gegaan, aarzelend en op de achtergrond.

Na vijf minuten had ik het telefoonnummer van hun huis nog steeds niet gevonden. Ik besloot ernaartoe te lopen. De eerste vraag werd al op hun oprit beantwoord. Beide auto's van de Zimmermans stonden daar geparkeerd.

Ik liep verder tot de voordeur en belde aan. De deur ging onmiddellijk open. Daar stond Bobbi met een glas wijn in haar hand. De brede glimlach op haar gezicht verstarde, maar herstelde zich in een enigszins gewijzigde vorm.

'Jack,' zei ze. 'Hoe *gaat* het met je?'

Het huis van de Zimmermans had geen verdieping, het was een soort ranch. Over Bobbi's schouder zag ik dat er een of andere bijeenkomst gaande was in hun woonkamer, een grote, open ruimte met uitzicht over het riviertje. Er stonden minstens vijftien, misschien twintig mensen. Ben leek er niet bij te zijn.

Ik stapte naar binnen en probeerde me niet al te openlijk bewust te zijn van de mensen in de woonkamer of de manier waarop sommigen naar me leken te kijken.

'Ik wilde je iets vragen,' zei ik zachtjes. 'Je hebt een setje van onze sleutels. Heeft iemand daarnaar gevraagd? Of heeft iemand gevraagd of je hem of haar in ons huis wil laten?'

Bobbi staarde me aan. 'Natuurlijk niet,' zei ze. 'En ik zou hoe dan ook niemand binnenlaten.'

'Goed,' zei ik snel. 'Dat dacht ik al. Het zag er alleen een beetje uit alsof iemand op ons land is geweest. 'Is Ben in de buurt?'

Ze schudde haar hoofd, begon uit te leggen dat de toestand van hun vriend opnieuw verslechterd was en dat Ben weer was teruggegaan om bij hem te zijn. Ik probeerde te luisteren, maar werd afgeleid. Het drong tot me door dat ik sommige mensen in de woonkamer kende. Sam, de dikke, bebaarde eigenaar van de kruidenierswinkel. Een schrale, grijsharige dame wier naam ik niet kende maar die ik versleet voor de eigenaar van de boekwinkel. De glibberige eigenaar van de Cascades Gallery en anderen die me bekend voorkwamen. Ik besefte dat ik me waarschijnlijk opgelaten zou moeten voelen tegenover Bobbi, dat ik had ontdekt dat ze een feestje had georganiseerd waarvoor wij niet waren uitgenodigd. Maar dat was niet wat ik voelde. De mensen die mijn kant opkeken deden dat niet op de manier waarop mensen zich voorbereiden op de begroeting van de zoveelste gast. Ik voelde me als een kind dat per ongeluk de verkeerde klas was binnengelopen, waar het geconfronteerd werd met een groep oudere kinderen: vertrouwde gezichten, maar vlakke, ongeïnteresseerde en gesloten blikken.

'Ik heb het me waarschijnlijk alleen maar ingebeeld,' zei ik glimlachend. 'Sorry dat ik je heb gestoord. Wat is de gelegenheid?'

Bobbi nam me bij de elleboog en bracht me vriendelijk naar de deur.

'Gewoon een kleine leesgroep,' zei ze. 'Doe de groeten aan Amy, wil je.'

En toen stond ik weer buiten, de deur achter me was gesloten. Ik stond er even naar te staren en toen draaide ik me om en liep weg. Terwijl ik de oprit afliep zag ik nog iemand die ik herkende.

De sheriff knikte me in het voorbijgaan toe en liep verder naar het huis van de Zimmermans.

Ik had nooit gedacht dat die man van lezen hield.

Ik stond buiten op het dakterras te roken en aan de lopende band koffie te drinken. Ik had geprobeerd om iets eetbaars te vinden. Ik had de meeste dingen die ik kon bedenken geprobeerd, maar uiteindelijk deed ik toch wat er al de hele tijd aan zat te komen.

Eerst belde ik Natalie in Santa Monica. Ze zei dat Amy net weg was. Dat wilde zeggen dat ze daar amper een uur was geweest. Dus toen belde ik het andere nummer, het algemene nummer van Kerry, Crane & Hardy in Los Angeles. Mijn hart ging als een razende tekeer. Er werd opgenomen door iemand met een vrolijke stem.

'Dag,' zei ik. 'Seattle postkamer hier. Ik heb een pakketje voor, eh... mevrouw Whalen, het is voor de vergadering van morgen. Weet u waar ze logeert, of kan ik het rechtstreeks naar uw kantoor sturen?'

'Natuurlijk. Welke vergadering is dat trouwens?'

'Geen idee,' zei ik. 'Er staat alleen "de vergadering, donderdagmorgen". Iets belangrijks, neem ik aan.'

Het bleef even stil en toen zei ze: 'Om je de waarheid te zeggen, ik zie helemaal niets in de agenda staan. Het is morgen juist nogal stil. Kun je wat specifieker zijn?'

'Ik ga het nakijken en dan bel ik terug,' zei ik.

Ik zat in de stoel die uitkeek over het bos. Ik probeerde niets te voelen. Nu begreep ik waarom Amy's laptop en organizer niet op haar kamer waren. Ik begreep waarom haar bureau zo'n chaos was. Ze was in aller haast vertrokken. Alle directe aanwijzingen dat er een indringer was geweest, waren vervaagd. Het enige wat overbleef was wat ik buiten had gevonden: dat, en een heel sterk gevoel.

Ik zat met mijn ellebogen op mijn knieën en liet mijn gezicht in mijn handen rusten. Ik probeerde niet langer in rechte lijnen over de dingen na te denken, ze te ondervragen om ze daarna met geweld in een rationeel schema te passen dat ik nog niet eens had. In plaats daarvan liet ik ze rondzweven in mijn hoofd, liet ze hun eigen vormen en paden en zwaartekracht volgen, in de hoop dat er een structuur was die ik niet begreep omdat ik er op de verkeerde manier tegenaan keek.

Als er al een structuur was, dan vond ik die niet. Het enige wat ik vond was nog een feit, dat ik toevoegde aan de stapel. Toen ik na mijn hardlooprondje op de dag van Amy's terugkeer uit Seattle het dakterras betrad, had ik op de houten vloer een hoopje as zien liggen. Ik was ervan uitgegaan dat het een restant was van mijn eigen laatste sigaret. Maar was dat waarschijnlijk, in het licht van wat ik zojuist had gevonden? Of had zich toen ook al iemand schuilgehouden in de schaduw van ons leven?

In de schaduw, maar erg dichtbij?

Ik liep naar de slaapkamer en stopte een stel schone kleren in een weekendtas. Toen beklom ik de trap en opende de deur naar de garage.

Talloze dozen vol voorwerpen, die van ons en die van de eigenaars, vormden stoffige, monolithische pilaren. In sommige zaten dingen van mij, zoals de fotoalbums van mijn familie, zo'n beetje het enige wat nog over was van mijn jeugd. Ik kon me amper voorstellen dat ik ooit nog de behoefte zou voelen om die te openen.

Ik liep langs de kratten en afgedankte meubels naar de achterste hoek van de garage, waar ik een zware werkbank opzijschoof. Erachter was een ingebouwde kast. Ik had twee sleutels van de bos nodig om hem te openen.

Daar lag, verpakt in een doek, mijn revolver.

Hij lag er al sinds we hiernaartoe waren verhuisd, als een herinnering die ik in de verste schaduwen van mijn hoofd had weggeborgen. Ik had hem jarenlang elke dag gedragen, vanwege mijn werk. Ik had hem op een bepaalde avond gedragen. Ik had hem weg moeten doen.

Ik pakte hem op.

Deel drie

's Nachts als de straten van uw steden en dorpen stil zullen zijn, en u denkt dat ze verlaten zijn, worden ze overstroomd door de terugkerende gastheren die eens dit schitterende land hebben bewoond en ervan hielden. De blanke man zal nooit alleen zijn. Laat hem rechtvaardig zijn en mijn volk goed behandelen, want de doden zijn niet helemaal machteloos.

Chief Seattle,
Passage uit de speech uit 1854.
Naar de oorspronkelijke vertaling van dr. Henry Smith

DERTIG

Op LAX nam ik een taxi naar Santa Monica. Ik liet de chauffeur vijftig meter voor het huis stoppen en liep de rest. In de voortuin zat een jongetje rustig te spelen.

'Hoi,' zei ik.

Hij keek omhoog en nam me zonder een woord te zeggen van top tot teen op.

'Oom Jack,' voegde ik eraantoe.

Hij knikte, hoofd opzij, alsof hij de waarheid van mijn observatie bevestigde, maar niet inzag wat dat met zijn wereld te maken had.

Ik liep langs hem heen het pad op en klopte op de deur. Die ging direct open, zoals ik wel had verwacht. De moeder van dit kind zou hem niet in de vroege avond in de voortuin laten spelen zonder een oogje in het zeil te houden.

'Nou *vraag* ik je!' zei ze. Ze stond met haar handen theatraal in haar zij. 'Zo zie je maandenlang geen enkele Whalen, en dan pats – zie je ze allemaal. Staat het in de sterren, ja? Bioritme? Komt er een komeet aan?'

Ik voelde me gespannen. Amy's zuster was meestal niet zo gemakkelijk in de omgang. 'Hoe gaat het met je, Natalie?'

'Nog *steeds* geen filmster en een verbijsterende vijf kilo zwaarder dan ik zou willen, maar voor de rest heel acceptabel voor mijn cultuur en type. Ik heb je over de telefoon al gezegd dat je Amy hebt gemist, toch? Dat ze al uren weg is?'

'We hebben later afgesproken. Ik dacht gewoon dat ik wel even langs kon gaan om dag te zeggen, nu ik hier toch ben.'

Ze keek me wantrouwend aan. 'Ik bel de media. Wil je koffie terwijl je bezig bent met dat dag zeggen?'

Ik volgde haar naar binnen. Er stond een grote pot koffie klaar in de keuken, zoals altijd als we bij Natalie op bezoek kwamen. Het was een van de weinige overeenkomsten tussen de twee zusters.

Ze gaf me een flinke mok en schonk die vol. 'Nou, Amy heeft niet verteld dat je onze regio met een bezoek zou vereren.'

'Ze weet het niet. Het is een verrassing.'

'Ja, ja. Ingewikkelde dingen verzinnen jullie jongens toch. Trouwens, ligt het aan mij of doet grote zus een beetje raar de laatste tijd?'

'Hoezo?' vroeg ik, terwijl ik mijn best deed om mijn stem in bedwang te houden.

'Ze komt hier vandaag onaangekondigd binnenvallen, vraagt me vervolgens of ik thee heb. Nou, *natuurlijk* heb ik thee. Ik ben een afschuwelijke huisvrouw, maar ik *doe* mijn best en Don is er gek op. Thee, bedoel ik. Maar Amy? Thee? Dat is nieuw.'

'Ze drinkt het af en toe de laatste tijd,' zei ik. 'Misschien is ze bezig met een reclamecampagne over thee.'

Oké. Dus Mulder en Scully kunnen wel wegblijven. Maar hier is bewijsstuk twee. Enig idee wat voor dag het is?'

'Natuurlijk,' zei ik, terwijl ik op mijn horloge keek. 'Het is...'

'Goed,' zei ze. 'Op een paar seconden na kun je de maand en misschien zelfs de dag noemen. Dat is niet wat ik bedoelde. Dat is Mannentijd. Ik heb het over Vrouwentijd. Op de kalender van mijn volk is het Annabels Verjaardag Plus Zes Dagen.'

'Annabel,' zei ik. 'Jouw Annabel?'

'Ze is vorige week twaalf geworden.'

'Wat wil je daarmee zeggen?'

'Verdachte afwezigheid van een briefkaart en cadeautje van de Whalens.'

'Jezus,' zei ik. 'Het spijt me. Ik...'

Ze stak haar hand op. 'Jack, zelfs als je leven ervan afhing zou je de verjaardag van mijn dochter niet eens weten. De mijne evenmin, of die van Don. Je hebt waarschijnlijk zelfs ergens een spiekbriefje met je eigen verjaardag erop. Dus hoe komt het dat we toch altijd een kaart krijgen?'

'Omdat Amy eraan denkt.'

Natalie stak haar vinger op. 'En niet alleen verjaardagen. De trouwdag van Don en mij. De sterfdagen van ma en pa, *hun* trouwdag. Ze houdt alle data van de hele familie bij. Jaar in, jaar uit, steeds weer.'

'Heeft ze er iets over gezegd toen ze...'

'Dat is het nu juist. Ze komt zonder waarschuwing langs, drinkt haar thee, gaat naar boven, komt weer naar beneden, geeft iedereen een kus en zegt dag. Ze is precies zoals ze altijd is, voor het grootste deel een lieverd, een klein beetje verschrikkelijk irritant – maar ze zegt geen woord over het feit dat ze de verjaardag van haar nichtje is vergeten, wat ze zich nu zo onderhand wel *moet* realiseren.'

'Ze ging naar boven?'

'Naar haar oude kamer. Die is nu van Annabel.'

'Zei ze waarom?'

Natalie haalde haar schouders op. 'Amy wordt, wat – zesendertig dit jaar? Misschien is het iets van vroeger. Het verleden bij elkaar rapen voordat Alzheimer werkelijk toeslaat.'

'Vind je het goed als ik even ga kijken?'

'Heb ik al gedaan. Ze heeft niets aangeraakt, voor zover ik kan zien. Waarom zou ze?'

'Maar toch.'

Natalie hield haar hoofd opzij en ik begreep onmiddellijk waar het jongetje buiten die gewoonte vandaan had. 'Waar gaat dit over, Jack?'

'Niets. Ben gewoon nieuwsgierig.'

'Doe wat je niet laten kunt, Sherlock. Annabel is naar de harmonie. Tweede rechts.'

Ik liet haar achter in de keuken en ging naar boven. De tweede deur in de gang stond op een kier en even kwam Gary's droom me zo helder voor de geest dat ik aarzelde. Maar toen duwde ik de deur open.

De details waren natuurlijk anders toen Amy hier nog woonde. Posters van andere bands. Gadgets van andere films die nu waarschijnlijk al twee keer opnieuw verfilmd waren. Maar voor het overige was het een typische meisjeskamer.

Het is raar om in de ruimte te zijn waar iemand van wie je houdt haar kindertijd heeft doorgebracht. Iemand nu kennen is niet hetzelfde als diegene vroeger gekend hebben. En die persoon voor-jouw-tijd zal altijd een vreemde blijven, zelfs als je hand in hand verder leeft tot aan de dood. Het is vreemd om je iemand voor te stellen die zo veel kleiner is, en jonger, om de vormen en hoeken te zien van waaruit ze de wereld heeft leren kennen. Je hoort echo's. Je kunt niet anders dan je afvragen of ze zich misschien het meest op haar gemak voelt in een ruimte met dezelfde omvang en hoogte, of de slaapkamer die je met de volwassen incarnatie deelt fout aanvoelt omdat er op diezelfde plek geen raam zit. Je stelt je voor hoe ze op de rand van dit bed zit, voeten netjes naast elkaar, in de toekomst starend met de leergierige en enigszins vervreemde blik van het kind.

Het duurde niet lang voordat ik iets opmerkte wat Natalie waarschijnlijk niet had gezien. De kamer werd duidelijk gebruikt – hij was onlangs opgeruimd geweest en dat zou opnieuw gebeuren – en overal stonden spulletjes en lag kleding en huisraad. Maar het kleed midden op de vloer lag precies evenwijdig aan het bed, met nergens een plooi. Ik betwijfelde of Annabel het zo had achtergelaten.

Ik verschoof de houten stoel die erop stond en sloeg het kleed om. Niets te zien behalve vloerplanken die in de afgelopen tien jaar een keer vaalwit waren geverfd. Ik liep naar de andere kant en deed hetzelfde. Ik dacht dat dat ook niets opleverde, maar toen keek ik iets beter naar het stuk dat net onder het bed lag. Ik liet me op mijn knieën zakken en tastte onder het frame, dicht bij waar het bed tegen de muur stond.

Het was klein, ik kon maar een klein stukje van de vloerplanken loswrikken. Eronder was een stoffig gat, een ideale plek voor een kind om iets te verbergen. Het was nu leeg, maar ik denk niet dat dat zo was toen Amy hier aankwam.

Natalie stond bij het keukenraam met haar koffiekop in haar handen en keek naar haar zoon in de tuin.

'En?'

Ik haalde mijn schouders op. 'Zoals je zei. Herinneringen.' Ik had het gevoel dat er iets was met de manier waarop ze naar haar zoon keek. 'Alles in orde?'

'Tuurlijk. Alleen... Het lijkt erop dat Matthew zichzelf een kleine fantasievriend heeft aangemeten. Niet belangrijk. Je vraagt je alleen af wat ze zich in hun hoofd halen.'

'Heb je hem ernaar gevraagd?'

'Tuurlijk. Het is gewoon een vriendje, zegt hij. Ze spelen soms samen, je hoort hem soms zachtjes in zichzelf praten. Het is niet zo dat we met het eten voor een extra persoon moeten dekken. En het is beter dan nachtmerries, dat zeker. Amy had daar verschrikkelijk last van.'

'Werkelijk?'

'O god, ja. Een van de eerste dingen die ik me kan herinneren – ik weet niet hoe oud ik was, drie misschien, of vier? – waren die verschrikkelijke geluiden 's nachts. Een soort schreeuwen, maar dieper. Hard, dan zacht, dan weer hard. Doodeng. Dan hoorde ik pa over de gang sloffen. Hij kreeg haar wel weer in slaap, maar dan begon het een uur later opnieuw. Heeft wel een paar jaar geduurd.'

'Amy heeft het er nooit over gehad.'

'Waarschijnlijk weet ze het niet eens meer. Slapen is oorlogsgebied voor kinderen. Vooral voor baby's. Het kind van een vriendin stopte zijn vingers in zijn ogen zodat hij niet in slaap zou vallen. Serieus. Matthew was ook een ramp – je kreeg hem niet in slaap als je hem niet met de wandelwagen van hier tot San Diego reed. En hij werd 's nachts wakker, vier, vijf keer. Als een aan-en-uitschakelaar – rechtstreeks naar fase rood. Dan lag je daar in het donker, in een vredig huis, baby in slaap en alles in de wereld in orde. En dan opeens: lag hij te janken alsof er een kudde wolven in zijn kamer zat.'

'Klinkt logisch. Je schrikt wakker en dan blijk je alleen in het donker te liggen, zonder dat je ma of pa kunt zien of ruiken of weet waar ze zijn.'

'Tuurlijk – dat verklaart het nare wakker worden. Maar waarom zou je je überhaupt tegen de slaap verzetten?'

'Als we in grotten hadden gewoond, was het anders geweest. Het hele gezin sliep op een hoop bij elkaar in plaats van dat de benjamin wordt verbannen naar een kamer met onbegrijpelijke en angstaanjagende schilderijen aan de muren en onverklaarbare dingen die aan het plafond bungelen. De baby denkt: dit is niet in orde, ben je *gek geworden*? Het is niet *veilig* om me alleen te laten. Dus doet hij het enige waarmee hij zeker invloed heeft op zijn omgeving – uit volle borst brullen.'

'Je verrast me, Jack. Ik had nooit gedacht dat je zo veel contact had met je innerlijke kind.'

'Altijd. Het is de innerlijke volwassene die ik steeds uit het oog verlies.'

Ze glimlachte. 'Ja, nou, misschien heb je gelijk. Maar ik weet het niet. Kinderen zijn vreemd. Ze pakken de afstandsbediening van de tv en houden die tegen hun oor als een telefoon en praten tegen mensen die er niet zijn. Je geeft ze een speelgoedsaxofoon en ze stoppen hem direct in hun mond – en blazen in plaats van te zuigen, wat ze anders altijd doen. Ze houden een leeg kopje tegen hun mond en doen "Mmmmm", en je denkt, waar komt dat vandaan? Heb ik *ooit* "Mmmmm" gedaan? Dan, op een dag, houden ze er mee op. Zo breken ze je hart. Ze ontwikkelen een onvoorstelbaar ontroerende gewoonte – vanuit het niets – en dan, bam, is het weer weg. Daarom mis je ze al terwijl ze nog vlak voor je staan. En dat is een deel van waar het in de liefde om gaat, nietwaar?'

Opeens hield ze op en haar wangen kleurden helderrood. Ik had Natalie nog nooit zien blozen. Had het eigenlijk niet voor mogelijk gehouden.

'Wat?'

'Het spijt me zo,' zei ze. 'Ik ben een ongevoelig monster.'

Ik schudde mijn hoofd. 'Helemaal niet.'

'Maar...'

'Echt. Hindert niets.'

'Maar met Amy? Hoe...?'

'Alles is in orde.'

'Oké,' zei Natalie. 'Dat geloof ik ook. Ze heeft een sterke persoonlijkheid.' Even zag ze eruit alsof ze enorm trots was op haar zuster en ik wou dat ik een broer of zus had die dat voor mij voelde. 'Ze is sindsdien, ik weet het niet, een beetje anders. Vind je niet?'

Ik haalde mijn schouders op. 'Kan zijn.'

Natalie hield aan. 'Misschien daarvoor al?'

Ik wierp haar een verbaasde blik toe en voelde me ongemakkelijk toen ik merkte dat ze naar me keek, intens en met een stel ogen die erg op die van haar zuster leken.

'Mensen veranderen,' zei ik afwerend. 'Ze worden ouder. Groeien op. Kan zelfs jou ooit overkomen.'

Ze stak haar tong uit. 'Er is een ding dat ik nooit heb begrepen,' zei ze, terwijl ze tegen de gootsteen leunde en weer uit het raam keek. Haar zoontje speelde nog steeds rustig in de tuin, keurig drie meter van de weg, alsof er een krachtveld was dat hem veilig in de buurt van het huis hield. Misschien was dat er ook wel. Amy was niet het enige Dyermeisje dat van orde hield.

'Wat is dat?'

'Hoe Amy in de reclamewereld terecht is gekomen.'

'Dingen gebeuren. Ik ben bij de politie beland.'

'Ik heb je niet gekend voordat je daar werkte, dus dat is niet zo vreemd voor mij. Plus, het was logisch dat je een politieman was. Wat er met je pa is gebeurd, en... Het paste perfect bij jou. Meer dan het schrijverschap, dat zeker.'

'Au.'

'Ontken het maar. Maar Amy, ik bedoel... als tiener was ze een absolute nerd.'

Ik fronste mijn wenkbrauwen. 'Werkelijk?'

'Weet je dat niet? Helemaal. Altijd bezig dingen te maken van rare stukjes afval. Ze verslond boeken met titels waarvan een normaal mens direct in een coma zou schieten.'

'Dat klinkt niet als de vrouw die ik ken.'

'Absoluut niet. Jarenlang was ze de koningin van de natuurkundeles en altijd bezig met iets weerzinwekkends sufs en onbegrijpelijks. En toen plotseling op een dag zei ze uit volle overtuiging: "ik wil in de reclame", alsof ze zei: "ik wil filmster worden". Ik wist niet eens wat reclame was. Ze was net achttien geworden en ze komt er op een avond tijdens het eten mee aanzetten. Ik herinner het me nog omdat de ouwelui haar jarenlang hadden gesteund met dat techniekgedoe, haar naar clubs hadden gebracht, trots op haar waren geweest – trotser dan ze ooit waren geweest op iets wat ik deed – en dan baf, einde verhaal. Ik herinner me dat ik naar pa keek terwijl ze dat allemaal zat te vertellen. Hij zat tegenover me en ik zag zijn schouders afzakken.' Ze glimlachte, haar blik nog steeds gericht op haar kind buiten. 'Ik was veertien. Het was de eerste keer dat ik besefte dat het ouderschap niet altijd een pretje was.'

'Heeft ze ooit een reden gegeven? Waarom ze van gedachten was veranderd?'

'Was niet nodig. Ze was het lievelingetje.'

'Natalie...'

Ze glimlachte. 'Grapje. Nee, dat heeft ze niet. Hoewel ik haar er een keer naar heb gevraagd. Ze zei dat ze een man had ontmoet.'

Mijn hart sloeg over, één keer. 'Iemand van school?'

'Nee, een ouder iemand, misschien zat die al in het vak, hoewel ik dat absoluut niet zeker weet. Ik dacht dat ze verliefd was. Dat werd niks... maar ze bleef erbij. Je weet hoe ze is. Vasthoudend. Doet er niet toe hoe lang iets duurt, hoe lang ze moet wachten. Ze heeft altijd de grote lijnen voor ogen gehad.'

Ik had me omgedraaid om uit het raam te kijken, hoewel ik geen belangstelling had voor wat er buiten te zien was. Ik wilde niet dat Natalie mijn gezicht kon zien toen ik de volgende vraag stelde.

'Ze heeft zeker nooit gezegd hoe die man heette?'

'Jazeker, en het vreemde is, ik weet het nog. Puur toeval. We hadden jarenlang een hond gehad en die was twee, drie maanden daarvoor gestorven. Hij was er bijna mijn hele leven geweest en ik miste hem nog steeds *verschrikkelijk*. Ik denk dat het daarom is blijven hangen.'

'Had die man dezelfde naam als je hond?'

'Nee, liefje. De hond heette Whooper. Iemand "Whooper" noemen zou ronduit wreed zijn, zelfs in L.A. Het was het ras. Een *shepherd*, een Duitse herder.'

Ik had me zo voorbereid op de naam 'Crane' dat ik nog een keer moest vragen of ik haar goed had verstaan.

'De man heette Shepherd?'

'Yep.' Haar gezicht bleef een moment uitdrukkingsloos. 'Grappig. Bijna twintig jaar gaat voorbij en toch kun je zo'n verdomde hond nog steeds missen.'

Tien minuten later kwam haar man thuis met een kind plus klarinet. Mijn relatie met Don had altijd gedraaid om zijn pogingen om mij te verleiden tot het vertellen van politieverhalen. Daarna hadden we geen nieuwe omgangsvormen ontwikkeld. Zijn dochter begroette me met ernstige beleefdheid, alsof het deel uitmaakte van een zelfopgelegde oefening in de omgang met bijna-bejaarden. Ik wist niet hoe ik het onderwerp van haar verjaardag ter sprake moest brengen, dus liet ik het maar zitten.

Vlak daarna vergezelde Natalie me naar de voordeur. 'Leuk om je weer eens te zien, Jack,' zei ze onverwacht.

'Vond ik ook.'

'Weet je zeker dat alles in orde is met jullie tweeën?'

'Voor zover ik weet.'

'Nou, goed dan. Dus – waar ga je vanavond naartoe? Amy was behoorlijk chic gekleed.'

'Het is een geheim,' zei ik.

'Begrepen. Hou die magie in je leven. Je bent een inspiratie voor ons allen. Goed, kom gauw terug – of wij komen naar jullie, en dat willen jullie niet. O, dat was het andere vandaag.' Ze lachte. 'Ik dacht dat jullie naar Washington waren verhuisd. Niet naar *Florida*.'

'Wat bedoel je?'

Ze stak haar hand op, vingers gespreid. Ik schudde mijn hoofd, had geen idee waar ze het over had.

'Amy die knalroze nagellak draagt?' zei ze. 'Wat zit *daar* achter?'

Ik wist niet waar ik naartoe ging. De lucht was zacht en de avond begon te vallen en ik dwaalde wat door de straten van de woonwijk. Mensen parkeerden hun auto's, reden weg, kwamen thuis of vertrokken weer. Anderen stonden voor het keukenraam, staarden omlaag vanuit de slaapkamer of gaven de planten in de tuin water. Ik wilde zo'n pad oplopen, in zo'n keuken staan, in een van die woonkamers in een grote luie stoel plaatsnemen en zeggen: 'En, hoe gaat het ermee? Vertel me over jullie leven. Vertel me alles.' Het leven van andere mensen leek me altijd interessanter, samenhangender, domweg echter dan het mijne. Televisie, boeken, heldenverering, zelfs gewoon zitten kijken hoe de wereld aan je voorbijtrekt: het zijn allemaal uitingen van een verlangen naar een bestaan dat directer en eenvoudiger is dan we ooit voelen, dat echt en oprecht lijkt op een manier die nooit van toepassing is op onze eigen smoezelige en fragmentarische dagen. We willen allemaal wel een poosje iemand anders zijn. We lijken bijna te geloven dat dat al zo is, dat er alleen iets is wat ons weghoudt van het leven dat we geacht worden te leiden.

Mijn telefoon ging over. Ik herkende het nummer niet. 'Ja?'

'Wie isser? Wie?'

De stem was zwaar en moeilijk te verstaan. 'Ik ben Jack Whalen,' zei ik. 'En wie bent u in hemelsnaam?'

'Dit is LT hier. Het is het gebouw, jij zei.'

'Welk gebouw?'

'Shit. Je zei geld.'

Ik begreep eindelijk met wie ik sprak. 'Je bent de man die voor het café in Belltown zat.'

'Klopt. Je wilt wat ik weet?'

'Nee,' zei ik. 'Ik hou me daar niet meer mee bezig.'

Mijn gesprekspartner begon luidkeels te protesteren. 'Je bent een leugenachtige *hoerenloper*. Je zei je had geld. Ik heb gebeld, vuile smeris.'

'Oké, meneer,' zei ik. 'Vertel me wat je weet.'

'Stik maar! Hoe weet ik dat je betaalt?'

'Daar heb je me. Maar ik ben nu niet in Seattle. Dus ofwel je vertelt me wat u weet en ik betaal je later, of ik leg de telefoon neer en blokkeer je nummer.'

Hij hoefde niet lang na te denken. 'Het is een meid, vriend.'

'Wat?'

'Het is een kind. Komt de straat in, gisteravond, laat, ze staat voor het gebouw. Lijkt alsof ze een sleutel probeert. Werkt niet. Ze loopt weg de straat uit. Ze is verdwenen.'

Ik moest lachen. 'Je zag een klein meisje dat naar het gebouw heeft staan kijken en toen is vertrokken? En daar wil je geld voor?'

'Je zei...'

'Goed. Nou, bedankt. De cheque is onderweg.'

Ik verbrak de verbinding en besloot het nummer te blokkeren zodra ik ergens kon zitten. Vroeger deed ik dergelijke dingen eenmaal per week. Ik gaf mijn nummer aan iemand die misschien informatie had die hij liever wat later wilde onthullen, als er niemand in de buurt was – en vervolgens blokkeerde ik zijn nummer zodra diegene ging denken dat hij een vriendje bij de politie had dat zijn parkeerbonnen kon regelen of zijn tante uit de gevangenis kon halen. Dat soort mensen miste ik absoluut niet: zwart of blank, jong of oud, teleurgestelde, gewelddadige mannen met ongelukkige, kijvende vrouwen, hun dromen definitief onbereikbaar door drugs, armoede en het lot: door luiheid ook. Plus, vaak, korte lontjes en een geringe aandachtsboog en een bitter verlangen naar het gemakkelijke leven dat er juist voor zorgde dat hun eigen leven allesbehalve gemakkelijk was.

Ik bleef lopen. Na een poosje bereikte ik Main, kwam langs tenten als Rick's Tavern en de Coffee Bean, iBod en Schatzi, Say Sushi en Surf Liquor, plekken die jarenlang aan de zijlijn van mijn bestaan hadden gefigureerd. In een bar niet ver hiervandaan heb ik Amy ontmoet. Ik zat daar met een collega mijn tijd te verdoen toen een stel dronkaards zich opdringerig begon te gedragen tegenover een tafel vol vrouwen. In smerisvriendelijke bars weten de gasten over het algemeen wel dat er vaak politiemannen buiten dienst komen en dat iedereen (in elk geval niet-politiemannen) zich daarom netjes behoort te gedragen. Als je dat niet doet, wordt het je wel duidelijk gemaakt. Dus stond ik op om langs de andere kant van de vrouwentafel naar de herentoiletten te wandelen en onderweg met een waarschuwende vinger aan te geven dat de mannen hun aandacht beter ergens anders op konden richten. Een van hen zag eruit of hij wilde reageren, maar zijn vriend begreep de boodschap en ze vertrokken zonder morren. Toen ik terugkwam, stond er op de bar een vers biertje op me te wachten. Zo gaat dat.

Maanden later moest ik een kleine botsing afhandelen die een paar kilometer verderop had plaatsgevonden. In de ene auto zat een vriendelijke man van begin zeventig die behoorlijk stoned was en al schuld bekende voor hij op het trottoir in elkaar zakte. In de andere auto zat een vrouw die ik herkende als een van de vrouwen aan de tafel in de bar. Ze was nuchter, kalm en charmant. In de bar was ik haar niet opgevallen, maar tegen de tijd dat het ongeluk was geregeld lag dat anders. Ik was kordaat en efficiënt in mijn omgang met het publiek. Dat beviel haar wel, denk ik. Later ontdekte ik dat Amy Ellen Dyer kordaat en efficiënt meer waardeerde dan al het andere.

Een paar weken later was ik opnieuw in de bar, en zij ook. We herkenden elkaar van gezicht en ik ging kordaat en efficiënt naar haar toe om gedag te zeggen. Veel politiemannen beschouwen de gelegenheid om het aan te leggen met een slachtoffer als een van de grootste voordelen van hun baan. Maar ik had daar geen ervaring mee en ik verwachtte er dan ook niet veel van. De vrouwen vertrokken toen ik op het achterplaatsje een jointje stond te roken met de kok. Maar toen ik naar de bar terugkeerde, ontdekte ik dat ze haar telefoonnummer had achtergelaten bij de barman.

'Bel me,' stond er op het briefje. 'Direct.'

We zagen elkaar een paar dagen later. Het was zo'n afspraakje waarbij je in een café begint en dan naar een ander gaat, en dan weer naar een ander. Je herinnert je niet hoe en waarom je bent verkast – omdat het gesprek steeds door lijkt te gaan en omdat dit gevoel van vrijheid, van niet in een gelegenheid hoeven blijven om je plek en de sfeer vast te houden, precies was waar het die avond om draaide. Aan het einde werd het een soort spel waarbij we om beurten een nog obscuurdere of buitenissigere tent uitkozen, tot we ten slotte naast elkaar op een bankje zaten in een zeer toeristisch etablissement en beseften dat dat klopte omdat we ons die nacht ook geen bewoners van Los Angeles voelden, maar mensen die hun leven en zichzelf ter plekke opnieuw uitvonden. Dat was ook zo.

Als je iemand ontmoet waar je verliefd op wordt, verander je voorgoed. Daarom zal diegene nooit je vroegere ik kennen of begrijpen, en daarom zul je nooit meer terug veranderen. En daarom voel je, als hij of zij je begint te verlaten, de verscheurdheid diep in je hart lang voordat je hoofd enig idee heeft van wat er gaande is.

Nu ik hier was kostte het moeite om niet aan die avond te denken, en aan andere avonden die daarna kwamen, goede en slechte. Ik liep door Ashland omlaag naar Ocean Front en toen evenwijdig aan de kust tot voorbij Shutters. Ik dook onder de lange oprit van de pier naar Ocean Avenue door en vervolgde mijn weg over het betonnen pad langs het strand. Het rijtje huizen dat hier direct op het zand staat behoort tot de eerste die in dit gebied zijn gebouwd. Ik heb ze altijd wat vreemd gevonden, misplaatst. Semi-Engelse landhuizen achter een hek op het strand, weggekropen in de schaduw van de steile oever. Als duiveltjes op de borst van iemand die slaapt.

De lampen op de pier waren nu allemaal aan. Ik haalde mijn telefoon tevoorschijn en belde Amy.

'Hoi,' zei ze. 'Sorry dat ik niet gebeld heb. Het is een beetje uitgelopen bij Nat. Ben er net weg. Je weet hoe ze is.' Ik zei niets. 'Hoe is het aan het thuisfront? Is het al wat warmer?'

'Ik ben niet in Birch Crossing,' zei ik.

'O?'

'Ik ben in Santa Monica. Ik ben hier vanmiddag naartoe gevlogen.'

Het bleef even stil. 'En waarom heb je dat gedaan?'

'Waarom denk je?'

'Geen idee, liefje. Het klinkt een beetje bizar.'

'Ik heb je amper gezien de afgelopen week. Het leek me wel leuk om iets af te spreken. Onze stamkroegen weer eens bezoeken.'

'Schat, dat is een heel lief idee, maar ik heb *gigantisch veel* werk. Moet de stellingen nog in gereedheid brengen voor de vergadering van morgen.'

'Dat interesseert me niet,' zei ik. 'Ik ben je echtgenoot. Ik ben in de stad. Laten we iets afspreken, koffie op z'n minst.'

Het bleef misschien wel vijf minuten stil. 'Waar?'

'Je weet waar.'

Ze lachte. 'Nou, om eerlijk te zijn weet ik dat niet. Ik kan geen gedachten lezen.'

'Zeg jij het maar,' zei ik. 'En ga er dan meteen naartoe.'

'Je gaat me echt niet vertellen waar?'

'Kies jij maar. En ga er dan gewoon heen.'

'Jack, dit is een stom spelletje.'

'Nee,' zei ik. 'Dat is het niet.'

hoofdstuk
EENENDERTIG

Op de pier kuierden groepjes toeristen in het afnemende licht van de avond heen en weer. Ze gingen een souvenirwinkel binnen, kwamen weer naar buiten en gluurden nieuwsgierig naar de menu's van de restaurants. Ik leunde tegen de balustrade en wachtte. De knoop in mijn maag werd steeds strakker aangetrokken. Vijfentwintig minuten later zag ik hoe een vrouw het talud van de Palisades afdaalde. Ik keek hoe ze naar de pier liep en zich doelbewust een weg baande door de menigte. Ze was halverwege de dertig maar zag er jonger uit, en ze was erg chic gekleed. Ze keek niet op of om maar ging recht op haar doel af. Ze had iets in haar rechterhand, iets wat er zo verkeerd uitzag dat het leek of het beeld gemanipuleerd was, en ik besefte dat ik een aantal dingen verkeerd had geïnterpreteerd.

Ik liet haar passeren, duwde mezelf van de balustrade en volgde.

Toen ik aan het eind van de pier kwam, stond zij tegen de balustrade geleund en keek over het water naar Venice. Ze werd omhuld door de gele gloed van de lamp die op de hoek van dit deel van de promenade stond. Er waren nog meer mensen in de buurt, maar niet veel – we hadden het gedeelte met de restaurants en winkels achter ons gelaten, veel verder van het land kon je niet komen. De meeste mensen liepen naar dit punt, knikten naar de zee, draaiden zich om en keerden weer terug naar het stuk waar ze dingen konden kopen.

Amy draaide zich om. 'Hé, je hebt me gevonden,' zei ze. 'Knap hoor.'

Ze zag er vreemd uit. Langer, maar ook compacter. Alsof ze haar figuur had bijgewerkt en verbeterd, alsof ze in een nieuwere versie van
Amy was veranderd zonder mij bij het proces te betrekken.

'Niet echt,' zei ik. 'Dit was de enige plek die ergens op sloeg.'

'Exact. En vanwaar die geheimzinnigheid?'

'Ik wilde alleen weten of je het nog wist.'

Ze sloeg haar ogen ten hemel. 'Kom op, Jack. We kwamen hier tijdens
ons eerste afspraakje. Je hebt me precies op deze plek ten huwelijk gevraagd. We... nou ja, je weet wel. Dat zal ik echt niet vergeten.'

'Goed,' zei ik. Ik voelde me moe en verdrietig. Ik kon me niet meer helemaal herinneren waar deze exercitie ook weer om ging. Ik leunde naast
haar tegen de balustrade.

'Wat is er aan de hand?' vroeg ze. 'Het is heerlijk om je te zien, natuurlijk, maar ik moet nog overal heen en heb allerlei afspraken en ik
moet nog een heleboel doen voordat ik kan slapen.'

Ik schudde mijn hoofd.

'Wat betekent dat?'

'Dat is niet waar. Je hebt geen werk te doen.'

'Waar heb je het over?'

'Ik heb je kantoor gebeld voordat ik van huis ging.'

Ze zette zich af tegen de balustrade. 'Liefje, je moet echt ophouden met
de mensen waar ik werk lastig te vallen. Het maakt geen...'

'Er is morgen geen vergadering.'

Ze rechtte haar hoofd zoals alleen Dyers dat kunnen. Ik kon zien dat
ze nadacht over hoe het nu verder moest. Ten slotte knikte ze.

'Dat klopt.'

Daar had je het. *Ja, ik heb tegen je gelogen.* Er liep een koude rilling
over mijn ruggengraat, hoewel de avond warm was en er geen wind stond.

'Wat doe je hier dan wel?'

'Ik wilde Natalie zien.'

'Volgens haar niet. Ze zegt dat je nauwelijks binnen bent geweest en
ze wist niet eens waarom je kwam.' Vlak voor mijn voeten was een diepe afgrond waarvan ik de rand duidelijk kon zien, en toch bleef ik me
hardnekkig in die richting bewegen.

'Heb je haar *ondervraagd*? Wauw. Jammer dat je als politieman nooit
zo ondernemend was, Jack.'

'Ik heb nooit rechercheur willen worden. Dat wist je.'

'Maar nu wel? Nu het te laat is?'

'Dit is belangrijker, denk ik.'

'Hoezo?'

'Omdat het om jou gaat. Omdat er iets gebeurt wat ik niet begrijp. En je geeft geen antwoord op mijn vraag.'

'Er is niets aan de hand, lieverd.'

Ik haalde mijn sigaretten tevoorschijn. Nam er eentje, bood het pakje vervolgens aan haar aan – iets wat ik in al die tijd dat we elkaar kenden nooit eerder had gedaan. Ze keek me alleen maar aan.

'Ik zag je voorbijkomen met eentje in je hand,' zei ik. 'Ik vond je as op het dakterras op de avond dat je terugkwam uit Seattle, hoewel ik dat toen niet doorhad. Afgelopen zondagavond heb ik je daar ook zien roken, toen ik aan het hardlopen was. Ik dacht dat het condens was. Maar dat was het niet.'

'Jack, je bent belachelijk. Ik rook...'

De leugen klonk zwak. Ik hoefde mijn stem niet eens te verheffen om haar te onderbreken.

'En ik vond een verzameling peuken tussen de struiken. Ik kon maar niet begrijpen dat daar iemand was geweest zonder dat jij hem of haar vanuit het huis had gezien. Maar dat is omdat jij het was die daar stond te roken. Correct?'

Ze keek weg. Ik genoot niet van mijn gelijk. 'Dus waarom ben je weer begonnen na, wat is het – tien, twaalf jaar?'

Ze gaf geen antwoord. Ze bleef strak de andere kant op kijken, haar mond vertrokken tot een streep. Ze zag eruit als een tienermeisje dat te laat thuis is gekomen en de donderpreek stoïcijns over zich heen laat komen omdat ze hem stom en onterecht vindt.

'Ben je om diezelfde reden opeens afkortingen gaan gebruiken in je sms'jes?'

'Waar heb je het nu weer over?'

'Je bent een slimme vrouw. Je begrijpt best wat ik bedoel,' zei ik.

'Ik begrijp de woorden, maar niet wat je bedoelt. Je bent wel heel erg in de war, liefje.'

'Dat geloof ik niet. Jij bent degene die de dingen eens op een rijtje moet zetten. Wat of wie je geest ook verduistert, het laat je op alle fronten in de fout gaan.'

'Er is werkelijk niets met me aan de hand,' zei ze. 'Het lijkt me eerder dat jij degene bent die ze niet allemaal op een rijtje heeft.'

Ze zag er op dat moment zo griezelig zelfvoldaan uit dat ik me het liefst zou omdraaien en weglopen. Een fractie van een seconde dacht ik er zelfs over om haar over de balustrade te duwen, om deze bedriegster te straffen voor de diefstal van de identiteit van iemand van wie ik hield.

Maar ik zei: 'Annabels verjaardag.'

Ze fronste haar wenkbrauwen. Zelfs als ze sprak was dat met het air van iemand die over water liep. 'Wat is daarmee?'

'Wanneer is die?'

Het kwartje viel. Ze wreef over haar voorhoofd. 'O, verdorie.'

'Niet echt belangrijk in het licht van de eeuwigheid. Maar...'

'*Natuurlijk* is het belangrijk. Verdorie. Waarom heeft Natalie niets gezegd?'

'Ze wilde je waarschijnlijk niet in verlegenheid brengen.'

'Natalie? Zie je het voor je?'

'Eerlijk gezegd, nee. Maar voordat je de stad verlaat, moet je een cadeautje regelen voor dat kind. Vind je ook niet?'

'Ja. Jezus. Wat hebben we haar vorig jaar gegeven?'

'Geen idee,' zei ik. 'Bel Natalie vanavond op, maak je excuses en vraag meteen wat Annabel wil hebben.'

'Goed idee.'

Een tijdlang spraken we geen van beiden. Het leek alsof we in een sprakeloze toestand van verbijstering terecht waren gekomen en ik wist niet hoe we daaruit moesten komen. Dus pakte ik mijn pion maar gewoon op en zette hem op een ander vakje.

'Amy, als je elk gesprek blijft afkappen, dan...'

'Er is niets om over te praten.'

'Hoe komt het dan dat je plotseling luistert naar Bix Beiderbecke?' vroeg ik. Ik voelde me belachelijk.

'Jezus – je blijft maar doorgaan, hè? Ik hoorde zijn muziek op de radio, vond het wel aardig klinken, had geen zin om van zender te veranderen. En trouwens – hoe weet jij dat dat...'

'Er staan een paar van zijn nummers op je telefoon.'

'Je hebt in mijn *telefoon* gekeken? Allemachtig. Wanneer?'

'Die dag in Seattle. Ik dacht dat je van de aardbodem verdwenen was.'

'Wat ik in mijn telefoon heb staan is privé.'

'Voor mij? Sinds wanneer hebben wij geheimen voor elkaar?'

'Mensen hebben *altijd* geheimen, Jack. Doe niet zo naïef. Daardoor weet je dat je iemand anders bent dan een ander.'

'Ik heb er geen.'

'O ja, natuurlijk. Zeg je daarom tegen mensen dat je bij de politie bent weggegaan omdat je er genoeg van had? Is dat de reden waarom je niet uit jezelf vertelt over die avond waarop je opstond en godverdomme...'

'Geheimen voor *jou*, bedoelde ik. En wat wil je dat ik zeg? Dat ik bijna was geëindigd op een...'

'Natuurlijk niet. Maar...'

Ze ademde krachtig uit. De lucht begon te veranderen, de warmte verdween. We keken elkaar aan en even waren we alleen met z'n tweeën, alsof er een bel was gebarsten en elke onenigheid tussen ons eigenlijk absurd was.

'Wil je koffie?'

Ze knikte.

'Of thee, tegenwoordig?'

Ze glimlachte zwakjes, tegen haar zin. 'Koffie is goed.'

We haalden koffie bij een kraampje een eindje terug op de pier. We begonnen richting stad te lopen maar eindigden ten slotte toch weer aan het einde van de pier. Altijd als we samen naar de pier gingen was dat ons doel. Daar brachten onze voeten ons naartoe als ze met z'n vieren waren.

Onwillekeurig en ogenschijnlijk uit het niets zei ik iets wat vreemd en onhandig klonk uit mijn mond. 'Denk je dat er hier nog iets van hem is?'

'Iets van wie?'

Ze wist wie ik bedoelde. 'Herinner je je de wind niet meer? Hoe iets van... iets naar ons terug werd geblazen, terug naar de pier?'

Ze wendde haar blik af. 'Er is niets meer. Niets hier, en nergens anders. Het was twee jaar geleden. Het is verwerkt.'

'Nee,' zei ik. 'We hebben het *niet* verwerkt.'

'Ik wel,' zei ze. 'Het is verleden tijd. Laat het daar.'

Het duurde maar heel even, maar ik zag haar kin trillen, twee hele kleine schokjes. Ik besefte dat het lang geleden was dat ik haar had zien huilen. Te lang, voor wat er was gebeurd.

'We praten er niet over,' zei ik. 'Nooit.'

'Er is niets om over te praten.'

'Er moet iets zijn.'

Ze schudde haar hoofd, een vastberaden trek op haar gezicht. 'Ik was zwanger. Het stierf in de vijfde maand en ik had een poosje een dood ding binnen in me. Het kwam eruit. Het werd gecremeerd. We hebben de as boven zee uitgestrooid. Mijn baarmoeder is kapot en ik zal nooit een kind krijgen. Meer valt er niet over te zeggen, Jack. Het is gebeurd, en ik ben er klaar mee.'

'Waarom heb je de achtergrondfoto op je mobiel dan veranderd?'

'Je weet waarom. Omdat ik zwanger was op die foto. Ik ga door met mijn leven. Dat zou jij ook moeten doen. Er *niet* aan denken. Je kunt niet toestaan dat dit, of dingen van vijftien jaar geleden je leven beheersen.

Soms gaan mensen dood. Kinderen, vaders. Je moet door. Jouw stomme God van Nare Zaken zit alleen in jouw hoofd, Jack. Er is niemand om te arresteren, geen dader, geen overwinning. Je kunt niets doen.'

'Je kunt niet doen of er nooit iets gebeurd is.'

'Dat doe ik *niet*. Ik blijf er alleen niet in zwelgen. Ik wil die rotzooi niet meer. Ik wil iemand anders zijn.'

'Gefeliciteerd, dat is je gelukt.'

'Dat is een hufterige opmerking.'

'Nou, jij *gedraagt* je ook als een hufter.'

En toen begonnen we als boosaardige kinderen op elkaar in te hakken, twee schreeuwende mensen op het einde van de pier. Voorbijgangers keken nieuwsgierig onze kant op en verlegden ofwel hun koers om het gênante stel te vermijden, of ze vertraagden hun pas om een paar zinnen te kunnen opvangen, niet wetende, of niet geïnteresseerd in het feit dat ze getuige waren van een universum dat uiteenspatte.

Dat dit gebeurde, en dat het hier gebeurde, maakte me zo verdrietig dat de woorden in mijn keel bleven steken. Ik verstond amper wat Amy zei.

'Amy, kijk me gewoon aan en zeg dat dit niet over een andere man gaat.'

Dat ik de vraag hardop stelde, maakte me razend, en verdrietig. En ik voelde me kwetsbaar: er is weinig verschil tussen deze woorden en de vraag: 'Mammie, waarom hou je niet meer van me?' Ik had het gevoel dat ik veertien jaar oud was. En dat gevoel werd alleen maar sterker toen haar antwoord uitbleef.

'Jack, dit is belachelijk.'

'Is het Todd Crane?'

'Jezus.'

'Lach me niet uit, Amy. Ik stel je een volwassen vraag. Heb je een affaire met Crane?'

'Ik, luister... lang, heel lang geleden, jaren voordat jij en ik elkaar zelfs maar hadden ontmoet, waren Crane en ik een stel. Kort. Sindsdien niets meer. Die man heeft een leeg hoofd, Jack.'

'Wie is het dan wel? Die Shepherd?'

Ze staarde me aan. Ik had de spijker niet op z'n kop geslagen – in elk geval niet erbovenop – maar ik had haar duidelijk van haar stuk gebracht, op een manier die ik niet begreep.

'Wat... hoe weet je van zijn bestaan?'

'Ja of nee, Amy?'

Ze wendde haar ogen af, haar blik versomberde. 'Natuurlijk niet.'

'Deze relatie met Crane – was dat in dezelfde tijd dat zijn bedrijf het gebouw in Belltown heeft gekocht?' Amy begon nu erg ongerust te kijken en ik besefte dat Gary het op z'n minst op een punt bij het rechte eind had gehad: het gebouw was toch belangrijk.

'Jack, je moet je echt... je moet je hier echt buiten houden. Het heeft niets met jou te maken en je zult het niet begrijpen. Geloof me.'

Nu ik eenmaal op gang was, kon ik niet stoppen met graven. En ik lanceerde de laatste naam die ik de afgelopen dagen had gehoord, de naam die voorkwam in de papieren over het gebouw, naast die van Amy en Crane.

'En hoe zit het met Marcus Fox?'

Amy's masker viel. Ik zag haar letterlijk verbleken. Ik knikte, plotseling geloofde ik niets meer van wat ze nog zou zeggen. Ik geloofde Amy niet meer, punt uit. Alle nare dingen die we in de afgelopen jaren hadden meegemaakt waren niet langer gebeurtenissen die we samen hadden doorstaan. De tijd had zich tussen ons in gedrongen, als ijs: eerst was het transparant, maar met elke dag die voorbijging werd het ongemerkt steviger en ondoorzichtiger.

'Laatste kans om dit netjes te regelen,' zei ik. 'Vertel me wat er aan de hand is.'

Ze haalde een pakje sigaretten uit haar tas, haar handen trilden een beetje. Ze frunnikte de laatste sigaret tevoorschijn, stak hem aan en gooide het lege pakje over de balustrade. De vrouw die, toen ik haar voor het eerst ontmoette, meedeed met de vrijwillige schoonmaakacties op het strand.

'Ik reageer slecht op dreigementen,' zei ze.

Haar blik was vlak, leeg en koel. De vingers rond de sigaret eindigden in schetterend roze. Ik besefte dat ik deze vrouw niet kende. Iemand, iemand die op dit moment alleen in de schaduw bestond, had zich met geweld een weg gebaand in mijn leven. Hij had een weg naar binnen gevonden en was bezig de dingen die het meest voor me betekenden te verwoesten, ofwel door ze te stelen, of door ze zo te veranderen dat ze niet langer van mij waren. Ik had gedacht dat ik me nergens aan gehecht had, om mezelf te beschermen tegen de buitenwereld. Maar ik had me vergist. Amy had al die tijd in mijn hart gewoond, en zij was degene naar wie ze hadden gezocht.

En op de een af andere manier namen ze me haar nu af.

Ik voelde iets heel erg slechts en duisters in mijn hoofd opkomen, een trilling waarvan ik wist dat ik hem misschien niet onder controle kon houden.

'Jij bent jezelf niet meer,' zei ik met verstikte stem.

'Ja, Jack. Dat ben ik wel. Het spijt me. Maar dit ben ik.'

'Ik hoop werkelijk van niet. Omdat ik deze persoon niet eens ken. En het is erg moeilijk om haar aardig te vinden.'

Ik liep weg.

Ik liet haar staan en beende in de richting van het begin van de pier. Met afgemeten passen sloeg ik de laatste bocht om, naar waar ik haar niet meer kon zien. Ik knipperde snel en mechanisch met mijn ogen, mijn tot vuisten gebalde handen had ik in mijn zij geduwd en mijn armen en schouders voelden alsof ze door iemand anders werden bestuurd.

Aan het einde van de pier dwong ik mezelf te stoppen en een paar keer lang en diep adem te halen. Ik had het gevoel dat de pier schudde onder mijn voeten, maar ik wist dat dat niet waar was. Het was de hele wereld. En ik begreep nu dat dit het was wat ik had gevoeld toen ik op het dakterras van het huis in Birch Crossing stond en even niet meer wist wie ik was.

Een intuïtief gevoel dat ik vele jaren in een droom had geleefd, en dat ik nu op het punt stond om te ontwaken.

Toen ik terugkwam was ze verdwenen.

Ik liep snel over de pier richting de stad, niet langer boos. Ik moest me een weg banen tussen drommen tevreden toeristen en verliefde stelletjes, en het voelde alsof ik een geest was. Ik begon te rennen.

Toen ik aan het begin van de pier kwam en langs het talud omhoog-keek, zag ik iemand die op Amy leek, vijfhonderd meter verderop, vlak bij Ocean Avenue. Ik riep haar naam.

Ik weet niet of ze me hoorde, ze draaide zich niet om. Ze liep rechtstreeks naar een auto die op de hoek stond te wachten, opende het achterportier en stapte in. De auto reed met hoge snelheid weg. Ik kon hem met geen mogelijkheid meer bereiken.

Ik haalde mijn telefoon tevoorschijn en toetste een nummer in. Hij sprong direct op de voicemail. Ze wilde me nu niet spreken.

'Amy,' zei ik. 'Bel me. Alsjeblieft.'

Toen belde ik een ander nummer en vroeg iemand of hij iets voor me wilde uitzoeken. Terwijl ik op antwoord wachtte, beklom ik het talud naar de Avenue en ging met een plof op een van de bankjes in het park zitten. Vijf minuten later ging mijn telefoon over.

'Wat weet je over die vent?' vroeg Blanchard aan de andere kant van de lijn.

'Alleen de naam. Waarom?'

'Fox was een zakenman. Een poosje een behoorlijk belangrijke snuiter in de stad, lijkt het.'

'Was?'

'Hij is negen, tien jaar geleden verdwenen.'

'Schulden?'

'Nee. Maar Moordzaken schijnt enige aandacht aan hem te hebben besteed. Er is een getuige die hem misschien heeft gezien in de buurt van de plek waar een jong meisje is verdwenen, in het Queen Annedistrict, vier, vijf blokken van zijn huis. In de jaren ervoor zijn nog meer meisjes hier in de stad verdwenen. Een flink aantal. Rechercheurs zijn de woning van Fox binnengedrongen en vonden een zeer schone kelder.'

'Verdacht schoon?'

Misschien. Maar hij was ervandoor. Ik heb een van de mannen gesproken die in dat huis zijn geweest en die zei dat het wel een spookschip leek. Geopende fles wijn op tafel, afgesneden sigaar, klaar om te worden aangestoken, alles. Het dossier is nog steeds open, maar erg stoffig en ik moet benadrukken dat ze hem nooit met iets in verband hebben kunnen brengen. Dus wat betekent hij voor jou, Jack?'

'Ik weet het niet,' zei ik.

'Ik betwijfel of ik dat wel geloof,' zei Blanchard op vermoeide toon. 'De man die ik heb gesproken, zei dat iemand anders ook al naar Fox heeft geïnformeerd, een paar weken geleden. Deze man zei dat hij advocaat was. Moet ik het voor je uittekenen?'

'Nee,' zei ik.

Ik belde een laatste nummer.

'Je hebt tegen me gelogen,' zei ik voordat Fisher de kans had om zijn mond te openen. 'Ik kom nu naar Seattle. Je spreekt met me af of anders weet ik je te vinden. Als dat laatste het geval is, zul je daar de rest van je leven spijt van hebben.'

Ik verbrak de verbinding en liep naar de weg om een taxi aan te houden om me naar de luchthaven of een motel of bar te brengen, ergens waar ik mijn tenten kon opslaan tot ik morgen naar het noorden zou vliegen.

hoofdstuk
TWEEËNDERTIG

Rachel stond met open mond op de hoek van de straat. Ze keek de ene kant op, toen de andere. Ze maakte een melodramatische halve cirkel, alsof dat zou helpen. Niet dus. Kleretrut.

Ze was er echt vandoor.

Fantastisch.

Bedankt, Lori. Prachtig einde van een sterverlichte avond.

Natuurlijk hadden ze afgesproken dat als een van de vrouwen een topper aan de haak zou slaan, ze mocht vertrekken zonder dat ze de ander eerst hoefde op te zoeken om het uit te leggen. Maar die afspraak had vooral betrekking op Rachel, omdat Lori altijd wilde rijden en dus nooit degene was die alleen in de (deze week) hipste bar van Seattle zou achterblijven. Nu moest ze naar huis lopen. Een wandeling die steeds langer zou lijken naarmate het effect van het laatste glas wijn verder wegebde. Een wandeling in een rokje dat niet ontworpen was om je in voort te bewegen. En zonder een jas van betekenis erboven.

'Shit,' zei Rachel nog een keer, vermoeid. Maar het had geen zin om bij de pakken neer te zitten. Of om je vriendin in de steek te laten. Ha. Was dat grappig, of alleen scherpzinnig? Was het zelfs wel scherpzinnig?

De gedachtewisseling vond alleen in haar eigen hoofd plaats, dus wat deed het ertoe?

Ze wierp een weifelende blik op Wanna:Be. Bedacht dat ze weer naar binnen kon gaan om te vragen of ze misschien een speciale toverspreuk kenden om een taxi op te roepen. Maar je wist nooit hoe lang je daarop moest wachten. Ze zag het ook niet zitten om de portier nog een keer over te moeten halen om haar weer binnen te laten. De lange, gesoigneerde neger vond zichzelf heel wat en had absoluut niet in de gaten dat hij binnen een maand op straat zou lopen, pasjes uitdelen aan dronkenlappen om de onrust voor de deur op een commercieel gezien acceptabel niveau te houden.

'*Shit*,' mompelde ze opnieuw. Ze plooide haar minuscule jasje als een sjaal rond haar nek en prevelde een gebedje waarin ze wenste dat Lori's nieuwe lover ernstige persoonlijke problemen bleek te hebben en een lul met de omvang van een cashewnoot. Zei nog een laatste keer zachtjes 'shit'.

En toen begon ze naar huis te lopen.

'Zevenentwintig,' fluisterde Rachel.

Ze telde zorgvuldig. Ze wilde zich niet vergissen. Zodra ze thuis was zou ze Lori een e-mail sturen en ze wilde *precies* weten welk cijfer ze moest invullen tussen de woorden 'Ik moest...' en '... godvergeten blokken lopen'.

Ze maakte van de gelegenheid gebruik om even uit te rusten. Nog een paar blokken en dan was ze bij de goede zijstraat, en *dan* duurde het nog vijftien minuten voor ze thuis was. Ze had een kleine woning in een niet eens zo vervallen buurt, omringd door gelijkgestemde, beleefde mensen. Haar huis, de plek waar ze haar spullen bewaarde, waar ze sliep, waar ze haar maaltijden voor de televisie opat. Thuis, dacht ze, en ze wist dat ze van geluk mocht spreken dat ze het had. Als haar pa haar niet had geholpen had ze nu in een van dope doortrokken hol gewoond met drie andere twintigers die evenmin wisten wat ze met hun leven aan moesten.

Ten slotte begon ze weer te lopen, langzamer nu. De straten waren verlaten, op een enkele auto na die haar in hoog tempo voorbijscheurde, andere mensen die god weet waarmee bezig waren. Rijtjes keurige huizen met kleine, goed onderhouden voortuinen, alle ramen donker. Niemand bleef hier laat op. Ze hadden hun schaapjes al op het droge en hoefden niet te doen alsof het geluk te vinden was in een hippe bar vol licht en gebabbel die desondanks aanvoelde als de binnenkant van een lege kast. Wie heeft behoefte aan dat soort onzin als je een dubbele garage hebt? Deze mensen lagen al lang tevreden in hun warme bed. Iedereen behalve...

... degene die dat geluid maakte.

Rachel stopte, draaide zich om. Ze hoorde voetstappen. Het irriteerde haar dat het geluid zo'n invloed op haar had – en dan klónken er voetstappen, nou en. Maar het was donker en laat en ze kon er niets aan doen.

Er was niemand achter haar. De voetstappen klonken alsof ze van verder weg kwamen, zo stil en licht. Rachel klapte haar tasje open en haalde haar mobiel tevoorschijn.

'Goed,' mompelde ze in het apparaat. 'Maar pinguïns zien er altijd zo uit, weet je? De meeste kunnen niet eens autorijden. Behalve degene met de grootste kuif. De CIA heeft ze gefokt om mee te doen met crosscountryraces.'

Ze bleef even stil – het voelde stom, doen alsof ze een gesprek voerde in de hoop dat een stalker haar dan met rust zou laten. Maar een vriendin van Lori beweerde dat het haar meer dan eens het leven had gered. Ze luisterde opnieuw.

Het was nu stil. Degene die daar in zijn eentje had gelopen, was een andere kant op gegaan. Mooi. Maar ze hield de telefoon tegen haar oor gedrukt en sloeg een hoek om waarna ze nog precies zes blokken van huis zou zijn. Toen gleed de hand met de telefoon langzaam omlaag, weg van haar oor.

Het was niet zo'n lange persoon. Veel meer kon Rachel er niet van maken omdat hij of zij precies voor een lantaarnpaal stond.

Ze liep nog een eindje verder, vertraagde haar pas, kneep haar ogen samen.

Het silhouet veranderde in de omtrekken van een klein meisje dat keurig midden op het trottoir stond.

'Ik ben verdwaald,' zei het meisje.

'Waar moet je naartoe?' vroeg Rachel.

'Ergens anders.'

'Oké dan. Hoe... eh, hoe komt het trouwens dat je hier zo laat bent?'

Het meisje negeerde de vraag. Rachel nam het haar niet kwalijk. Ze wist dat ze niet goed met kinderen overweg kon, met uitzondering van haar jongere zusje. Op haar kantoor werkten geen baby's en bij de sportclub kwamen ze evenmin. Je zag ze ook zelden in bars. Dus de enige kleintjes die ze wel eens ontmoette, waren de kinderen van haar oudere zus. En die liet ze nooit bij haar alleen. Ze bleef altijd in de buurt om over ze te waken, alsof ze vermoedde dat Rachel zou proberen om geld van hen te lenen of ze zou leren roken.

Desondanks probeerde ze op haar hurken te gaan zitten, om wat vriendelijker over te komen. 'Weet je moeder waar je bent?'

'Nee.'

'Waar woon je, liefje?'

'Ik zoek alleen onderdak. Ik wil niet naar huis.'

Oh, oh, dacht Rachel. Dit zag er plotseling heel wat gecompliceerder uit. Een verdwaald kind was een ding. Een kans om een goede daad te verrichten. Een weglopertje was wat anders. Problemen thuis. Vieze oom Bob. De hele bubs.

'Waarom niet?' vroeg ze. 'Het is laat. En koud. Prettiger om thuis te zijn, denk je niet?'

Het meisje wachtte geduldig tot ze was uitgepraat. 'Waar is jouw huis?'

Rachel trok haar wenkbrauwen op. 'Pardon?'

'Waar is het?'

'Niet zo ver,' zei Rachel. 'Maar...'

'Neem me mee naar jouw huis.'

'Luister eens,' zei Rachel gedecideerd. 'Ik zal je helpen om je eigen huis te vinden. Je ouders moeten wel gek zijn van ongerustheid. Maar...'

Plotseling vloog het kind haar aan.

Rachel was er niet op voorbereid. Ze stak een hand uit om haar val te breken, maar kwam toch heel ongelukkig neer. Door de snelheid van het kind knalde haar hoofd met een doffe dreun tegen het beton. Alles bij elkaar duurde het niet meer dan een seconde. Een witte gloed verspreidde zich door haar hoofd, alsof een lichtflits de nachtelijke hemel in tweeën spleet.

Toen zag ze de ronde schaduw van het gezicht van het kleine meisje boven zich verschijnen. 'Breng me naar je huis.'

Rachel duwde zich half overeind, haar pols knarste alsof de botten over elkaar heen gleden. 'Wat is er met *jou* aan de hand?'

Nu kon ze het gezicht van het meisje weer scherp zien. Haar mond was een smalle streep. 'Breng me naar je huis.'

'Ik breng je helemaal nergens naartoe, jij klein secreet.'

Het meisje aarzelde, trapte haar in de maag en rende vervolgens weg. Rachel ving een laatste glimp van haar op toen ze snel over een laag hekje klom en in iemands voortuin verdween.

Zodra ze weer op de been was kreeg Rachel haast. Een paar blokken verder begon ze te trillen, gevolg van de schok. Ze dacht erover om de politie te bellen en te zeggen dat ze hier direct naartoe moesten komen met een groot net, maar besloot dat ze zou wachten tot ze thuis was.

Toen ze daar nog maar een paar blokken vandaan was, werd de situatie opnieuw vreemd. Eerst dacht ze dat ze weer voetstappen hoorde. Dat had haar de eerste keer alleen pro forma ongerust gemaakt, maar deze keer deed het geluid haar ter plekke bevriezen. Ze hoorde alleen stilte. Ze maakte een trage cirkel, verwachtte elk moment het silhouet van een klein figuurtje te zien in de schaduw van een lantaarnpaal, een eindje van haar vandaan, maar niet ver genoeg.

Niemand.

Ze was gewoon paniekerig. Dat was alles.

Ze versnelde haar pas. Het voelde alsof haar oren tien centimeter uit haar hoofd staken. Haar schouders voelden ook vreemd aan, alsof ze een beetje gekneusd waren. Maar ze bewoog haar voeten regelmatig heen en weer, in een marstempo. Haar hakken roffelden klik, klik, klik over het plaveisel. Ze probeerde strak voor zich uit te kijken. Gewoon doorlopen...

Toen draaide ze haar hoofd met een heftige beweging naar links.

Ze zag een rijtje huizen, bijna identiek, standaard ranch-stijl met een laag hek ertussen. Zwijgzaam en roerloos in het ijle maanlicht. Maar had ze niet iets over het hek zien glippen, helemaal achterin? Haar hersens aarzelden, maar haar hart ging zo hevig tekeer dat het volkomen overtuigd leek. En dat het daar allesbehalve gelukkig mee was.

Ze aarzelde. Ze had zich snel omgedraaid. Er was een ruimte van vier, vijf meter tussen het hek en de zijmuur van het volgende huis. Kon een klein meisje die afstand werkelijk in zo'n korte tijd afleggen? Waarschijnlijk was het gewoon een kat geweest die zijn territorium inspecteerde. Sprong over het hek, trok haar aandacht en verdween op zijn eigen, zijdezachte manier in de duisternis.

Maar... als het *wel* dat kind was geweest, dan was ze nu ergens voor Rachel. Misschien stond ze haar een paar huizen verder op te wachten, verscholen achter een van de schuttingen.

Nee. Het was gewoon een kat.

En zo niet... Wat kon Rachel doen? God weet hoe veel blokken terug rennen naar de bar, de stoere neger vragen om haar te helpen? Of de politie bellen? *Juist, m'vrouw, en hoe veel hebt u vanavond gedronken? Werkelijk – zo veel?*

En hemeltje, het was maar een kind. Haar aanval had haar verrast.

Ditmaal zou Rachel dat ontspoorde kreng gewoon tegen de grond slaan.

Desondanks liep ze het laatste anderhalve blok op een sukkeldrafje. Elke schutting die ze naderde, hield ze scherp in de gaten. De huizen in haar buurt waren iets kleiner en iets goedkoper en haar tuin was smal en ondiep. Hij was overduidelijk leeg, godzijdank.

Ze rende het pad op, sleutel in de aanslag, en opende de voordeur. Eenmaal binnen draaide ze de deur snel op slot.

En toen begon ze te lachen. Jezus. Wat een *klotenacht.*

Ze schonk zichzelf direct een groot glas wijn in en dronk dat in een teug halfleeg. Wat dan nog als ze de tel was kwijtgeraakt met het aantal blokken. Ze had meer dan genoeg munitie om Lori's mond wagenwijd open te laten vallen. En misschien dat Lori zich zelfs, voor één keer, zou verontschuldigen. Rachel liep naar de zitkamer en bleef daar even doelloos staan. De adrenaline die door de schok was vrijgekomen begon zijn uitwerking te verliezen. Wat dacht ze nu te gaan doen? Stil blijven zitten? De tv aanzetten? Lori was op dit moment met hele andere dingen bezig.

Rachel nam nog een flinke slok wijn. Dat activeerde de alcohol die nog in haar systeem aanwezig was en ze voelde zich een beetje dronken. Dronken en sacherijnig. En *doodsbang*. Wat was er met de wereld aan de hand dat kleine meisjes midden in de nacht op straat rondzwierven en het voorzien hadden op onschuldige eenzame vrouwen?

En wat was er met Rachels wereld aan de hand dat die laatste twee woorden op haar van toepassing waren? Ze zou niet midden in de nacht alleen over straat moeten gaan. Ze zou hier evenmin in haar eentje moeten staan. Dat deugde niet.

Met een uitdagend gebaar hief ze het glas. Ze kon hem net zo goed helemaal achteroverslaan en er nog eentje nemen – er was hier niemand om haar te veroordelen, nietwaar? Maar toen hoorde ze iets.

Het zachte rinkelen van glas.

Ze draaide zich zo snel om dat de middelmatige Merlot uit het glas vloog en op het tapijt terechtkwam.

Het geluid was van boven gekomen.

Ze zette het glas zachtjes op de tafel en liep snel naar de gang. Haar hart ging als een razende tekeer. Ze legde haar hand op de leuning en keek omhoog. Ze vroeg zich opnieuw af of ze de politie zou bellen maar wist dat die toch niet op tijd hier zou zijn. Ze dacht erover om naar buiten te rennen, maar nee, dit is verdomme mijn huis.

Langzaam liep ze de trap op. Haar voeten aan weerszijden van de traploper zodat de treden niet kraakten. In volkomen stilte kwam ze boven. Daar wachtte ze even. Geen nieuwe geluiden. Met twee passen was ze de overloop overgestoken. Ze duwde de deur naar haar slaapkamer open.

Ze zag direct dat de onderste ruit van het raam gebroken was, een glinsterend gat met scherpe punten. Op de vloer eronder lag glas. Zorgvuldig keek ze de kamer rond. Ze wist maar al te goed dat er in haar kasten nog geen bloes bij kon, laat staan een menselijk wezen. Haar bed stond direct op de vloer, dus daar kon ook niemand onder liggen.

Toen zag ze iets wat er niet hoorde. Tegen de onderkant van haar kast lag een keitje.

Iemand moest het van beneden door haar ruit hebben gegooid. Het glas was gebroken en de kei was naar binnen gevlogen. Iemand? Hoe veel kandidaten waren er?

Rachel liep naar het raam. Drukte zich zorgvuldig tegen de muur en bukte zich zodat ze van buitenaf niet zichtbaar was. Toen bewoog ze haar hoofd heel langzaam omhoog om een blik in de tuin beneden te werpen – klaar om snel achteruit en uit het zicht te springen.

Er was niemand, maar Rachel besloot dat het nu genoeg was. Ze zou de politie bellen. Ze snelde de slaapkamer uit en roffelde de trap af.

Het meisje stond aan de andere kant van de gang, een silhouet tegen het licht van de keukenlamp.

Rachel begreep onmiddellijk hoe ze het had aangepakt. Ze had haar met het lawaai naar boven gelokt en vervolgens heel stilletjes een ruitje in de achterdeur kapot getikt, haar hand erdoor gestoken en de deur van het slot gehaald. Maar was dat een strategie die een klein meisje kon bedenken? Wat voor kind had ze hier voor zich?

'Ga weg,' zei Rachel.

Haar stem klonk droog en niet hard genoeg.

Het meisje hield iets in haar hand. Rachel herkende het. Een twintig centimeter lang, professioneel keukenmes, uit de tijd dat ze had besloten om Frans te leren koken. Ze had een lading boeken gekocht en een keukenmachine, en was nooit verder gekomen dan een mislukte confit de canard. Daarna had ze het idee maar weer laten varen. Waar het op neerkwam was dat het mes nauwelijks gebruikt was sinds het de winkel had verlaten. Het was nog steeds erg scherp en veel te groot voor de persoon die het op dit moment vasthield. Een kind van die leeftijd zou er idioot moeten uitzien met zo'n ding in haar hand. Helaas gold dat niet voor dit meisje.

Rachel draaide zich om en rende naar de voordeur. Greep de deurkruk en trok eraan. Geen beweging.

Ze had de deur direct na binnenkomst op slot gedraaid.

Het meisje was nu in de woonkamer. 'Je moet me helpen,' zei ze.

'Luister, liefje,' zei Rachel met trillende stem, haar handen in haar zij. 'Ik heb zo *ontzettend* genoeg van jou. Ik weet niet wat jouw probleem is, maar ik bel de politie. Ik meen het.'

Het meisje bracht de punt van het mes naar haar eigen keel. 'Dat doe je niet,' zei ze.

'Je vergist je. Ga mijn huis uit.'

'Dwing me alsjeblieft niet,' zei het meisje. En de punt van het mes maakte een inkeping in de huid van haar hals.

'Waar ben je...'

'Wil je dat de politie me zo aantreft?'

'Luister...'

Plotseling stonden de ogen van het meisje vol tranen. Rachel zag hoe ze haar hand iets verder naar boven bewoog en hoe er op de plek waar de punt van het mes in haar keel stak een donkere druppel opwelde. Ze zag de hand van het meisje verstrakken terwijl ze zich voorbereidde om het lemmet nog verder omhoog te duwen. Ze wist dat ze niet zou stoppen.

'Alsjeblieft,' zei het meisje, haar stem klonk zacht en heel angstig, heel anders dan daarvoor. 'Help me. Ik doe dit niet.'

'Jezus,' zei Rachel snel. Ze stak haar handen uit. 'Oké. Jij wint. Hou daar... hou daar mee op.'

Het meisje deed een stap naar voren. Daardoor kwam ze in het licht en even zag ze er minder gestoord uit, alsof het mes per ongeluk in haar handen terecht was gekomen, alsof mammie niet had opgelet toen ze samen aan het koken waren en het mes elk moment overdreven zorgvuldig kon worden neergelegd.

'Beloofd?'

'Absoluut,' zei Rachel. 'Beloofd.'

Het meisje haalde het mes langzaam weg. Ze glimlachte onzeker. Het was een aardige glimlach en Rachel begon zich een klein beetje te ontspannen. Een kind dat zoiets in zich had kon niet helemaal slecht zijn. Hopelijk.

'Oké,' zei ze op dezelfde kalme, vriendelijke toon. 'Dus het is in orde. Waarom vertel je me niet hoe je heet?'

Het gezicht van het meisje veranderde. 'Waarom wil je dat weten?'

'Nou, hoe moet ik er anders achter komen hoe ik je moet noemen, liefje?' Ik ben Rachel. Zie je wel? Niks aan.'

Het meisje hield het mes nu losjes vast, alsof ze het eigenlijk vergeten was.

'Mijn naam is Madison,' zei ze. 'Voornamelijk.'

'Prachtig.' Rachel glimlachte. 'Dat is een hele mooie naam. Madison en Rachel. Vrienden, oké?'

Het meisje zei niets en bleef doodstil staan. Toen knipoogde ze. 'Ik kende jouw naam al,' zei ze.

Ze glimlachte opnieuw, maar er was iets veranderd. Het was alsof alles aan het meisje – haar gezicht, lichaam, kleding – er niet toe deed. Alleen haar ogen vertelden de waarheid. Rachels maag draaide zich om. Ze probeerde weg te kijken, maar dat lukte niet.

'Tijd,' zei het meisje terwijl ze Rachel van onder tot boven opnam, 'is niet vriendelijk. Je was *perfect*. Precies zoals ik het graag heb. Ik bemerkte zelfs een kleine verliefdheid, geloof je dat nou? Maar goed. Dat was toen en dit is nu. Je moet een ding goed begrijpen, niet-zo-kleine Rachel. Je bent te oud en we zijn geen vrienden. En zelfs als we dat waren, zou me dat er niet van weerhouden om je open te snijden. Dus het zou heel erg verstandig zijn als je deed wat je gezegd werd.'

Rachel knikte. Ze wist niet wat ze anders moest doen.

'Goed,' zei het meisje. 'We gaan nu een telefoontje plegen. Het zal je interesseren. Het is in elk geval leerzaam.'

Het meisje hield het mes nu weer steviger vast. Door deze waarneming was Rachel even afgeleid, waardoor ze de andere hand van het meisje, die naar haar hoofd uithaalde, pas opmerkte toen het te laat was.

'Uitstekend,' zei Madison opgewekt, terwijl Rachel bewusteloos op de grond lag. 'Laten we nu eens uitzoeken hoe veel de grote Todd Crane van zijn dochter houdt.'

hoofdstuk
DRIEËNDERTIG

Ik ben hier eerder geweest. Deze scène heb ik vele keren in mijn hoofd afgespeeld. Maar het is nog nooit zo levensecht geweest.

Ik ben in Los Angeles. Ik zit in een kleine leunstoel in het donker, omringd door de geur van andermans troep. Ik wacht op twee mannen wier identiteit ik heb achterhaald op een manier die verdacht veel weg heeft van recherchewerk. Mannen die op plekken zijn geweest waar ze niet hadden mogen komen, waar ze dingen hebben ontvreemd, minstens tweemaal iemand hebben verkracht en een persoon hebben vermoord. Ik ben tot het inzicht gekomen dat mens-zijn vooral betekent dat je een sociaal wezen bent, en dat als je niet begrijpt dat je niet op andermans terrein mag komen zonder zijn of haar toestemming, je dan misschien wel een homo sapiens bent, maar geen mens.

Ik besef dat ik bezig ben dezelfde misdaad te begaan als zij, en als de mannen die mijn vader hebben vermoord, vele jaren geleden en honderden kilometers verderop. Ik heb geen toestemming om me in dit huis op te houden. En zelfs als ik een bevel had, zou ik hier niet moeten zijn. Ik zou thuis moeten zijn met Amy, die op instorten staat en me nodig heeft. Maar toch ben ik hier. Ik kan Amy's verdriet niet verlichten, noch dat van mezelf. Ik heb alles geprobeerd, maar niets helpt. Dus zit ik in dit totaal vervallen huis aan het eind van een canyon, waar alle ramen gesloten zijn en de lucht te zwaar is om in te ademen. Wat denk ik hier nou eigenlijk te doen? Wacht ik op twee mensen die ik kan arresteren omdat ik hun identiteit heb achterhaald of op twee onbekende mannen van lang geleden, wier namen ik onmogelijk kan kennen en die ik nooit te pakken zal krijgen?

Daar denk ik niet over na. Ik denk helemaal niet. Denken betekent dat ik me het gezicht herinner van de echografisch laborante die net iets te lang naar de beelden op de echo kijkt en dan stilletjes wegsluipt om er een specialist bij te halen. Het betekent dat ik mijn vrouw zie die zich traag door ons huis beweegt, wachtend tot dat ding in haar zal verdwijnen. Het culmineert in een wolk van fijn stof dat de wind in mijn gezicht terugblaast aan het eind van de Santa Monicapier, nog maar twee dagen voor deze avond, alsof de hele schepping me wilde doordringen van het feit dat deze gebeurtenis nooit, nooit weg zou gaan. Het materiaal dat naar buiten kwam en gecremeerd en verstrooid werd, was niet hij. Onze zoon heeft de buitenwereld nooit bereikt. Hij is ergens daarbinnen blijven hangen, dwaalt nog steeds door die inwendige zalen, beïnvloedt de wereld alleen door zijn schaduwachtige aanwezigheid in onze hoofden. Mensen die hun leven delen met een dode weten dat niets zo luid klinkt is als de opsomming van alle dingen die nooit meer gezegd kunnen worden, of de herinneringen aan gebeurtenissen die nooit zullen plaatsvinden.

Nu ik in beide richtingen ben afgesneden van andere generaties, kan ik nergens anders naartoe. En daarom zit ik hier, en wacht. Iemand moet ergens verantwoordelijk voor zijn. Iemand, ergens, moet boeten. Eindelijk hoor ik de deur opengaan. Ik hoor luide stemmen en de zware tred van voetstappen, en ik besef dat er meer dan twee mensen zijn binnengekomen. Het geluid van hun stemmen is bars, vreemd en scherp van een frustratie die even giftig is als die van mij.

In de volgende drie minuten zal ik vier mannen doodschieten.

Ik wil dit niet nog een keer meemaken. Als ik me eindelijk aan de droom weet te ontworstelen, bezorg ik de persoon naast me in het vliegtuig naar Seattle de schrik van zijn leven. En terwijl ik het uitschreeuw, besef ik dat ik niet het geluid van voetstappen hoorde, maar van de wielen van het vliegtuig die naar buiten komen, klaar om te landen.

Even voor twaalf uur raakten we de grond en ik zette mijn telefoon onmiddellijk weer aan. Dertig seconden later begon hij te zoemen. Het bericht was niet van Amy, zoals ik had gehoopt. Het was van Gary. Een adres.

Zijn hotel stond aan de westkant van het centrum, dicht bij de kloof waardoor de Interstate-5 zich dwars door het centrum een weg heeft gebaand. Het viel in dezelfde prijsklasse als zijn vorige onderkomen. Na het gesprek met Blanchard, gistermorgen, kon ik dat wel begrijpen. Fisher betaalde voor zichzelf, kon niets in rekening brengen bij een welgestelde klant. Ik parkeerde de auto onder het hotel en liep naar de kofferbak. Toen ging ik naar binnen.

Gary had gezegd dat hij me in de lobby zou ontmoeten. Maar ik vroeg zijn kamernummer bij de receptie en ging naar boven. Ik klopte op zijn deur. Het antwoord klonk gedempt.

'Minibar,' zei ik terwijl ik de andere kant op keek.

'Ik heb niets nodig.'

'Ik moet de voorraad opnemen, meneer.'

Zodra hij de deur had ontgrendeld, gaf ik er een trap tegen, zodat het ding tegen zijn gezicht klapte. Ik beende naar binnen en sloeg de deur achter me dicht.

'Jack, wat is er...'

Ik gaf hem een harde duw tegen de borst waardoor hij zijn evenwicht verloor. Hij viel op zijn rug. Ik duwde mijn knie tussen zijn ribben, trok de revolver tevoorschijn en plaatste die stevig midden op zijn voorhoofd.

'Hou je mond,' zei ik. 'Zeg helemaal niets.'

Hij was nog steeds bezig zijn mond open te doen.

'Ik meen het, Gary,' zei ik terwijl ik harder duwde. 'Werkelijk. Ik heb er genoeg van dat jij en iedereen een loopje met me nemen. Begrepen?'

Dit keer knipperde hij alleen met zijn ogen.

'Heb jij Anderson laten vermoorden?'

Hij staarde me aan. 'Wat?'

'Er waren maar drie mensen die wisten waar we elkaar zouden ontmoeten. Jij, ik en hij. Ik heb het tegen niemand gezegd. Ik neem aan dat hij dat ook niet heeft gedaan. En dan blijft er maar een iemand over. Jij.'

Hij keek angstig. Hij begon zichzelf overeind te werken, zag mijn gezicht, stopte. 'Jack, je moet me geloven.'

'Nee. Ik hoef helemaal niets te geloven van een vent die uit een ziekenhuis wegloopt nadat we pal voor onze eigen ogen een man hebben zien neerschieten. Die zijn hotelkamer opzegt en dan gewoon verdwijnt.'

'Ik moest wel, Jack. Het is... ik werd gevolgd. Iemand is in mijn hotelkamer geweest.'

'Hou toch op, Gary. Ga terug naar je therapeut en pak het deze keer serieus aan.'

'Er is niets mis met...'

'Werkelijk? En waarom heb je me dan verteld dat je nog steeds voor je kantoor werkte, terwijl nu blijkt dat je met gedwongen verlof bent?'

'Hoe weet jij dat?'

'Wat *zijn* die persoonlijke redenen precies, Gary? Wat is er in godsnaam met je aan de hand? Eigenlijk, weet je, kan het me niet schelen. Ik heb belangrijkere zaken aan mijn hoofd.'

'Nee, die heb je niet,' zei hij. 'Er is niets belangrijkers dan dit.'

Ik keek omlaag naar de man op de hotelvloer en vroeg me af hoe ik in godsnaam op dit punt in mijn leven terecht was gekomen. Wat was er gebeurd tussen de atletiekbaan en hier?

'Hoe dan ook,' zei ik. 'Anderson, Cranfield en al die flauwekul interesseren me geen lor. Ik wil dat je me alles vertelt wat te maken heeft met Amy, en dat je vervolgens uit mijn leven opdondert.'

'Jack,' zei hij. 'Ik heb dingen voor je verborgen gehouden. Dat geef ik toe. Maar ik moest wel. Alsjeblieft, laat het me uitleggen.'

Ik zou naar de deur moeten lopen. De revolver lag te gemakkelijk in mijn hand. Maar ik wist niet waar ik anders naartoe kon gaan behalve naar Todd Crane, en dat leek me niet zo'n goed idee. Makkelijke oplossingen hadden een bijzondere aantrekkingskracht. Ik wilde dat iemand pijn zou lijden.

'Alsjeblieft,' zei hij. 'Geef me vijf minuten.'

'Waarvoor? Nog meer flauwekul?'

'Kijk in de koffer.'

Ik wierp er een blik op. 'Waarom?'

'Kijk nou maar. Ik blijf hier. Op de grond.'

Ik liep ernaartoe en keek in de geopende koffer. Deze keer zag ik meer. Fotokopieën van contracten, naslagwerken. Een bijbel, stukgelezen en vol Post-it-briefjes. 'Wat, Gary?'

'In het zijvakje.'

Ik haalde een klein, hard, rechthoekig voorwerp tevoorschijn. Een mini-dv-videoband. 'Staat Amy daarop?'

'Nee,' zei hij. 'Allesbehalve.'

'Dan interesseert het me niet.'

'Alsjeblieft, Jack. Niet meer dan vijf minuten. En dan vertel ik je alles wat ik weet.'

'Heeft wat jij weet ook maar iets te maken met waar ik om geef?'

'Ja.'

Ik gooide de band op zijn borst.

Ik zat in de stoel, nog steeds met de revolver in mijn hand, en keek hoe Fisher opstond. Hij haalde een camcorder en een dunne, zwarte kabel uit zijn aktetas. Hij liep naar de televisie, die achter in de kamer stond,

en plugde het ene eind van de kabel daarin en het andere eind in de zijkant van de camcorder. Toen deed hij de mini-videoband erin.

'Ik moet even opzoeken waar het begint.'

'Goed,' zei ik. 'Die tijd is inbegrepen in de tien minuten die je van me
krijgt.'

Hij stond voorovergebogen aan de camcorder te prutsen. Van waar ik
zat, kon ik het scherm niet zien. 'Oké,' zei hij na een minuut. 'Klaar.' Hij
stapte opzij. Het televisiescherm was nog steeds zwart. Hij liep naar het
venster en trok de gordijnen dicht.

'Waarom doe je dat?'

'Omdat de beelden op de band nogal donker zijn.'

Hij ging op de rand van de bank zitten. De kamer was nu duister genoeg om te kunnen zien dat de televisie aan stond, er hing een zwakke
gloed over het scherm. Fisher drukte op een knopje op een minuscule
afstandsbediening.

Het scherm was plotseling gevuld met een helder beeld. Een park op
een koude namiddag. Gras, bomen nog in blad, een paar joggers in de
verte, het geluid van iemand die vlakbij over het grind loopt.

De camera zwenkte opzij en zoemde in op een kind, een meisje van
een jaar of twee dat over een pad hobbelde. Ze had een stok in haar hand
waarmee ze enthousiast en in het wilde weg zwaaide.

'Beth?' zei een stem. Gary's stem. 'Bethany?'

Het kind draaide zich om. Het duurde even en het was duidelijk dat
ze nog steeds moest nadenken voordat ze zich herinnerde dat het geluid
dat haar vader zojuist had gemaakt specifiek met haar te maken had. Ze
grijnsde omhoog naar de camera en maakte een babbelend geluid, zwaaide met haar andere hand.

'Kijk,' zei Gary's stem. 'Wat is dat?'

De camera zwenkte naar links, naar een grote hond die over het pad
in de richting van het meisje kuierde. Haar gezicht lichtte op.

'Oef, oef!' zei ze. 'Oef, oef.'

'Dat *klopt*, liefje, het is een hond. Woef, woef.'

Vol vertrouwen liep het kind naar de hond toe, de hand zorgvuldig
plat uitgestrekt, zoals haar overduidelijk was geleerd. De hond was in gezelschap van een bejaard echtpaar.

'Het is in orde,' zei de vrouw. 'Hij doet niets.'

Het kleine meisje keek een ogenblik naar haar op en toen naar haar
echtgenoot. Ze strekte haar arm en wees.

'Opi,' zei ze gedecideerd. 'Opi.'

Gary lachte, terwijl de camera tot haar hoogte afdaalde. 'Opa? Nou nee, lieverd.' Toen voegde hij eraantoe, niet voor zijn dochter: 'Ze denkt dat iedereen die... nou ja, u weet wel.'

De man keek vriendelijk glimlachend op haar neer. 'Grijs haar heeft. Ik weet het. En hemeltje, ik *ben* opa. Vijf keer.' Hij boog zich vaderlijk omlaag naar Bethany, die de rug van de hond streelde. 'Hoe heet je, liefje?'

Ze zei niets. Gary wel. 'Bethany, hoe heet je?'

'Betnie?' vroeg het meisje.

Toen aaide ze de hond nog een keer, een beetje te ruw, en rende weg over het pad.

De video hield abrupt op en het scherm werd zwart.

'Dat is allemaal heel lief,' zei ik. 'Maar...'

'Wacht even,' onderbrak Gary me. 'Dat moest je zien. Maar dit is waar het om gaat.'

Het beeld op het televisiescherm veranderde opnieuw van diepzwart in een soort gespikkeld zwart. Een nauwelijks verlicht tafereel.

Toen mijn ogen aan de duisternis gewend waren, ontdekte ik dat de gloed afkomstig was van een lampje op een nachtkastje en dat de verzameling lichtere stippen midden op het scherm een mobile vormden, omtrekken van dieren die langzaam ronddraaiden. Ik keek naar een kinderslaapkamer, in het donker.

'Wat is...'

'Wacht nou even,' smeekte Gary.

Een moment lang gebeurde er niets. Het was duidelijk dat de camera zich op de gang bevond, buiten de kamer. Ik besefte dat ik de cameraman kon horen ademhalen, dat hij zijn best deed om zo min mogelijk geluid te maken.

Toen begon de cameraman zich met een aantal langzame stappen te verplaatsen. Hij ging de slaapkamer binnen en stapte vervolgens achteruit en opzij. Er klonk een zacht suizend geluid, en toen een klik. Het beeld werd nog donkerder.

De camera bewoog zich langzaam en schokkerig door de kamer. Een vaag, koud licht scheen door de gordijnen op een donker, korrelig jungletafereel aan de muur. Ik zag een babystoeltje en –tafeltje en een verzameling speelgoed, netjes opgeborgen in een open kast. De camera maakte een complete cirkel langs de deur, die nu gesloten was, en eindigde op een plek die zwakjes verlicht werd door de klok. Toen keek hij omlaag in een kinderbedje.

Het bedje had aan alle kanten spijlen en was duidelijk bedoeld voor een kind dat nog niet oud genoeg was om de wereld op eigen houtje te exploreren. Aan de contouren kon je zien dat er een slapend kind in lag. Het was ook te horen, het trage in- en uitademen.

Een paar minuten gebeurde er helemaal niets. Het was duidelijk dat de camera gewoon doorliep. Ik hoorde het zachte geluid van twee ademende mensen en het geluid van de camera zelf, die moeite had om scherp te stellen in deze bijna volkomen donkere omstandigheden.

Dit was absoluut onvoldoende om mijn aandacht vast te houden. Ik stond op het punt om op te staan toen ik een heel zacht geluid hoorde via de luidsprekers van de televisie.

'Wat was dat?' vroeg ik.

Gary stak zijn hand op, gebaarde dat ik stil moest zijn.

De camera veranderde van positie. Hij bewoog snel weg van het bed, gleed over de muur en zakte ongeveer een meter omlaag. Nu zag ik de zijkant van het hoofd van het meisje, tussen twee spijlen door.

Ik leunde naar voren, staarde naar het donkere scherm.

Er gebeurde opnieuw een tijdlang niets. Toen kwam het geluid opnieuw. Het was een langgerekte zucht. Het was duidelijk dat hij niet afkomstig was van de cameraman – Gary, nam ik aan. Weer ongeveer een minuut lang niets. Toen, uit de luidsprekers, heel zacht: 'Ik weet het niet.'

Ik knipperde met mijn ogen. Ik wist wat ik dacht dat ik net had gehoord. Het was weer vijftien, twintig seconden stil.

'Kan *iemand* me horen?'

Deze keer was het overduidelijk. De woorden klonken gespannen, ongelijk gemoduleerd. De ogen van het kind waren gesloten. Haar lichaam was bewegingsloos.

En ze was twee jaar oud.

'Ga weg,' zei ze toen, en deze keer klonk haar stem normaal, de woorden zacht en nauwelijks gearticuleerd.

'Nee,' zei de andere stem, nog steeds uit Bethany's mond. 'Ik ga niet weg.'

Plotseling draaide het kind zich op haar zij, naar de camera. De beweging had iets bozigs.

De cameraman hield zijn adem in, duidelijk bang dat ze wakker zou worden, hem zou zien en de hele tent bij elkaar zou schreeuwen.

Maar haar ogen bleven dicht. Er klonk een heel zacht huilend geluid, de borstkas van het meisje ging sneller op en neer.

'Ik kan wachten,' zei de stem.

Toen draaide het meisje zich weer snel op haar rug. Er klonk een lange zucht en toen werd ze stil. Even later sprong het scherm op zwart.

Ik draaide me naar Fisher.

'Laat nog eens zien.'

Hij spoelde de band terug. Op de momenten dat de stem sprak was de mond van het kind geen enkele keer duidelijk zichtbaar. Het was te donker in de kamer en haar gezicht ging het grootste deel van de tijd minstens gedeeltelijk schuil achter de spijlen van het bedje. Maar het was zeer onwaarschijnlijk dat de stem er achteraf in gemonteerd was – hij kwam te veel overeen met de geluiden van de twee ademhalingen op de achtergrond. En de manier waarop het kind zich aan het eind had omgedraaid was nog verontrustender. Er zat iets volwassens in, snel, geïrriteerd. Bewogen kinderen zich op die manier?

Ik wist het niet. Ik drukte op de pauzetoets en zette de band stil bij het beeld van Bethany die in haar bedje lag.

'Wat heeft dit met Amy te maken?'

Hij staarde me aan. 'Je maakte een grapje, hè? Zelfs de naam die ik voor ze heb bedacht is van jou. Uit je boek.'

'Naam voor wat?'

'Je hebt er net een *gehoord*, Jack. Haar stem gehoord, uit de mond van mijn kleine meisje.'

Ik staarde hem aan. 'Denk je dat er iemand *in* je kind zit?'

'Niet alleen in haar. Snap je het niet?' Hij boogt zich naar voren, zijn ogen schitterden door een innerlijk licht. 'Zij zijn de indringers, Jack. Zij zijn de mensen binnenin.'

hoofdstuk
VIERENDERTIG

Als politieman is er een gevoel dat je erg goed leert kennen. Het besef dat degene met wie je hebt zitten praten al die tijd heeft zitten liegen. Het kan iets groots zijn, of een miniem detail. Maar plotseling begrijp je dat de wereld die hij of zij aan jou beschrijft, met veel oogcontact en ogenschijnlijk vanuit het verlangen om te helpen, eenvoudigweg niet bestaat.

Ik geloofde niet dat Gary loog. Maar voor het overige voelde het hetzelfde. Je wilt graag dat neuroses heldhaftig zijn, dat ze een sjamanistische grandeur verlenen aan het verwarde en onbegaanbare innerlijke landschap waaraan sommige mensen niet kunnen ontsnappen. Dat is niet zo. Er is geen positieve kant. Het is alleen verschrikkelijk triest.

Hij zag hoe ik naar hem keek. 'Nee, Jack. Je hebt het net *gezien*, daar op het scherm.'

'Ik zag een slapend kind. Ik hoorde een paar woorden.'

'Waarvan ze enkele niet eens kan *uitspreken*.'

'Een deel van de hersenen van je dochter is nogal voorlijk, Gary. Dat is alles. Het oefent in zijn vrije tijd. In je slaap praten is niets bijzonders. Amy heeft het ook een poosje gedaan. Toen ze een kind was, en onlangs nog.'

Gary glimlachte op een vreemde, overdreven zelfverzekerde manier. 'Werkelijk.'

'Wat bedoel je daarmee?'

'Leg Mozart aan me uit, Jack.'

'Pardon?'

'De man componeerde al op zijn vierde jaar, ja, en dat weten we allemaal. Maar in plaats van erop te wijzen hoe godvergeten raar dat is, zeggen we: "Cool, wat moet die man razend intelligent zijn geweest". Maar hoe is dat in *hemelsnaam* mogelijk – tenzij hij met een voorsprong ter wereld kwam?'

'Heb je het over reïncarnatie, Gary?'

'Nee. Dit is geen individu dat terugkeert in een nieuw lichaam. Dit gaat over twee mensen die *in hetzelfde hoofd* wonen.'

'Jij denkt dat Bethany nóg iemand in haar hoofd heeft.'

'Ik weet het. En ik weet wie het is.'

'In hemelsnaam – je zei dat je die onzin over Donna niet *geloofde*. Ik dacht dat je gewoon dronken was.'

'Je hebt me niet goed genoeg in de gaten gehouden die avond,' zei hij. 'Ik heb nog niet de helft van mijn biertjes opgedronken. Ik drink niet meer zo veel. Daar ben ik te slim voor.'

'Goed. Oké. Wat jij wilt. En wat heeft dit nou met mijn vrouw te maken?'

'Joe Cranfield had ook een indringer, Jack. Sterker nog, hij *was* de indringer, de oudere persoonlijkheid die zich had genesteld in het lichaam van de persoon die ik heb ontmoet. Dat is waarom Cranfield zo'n schitterende carrière kon maken. Een *financieel* wonderkind, nietwaar? Een Mozart in financiën. Hij bracht me op het spoor van dit hele gedoe. Daarom heeft hij zijn nalatenschap aan het eind geliquideerd, zonder zijn vrouw te waarschuwen – die geen indringer was en dus niet wist hoe de situatie ervoor stond. Dat moet op de een of andere manier onderdeel uitmaken van het systeem. De manier waarop deze mensen te werk gaan.'

'*Welke* mensen, Gary? Je tweejarige dochter en een dode zakenman uit Illinois? Hadden die met z'n tweeën een samenzwering op touw gezet, is dat wat je wilt zeggen?'

'In godsnaam, Jack – *natuurlijk* niet. Er zijn er meer, overal ter wereld. Een groep die de dingen zo georganiseerd heeft dat ze terug kunnen komen, die dat steeds opnieuw doen – die dat honderden, duizenden, misschien zelfs *tienduizenden* jaren geleden hebben uitgevogeld. Je zei het zelf, toen we nog op school zaten. Toen je dat zei over Donna, weet je nog, dat ze met bepaalde kennis geboren is.'

'Gary, dat was een metafoor. Ik was verdomme achttien. Ik probeerde gewoon wijs over te komen.'

'Maar je had *gelijk*. Dat is het 'm nou juist – sommige mensen komen in dit leven terwijl ze dingen weten die ze niet zouden moeten weten, of in elk geval, de tweede ziel die *binnen in* hen leeft weet die dingen. Een groep mensen is erachter gekomen dat ze kunnen terugkeren, in andermans hoofd kunnen kruipen. Meeliften voor nog een ritje. Ze hebben manieren gevonden om zichzelf te herinneren aan wie ze daarvoor zijn geweest. Ze zijn begonnen om het van tevoren te plannen, hebben manieren uitgewerkt om de volgende keer werkelijk zichzelf te zijn, in plaats van slechts gedachten in het hoofd van iemand anders. Dat is waarom sommige mensen slecht geboren worden, Jack, dat is...'

'Gary, luister naar iemand met ervaring. Mensen worden niet slecht geboren...'

'*Werkelijk?* Denk je dat alle politiemannen dat met je eens zijn? Alle maatschappelijk werkers? Alle strafrechtadvocaten? Alle ouders met een kind dat gewoon niet te hanteren is, dat vastbesloten is om alle verkeerde dingen te doen, overal keihard tegenin te gaan? Sommige indringers zijn goede mensen, beschaafde mensen. Joe Cranfield was zo iemand. Maar andere zijn dat niet. Ze zijn alleen teruggekomen omdat ze de wereld de vorige keer niet genoeg te grazen hebben genomen. Die indringers wachten tot ze een baby hebben gevonden die niet is overleden aan een of andere babyziekte en daar nemen ze dan hun intrek in. Dat is de reden waarom kinderen van twee, drie jaar hun eerste woedeaanvallen krijgen – als twee zielen met elkaar beginnen te vechten om de heerschappij. En waarom sommige kinderen de daaropvolgende vijf, zes jaar nachtmerries hebben. Ze proberen die dingen af te weren in hun slaap. Ze zijn verward, angstig, ze begrijpen niet wat er 's nachts in hun hoofd kruipt, op het moment dat ze kwetsbaar en zwak zijn. Kijk maar naar wonderkinderen, die sterven altijd jong of ze worden gek, Jack. Het is oké als je *weet* wat er aan de hand is, als de indringer in het middelpunt staat en doelbewust de touwtjes in handen heeft – als ze een eenheid vormen. Maar als je *niet* weet dat dit met je aan de hand is, dan is het domweg te verwarrend en zijn er te veel innerlijke stemmen. En dan drinken of spuiten mensen zichzelf dood of ze worden gek.'

Ik wist niet wat ik tegen hem moest zeggen. 'Ik begrijp nog steeds niet wat mijn vrouw met deze flauwekul te maken heeft, Gary.'

'Het kantoor dat Joe's nalatenschap afhandelde, werkt vanuit het gebouw dat volgens de eigendomspapieren onder meer op haar naam staat, Jack. Burnell & Lytton is betrokken bij de organisatie die het systeem in stand houdt. De indringers moeten elke keer fiscaal schoon schip maken. Anders krijg je mensen met enorme hoeveelheden geld die niet aannemelijk kunnen maken hoe ze dat hebben vergaard. Dan zou alles binnen de kortste keren in de openbaarheid komen. Dus ik vermoed dat iedere indringer die aan het einde van zijn of haar huidige leven komt al zijn of haar bezittingen moet zien kwijt te raken. De volgende keer met een lege lei beginnen. En dat is wat...'

'Gary, de *afwezigheid* van iets vormt geen bewijs...'

'Dat weet ik, Jack – ik ben godverdomme advocaat. Maar je kunt er niet omheen: er is een verband tussen Amy en Cranfield. Waar het uiteindelijk om gaat, is die tien procent van Cranfields nalatenschap die opzij is gelegd. Een ding heb ik je nog niet verteld omdat ik toen dacht dat je het waarschijnlijk niet zou geloven.'

'Ik geloof er nu ook helemaal niets van.'

'Het goede doel waarover Burnell & Lytton het bewind voeren? De Psychomachy Trust. Je zult het woord niet tegenkomen in een modern woordenboek. Daarom ging ik er de eerste keer van uit dat het een verzinsel was. Maar een paar honderd jaar geleden werd het woord wel gebruikt. Het betekent "een conflict tussen het lichaam en de ziel" – of tussen een persoon en *het ding dat binnenin zit*. De Trust is een façade. Als een indringer sterft, betaalt hij hun een tiende – in Cranfields geval bijna zesentwintig miljoen dollar. Dat geld wordt gebruikt om het systeem in stand te houden, personeelskosten of... luister, ik weet niet precies hoe het allemaal werkt,' gaf hij geïrriteerd toe. 'Maar...'

'Oké,' zei ik terwijl ik opstond. 'Ik ga nu weg. En serieus, Gary – ga naar huis. Ik meen het. Breng wat tijd door met je gezin en praat met een deskundige voordat de situatie nog verder uit de hand loopt.'

'Ik neem je niet kwalijk dat je denkt dat ik... Ik weet dat dit heel vreemd klinkt,' zei Fisher. 'Ik heb bewijzen, Jack, *heel* veel. Ik heb onderzoek gedaan. Maar je *weet* al hoe sommige mensen zijn. De ontevredenheid, het verlangen om iemand anders te zijn of iets anders te hebben, mensen die ondanks zichzelf steeds opnieuw dingen doen waarvan ze *weten* dat ze fout zijn, mensen die direct vanaf het begin contact weten te maken met een of ander soort hogere macht.'

Ik was bezig mijn revolver in mijn zak te stoppen – ik had hem hier niet nodig, dat begreep ik wel. En het feit dat ik met Fisher in deze kamer was bezorgde me een nog slechter gevoel dan het gesprek met Anderson had gedaan. Ik wilde weg.

Maar ik aarzelde. Waarschijnlijk dacht ik aan een vrouw die als kind nachtmerries had gehad en die een jaar geleden weer in haar slaap was gaan praten. Die zich niet gedroeg als de vrouw die ik kende. Die zelfs bijna anders rook. Sinds Natalie de vraag had gesteld, kon ik niet langer negeren dat Amy, als ik erop terugkeek, de afgelopen jaren op een subtiele manier was veranderd, en dat dat al voor de gebeurtenissen met onze zoon was begonnen. Was dat allemaal toe te schrijven aan de aanwezigheid van een onbekende man? Iemand die de voorkeur voor thee en de kleur roze in haar had opgewekt, die de ontwikkeling van een totaal andere Amy had gestimuleerd? Was het gewoon tijd voor verandering in haar leven, een chaotische duik in de middelbare leeftijd waarbij alle oude bagage abrupt overboord werd gezet?

Of was er iets anders aan de hand?

Ik schudde mijn hoofd. Nee. Ik bleef me vastklampen aan elke verklaring voor Amy's gedrag die minder schadelijk was voor mij, minder van doen had met gebrek aan liefde en onomkeerbare veranderingen. Bijna alles voelde beter dan het voor de hand liggende.

Hoe belachelijk ook.

'En waarom hebben ze Anderson vermoord?' vroeg ik. Ik twijfelde. 'Wat heeft hij hiermee te maken?'

'Zeg jij het maar. Jij bent de man met wie hij gesproken heeft.'

'Hij heeft nauwelijks iets gezegd voordat hij werd neergeschoten.'

'Goed. En *waar* ging dat over? Wat kan een man als Anderson gedaan hebben waardoor iemand zijn leven kapot wilde maken, om hem vervolgens in een openbare gelegenheid dood te schieten? Denk je dat de moordenaar alleen werkte? Natuurlijk niet. Dus wat levert dit allemaal op? Wat is *groot* genoeg? Zeg het maar.'

'Ik weet het niet. Het kan me niet schelen. Ik...'

Mijn telefoon ging. Ik griste hem uit mijn zak. 'Hallo?'

'Gore *hufter*,' zei een stem.

Ik vloekte. Ik was vergeten hoe weinig sommige kerels geneigd zijn het vooruitzicht van gemakkelijk verdiend geld op te geven. 'LT,' zei ik. 'Ik was van plan om je nummer te blokkeren. Dat zal ik direct doen.'

'Je bent me geld verschuldigd. Laatste kans.'

'Of *anders*? Ik ben je niets verschuldigd. Ik heb je al gezegd dat ik niet geïnteresseerd ben.'

'Weet je dat zeker? Ze zijn hier nu.'

'Wie?'

'Op die plek. Er zijn net drie mensen naar binnen gegaan.'

Ik zette alles op een rijtje. 'In het gebouw? Hoe zagen ze eruit?'

'Nu ben je wel geïnteresseerd, hè?'

'Vertel me gewoon hoe ze eruitzien.'

'Net als elke andere blanke klootzak. Een is een zakenman. Hij draagt een pak. Andere twee, ik weet niet.'

'Blijf waar je bent. Bel me als ze vertrekken.'

Ik klapte de telefoon dicht. Fisher zat op het bed en staarde naar het verstarde beeld van zijn dochter op het scherm. Hij zag er ouder uit. Ouder en kleiner en eenzaam. Er liep een nat spoor over beide wangen.

'Wat?' vroeg ik terwijl de koude rillingen me over de rug liepen. 'Gary?'

'Ik mis haar,' zei hij zachtjes. 'Ik mis ze allemaal.'

'Ga dan naar huis. Vergeet dit alles.'

'Daar is het te laat voor.' Hij keek me aan. 'Je gelooft me niet, hè? Je gelooft hier niet in.'

'Nee,' zei ik. 'Het spijt me. Maar er zijn net een paar mensen het gebouw in Belltown binnengegaan. Wil je weten wie dat zijn?'

Hij wreef met zijn handen in zijn gezicht, alsof hij zichzelf terug moest slepen naar het hier en nu.

Maar toen hij me weer aankeek stonden zijn ogen helder. Hij stond op en reikte naar zijn jas. 'Waarom zouden ze ons zelfs maar binnenlaten?'

Ik haalde een magazijn tevoorschijn en schoof dat in mijn revolver, zodat die – voor het eerst die dag – geladen was.

'Ik ben niet van plan om ze de keuze te laten.'

hoofdstuk
VIJFENDERTIG

Het telefoontje kwam in het holst van de nacht. Todd had zijn best gedaan om niet wakker te worden. Zijn uiterste best. Hij had de avond tevoren urenlang met open ogen in het donker liggen staren. En toen hij
eindelijk in slaap was gevallen, wilde hij dat graag zo houden. Het geluid van de telefoon had zwak geklonken, van beneden. Livvie had het
toestel tien jaar geleden van het nachtkastje verbannen na een reeks
vreemde telefoontjes van een of andere gek die 's nachts belde omdat
hij hun middelste kind wilde spreken. Dat was toen pas elf jaar oud geweest.

Het rinkelen stopte en het antwoordapparaat sprong aan. Maar nauwelijks dertig seconden later begon het opnieuw.

Todd opende zijn ogen. Dat was vreemd. Iemand die een verkeerd
nummer had gedraaid, begreep zijn fout zodra hij het bericht op het antwoordapparaat hoorde. Die belde niet nog een keer. Iedereen met een
serieuze boodschap sprak de voicemail in.

Hij draaide zich op zijn andere zij. 3:21. Jezus.

Iemand die op zo'n tijdstip belt, kan niet genegeerd worden.

Hij greep zijn kamerjas en haastte zich naar beneden. Tegen de tijd dat
hij in de gang was, stopte het rinkelen opnieuw.

Hij hoorde het antwoordapparaat aanspringen. Er werd niets ingesproken. Het apparaat sprong uit. Toen begon het rinkelen opnieuw. Hij
greep de hoorn. 'Luister...'

'Stil,' zei een stem. De stem van een jong meisje. Todd voelde hoe de haartjes in zijn nek recht overeind gingen staan.

'Met wie spreek ik?'

'Luister.'

Het was even stil.

'Pap?' Een andere stem. Ouder. Angstig.

Crane greep de telefoon steviger vast.

'Pap, ik ben het.'

'Rachel? Wat is er aan de hand?'

Hij hoorde de hapering in haar ademhaling. Alsof ze huilde maar niet wilde dat hij het hoorde. Hij voelde zich ter plekke verstijven. Het zware, benevelende gevoel van de slaap sloeg om in woede en angst.

'Het spijt me.' Toen was ze verdwenen.

'Oké,' zei de andere stem. En nu wist hij weer waar hij die eerder had gehoord. In zijn kantoor de middag daarvoor. 'Nu moet je wel luisteren, Toddy. Ik heb een plek gevonden om te slapen. Raad eens?'

'Geef me mijn dochter weer...'

'Dat is goed. Rachel zal je vertellen in welke situatie ze zich bevindt. Luister goed.'

Een pauze toen de telefoon werd overhandigd, toen zijn dochter, die langzaam sprak. 'Ik ben vastgebonden aan mijn tafel. Ze staat achter me. Ze heeft een mes.'

De andere stem keerde terug. 'Een beetje te veel Hemingway misschien, maar ik hoop dat het plaatje duidelijk is? Je moet heel goed opletten, Todd.'

'Alsjeblieft,' zei Crane. 'Doe haar geen kwaad.'

'Misschien niet,' zei de stem, alsof ze het idee overwoog. 'Je weet maar nooit. Maar dat hangt ervan af. Ik zei dat ik iemand wilde ontmoeten. Jij deed daar erg moeilijk over. Je moet een andere manier bedenken om naar de situatie te kijken. Een meer werkbare oplossing vinden, zoals iemand die me heel na staat het zou formuleren. Je moet die ontmoeting voor mij organiseren.'

'Wie...'

'Rose.'

Todd opende zijn mond. Sloot hem weer. 'Maar...'

'Nee. Er is hier geen ruimte voor "maar", Todd. Denk niet in termen van "maar", anders doe ik Rachel iets aan. Regel het, en doe het snel. Als je het niet doet, zal ik Rachel alleen maar doden. Als je met de politie praat, aan wie dan ook vertelt wat er aan de hand is, zal ik daar achter komen. En dan zal ik haar alleen maar bewerken. Dan zal ze blijven leven, zodat je haar later kunt zien. Opdat je weet dat jij haar zo gemaakt hebt dat je alle spiegels uit haar lieve kleine huisje moet weghalen en het geschikt moet maken voor een rolstoel.'

Todd opende zijn mond, maar die was droog.

'Aan de slag,' zei de stem, en was verdwenen.

Todd zat binnen een paar minuten op de weg. Het kwam niet in hem op om zijn vrouw te wekken. Dit was niet iets waarbij ze kon helpen, en niets wat hij kon doen of zeggen zou haar ervan weerhouden om de politie te bellen.

Hij racete half verdoofd door de slapende stad, negeerde rode stoplichten zonder dat hij het zelfs maar doorhad. Hij kwam langs het huis van zijn dochter en zorgde ervoor dat hij geen gas terugnam. Het was donker daarbinnen. Hij zette de auto om de volgende hoek aan de kant en probeerde te bedenken wat hij moest doen.

Zou deze persoon het werkelijk weten als hij de politie zou bellen? Hoe *kon* ze? Hij wist bijna zeker dat het bluf was, maar het dreigement was dat niet. Het meest overtuigende argument was de stem van zijn dochter geweest. Wat had hij gehoord – twintig, dertig woorden? Het was genoeg. Rachel was onafhankelijk, flink, van al zijn dochters leek zij het meest op haar vader. Kreeg haar privéleven ook niet op de rails. Maar er was heel wat voor nodig om haar zelfvertrouwen onderuit te halen. Toch had ze over de telefoon geklonken als een kind van vier. En heel, heel erg bang. De persoon die bij haar was had haar overtuigd. En dat was voldoende om Todd te overtuigen. Als hij de politie belde – ervan uitgaande dat ze een melding van een gijzeling van een volwassen vrouw door een kind serieus zouden nemen – en die zou beleefd op de deur kloppen in plaats van direct naar binnen te stormen...

Dat risico kon Todd niet nemen. Voordat ze in het huis waren kon Rachel al dood zijn en haar moordenaar verdwenen over een schutting in de achtertuin.

Wat als hij er zelf op afging? Dat viel niet onder iemand opbellen, toch? Maar hij wist niet of het meisje daar binnen alleen was of dat iemand anders haar hielp.

Hij zat in de auto en liet de motor stationair draaien, ten prooi aan een afschuwelijke besluiteloosheid. Vaders moesten dit soort situaties kunnen oplossen, nietwaar? Handelen. Hun nageslacht beschermen. Naar binnen stormen en vertrouwen op hun vermogen om de situatie tot een goed einde te brengen, voorkomen dat er schade werd aangericht.

Maar nu wist hij dat dit te maken had met dat andere, dat vreemde dat al zijn halve leven op de achtergrond aanwezig was, mensen voor wie hij van tijd tot tijd kleine klusjes had gedaan en van wie hij in ruil kleine gunsten had ontvangen die zijn carrière vooruit hadden geholpen.

En daarom had hij weinig vertrouwen in zijn vermogen om de situatie in de hand te houden. Wat Rose betreft had hij helemaal nergens vertrouwen in.

'Je moet naar me luisteren,' zei hij twaalf uur later. 'Ik moet je absoluut spreken. Vandaag.'

'Vertel het maar via de telefoon,' zei ze. 'Ik heb het erg druk.'

Todd liet zijn hoofd in zijn handen zakken. Zijn palmen waren glad van het zweet. Hij voelde zich ziek. Het was nu iets na drieën in de middag. Hij had al die tijd nodig gehad om de vrouw aan de telefoon te krijgen. Hij had één kans, dat was alles. Die kon hij niet verknallen.

Hij tilde zijn hoofd op. Staarde naar buiten over de baai, naar de bergen, probeerde contact te maken met de manier waarop hij zich gewoonlijk voelde als hij aan zijn bureau zat, zijn gebruikelijke zelfvertrouwen.

'Dat kan ik niet doen,' zei hij met een stem die heel redelijk en professioneel klonk. De stem van een goede baas. De stem van iemand die alles in de hand had.

'Waarom niet?'

'Ik denk dat mijn telefoon wordt afgeluisterd.'

Het bleef even stil. 'Waarom denk je dat?'

'Ik hoor vreemde geluiden.'

'Ben je wel in orde, meneer Crane? Niet gedronken? Te lang en te uitgebreid geluncht met een potentiële klant? Of een jongedame? Ben je je misschien weer te buiten gegaan aan cocaïne? Daar hebben we je al eerder van af moeten helpen, nietwaar?'

'Nee,' zei hij, en hij wist dat hij dit niet veel langer kon volhouden. 'Ik moet je gewoon persoonlijk spreken.'

'Dat zal niet gebeuren, meneer...'

'O, in godsnaam! Doe niet zo moeilijk – ik ben het, *Todd*. Je weet dat ik je niet in de maling neem. Ik moet je gewoon spreken. Ik ben...' Hij was net op tijd gestopt.

'Je... wat?'

Todd aarzelde. Hij wist dat hij niet geacht werd dit te vertellen. Maar hij wist ook dat als hij Rose helemaal niets gaf, ze hem niet ter wille zou zijn.

'Iemand kwam gisteren naar mijn kantoor,' zei hij behoedzaam.

'Wat bedoel je met "iemand"?'

'Een meisje. Maar er was iets vreemds aan haar.'

Het bleef heel even stil.

'Ik bel je over een halfuur terug,' zei de vrouw.

De lijn viel stil. Crane zat met het apparaat in zijn handen, hij beefde.

Terwijl hij zat te wachten, staarde hij naar de radio, die nog steeds op de vloer stond. Hij probeerde het ding niet te zien als een symbool voor alle andere dingen waar hij beter voor had moeten zorgen toen dat nog kon. Maar als de geest eenmaal denkt dat hij een boodschap of voorteken heeft gevonden laat hij niet los, zelfs niet als het bericht te laat ontdekt wordt en alleen nog dient om je te straffen. Toen hij die ochtend bij KC&H binnenkwam, had hij Rachels werknummer gebeld. Ze had zich ziek gemeld. Halverwege de ochtend belde Livvie, die klaagde dat ze Rachel niet kon bereiken op haar mobiel. Ze wilde een lunchafspraak maken voor later die week, maar niemand nam op. Todd vertelde dat hij tien minuten eerder een e-mail van haar had ontvangen dat ze haar telefoon de nacht daarvoor was kwijtgeraakt in een of andere club en dat er een vervangend exemplaar onderweg was. Sorry – hij had het haar meteen willen vertellen.

Rose belde twintig minuten later terug.

'Ik kan met je afspreken,' zei ze zonder inleiding. 'Rond zeven uur. Ik bevestig later waar.'

'Ik moet...' Todd zweeg. Hij wist dat hij niet kon eisen dat ze nu al zou vertellen waar ze elkaar zouden treffen. En hij kon evenmin zelf met een specifieke plek aankomen. Nog niet.

'Moet wat, Todd?'

'Je spreken, dat is alles.'

'En dat gaat gebeuren. Ik hoop alleen dat ik het de moeite waard zal vinden.' Toen hing ze op.

Todd trok zijn jas aan en haastte zich naar buiten. Toen hij langs Bianca's kantoor kwam probeerde ze zijn aandacht te trekken, maar dat kon wachten. Alles kon wachten.

Nog voor dat hij goed en wel buiten was, had hij zijn telefoon al tevoorschijn gehaald. Maar hij belde het huis van zijn dochter pas toen hij halverwege de straat was, schouders kromgebogen tegen de rest van de wereld.

Haast smekend probeerde hij de persoon aan de andere kant van de lijn ervan te overtuigen dat hij niet in staat was om de door haar gewenste ontmoetingsplaats af te dwingen. Daardoor zag hij niet dat er iemand uit de delicatessenzaak op de hoek naar buiten kwam: een ge-

drongen, roodharige man die elk detail van Todds telefoongesprek op-
ving en doorgaf.

In een hotel tien minuten lopen verderop zat een man op het voeteneinde van een bed. Hij was daar het grootste deel van de middag geweest.
Het was geen prettig bed. Het was geen prettige kamer. Het was, alles bij
elkaar genomen, geen fantastisch hotel. Het kon Shepherd niet schelen.
Hij had vaak genoeg in goede hotels gelogeerd. Tenzij je dringend behoefte hebt aan een bubbelbad en zonder problemen dertig dollar neer-
telt voor een ontbijt, is het verschil zodra de lichten uit zijn nauwelijks
merkbaar. Je bent nog steeds gewoon een man in een kamer in een gebouw in een stad, omringd door vreemden, die hoopt dat hij vannacht
kan slapen.

Zijn telefoon ging over. Hij bekeek het nummer en nam niet op. Het
was de mobiele telefoon van Alison O'Donnell. Alweer. Ze had die dag
een aantal berichten achtergelaten, haar echtgenoot ook. Ze waren erg
opgewonden, hadden contact opgenomen met een of andere politieman
in Seattle, eentje die zo slim was geweest om te bedenken dat Shepherd
tegen Alison had gezegd dat ze hem alleen met haar mobiel kon bellen
omdat de zogenaamde FBI-agent die zijn kaartje bij haar had achtergelaten alleen telefoontjes van dat specifieke nummer zou aannemen. Een
sigaar voor rechercheur zus en zo. Het was duidelijk dat de afdeling Vermiste Personen van de politie van Seattle zijn mensen uit een intelligen-
ter segment rekruteerde dan de sheriff in Cannon Beach. Shepherd was
op dit moment niet geïnteresseerd in een gesprek met mevrouw O'-
Donnell. De dingen naderden hun voltooiing. Niet alleen de situatie die
hij had veroorzaakt, maar alles. Hij voelde dat het met het uur dichterbij kwam.

Achter hem op het bed lag zijn koffer. Die had het tot nu toe vier dagen uitgehouden. De koffer ervoor had er precies hetzelfde uitgezien, en
die daarvoor eveneens. Hoe veel had hij er in de loop der tijd niet versleten? Hij had geen idee.

De koffer zat vol geld. Dat was de reden waarom hij de overeenkomst
had geaccepteerd en waarom hij zich eraan had gehouden. Een overeenkomst die hem had genoopt materiële steun te verlenen aan iemand die
alle normen van onze beschaving ver had overschreden. Het eerste wat
het meisje zich op het strand had herinnerd was waar ze het geld had
verstopt. Dat was met opzet zo geregeld – met het 9x9-symbool als trigger. En Shepherd was direct naar Portland teruggekeerd om het op te halen bij de oude Chinese vrouw aan wie het was toevertrouwd. Hij had de

voorwaarden van de oorspronkelijke overeenkomst overtreden omdat hij niet langer kon wachten. Hij had het geld *nu* nodig. Het zou zijn inleg zijn, een cadeautje voor zijn eerste verjaardag, zijn vliegende start de volgende keer. Het was streng verboden om dit te doen. Maar hij was niet een van hen. En dat zou hij ook niet worden als hij zich aan de oorspronkelijke overeenkomst had gehouden, de afspraak die hij had gemaakt toen hij twintig was.

Werk voor ons, zo luidde die afspraak, doe ons vuile werk, en wij zorgen dat er ook iemand naar jou omkijkt als je terugkomt. Shepherd was immers niet alleen aanwezig geweest bij sterfgevallen, hij had ook een rol gespeeld, als allen die de titel hadden aangenomen, bij vele hergeboorten. Bij bepaalde mensen was hij kort na hun achttiende verjaardag in hun leven opgedoken en had hun de trigger gegeven die ze met de Trust hadden afgesproken. Een zinnetje, muziek, een foto of symbool, enkele keren een specifieke geur: herinnering-opfrissers, zorgvuldig uitgekozen zodat mensen er niet toevallig tegenaan zouden lopen, voordat ze er klaar voor waren. Voordat iemand als Shepherd in de buurt was om hen te begeleiden bij het proces van geleidelijk inzicht dat hun huidige voeten niet de eerste voeten waren waarmee ze over de aarde hadden gewandeld.

Maar Shepherd wist ook dat het aantal sterfgevallen waarbij hij aanwezig was geweest het aantal hergeboorten uiteindelijk ver overtrof. Hij was een specialist geworden. Mensen die iets hadden ontdekt, hoe klein ook. Mensen die maar een fractie hadden geraden. En af en toe zelfs een van hun eigen mensen. Iemand die een bedreiging voor het systeem was geworden, of die beschadigd was teruggekeerd. In beide gevallen was het *niet* de bedoeling dat hij ze hielp terug te keren.

Moorden en motelkamers – uiteindelijk waren ze allemaal gelijk. Nu voelde Shepherd hoe zijn erfenis om hem samendromde. Met Andersons machine had hij ze misschien zelfs kunnen zien, als het ding echt had gewerkt. De mensen die Shepherd had weggestuurd drongen steeds dichter om hem heen. Als onzichtbare katten, maar groter en veel kouder. Ze streken geniepig langs de achterkant van zijn benen en nek. Lagen op de loer. Hoe ver waren ze van hem vandaan? Niet ver genoeg.

Shepherd moest een einde maken aan deze situatie. Vervolgens moest hij zijn toestand aan Rose opbiechten. En dan kon hij beginnen om de dingen in orde te brengen. Hij had zekerheid nodig, meer dan ooit. Nu de tijd naderde voelde hij af en toe twijfel, had het idee dat er misschien helemaal geen overeenkomst *bestond*, dat iedereen die net als hij in deze positie had verkeerd in de maling was genomen. Misschien was dat idee in een droom tot hem gekomen, of tijdens een van de lange nachtelijke uren waarin hij de wacht had gehouden en had teruggekeken op de dingen die hij had gedaan. Of misschien had een van de schaduwen die hem omringden het in zijn oor gefluisterd, niet als waarschuwing, maar om hem te pesten. Hoe dan ook, op een avond besefte hij dat hij nog nooit iemand als hijzelf had ontmoet die was teruggekeerd. En dat hij er evenmin ooit over had gehoord van een van de anderen. En hij kende er nogal wat zoals hij die *waren* gestorven, na jarenlange dienst. De man die Shepherd had gerekruteerd bijvoorbeeld, die een slungelige jonge man in een klein plaatsje in Wisconsin een aanbod deed dat zo aantrekkelijk was dat de jongen alles achter zich had gelaten, zelfs een vriendinnetje waarvan hij had gehouden. Die man was vijfentwintig jaar geleden overleden. Sindsdien had Shepherd taal noch teken van hem vernomen, hoewel ze hadden afgesproken dat hij, zodra zijn geheugen was getriggerd, contact zou opnemen met Shepherd.

Maar hij moest daar ergens zijn.

De afspraak moest wel echt zijn. Dat moest gewoon. Deze twijfels waren niet meer dan een variatie op de twijfels die elk menselijk wezen voelt als hij wordt geconfronteerd met het einde van de weg.

Vanaf zijn zitplaats kon Shepherd het toilet ruiken. Zijn maag was tegenwoordig bijna continu in opstand, en toch probeerde hij nog steeds te eten. Het was een gewoonte die het lichaam moeilijk kon loslaten. Als een gewonde hond, kwaadaardig afgewezen, jarenlang geslagen, die nog steeds met een gebogen rug terugkeert naar zijn gemene baas of bazin, in de hoop dat die deze keer wel van hem zal houden. Hij herinnerde zich zijn moeder in haar laatste dagen. Hij was toen dertien. Tijdens de lange maanden van haar uitgerekte sterven had ze een paar aantekeningen gemaakt in een boek, neergekrabbelde herinneringen aan haar vroegere leven, alsof ze gevallen bladeren aan haar borst bijeengaarde om te voorkomen dat ze uiteen zouden waaien en verloren gaan door de wind die weldra zou opsteken. In een van de laatste weken was ze ermee gestopt. Ze had alleen nog maar in haar stoel op de veranda gezeten. Ze rook naar kanker en had niets anders meer gedaan dan wachten, met toenemend ongeduld, op het einde. Klaar om alleen naar huis te gaan, om te vertrekken, wachtend tot haar gewonde hond van een lichaam zich eindelijk zou neerleggen om te *sterven*, zodat ze bevrijd zou zijn van zijn eindeloze behoeften en liefde en verlangens.

Destijds had Shepherd zijn moeder verweten dat ze het had opgegeven. Nu begreep hij haar.

Na een poosje ging zijn telefoon opnieuw. Hij keek naar het scherm, nam op.

'We hebben de persoon gevonden naar wie je op zoek bent,' zei Rose. 'We zijn bezig een ontmoeting te regelen.'

'Oké,' zei hij. 'Ik zal er zijn.'

'Als ik bel, zorg dan dat je er *snel* bent,' zei ze. 'Deze situatie moet direct worden opgelost, ik heb een slecht gevoel over wie dit kan zijn.'

'Wie?' vroeg hij op een toon die suggereerde dat het hem niet echt interesseerde. Hij probeerde erachter te komen of ze het bij het rechte eind had.

'Iemand die we allemaal gekend hebben,' mompelde ze en verbrak de verbinding.

Shepherd stond op. Ze wist het. Dat was niet belangrijk. Het maakte het des te belangrijker dat Madison O'Donnell zou sterven, en dat het snel zou gebeuren.

Hij haalde zijn revolver uit de koffer, en sloot die af.

hoofdstuk
ZESENDERTIG

'Ik snap niet hoe we dit gaan aanpakken,' zei Gary.

We zaten al vijf minuten door de voorruit van de auto naar de achterkant van het gebouw in Belltown te turen en hadden vastgesteld dat alle ramen van de eerste verdieping en hoger waren dichtgetimmerd. Hoe stevig die platen vastzaten deed niet terzake: de brandtrap eindigde drie meter boven de grond en ik zou er nog geen kat overheen sturen. De deur op de begane grond was voorzien van een paar Dorlinggrendels die alleen van binnenuit geopend konden worden. Het zou veel tijd en een moker vergen om via die weg binnen te komen. Bovendien zou zo'n operatie zeker commentaar oproepen van mensen op het parkeerterrein, dat tot aan de achtermuur doorliep. Het was er een komen en gaan van klanten en in een wachthokje zat een officieel uitziende vent die ons al een lange en wantrouwende blik had toegeworpen. Zolang deze jongen dienst had, zou niemand hier drugs verhandelen. Of deuren openbreken.

We stapten uit en liepen rond het blok naar de straat die voor langs het gebouw liep. We staken over en bekeken het geheel van de andere kant. Het was bijna vijf uur. Er was weinig verkeer, en wat er voorbij kwam reed tamelijk hard. Iemand in een auto zou amper wat opmerken. Het probleem waren de voetgangers. Er waren genoeg redenen om in dit deel van Belltown rond te lopen – een paar vervallen bars, hoopvolle nieuwe tentjes, hier en daar een restaurant. Waarschijnlijk zouden de meeste mensen zich niet met andermans zaken bemoeien. Maar sommigen wel.

'Loop er eens heen en druk op de bel,' zei ik.

Fisher stak de straat over. Ik keek naar de ramen van de bovenste verdieping terwijl hij een voor een op de bellen drukte. De hemel was betrokken en zo donker dat de ruiten niets weerspiegelden, maar ik zag er niets achter bewegen. Gary keek mijn kant op. Ik hield mijn rechterhand achter mijn oor, knikte omhoog. Hij haalde zijn telefoon tevoorschijn en toetste het nummer in. Hij haalde zijn schouders op. Er gebeurde niets. Hij kwam teruggelopen. 'En wat nu?'

Ik ging een buurtwinkeltje binnen en daarna ontmoetten we LT voor het café op de hoek, waar Gary buiten had gezeten toen hij de foto's van Amy had gemaakt. LT zat samen met een vriend op het trottoir, een lange vent die er zo onguur uitzag dat je hem alleen al zou laten arresteren op grond van het feit dat hij bestond, en daar zou hij waarschijnlijk nog voor veroordeeld worden ook. De manier waarop hij Fisher en mij opnam lag ergens tussen honger en openlijke vijandigheid in. Maar zo keek hij waarschijnlijk ook naar zijn eigen spiegelbeeld.

'Ik zei dat we elkaar binnen zouden treffen,' zei ik.

'Ze hebben ons eruit gegooid,' zei LT.

Ik bood hem een sigaret aan, boven op het pakje lag een opgevouwen briefje van vijftig. Hij nam het briefje, samen met twee sigaretten, en knipoogde naar zijn vriend.

'En?'

'Niemand naar buiten gekomen,' zei hij. 'Ze zijn nog steeds binnen.'

'Wil je nog een vijftigje verdienen? Jullie allebei?'

'Shit,' zei LT, wat ik opvatte als een teken van instemming.

'Heeft een van jullie twee drugs bij je?' Ze schudden hun hoofd. 'Werkelijk niet.' Na een ogenblik knikten ze allebei. 'Dat kun je beter niet doen,' zei ik. 'Verstop het ergens. Nu.'

Ze raakten elkaars handen aan met de lichtheid van een goochelaar en daarna verdween de lange om hoek van de straat om hun drugs te verstoppen.

'Oké,' zei ik toen hij terug was. 'Dit is wat we gaan doen.' Ik wees de straat in. 'Ik wil een van jullie op elke hoek.'

'Om wat te doen?'

'Gewoon midden op het trottoir staan. Iedereen die jouw kant op lijkt te komen moet je zo dreigend mogelijk aankijken. Maar doe of zeg niets. Iedereen. Oké? Ik wil gewoon dat er vijf minuten lang niet al te veel mensen langs dat gebouw lopen.'

'Waar gaat deze shit over?' vroeg LT.

'Gaat je niks aan.' Ik gaf hem het geld. 'Als je ons niet meer ziet, kun je vertrekken.'

LT pakte het geld en knikte naar Fisher. 'Zegt deze vent wel eens iets?'

'Hij is kieskeurig. Praat alleen met andere narcotica-agenten. En hij heeft gezien waar jullie je shit hebben verborgen. Begrepen?'

LT liet het geld verdwijnen. 'Wil je niet weten over het meisje?'

'Welk meisje?'

'Het kleine meisje waarover ik je vertelde, man.'

'Niet echt,' zei ik. 'Waarom?'

'Heb haar opnieuw gezien, gisteravond. Ze komt later terug, loopt rechtstreeks naar de deur. Blijft op de bel drukken. Maar niemand reageert. En dan zie ik haar later, op wacht voor een of andere nieuwe bar een paar blokken verderop richting het centrum. *Ver* na kleinemeisjesbedtijd, snap je?'

'Prachtig,' zei ik. 'Nou, ga naar de plekken die ik heb aangewezen.'

Gary en ik wachtten tot de twee jongens waren overgestoken. LT nam de dichtstbijzijnde hoek voor zijn rekening. Zijn vriend holde op een sukkeldrafje naar het andere eind van het blok. Binnen een paar minuten besloten de meeste voetgangers dat ze liever wilden oversteken dan al te dicht langs een van deze twee engerds te moeten lopen.

'Laten we gaan,' zei ik.

Ik stak de straat over en liep rechtstreeks naar de deur van het gebouw. Gary volgde me op de voet. 'Haal je telefoon tevoorschijn,' zei ik. 'Doe alsof je staat te bellen. Staar af en toe omhoog naar het gebouw.'

Ik haalde mijn sleutelbos tevoorschijn. Ik deed het rustig aan. Ik probeerde te vertrouwen op de combinatie van een grotendeels leeg trottoir achter me en een collega die eruitzag alsof hij contact probeerde te maken met iemand in het gebouw die ons op rechtmatige wijze toegang kon verlenen. Op die manier zou ik lang genoeg onzichtbaar moeten zijn.

'Christus,' zei Fisher na een paar minuten. 'Daar heb je een politieauto.'

'Waar?'

'Bij het kruispunt.'

'Hou hem in de gaten.'

Ik bleef aan het slot werken, probeerde het metaal binnenin te voelen, de balans van spanningen, de manier waarop de verborgen onderdelen wel of niet wilden bewegen. Dat lukte niet. Ik schakelde over op een wat flexibeler staafje.

'Shit – hij is weg,' zei Fisher, die nu naar de andere hoek keek.

'De politie?'

'Nee – je vriend. LT. Gewoon verdwenen, zag hem niet eens vertrekken.'

'Wat doen de smerissen nu?'

'Ze zijn gestopt. Vlak bij waar die andere jongen staat.'

'Die redt zich wel.'

'Hij komt deze kant op gerend.'

'O, verdorie,' zei ik. Ik wierp een blik over mijn schouder en zag LT's vriend over het trottoir sprinten. Een politieman rende achter hem aan, de andere stond bij de auto, radio in zijn hand.

'Die stomme hufter heeft LT's drugs bij zich gehouden,' zei ik. 'Je kunt ook *niemand* vertrouwen.'

'Jack, hij komt deze kant op.'

'Dat weet ik. Keer je rug naar de straat toe.'

Ik draaide me opnieuw naar de deur en sloot mijn ogen. Ik hoorde het geluid van de achtervolging, de agent die naar de vluchtende verdachte schreeuwde, maar ik probeerde me volledig te concentreren op het gevoel van het dunne stukje metaal in mijn handen.

'Jack...'

'Kop dicht, Gary. Ik ben er bijna.'

Het geluid kwam dichterbij. 'Hij,' brulde iemand buiten adem. 'Hij, daar. Hij is de man.'

LT's vriend was niet langer op de vlucht. Hij stond zes meter van ons vandaan en wees naar mij. De agent die hem had achtervolgd, vertraagde zijn pas, hand bij zijn revolver, duidelijk bezig om deze nieuwe ontwikkeling te verwerken. Ook zijn partner kwam nu onze kant op. En in de verte hoorde ik sirenes.

'Hij,' zei de lange jongen opnieuw, terwijl hij zijn vinger in mijn richting priemde. De smeris die het dichtstbij was naderde hem omzichtig, maar hij wierp ook een blik in mijn richting. 'Hij me betaald, hij me verteld daar te staan. Ik verkoop niets aan niemand.'

De tweede politieman was nu op het trottoir aangekomen. Terwijl zijn partner de lange jongen bij de arm greep kwam hij onze kant op.

'Excuseer, meneer,' zij hij met luide stem. 'Hebt u enig idee waar deze jongen het over heeft?'

'Sorry, nee,' zei ik, terwijl ik hem aankeek met de gedachteloze welwillendheid van de eerlijke burger. Ik voelde een zwakke klik in mijn handen toen de tuimelaars eindelijk op hun plaats vielen. Ik duwde de deur achter me open alsof ik dat tweemaal per dag deed. 'Is er een probleem?'

De politieman keek me nog even aan, verloor toen zijn belangstelling en ging zijn collega helpen om de lange jongen in bedwang te houden. Die trapte en schreeuwde en veroorzaakte een heuse rel.

Ik stapte het gebouw binnen, Fisher volgde me direct.

hoofdstuk
ZEVENENDERTIG

Nadat ik de deur achter me dicht had gedaan stonden we in volslagen duisternis. Ik had in het bijzijn van die smerissen niet naar een lichtknopje willen tasten.

'Jezus,' zei Fisher. 'Dat was...'

'...in orde,' zei ik. 'Praat niet zo hard.'

Ik haalde de goedkope zaklamp tevoorschijn die ik eerder in het buurtwinkeltje had gekocht en richtte hem op de voordeur. Vervolgens liet ik de straal op schouderhoogte over de muur glijden. Ik zag een rij schakelaars en zette ze een voor een om. Er gebeurde niets. Toen scheen ik met de lamp op de vloer. Daar lag niets.

'Geen stroom,' zei Fisher.

'Maar ook geen post of reclame. Iemand raapt dat op.'

We stonden in een brede gang met een hoog plafond. Het behang kwam van de muren en de vloer was ongelijk. Hij was ooit betegeld geweest met eenvoudige, praktische plavuizen, maar het merendeel was nu gebarsten of helemaal verdwenen. Ik liep eroverheen, waarbij ik goed uitkeek waar ik mijn voeten plaatste. Het gebouw rook vochtig en muf en oud. Drie meter verder aan de rechterkant was een deur die enigszins openhing. Hij gaf toegang tot een lange, smalle keuken die waarschijnlijk bij de koffiewinkel hoorde die als laatste in het voorste deel van het gebouw had gezeten. In de straal van de zaklamp zag het eruit alsof de eigenaars na een werkdag naar huis waren gegaan en toen hadden besloten om nooit meer terug te komen. Gebroken kopjes, verroeste apparaten, de geur van ratten en daaronder de geur van Seattle zelf, oude koffie en mist. Dit gebouw was dood. Het was alsof we ons in het ruim van een scheepswrak bevonden, tientallen meters onder water.

De twee deuren verderop in de gang gaven beide toegang tot een grote, donkere ruimte die vol stond met uitstalkasten uit de tijd dat het gebouw een warenhuis was geweest. Ze waren van de muren geschoven en midden in het vertrek gestrand, nog meer verlaten scheepswrakken.

Ik ging weer naar buiten en vond een deur in de achtergevel. Ik rammelde eraan. Er zat totaal geen beweging in. Dit moest de deur zijn die we vanaf het parkeerterrein hadden gezien. Onder de trap was nog een deur. Ik opende hem, keek omlaag. Stikdonker en koud, smalle houten treden die naar een kelder leidden.

Ik ging terug en liep zachtjes de trap op naar de eerste verdieping. Ik verplaatste mijn hand pas over de leuning als ik zeker wist dat de trede stevig genoeg was. Fisher volgde. Op de eerste verdieping gebaarde ik dat hij stil moest zijn, en luisterde.

Geen geluid van gesprekken of bewegingen, geen krakende vloerplanken.

Alle deuren op deze verdieping waren dicht en op slot. Hetzelfde gold voor de volgende verdieping. Iemand had heel wat moeite gedaan om de richtlijnen van de brandweer na te leven, had alle deuren afgesloten om te voorkomen dat een eventuele vuurzee van de ene naar de andere kamer zou overslaan. Op de tweede verdieping koos ik de deur aan de voorzijde van het gebouw en duwde hem zachtjes open.

Erachter was een grote lege ruimte die zich over de volle breedte van de straat uitstrekte. Vage lichtstrepen piepten tussen het board voor de dichtgetimmerde ramen door. Toen ik rondkeek in het licht van de zaklamp zag ik een paar meubelstukken, elektrische kabels die kriskras over de muren liepen en in de hoek een stapel opgerolde, door meeldauw aangetaste achterdoeken. Waarschijnlijk was dit de ruimte die vroeger als studio werd gebruikt. Ik probeerde me een veel jongere Amy voor te stellen die opgekruld in een van die stoelen met een kop koffie in haar handen toekeek tijdens een fotosessie. Het lukte me niet.

Fisher was in de deuropening blijven staan, zijn gezicht was een bleke vlek in het halfduister. Ik wees naar het plafond.

'Probeer ze nog een keer.'

Hij belde. We hoorden een telefoon overgaan op de verdieping boven ons. Het klonk alsof iemand fanatiek op een klein belletje timmerde; een dof, echoënd geluid. Niemand nam op, geen antwoordapparaat.

De spanning in mijn maag en schouders begon af te nemen en ik voelde me geconcentreerder dan ik me in meer dan een jaar had gevoeld.

'Ben je oké?' fluisterde Fisher. Zijn gezicht was verkrampt en nerveus en hij keek me op een vreemde manier aan.

Niet naar mijn gezicht, maar omlaag naar mijn rechterhand. Ik besefte dat de spanning helemaal niet verdwenen was, maar zich over mijn hele lichaam had verspreid.

En ik besefte ook dat ik, zonder dat ik me er iets van herinnerde, mijn revolver tevoorschijn had gehaald.

'Ik ben oké,' zei ik.

Ik liep hem voorbij naar het einde van de gang. Ik hield mijn hoofd schuin zodat ik langs de volgende trap omhoog kon kijken en liet de zwakke lichtstraal over de zijmuur glijden. Ik stak mijn hand opnieuw op om Fisher tegen te houden.

Ik begon naar boven te lopen, waarbij ik mijn voeten wederom zorgvuldig neerzette. Halverwege stopte ik om te luisteren. Ik hoorde niets behalve de zwakke geluiden van het verkeer buiten. Ergens druppelde water. Ik gebaarde naar Fisher dat hij me moest volgen en klom verder naar boven. Aan het einde van de trap naar de hoogste verdieping wachtte ik tot hij naast me stond.

De overloop was op dezelfde manier ingedeeld als op de lagere verdiepingen: een lange gang met deuren naar vertrekken aan de voorkant en het midden van het gebouw. Ik deed de zaklamp uit. Duisternis. Het gedeelte van de gang aan onze linkerkant was even zwart als de leegte in het heelal.

Maar onder de deur van de kamer aan de voorkant van het gebouw scheen zwak licht. Fisher zag het ook.

Ik liep er zachtjes naar toe, verborg het uiteinde van de zaklamp in mijn hand en knipte hem weer aan. Van dichtbij kon je zien dat deze deur anders was dan de deuren op de lagere verdiepingen. Dikker, nieuwer, verstevigd. Aan de deurknop hing een hangslot zo groot als mijn vuist.

Ik knipte het licht weer uit en liet de zaklamp in mijn zak glijden. Ik voelde hoe mijn rechterduim de veiligheidspal van de revolver opzij schoof en besloot niet in te grijpen. Ik reikte naar de deurknop en trok de deur een fractie naar me toe zodat het mechaniek geen geluid zou maken.

Het kostte moeite, maar ik kon de deurknop helemaal omlaag bewegen.

Terwijl ik de deur stevig vasthield, gebaarde ik met mijn hoofd naar Fisher dat hij achter me moest komen staan. Toen begon ik de deur open te duwen. Hij bewoog langzaam en geluidloos.

Ik stopte toen de opening amper vijf centimeter breed was.

De ruimte erachter was schaars verlicht door een lamp die op de hoek van een soort bureau stond. Het was zo'n oude, lage lamp met een geplooide groene kap. Erachter was een smalle streep muur, een boekenkast die van vloer tot plafond gevuld was met lederen ruggen. Nu de deur wat verder geopend was hoorde ik een zwak, tikkend geluid.

Eerst dacht ik dat het misschien een rat was, of ratten, die ergens over een houten vloer trippelden. Toen herkende ik het. Het was een geluid dat ik zelf ook had gemaakt, van tijd tot tijd, maar de laatste tijd niet meer.

Je haalt geen adem voordat je een kamer binnengaat. Je gaat gewoon.

Ik stapte zonder aarzelen een ruimte binnen die, met uitzondering van het bureau en de boekenplanken, volkomen leeg was. De tussenmuren op deze verdieping waren verwijderd waardoor een hele grote, L-vormige ruimte was ontstaan. Kale vloerplanken. Geen stoelen. De ramen dichtgetimmerd met board. Alleen die ene lamp.

Achter het bureau zat een man, zijn gezicht werd beschenen door het bleke licht van een laptopscherm. Hij keek minzaam op. Ik staarde hem aan.

'Ben?' vroeg ik.

Fisher hield abrupt stil. Ben Zimmerman keek naar hem, en toen naar mij.

'O hemeltje,' zei hij. 'Je had gelijk.'

'Wie?' vroeg ik. 'Had gelijk? Waarmee?'

'Ik heb je gewaarschuwd,' zei een andere stem. Toen ik me omdraaide zag ik Bobbi Zimmerman bij de andere muur staan.

'De eerste keer dat ze je zag,' zei Ben, tegen mij deze keer, 'zei Bobbi dat jij problemen zou geven. Ik had beter naar haar moeten luisteren.'

'Dat had je zeker,' zei zijn vrouw.

Ben ging door met typen. Ik besefte dat ik mijn revolver nog steeds op hem gericht hield. Ik liet mijn arm zakken. Het leek weinig indruk op hem te maken. Hij zag er anders uit dan ik hem ooit in Birch Crossing had gezien. In plaats van de versleten kaki broek en sweater droeg hij een donker pak met een overhemd en das, en zijn hele houding was anders. Weg was het welwillende air van vriendelijke slonzigheid. Hij zag er niet meer uit als een geschiedenisdocent en ik wist onmiddellijk waar ik zijn gelijke had gezien.

'Jack,' vroeg Fisher. 'Hoe ken jij deze vent?'

'Hij is mijn buurman,' zei ik. Er waren rode vlekken op Fishers wangen verschenen en de lijntjes rond zijn ogen waren dieper dan ooit. 'Zijn naam is Ben Zimmerman.'

'Nee,' zei Fisher. Hij klonk als een drammerig kind. 'Het is Ben *Lytton*. Hij is een van Cranfields advocaten. Hij is degene die naar ons kantoor in Chicago kwam.'

Ik haalde de foto's tevoorschijn die ik sinds Fisher ze nog maar een paar dagen geleden en vijf minuten lopen hiervandaan had gegeven bij me had gedragen. 'En hoe komt het dan dat je me niet kon vertellen dat hij de man was op de foto met Amy?'

Fisher keek naar de foto, en toen weer naar Ben. Hij leek verbijsterd. 'Ik stond een blok verderop. Ik heb zijn gezicht niet gezien.'

Ben deed of het hele gesprek hem niet aanging.

'Welke is de echte?' vroeg ik hem. 'Je naam?'

'Zimmerman,' zei Ben zonder op te kijken.

'En waarom heb je dan gezegd dat het Lytton was?' vroeg Fisher.

Bens vingers gingen stug door met typen. 'Dat is traditie,' zei Bobbi. 'Lytton is al een *hele* tijd dood. Net als Burnell. Dit is een nogal oud kantoor.'

Fisher staarde haar aan. 'En wie ben jij in hemelsnaam?'

Ben keek naar me op. 'We dachten altijd dat we ons over meneer Fisher geen zorgen hoefden te maken, in zijn... situatie. Maar met jou voorzie ik problemen, Jack. Misschien moet er iets geregeld worden.'

'Is dat een dreigement? Zo ja, dan zou ik oppassen als ik jou was.'

'Ik ken je staat van dienst.'

Fisher keek me aan. 'Waar heeft hij het over?'

'Jack heeft een zekere nonchalance aan de dag gelegd wat betreft geweld,' zei Bobbi. 'Wist je dat niet?'

Mijn gezicht gloeide. Ik had moeite om te begrijpen dat deze mensen zo veel meer over mijn leven wisten dan waar ze recht op hadden. Had Amy ze dat verteld?

Fisher stond me nog steeds aan te staren. 'Waar heeft ze het over?'

'Er was een incident,' zei ik, terwijl ik me herinnerde dat Amy bij de Zimmermans was op de ochtend dat ik in Seattle ontwaakte en ze had gebeld, toen Bobbi de telefoon aan haar overhandigd had. 'Op een avond zag ik verdachte activiteiten. Ontdekte dat de achterdeur van een huis geforceerd was. Ging naar binnen.'

'En?'

'Niet iedereen kwam er even goed van af.'

Plotseling ging de telefoon, het gerinkel dat we van beneden hadden gehoord. Het geluid kwam uit Zimmermans laptop. Ben boog zich naar voren en drukte een toets in.

De vergadering begint,' zei een vrouwenstem uit de luidsprekers van de laptop. Het leek dezelfde als de stem die me een paar dagen geleden had afgeleid toen ik Todd Crane had willen aanspreken.

Ben stond op en begon de papieren op het bureau bij elkaar te rapen. Bobbi liep naar hem toe en nam een aantal velletjes manillapapier mee. Ze leken haast te hebben.

'Wat is er aan de hand?' vroeg ik.

'Is Shepherd hier al?' vroeg Ben terwijl hij opkeek en even glimlachte. Ik besefte dat hij niet naar mij keek.

'Onderweg,' zei een stem.

Toen ik me omdraaide zag ik twee mannen in de deur staan. Een van hen was blond. De ander had kort rood haar. Ditmaal waren ze allebei gewapend. Ik besefte dat Georj uiteindelijk toch gelijk had gehad. Deze mannen hadden het niet op hem voorzien gehad.

Dat leek me op dat moment echter niet zo belangrijk omdat tussen hen in een derde persoon stond. Een vrouw.

Mijn vrouw.

Mijn hoofd werd ijskoud en mijn lichaam voelde alsof het verdampt was. Ik kon me niet bewegen. '*Amy?*'

Ze keek niet eens naar me. Het was alsof mijn stem geen geluid had gemaakt. De Zimmermans liepen me voorbij.

'De achteruitgang,' zei Amy.

De roodharige man tilde zijn revolver op tot die mijn kant op wees. 'Uw wapen alstublieft,' zei de ander.

'Ja, natuurlijk.'

Eindelijk wierp Amy een blik op me. 'Doe wat hij zegt, meneer Whalen.'

'Amy... wat...'

Ze strekte gewoon haar hand uit, pakte de revolver uit mijn hand en gaf hem aan de roodharige man. Toen draaide ze zich om en vertrok.

De twee mannen liepen achter haar aan naar buiten en trokken de deur dicht.

Terwijl Fisher en ik ernaar stonden te staren, hoorden we hoe de sleutel werd omgedraaid.

hoofdstuk

ACHTENDERTIG

Toen de telefoon ging, rukte Todd hem zo snel uit zijn zak dat het apparaat uit zijn handen schoot en kletterend over het trottoir gleed. Hij zakte op handen en knieën. De mensen mompelden afkeurend of moesten lachen, niemand deed een stap opzij. Hij was zo ver heen dat hij het niet eens merkte. Hij had drie uur door de straten gedwaald. Hij had het niet kunnen opbrengen om naar zijn kantoor terug te keren, om Bianca of een van de anderen te woord te staan. Hij kon absoluut niet naar huis. Maar hij moest iets doen. En daarom was hij gaan lopen, in de hoop dat hij zichzelf kon vergeten in de menigte normale mensen. Hij probeerde zich af te sluiten voor het bekende gevoel dat de straten drukker waren dan ze leken. Dat gevoel werd sterker naarmate de avond viel, sterker dan ooit tevoren.

'Ja?' zei hij in de telefoon.

Het was Rose. Ze gaf hem het adres. Het was waar hij op had gehoopt. Todd kende het goed. Lang geleden had hij vele uren in dat gebouw doorgebracht met het begeleiden van fotosessies. Vanuit een stoel met zijn naam erop had hij bepaald welke PA de eer ontving van een snel en duur diner met hem in een discreet etablissement. Sindsdien had hij meer dan eens gevraagd waarom ze het pand niet zouden verkopen. Hij had daar geen toestemming voor gekregen. Hoewel het nooit meer werd gebruikt en er zelfs bomen uit het dak groeiden, wilden ze het blijkbaar toch houden. Misschien zou hij nu ontdekken waarom.

Zodra Rose had opgehangen, belde hij het nummer van zijn dochter.

Hij hield de telefoon zo stevig vast dat het ding bijna brak. Na lang wachten werd er aan de andere kant opgenomen.

'Todd.' De stem van het kleine meisje.

'Het gebeurt,' zei hij. 'Nu.'

'Excellent.'

'Het is in...'

'Belltown?'

'Hoe wist je dat ze de plek zou kiezen die jij wilde?'

'Omdat ik een slim meisje ben. Ze hebben de sloten veranderd. Ze hebben daar iets wat van mij is.'

'Ik wil mijn dochter spreken.'

'Ze is in orde. Hoe denk je anders dat ik daar moet komen? Je weet hoe haar auto eruitziet, neem ik aan?'

'Natuurlijk, ik...'

'Wacht tot je die ziet.'

Todd slaakte een kreet, een wanhopig geluid. Wankelend baande hij zich een weg naar de rand van het drukke trottoir en vluchtte in een steegje tussen de hoge gebouwen, weg van de normale mensen. Hij wist nu dat de politie hem niet kon helpen, dat dit over dat gebouw ging en over die mensen en de dingen die hij nooit had proberen te begrijpen.

Hij begon te rennen.

Toen hij de straat insloeg waar het gebouw stond, zag hij tot zijn ontzetting dat er politieauto's stonden. Een lange zwarte man verzette zich schreeuwend tegen een agent die hem hardhandig achter in een van de auto's duwde, amper zes meter van de deur van het gebouw vandaan.

Todd had een daverende hoofdpijn van het rennen en zijn longen stonden in brand. Hij keek op zijn horloge – hij had er vijftien minuten over gedaan. Zou de politie binnen twintig minuten vertrekken? Zo niet... Plotseling was Todd ervan overtuigd dat hij elk moment een hartaanval kon krijgen.

Hij stond stil en dwong zichzelf om regelmatig adem te halen. Daarna stak hij de straat over en koos positie onder de markies van een reeds gesloten galerie. Hij zag hoe de zwarte man en de agent met elkaar vochten en bad tot de glibberige god van de reclamemensen van zekere leeftijd dat die godvergeten junkie een hartaanval zou krijgen. Nu. Op dit moment.

Die god verhoorde zijn gebed niet, tenzij hij een vriendelijkere methode verkoos in de vorm van de agent uit de tweede auto, die eindelijk deze kant op was gekomen om de man samen met zijn collega snel en efficiënt op de achterbank te schuiven. De agenten bleven nog een poosje staan praten, waarbij ze af en toe ergens naar wezen. Todd keek naar ze, zag alleen deze mannen, besefte somber dat ze minstens een uur bezig zouden zijn om de zaak af te handelen en dat hij zijn dochter niet levend zou terugzien.

Maar toen, het was bijna niet te geloven, stapten alle agenten in hun auto en verdwenen. Het was voorbij. Met vijf minuten speling.

Todds telefoon ging over. Toen hij zag wie het was, wist hij even niet wat hij moest doen. Maar hij besefte dat ze zich niet zou laten afschepen.

'Dag,' zei hij. 'Luister, ik heb het ontzettend druk.'

'In hemelsnaam,' zei Livvie, die onmiddellijk tot de aanval overging, een van haar talenten. Je wordt geacht *hier* te zijn.'

Todd had geen idee waar ze het over had. Toen viel het kwartje. Nieuwe klanten. Japanse. Kwamen bij hem thuis dineren over... ongeveer een uur.

'Jezus, ik...'

'Nee, Todd. Nee. Hoe je die zin ook afmaakt, ik neem er geen genoegen mee. Dus doe geen moeite. Kom gewoon naar huis.'

'Dat doe ik. Ik ben... luister...'

Een honderdste van een seconde herinnerde hij zich de Livvie van vijfentwintig jaar geleden, toen het leven gelukkiger en zo veel minder gecompliceerd was geweest. Hij wilde dat alles wat sindsdien gebeurd was niet gebeurd was. Hij wilde alle leien schoonvegen. Hij had er alles voor over als Livvie niet meer voortdurend boos op hem zou zijn, als hij de wildebras kon terugkrijgen die ze als schoolmeisje was geweest en die hij maar niet kon vergeten, die een tijdlang alle belangstelling voor de andere vertegenwoordigers van haar sekse bij hem had gedoofd. Maar het liefst van alles wilde hij haar vertellen wat er op dit moment aan de hand was en haar om hulp vragen, vragen of zij alles in orde kon brengen. Uiteindelijk is dat wat mannen willen dat vrouwen doen, en het enige waar ze nooit hardop om kunnen vragen.

Toen zag hij hem. Een bleekgroene Kever, zijn cadeau aan zijn dochter op haar eenentwintigste verjaardag. De auto kwam snel aanrijden.

'Ik moet ophangen,' zei hij.

Midden in een zin van zijn vrouw verbrak hij de verbinding en stak rennend de straat over.

De auto kwam iets voorbij het gebouw tot stilstand langs het trottoir. Todd rende ernaartoe, zijn hart bonkte. Rachel zat met een grauw gezicht in de bestuurdersstoel en staarde recht voor zich uit. Het raam aan de passagierskant was al omlaag gedraaid. Daar zat het meisje.

'Kijk naar mijn hand,' zei ze.

Todd had al gezien dat de arm van het meisje tegen de maag van zijn dochter gedrukt was en dat ze iets in haar mouw verborgen hield dat een stukje voorbij haar vingertoppen naar buiten stak. Hij zag ook dat er spetters gedroogd bloed onder Rachels neus zaten en een donkerblauwe plek aan de zijkant van haar hoofd.

'Kindje, ben je oké?'

'Ik ben in orde,' zei Rachel. Haar stem klonk onbewogen, rustig.

'Open de voordeur,' zei het meisje. 'Ga naar binnen, laat hem open-staan.'

'Nee. Je...'

'Doe wat ze zegt, pap,' zei Rachel. 'Alsjeblieft.'

Todd draaide zich om en liep met stijve passen naar het gebouw. Aan zijn sleutelbos hing een sleutel die hij zes of zeven jaar niet meer had gebruikt. Hij opende de deur, ging naar binnen en liet de deur achter zich openstaan. Terwijl hij zich omdraaide om te zien wat er in de auto gebeurde, vroeg hij zich af of hij snel genoeg terug zou kunnen rennen.

Hij zag dat het meisje tegen Rachel sprak. Zag dat zijn dochter met haar hoofd knikte, langzaam. In haar gezicht zag hij het kleine wezentje dat hij ooit in zijn armen had gehouden, de geest van het kind dat ze lang geleden was geweest. En hij vroeg zich af wat er binnen in Todd Crane was achtergebleven, als er al iets was. Welk dood ding, niet in staat om de benauwde gevangenis die het om zich heen had gebouwd te begrijpen of te beïnvloeden.

Het kleine meisje kwam uit de auto, liep over het trottoir naar het gebouw. Over haar schouder zag Todd zijn dochter naar voren zakken tot haar hoofd op het stuurwiel rustte. Zijn maag keerde zich om.

Maar toen zag hij Rachels hoofd weer omhoogkomen en zijn kant op-draaien. Hun ogen haakten in elkaar.

Zonder hem een blik waardig te gunnen, liep het meisje de gang van het gebouw binnen en trok de deur achter zich dicht.

Door de plotselinge duisternis kregen Todds pupillen een opdoffer. Onwillekeurig deed hij een stap achteruit, alsof hij hier niet met een kind was maar met iemand die groter en ouder en onvergelijkbaar veel gevaarlijker was. Wat ook zo was, natuurlijk. Dat wist hij nu. Het sloeg nergens op, maar het kon niet anders. Hij besefte dat hij beter naar het stem-metje binnen in hem had moeten luisteren, het stemmetje dat de hatelijke toespeling van het meisje dat Bianca de middag daarvoor uit zijn kantoor had gebonjourd had herkend. Het was een uitdrukking die hij lang geleden uit de mond van een zekere man had gehoord, een man waar hij wat zaken mee had gedaan maar waar hij instinctief een enorme hekel aan had gehad.

Er klonk een klik. Een stevige straal wit licht uit een zaklamp bescheen het gezicht van het kleine meisje. Ze stond tussen Todd en de deur in.

Ze hield haar hoofd scheef. 'Laten we eens kijken of we op hetzelfde spoor zitten, Todd,' zei ze.

Het meisje liet het lange mes soepel uit de mouw van haar mooie, dure jas glijden. 'Begrijp je wat ik bedoel?'

Crane voelde zich misselijk worden. 'Ja, Marcus, ik begrijp je helemaal.'

Ze glimlachte. 'Blij dat je het eindelijk doorhebt.'

NEGENENDERTIG

Vijf seconden te laat kwam ik in beweging. Ik wierp mezelf tegen de deur, riep Amy's naam.

'Kun je hem niet openmaken? Het slot forceren?' Fisher was direct naar de boekenkast gelopen en begon boeken van de planken te trekken.

'Hij is aan de buitenkant afgesloten met een hangslot.'

Gary bladerde een boek door en liet het vervolgens op de grond vallen. 'Het zijn gewoon allemaal wetboeken.'

'Het is een advocatenkantoor.'

'Lytton werkt vanuit hier. Of Zimmerman. Wat zijn echte naam ook mag zijn.'

Ik trapte tegen de deur, tevergeefs. 'Dus zijn ze zo slim om niets op een voor de hand liggende plek te bewaren, of misschien valt er gewoon niets te vinden.'

'Jezus, Jack. Wanneer snap je het nou een keer?'

De waarheid was dat ik het gewoon niet meer wist.

'Twee gewapende bewakers plus je vrouw,' zei Fisher. 'Zware back-up voor een simpel advocaatje, vind je niet?'

Voor een advocaat en voor een gewezen geschiedenisdocent. En ik begreep absoluut niet wat Amy hier deed. Mijn enige kans om daarachter te komen was door haar in te halen. Ik liep naar de achterzijde van het gebouw. Hier waren de deuren net zo dik, zwaar en afgesloten als aan de voorkant.

'Waarom zouden ze de deuren hierboven hebben vervangen?' hield

Gary aan. 'Waarom zijn ze zo degelijk? Wat moeten ze beschermen?'

'Het interesseert me geen barst, Gary. Ik moet Amy zien te vinden. Al het andere is jouw probleem.'

Het raam aan de achterkant was afgedekt met een plaat hardboard. Ik wurmde mijn vingers onder de onderkant en trok. Het voelde niet alsof het gemakkelijk los zou laten. Ik deed een stap achteruit en trapte er met mijn hiel tegenaan. Na nog een paar trappen begon het board te splijten.

Fisher bleef in het wilde weg boeken van de planken halen, waarna hij ze doorbladerde en vervolgens weggooide. Hij raakte steeds gefrustreerder.

Uiteindelijk wist ik het onderste deel van het board met een flinke trap in tweeën te splijten. Ik gaf er nog een laatste trap tegen, nam het in mijn handen en trok het met een ruk naar me toe. Het onderste deel scheurde open. Frisse, koude lucht stroomde naar binnen, samen met het geluid van verkeer, ver onder onze voeten. Ik haakte mijn vingers onder het bovenste deel van het board. Na een paar stevige rukken begon het los te komen. Ik had iets meer dan een vierkante meter ruimte gemaakt.

Ik stak mijn hoofd door het gat. Buiten was het nu helemaal donker. We bevonden ons drie verdiepingen boven het parkeerterrein. Er stond nog een handjevol auto's en de ingang was afgesloten met een ketting. Er brandde geen licht in het hokje van de beheerder. Maar recht voor me was de brandtrap. Die had er eerder niet zo vertrouwenwekkend uitgezien. Maar nu wel. 'We gaan,' zei ik.

Fisher kwam kijken. 'We kunnen een verdieping naar beneden klimmen.'

'Ja – of rechtstreeks naar het parkeerterrein, snel.'

Ik stak mijn hoofd naar buiten en schreeuwde. Er liepen een paar mensen over de straat aan het andere eind van het parkeerterrein. Geen van hen keek zelfs maar omhoog. We waren te hoog, het parkeerterrein te diep onder ons, we konden de geluiden van het verkeer niet overstemmen.

Ik sprong op de vensterbank. Reikte vooruit en greep de ijzeren leuning van de brandtrap. Duwde ertegenaan. Het geheel bewoog traag heen en weer. Terwijl ik me met mijn linkerhand vasthield aan het raamkozijn, liet ik mijn rechtervoet langzaam naar een trede zakken. Heel geleidelijk verplaatste ik mijn gewicht naar deze voet. De trap maakte een onheilspellend geluid. Ik tilde mijn andere voet van de vensterbank en liet die ook voorzichtig zakken.

'Dit ding houdt het misschien niet zo lang uit,' zei ik. 'Zorg dat je snel kunt bewegen.'

Ik liep de trap af en bekeek de muursteunen. Ze waren allemaal verroest. Een paar ontbraken zelfs helemaal. Vlak onder me schoot een vogel verschrikt weg. Ik voelde de hele constructie heen en weer gaan. Het raam op de tweede verdieping was van binnenuit dichtgetimmerd met board.

Maar de verdieping eronder was ook dichtgetimmerd en daar leken de muursteunen nog slechter. Dus bleef ik waar ik was. De ruiten van dit raam waren bijna allemaal kapot, uit de houten kozijnen staken scherpe splinters. Ik stootte met mijn elleboog tegen het punt waar de stijlen bij elkaar kwam, en toen nog eens.

Het hout versplinterde. Ik trok de stukken eromheen weg tot het gat groot genoeg was. Ik ging weer een paar treden omhoog op de brandtrap en trapte toen hard met mijn voet tegen het board. De eerste klap vertelde me dat het board vochtig was en niet erg stevig. Een knarsend geluid vertelde me dat datzelfde opging voor de muursteunen van de brandtrap.

'Hou je gereed,' schreeuwde ik. Bij de volgende trap scheurde het board naar binnen toe in tweeën. Ik ging een trede omlaag, trapte opnieuw. De brandtrap boven me maakte een luid, knarsend geluid en even had ik het gevoel dat ik in het luchtledige zweefde.

Boven me zag ik Fishers hoofd uit het raam tevoorschijn schieten. Zijn gezicht was lijkbleek. Ik was me nu erg bewust van de hoogte waarop ik me bevond. 'Jack...'

'Wacht tot ik binnen ben,' zei ik. 'Hij kan ons niet allebei tegelijk dragen.'

Ik schoof het kapotte board met mijn hand opzij. Ik hield me vast aan het kozijn om zo min mogelijk druk op de muursteunen te zetten. Het board begon van de muur los te komen en een deel boog naar binnen. Het was groot genoeg om mijn arm en hoofd erdoorheen te kunnen steken. Ik tikte de grotere stukken glas die nog uit de kozijnen staken los en werkte het bovenste deel van mijn lichaam naar binnen.

Ik zag helemaal niets. En ik kon niet bij de zaklamp in mijn broekzak. Dus bleef ik tegen het hardboard duwen. Ik trok mezelf over de vensterbank tot ik voorwaarts naar binnen kieperde. De ijzeren radiator onder de vensterbank maakte een galmend geluid.

Ik krabbelde snel overeind en stak mijn hoofd weer door het gat naar buiten, trok nog meer stukken board weg. 'Kom op. Nu.'

Fishers voeten kwamen uit het raam boven me tevoorschijn. De brandtrap maakte opnieuw een knarsend geluid en deze keer langer, als een oude deur die langzaam openging. Er klonk een doffe knap en er viel een klein stuk metaal langs mijn gezicht naar beneden.

'Shit,' zei Fisher. 'Een van de steunen is net...'

Hij daalde de laatste drie treden in recordtempo af. Ik greep zijn handen en begon te trekken. Maar hij had zich met beide benen stevig afgezet en kwam zo snel naar binnen vallen dat ik achteroverschoot.

'Als we niet uit deze kamer komen, vermoord ik je,' zei Fisher, terwijl hij het bloed van zijn handpalmen veegde.

In het licht van de zaklamp zagen we een kamer die bijna tot aan de deur toe gevuld was met schots en scheef neergekwakte meubels, dozen en inktzwarte schaduwen. We liepen er gehaast tussendoor. Onze voeten zochten aarzelend een weg over de hindernissen op de grond.

We bereikten de deur en probeerden hem gezamenlijk met onze schouders open te beuken. Vervuld van een lichte paniek dreunden we er hard en snel tegenaan. Ten slotte duwde ik Fisher opzij en dwong mezelf tot een zorgvuldigere aanval, ineengedoken en gericht op de plek waar het deurbeslag het snelst versplintert. Toen dat inderdaad gebeurde, begon ik ertegenaan te trappen.

Fisher sloot zich weer bij me aan en ten slotte schoot de deur open en vlogen we de gang op. We stormden omlaag naar de eerste verdieping en holden over de overloop.

Ik wilde meteen door naar de trap naar beneden, maar Fisher greep mijn arm.

'Wat is dat?' fluisterde hij.

Ik hoorde ook iets. Het geluid kwam van beneden.

Ik liep naar de bovenste trede. Vanaf die plek hoorde ik alleen zwaar ademhalen, iemand die zachtjes kreunde.

We hadden geen keus. Ik drukte mijn rug tegen de muur. Fisher volgde twee treden na me. Toen ik halverwege de trap was, liet ik het licht van de zaklamp recht naar beneden schijnen.

Er lag een man op de vloer. Aan de donkere vlek om hem heen zag ik dat hij bezig was om dood te bloeden. Langzaam draaide hij zijn hoofd omhoog terwijl wij verder afdaalden.

Het was Todd Crane.

hoofdstuk
VEERTIG

Het was te donker om iets te kunnen zien. Maar de verstikkende atmosfeer en de zware geur van baksteen en aarde waren maar al te bekend. Madison wist dat ze hier eerder was geweest, in dromen en nachtmerries. Hoewel de man die binnenin haar zat haar voortdreef door de duisternis, voelde het alsof hij haar achteruit trok. Marcus had geen last van het donker. Hij wist dat hij er niets van te vrezen had. Madison wilde hem niet langer in haar hoofd, maar ze had niet het gevoel dat ze een keuze had, en als ze al iets voelde, was het dat zij naar buiten werd geduwd. Maar ook hij leek de situatie steeds minder onder controle te hebben – of misschien was ze steeds minder in staat om hem te weerhouden de dingen te doen die hij altijd had willen doen. Ze had niet geweten dat hij Rachels vader zou neersteken – ze merkte alleen dat ze het deed, voordat ze ook maar iets kon ondernemen om hem ervan te weerhouden. Hij was boos geweest omdat de vrouw die hij had willen zien er uiteindelijk niet was geweest. Hij was boos omdat dit een val bleek te zijn, hoewel Madison geloofde dat hij daar al die tijd al rekening mee had gehouden. Ze vermoedde dat zijn woede voor een deel gespeeld was en dat dit gewoon onderdeel was van het eindeloze spel dat hij speelde met een ieder die zich toevallig in zijn nabijheid bevond.

Madisons handen en jas waren besmeurd met bloed en nu kon ze zich weer herinneren dat ze de aardige vrouw in de toiletten van Scatter Creek een duw had gegeven, dat ze haar had laten struikelen zodat ze viel en met haar hoofd tegen de zijkant van het toilet sloeg. Zonder dat ze het doorhad stroomden de tranen over haar gezicht. Ze werd nog steeds voorwaarts getrokken, alsof iemand touwen aan haar armen en benen had gebonden en haar steeds dieper de wolk in sleepte.

Marcus was niet geïnteresseerd in het bovenste deel van het gebouw, leek het. Hij had haar rechtstreeks naar de kelder gebracht, de deur geopend met de tweede sleutel aan de sleutelbos uit de envelop die Madison sinds Portland bij zich droeg. Hij liep in zichzelf te mompelen, dingen die Madison afschuwelijk vond om haar eigen stem te horen zeggen... verschrikkelijke, zieke dingen, alsof hij zijn herinneringen op zijn tong proefde. Slechts heel af en toe gebruikte hij de aansteker die hij van Rachel had gepikt. Hij hield het ding omhoog om zich te oriënteren, waarna hij weer verder ploeterde door de duisternis.

Na een paar minuten veranderden de echo's en Madison besefte dat ze een grotere ruimte hadden bereikt. Marcus sleepte haar voort, het kon hem niet schelen of ze tegen dingen opliep of viel of zich ergens aan openhaalde.

Ze stapte op iets knapperigs op de vloer en hij hield stil. Haar gezicht spleet in tweeën door zijn grijns. Maar er was iets veel belangrijkers op deze plek, iets wat hij wanhopig graag terug wilde zien en waar hij gevoelens voor koesterde die dichter bij liefde kwamen dan hij verder ooit zou voelen.

Hij klauterde moeizaam verder over stapels stoelen en dozen. Hij ontstak de aansteker opnieuw en Madison zag dat ze nu in een lang en laag vertrek waren, een soort bunker. Aan het andere eind was nog een deur, rondom haar was duisternis. In de hoek ernaast zag ze een vage omtrek, ineengedoken in een stoel.

Toen Marcus dat zag, stokte zijn/haar adem. Hij hield de aansteker hoog boven haar hoofd tot haar vingers zo warm werden dat Madison het uitschreeuwde van pijn. Toen deed hij de aansteker uit en klauterde verder in de richting van de hoek, als iemand die op weg is naar huis.

'Je moet haar waarschuwen,' zei Crane. Zijn stem was zwak.

'Wie waarschuwen? Waarvoor?'

Ik zat gehurkt naast hem en probeerde vast te stellen waar en hoe hij gewond was. Het enige wat ik tot nu toe kon zien was bloed en het enige wat ik kon vaststellen was dat het ernstig was.

'Marcus is terug.'

'*Wat?*' vroeg ik.

'Marcus Fox,' zei Fisher, die me niet begreep. 'De andere man op de eigendomspapieren van dit gebouw. De man die tien jaar geleden spoorloos leek te zijn verdwenen. Over wie ik niets heb kunnen vinden.'

'Logisch,' zei Crane. 'Hij was dood. Je moet haar waarschuwen. Waarschuw Rose.'

Mijn handen verstijfden en ik staarde hem aan. 'Rose? Hoe weet jij over Rose? Wie is ze?'

Zijn ogen staarden in de verte. 'O, je kent Rose,' zei hij, met warmte en bitterheid. '*Iedereen* kent...'

Zijn gezicht vertrok en de woorden maakten plaats voor een scherpe inademing.

'Waar is hij naartoe gegaan? Marcus?'

Cranes gezicht verslapte, hij bewoog zijn hoofd met een ruk naar links.

'In een van die kamers?'

Hij schudde van nee. Ik liet de zaklamp door de gang naar de achterzijde van het gebouw schijnen.

'In de kelder,' zei Fisher.

Ik dacht een secondelang na. Amy en de Zimmermans waren natuurlijk al lang vertrokken. Het had geen zin om achter ze aan te rennen. 'Gary, ga de straat op en haal hulp. Snel. Regel een ambulance.'

'Wat ga jij doen?'

'De man zoeken die dit heeft gedaan.'

'Ik ga met je mee.'

'Nee. Deze vent is er slecht aan toe. Hij heeft een ambulance nodig, nu.'

Fisher wrong zich langs me heen en liep door de gang. 'Het kan me niet schelen. Ik moet weten wat daar beneden is.'

'In hemelsnaam.'

Ik stapte over Todd heen en wilde naar de straatdeur lopen, maar hij strekte zijn hand uit en greep mijn been. 'Laat hem daar niet alleen naartoe gaan,' zei hij. 'Dat overleeft hij niet.'

'Todd, *je hebt een dokter nodig.*'

'Ga achter hem aan,' drong hij aan. 'Alsjeblieft.' Hij keek weer wat helderder uit zijn ogen, op dat moment. 'Anders gaat hij dood.'

Ik aarzelde. 'Druk je handen op de wond,' zei ik. 'Ik ben zo terug.'

Zo snel ik kon, rende ik naar de keldertrap. Fisher was al halverwege.

'Je bent een klootzak,' zei ik, terwijl ik het licht zo liet schijnen dat hij kon zien waar hij liep. Zijn enige reactie was dat hij nog sneller afdaalde. Halverwege de trap was een horizontaal stuk en een bocht. Daarna ging het verder omlaag. Er was een hele ondergrondse verdieping, wat niet erg logisch was. Ik wist dat er zulke kelders in de oude stad waren, maar hier?

We bereikten de onderste trede en kwamen in een open ruimte. Aan de linkerkant was een deur. Erachter lagen opslagruimtes, het was er vochtig en overal liepen buizen. De deur aan de rechterkant hing een beetje open. Hij was zeven centimeter dik en op dezelfde manier verstevigd als de deuren die we op de bovenste verdieping hadden gezien. Ik stak de zaklamp door het gat. Een smalle gang verdween in diepe duisternis.

Fisher ging verder. Ik volgde. De muren waren opgetrokken uit oude bakstenen, op sommige plekken was het cement weggerot. Ik kwam langs een rij schakelaars en zette ze een voor een om, maar er gebeurde niets.

'Gary, *langzaamaan*.'

Fisher luisterde niet. Toen ik hem eindelijk had ingehaald, merkte ik dat hij op een kruispunt stond. In drie richtingen verdwenen gangen in de duisternis. De straal van de zaklamp verlichtte slechts de eerste tweeënhalve meter van elke gang. Het rook er naar steen en oud stof.

'Ik snap het niet. We moeten zo ondertussen onder de straat zijn.'

Toen hoorden we een geluid, het kwam uit een van de gangen. Een gekreun dat plotseling scherper werd.

We draaiden ons tegelijkertijd om. Het geluid kwam terug, brak uiteen in iets wat een schaterlach kon zijn, of iemand die stikte. En toen was het stil. Het kwam uit de linkergang.

'Daarheen,' zei ik.

Hij liet haar rechtstreeks naar de hoek lopen. Het ding in de stoel was verpakt in een plastic zak. Toen Marcus haar handen dwong om de zak te openen, kwam er een lucht uit die erger was dan ze *ooit* had geroken, zo erg dat het in de duisternis leek of het hele universum ermee gevuld was. Haar ogen schoten vol tranen, haar maag draaide zich om alsof ze zeeziek was. Maar in plaats van achteruit te deinzen, had hij de zijkanten van de zak wijder opengetrokken. Hij duwde haar handen naar binnen, hij moest de laatste plek die hij thuis had genoemd per se aanraken. Afgaande op de geur zou je denken dat de inhoud warm zou zijn, maar die was koud. Het voelde als draderige, vettige slijm met harde stukjes erin, en er waren botten. Hij dwong haar om er dichter naartoe te gaan, haar gezicht naar de opening te brengen, haar mond te openen, alsof hij van plan was een hap te nemen van het...

Geen denken aan.

Ze had zichzelf achteruit geworpen, flapperde spastisch met haar handen en kroop jammerend terug in de duisternis. Ze wreef haar handen uitzinnig over haar arme jas, die nu overdekt was met vuil en bloed en deze afstotelijke, afschuwelijke smurrie. Ze was op weg naar de deur. Ze stootte overal tegenaan, maar dat kon haar niet schelen. Ze vond een andere gang en rende daar doorheen tot ze in een volgende, grotere ruimte kwam. Het kon haar niet schelen waar ze naartoe ging omdat ze wist dat alle gangen hetzelfde waren.

Het maakte niet uit hoe ver ze ging, ze kon niet ontsnappen aan wat zich binnen in haar bevond.

Gary rende door de linkergang. Ik begon iets anders te ruiken, een geur van aarde onder het stof.

We kwamen bij een deur en betraden een ruimer vertrek. Twaalf meter in het vierkant, een laag plafond, overal omgevallen meubels, houten kratten en troep. Een hele wand was bedekt met boekenplanken, de in leer gebonden boeken zagen er heel oud uit, de meeste waren weinig dikker dan een opschrijfboekje. De ruimte had solide betonnen muren en was kurkdroog. Maar de geur was hier veel sterker, en veel erger dan het vocht en de schimmel die we eerder hadden geroken.

Toen we de kamer doorkruisten, stapte ik ergens op. Het maakte een dof, knappend geluid en toen brak er iets, waardoor mijn voet op iets oneffens terechtkwam.

Ik scheen met de zaklamp omlaag. Onder mijn voet was een stuk donkergrijs plastic, nauwelijks anderhalve meter lang en gemiddeld zestig centimeter breed.

'Wat is dat?' Fishers stem klonk schril.

Ik wist het. Ik had het eerder gezien. Het was een lijkzak. Er zat heel wat tape op de centrale ritssluiting en op de plek bovenaan, waar de ritssluitingen bij elkaar kwamen. Aan de randen was de tape een beetje opgekruld, alsof hij al wat ouder was. Ik reikte omlaag.

'Niet openmaken,' zei Fisher.

Ik peuterde de tape los, vond de rits en trok hem vijftien centimeter omlaag. De lucht die vrijkwam was erger dan ik ooit had geroken. Fisher wendde zich met een ruk af. Ik liet het licht in het gat schijnen. Een gezicht, of de restanten ervan. Deze persoon had daar al een poosje gelegen, verzegeld in een stevige, bijna luchtdichte zak. Ze was niet zo lang geweest, en ook niet zo oud. In haar gezicht waren sporen van diepe messteken, een reeks wonden die gezamenlijk wel iets weg hadden van het getal 9.

Ik trok de ritssluiting weer dicht en duwde de tape rond het kruispunt weer op z'n plaats. De lucht ging niet weg. Die lucht is niet zomaar een lucht. De hersenen blijven alarmsignalen uitzenden, zelfs als de oorzaak is weggehaald. Ze weten dat die stank een poort is naar plekken waar je niet levend vandaan kunt komen.

Stel *dat* ik de oorzaak had weggehaald...

Ik ging weer staan en herinnerde me dat ik deze lucht al geroken had zodra we de kamer binnenkamen.

'Jack,' zei Fisher. 'Daar.'

Ik scheen met de zaklamp in de richting die hij aanwees. Een andere zak, dezelfde grootte, op de vloer, deels onder een tafel. Ik verplaatste de lichtstraal opnieuw. Vond nog een zak, toen nog een. Even leek het of ze daar niet waren geweest voordat wij hier waren binnengekomen, of ze voor onze ogen waren opgedoken, zich hadden vermenigvuldigd om de ruimte te vullen, dichterbij kwamen, ons omringden.

En toen zag ik een laatste zak. Die lag niet op de grond maar zat overeind in een vervallen leunstoel in de verste hoek, dicht bij een andere deur. Toen het licht tegen de bovenzijde weerkaatste, leek het even op een gezicht, hoewel het de plooien moeten zijn geweest, de resterende structuur van wat er goed opgeborgen binnenin zat. Deze zak was heel wat langer dan de rest. Hij was geopend, de zijden waren uiteengetrokken.

Fisher griste de zaklamp uit mijn handen en richtte hem razendsnel opzij. Daar was nog een deur. Ik zag iets in de gang erachter.

Iets dat rende, als een schaduw die van de vloer was losgekomen.

Fisher kwam direct in beweging, schoof een stapel stoelen uit de weg en stormde naar de deur. Over zijn schouder zag ik de schaduw opnieuw. Aan de rand van de lichtbundel verdween hij om een hoek.

Het had eruitgezien als een klein meisje.

Toen was het/zij uit het gezicht verdwenen. Het enige wat ik nog hoorde was het geluid van voetstappen die wegrenden in de leegte. Fisher begon ook te rennen, riep iets wat nergens op sloeg.

Hij riep de naam van zijn dochter. Haar naam eerst, maar toen die van Donna, en toen maakte hij alleen nog maar geluiden. Ik begon te beseffen dat Gary zelfs niet meer wist waar hij was, of met wie.

We joegen door de gang. Het enige wat ik kon zien, was zijn rug. De muren waren hier vlekkerig en nat, en van bovenaf druppelde water. De vloer leek af te lopen. De gang, deze hele ondergrondse kelder, moest zijn aangelegd voordat het gebied werd geëgaliseerd, zelfs voordat het gebouw hierboven was neergezet. Een route over het oorspronkelijke maaiveld die bewaard was gebleven.

Waarom?

Fisher schreeuwde opnieuw. Het geluid klonk dof. De gang werd nu breder. De echo's van onze voetstappen veranderden ook, en er klonk een ander geluid voor ons uit, een geluid van angst en ontzetting. We leken nu recht op een doodlopend stuk af te rennen, maar precies aan het eind boog de gang scherp naar rechts.

En toen verdwenen de muren aan weerszijden.

'Gary, *wacht.*'

Mijn stem klonk nu ook anders. Fisher vertraagde zijn pas, omdat hij besefte dat er iets was veranderd. Het was niet alleen het geluid. De lucht was hier koeler. Het andere geluid werd duidelijker, rauwe en schokkerige snikken.

We liepen verder, voorzichtiger nu. Zes meter, acht. Fisher hield de zaklamp omhoog en bewoog de straal langzaam heen en weer. Witte strepen sneden door de lucht zonder iets te raken.

Er klonk een schreeuw, onverstaanbare woorden. Snel draaide Gary de zaklamp in die richting.

Iemand wankelde in beeld. Een klein meisje. Ze stond in de straal van de zaklamp als een dier dat midden in de nacht op een donkere landweg wordt verrast en aan de grond genageld blijft staan. Haar haar piekte alle kanten op, alsof ze had geprobeerd om het uit te trekken. Ze droeg een jas die overdekt was met bloed en iets donkers en kleverigs. Haar gezicht was nat van de tranen, besmeurd met vuil. De pezen in haar nek waren zo gespannen dat ze haast leken te knappen.

'*Ga weg!*' schreeuwde ze.

Toen Fisher haar kant op bewoog, begon ze haar hoofd en gezicht te bewerken met haar vuisten. 'Je *mag* hier niet komen.'

Fisher stak zijn armen naar haar uit. 'Stt,' zei hij. 'Het is in orde. Het is...'

Haar hoofd schoot met een ruk omhoog. Ze staarde Fisher aan alsof hij plotseling uit het niets was verschenen. Ze knipperde met haar ogen. Haar stem veranderde, werd rauwer, donkerder.

'Wie...' grauwde ze, '...ben jij in *godsnaam?*'

'Het is in orde,' zei Gary, terwijl hij nog een stap dichterbij zette. 'Alles is in orde. We...'

Maar toen klonk er een rammelend geluid, en in de verte zagen we lichtjes naderbij komen, rijen flikkerende lichtjes in de duisternis.

Langzaam maar zeker kon ik ontwaren dat we ons in een immens groot vertrek bevonden – zo'n vijftig meter lang en veertig meter breed. Ik kon het niet exact bepalen omdat het lage plafond werd ondersteund door bakstenen zuilen die het zicht bemoeilijkten. Het middengedeelte was open. Daar stond een ronde houten tafel met negen massief eiken stoelen eromheen. Voor elke stoel stond een glazen kan, ondoorzichtig door het stof. Het zag eruit als iets wat sinds het victoriaanse tijdperk in de mottenballen had gelegen, of was overgebracht uit een middeleeuws kasteel, of als een vondst in een bunker op een andere planeet.

Aan weerszijden van het vertrek stonden rijen houten stoelen achter een lage afscheiding, als kerkbanken, elke rij iets hoger dan de rij ervoor. Het licht was afkomstig van kleine, stoffige elektrische lampjes die evenwijdig aan de rijen stoelen waren aangebracht. Het zag eruit als een katholieke kerk op een winterse namiddag als er maar weinig gedenkkaarsjes ontstoken zijn.

Fisher stond er met open mond naar te kijken. Het meisje staarde langs hem heen, terug naar waar we vandaan kwamen.

Toen ik me omdraaide zag ik dat nog iemand de ruimte had betreden. Een lange figuur, gekleed in een jas. Ik wist onmiddellijk waar ik hem eerder had gezien. In Byron's. Het was de man die Bill Anderson had vermoord.

Hij liep langzaam naar het midden, maar keurde de tafel, de stoelen en al het andere geen enkele blik waardig. Hij keek evenmin naar Gary of mij.

Hij was hier maar voor een ding.

'Dag Marcus,' zei hij, terwijl hij een magazijn in de revolver in zijn rechterhand schoof. 'Deze keer weet je in elk geval dat ik het ben, nietwaar?'

Het meisje draaide zich om en rende weg, recht naar een deur aan het andere eind van de ruimte.

'Tijd om te sterven,' riep de man haar achterna. 'Opnieuw.'

Gary rende achter het meisje aan. Ik draaide me om naar de man in de jas.

'Wie ben jij in godsnaam?'

Hij hief de revolver en schoot me neer, in het voorbijgaan. Daarna liep hij gewoon verder, alsof ik al dood was.

hoofdstuk
EENENVEERTIG

Madison sprintte de deur uit, terug de duisternis in. Ze stormde door de donkere, kronkelige gangen. Ze was de vos nu, sluw en in haar element. Ze wist nauwelijks meer wie ze *was*, sterker nog, ze was zich nauwelijks bewust van haar lichaam dat tegen de muren botste, dat struikelde en viel. Terwijl haar lichaam rende, rende zij ook, binnen in zichzelf, door een hoofd dat niet langer van haar was en niet langer een toevluchtsoord, zelfs niet langer veilig.

De eerste minuten had ze het geluid van rennende voeten achter zich gehoord, en ze had een heen en weer zwiepend licht gezien. Maar nu had ze haar achtervolgers van zich afgeschud, was ondergedoken in een netwerk van gangen dat Marcus kende, maar Shepherd en de andere man niet. Shepherd, de man die naar haar toe was gekomen op het strand, die een gat in haar hoofd had geslagen dat groot genoeg was zodat Marcus erdoorheen kon kruipen. Het was duidelijk dat Shepherd haar nu wilde vermoorden en het klonk alsof hij dat misschien al eerder had gedaan.

Dus had ze gelijk gehad om hem niet te vertrouwen, puh.

Ze struikelde ergens over en kwam hard en met uitgespreide armen op de grond terecht.

Terwijl ze zichzelf overeind hees, besefte ze plotseling dat ze eerder in deze ruimte was geweest. Ze herkende de geur.

Dat betekende dat de deur, en daarmee een uitweg naar boven het gebouw in, aan de andere kant van dit vertrek was.

Ze was uitgeput omdat ze dagen achtereen had gelopen. Ze was uitgeput van het zichzelf in leven houden. Ze bleef in beweging omdat ze doodsbang was. Maar de man binnen in haar was dat niet. Hij was niet bang voor de duisternis of voor dode meisjes of voor wat dan ook. Hij had die emotie nooit helemaal begrepen. In geen van zijn levens. Hij had te veel gezien. Hij kende deze plek al voordat die hier was, immers, had hem gekend toen er bomen en rotsen en water waren geweest. Het was zijn plek. Alles was van hem en hij kon ermee doen wat hij wilde. Dat dacht hij althans.

Niet alles, besloot Madison.

Terwijl ze zich een weg baande door de chaos in de kamer trok ze huilend haar jas uit. Ze wilde hem niet meer hebben. Niet met zo veel bloed erop. Ze wilde hem niet meer hebben omdat ze het niet zelf was geweest die had geweten hoe ze haar moeder zo ver moest krijgen om hem voor haar te kopen. Ze wilde nu bij haar moeder zijn, en bij haar vader, maar deze jas wilde ze niet. Als ze haar ouders ooit zou weerzien, kon dat alleen als zichzelf.

Ze gooide de jas op de grond. Maar haar voeten hielden direct op met bewegen, haar knieën sprongen op slot.

Natuurlijk. Hij wilde zijn opschrijfboekje, dat nog steeds in de jaszak zat. Hij wilde het hier niet achterlaten. Hij had het nodig. Madison was blij dat ze hem boos kon maken en plotseling kreeg ze een nog beter idee.

Ze trok de aansteker uit haar zak. Ze knielde neer en hield hem bij de jas, precies waar het stomme opschrijfboekje zat, met alle stomme woorden en sommen en dingen die ze zich niet wilde herinneren en die ze niet wilde begrijpen. Ze kreeg de aansteker moeilijker aan dan wanneer hij het deed, omdat hij had gerookt en zij niet.

Maar ze bleef het proberen. Hij probeerde haar arm weg te trekken, maar ze hield voet bij stuk, spande elke spier tegen zijn wil aan tot ze een vlammetje had geproduceerd en de jas kon aansteken. Alles eromheen was droog. Ze bracht de vlam naar een stel gortdroge en muffe boeken.

Het vuur verspreidde zich snel. Ze begon te lachen en te schreeuwen, voelde hoe haar hoofd openspleet, en toen was ze volledig in de wolk.

Het voelt alsof iemand je slaat met een moker met een punaise erop, met de punt naar buiten.

De kogel raakte me in de linkerschouder. Ik tolde achteruit en viel op de eerste rij stoelen. Even zag ik helemaal niets meer. De klap tegen de achterkant van mijn hoofd deed een moment lang meer pijn dan de kogelwond.

Ik viel hard op de grond en rolde op mijn zij. Ik probeerde me met mijn linkerhand op te duwen, maar dat voelde alsof er brekend glas door mijn arm omhoogschoot. Ik reikte omhoog, greep de bovenkant van de houten afscheiding met mijn rechterhand vast en trok mezelf overeind.

Er stroomde al bloed uit mijn jasje. Mijn hele arm stond in brand. De pijn in mijn hoofd was bijna verdwenen en ik wist dat mijn schouder heel snel nog veel meer pijn zou gaan doen.

Ik rende de gang aan het eind van de ruimte in. Na een scherpe bocht naar rechts kwam ik in volslagen duisternis terecht. Ik hoorde de echo's van Gary's geschreeuw ergens ver voor me uit en snelde achter het geluid aan.

Toen de gang opnieuw naar rechts afboog hoorde ik het geluid van mijn voetstappen veranderen, doffer en zachter, en ik wist dat ik in een ruimte was met ongeveer dezelfde omvang als de ruimte waar ik net vandaan kwam. Ik trok mijn mobieltje tevoorschijn en klapte het open. Zo had ik een klein beetje licht terwijl ik half struikelend verder holde.

In deze ruimte stonden geen stoelen. Het leek meer op een opslagkelder of een antichambre van het andere vertrek. Ik rende er recht doorheen naar het andere einde.

Daar was een deur naar een korte gang met aan weerszijden een opening. Ik besefte dat ik nu in de buurt moest zijn van het stelsel van tunnels dat ons in eerste instantie bij het grote vertrek had gebracht.

Een schelle lach/schreeuw kwam echoënd door de gangen mijn kant op. Het meisje. Toen een schreeuw die niet klonk als die van Gary. Het moest de man zijn die me had neergeschoten. Ik wilde hem weer zien, en snel.

Ik hield de telefoon om beurten omhoog in de richting van de twee openingen en zag een bloedveeg op de muur. Die gang nam ik. Het voelde alsof ik weer begon te stijgen. Terwijl ik verder omhoog rende, besefte ik dat ik iets nieuws rook. Niet de lijkengeur van eerder, hoewel die er ook was. Iets bijtends en droogs.

Ik begon ook andere geluiden te horen, ergens voor me uit, en dacht dat ik ofwel dichter bij Gary, of dichter bij de andere man kwam, hoewel de geluiden niet als stemmen of voetstappen klonken.

Het werd warmer.

Toen begreep ik wat die lucht was. Het was rook. Er stond iets in brand. Het geluid dat ik had gehoord was het geknetter van brandend hout. Ik rende niet langer, bang dat ik me met te grote vaart klem zou lopen op een brandend stuk gang. Maar ik wist niet zeker of ik een andere uitweg zou kunnen vinden en ik wilde niet aan de verkeerde kant van het vuur vast komen te zitten. Wat ik ook zou proberen, hoe langer ik erover deed, hoe moeilijker het zou worden. Dus liep ik verder.

Even later weerkaatste het licht van de telefoon alleen nog tegen een deken van rook, waar ik niet wijzer van werd. Ik stopte het ding weer in mijn zak en trok mijn jas uit. Toen de stof even achter de schotwond bleef haken schreeuwde ik het uit van de pijn. Ik duwde de jas tegen mijn mond. Dat maakte het ademhalen iets minder pijnlijk. Voor mijn ogen veranderde er echter niets. Half verblind en heel voorzichtig liep ik verder. Met mijn rug tegen de muur gedrukt ging ik stapje voor stapje vooruit. Ik wist dat ik door moest gaan, hoezeer mijn lichaam ook de andere kant op wilde rennen.

Toen werd het plotseling warmer en het geloei zwol aan. Ik viel halsoverkop een kamer binnen waar ik al eerder was geweest, die met de lijkzakken. Ik was er ditmaal van de andere kant binnengekomen, in de buurt van het lijk in de stoel. Dat was er nog steeds. Het plastic werd flikkerend verlicht door een vuurzee die midden in de kamer woedde.

Ik bewoog me ervandaan naar de muur aan mijn rechterkant, nu een vlammenzee van brandende boeken. Ik hees mezelf over de meubels en schoof kratten opzij als bescherming tegen de vlammen.

Ik stapte op minstens een van de zakken op de grond, brak iets binnenin. Aan de andere kant van de kamer zag ik een silhouet in de deuropening.

Ik riep Gary's naam. Hij hoorde me niet, of als hij me hoorde, liet hij zich niet afremmen.

In haar hoofd rende Madison nu langs de rand van de branding, alsof ze in Cannon Beach was en een lange middagwandeling maakte met haar moeder en vader. Haar ouders praatten opgewekt met elkaar en het was mooi weer en daarom was ze vooruitgerend. Haar voeten stampten over het zand, ze rende langs de rand van de wereld. Ze wilde naar het eind rennen en dan omkeren en met open armen naar haar ouders terugrennen. Haar vader zou op zijn hurken zakken om haar op te vangen, zoals hij altijd deed, hoewel ze daar nu te groot voor was en ze dat beiden wisten, maar deden alsof het niet zo was.

Maar tegelijkertijd rende ze langs een ander soort water, en in een andere tijd. Ze rende langs de oevers van Elliott Bay, hier in Seattle, tien jaar geleden en in het holst van de nacht. Ze vluchtte omdat ze wist dat er iemand achter hem aanzat die hem heel erg dood wenste. Ze hadden ontdekt wat er onder de kelder van zijn huis in het Queen Annedistrict begraven lag, plus de lijken onder het gebouw hier in Belltown, en daarom hadden ze besloten dat zijn gedrag niet langer getolereerd kon worden. Ze waren net voor de politie achter hem aan gegaan, en hij was er-in geslaagd om het huis uit te vluchten. Maar hij wist dat ze het meen-den en dat hij zijn voorsprong niet lang kon vasthouden. Marcus had al-tijd vermoed dat Rose achter die beslissing had gezeten. Joe Cranfields kleine protegee had haar vleugels uitgeslagen. Nu wist hij dat Shepherd voor De Negen het vuile werk had opgeknapt, nauwelijks een maand na-dat hij en Marcus hun overeenkomst hadden gesloten in een hotelbar hier in Seattle – een overeenkomst die Marcus had geregeld omdat hij had geweten, met de ervaring van vele levens, dat de schaduwen van het einde van dit leven naderbij kwamen.

Ze hadden hem opgejaagd en hij was gevlucht, recht in de val waar Shepherd op hem stond te wachten.

In zekere zin had Marcus daar respect voor. Shepherd was de meest logische keuze en wie kon het hem kwalijk nemen dat hij van twee wal-letjes at? Maar wisten ze destijds dat Marcus nog leefde toen ze hem in de lijkzak stopten en hem in het pikkedonker in die kelder achterlieten om zichzelf dood te schreeuwen?

Ja, hij dacht van wel.

Dat was niet aardig. Dat was geen vredig afscheid. Ongeacht hoe vaak je al gestorven bent. Het is nooit iets waar je naar uitkijkt. En terwijl Mar-cus toekeek hoe het kind worstelde met haar situatie, voelde hij hoe de duisternis zich opnieuw rond hem samentrok. Schaduwen die hij niet zo snel alweer onder ogen wenste te zien.

Hoewel haar hoofd vol beweging was, kwam Madison in werkelijk-heid nauwelijks vooruit. Ze kroop op handen en voeten door een gang, sleepte zichzelf door stof en as, zonder ook maar iets te zien. Haar lon-gen waren zo vol rook dat het voelde alsof iemand er aarde in had ge-gooid. Nadat ze het vuur had aangestoken, werd ze verrast door de snel-heid waarmee de vlammen om zich heen grepen. Ze had haar hand en arm verbrand en beide deden behoorlijk pijn. Ze wist niet welke kant ze op moest en ze had er genoeg van. Van alles.

Ze zou dit niet overleven. Dat wist ze. Dus probeerde ze nu de weg te vinden naar een andere plaats, een plaats diep binnen in haar. Ze pro-beerde de man weg te duwen van wie ze wist hoe graag hij terug wilde komen. Maar ze voelde zijn greep verzwakken toen hij besefte dat ze lie-ver stierf dan op deze manier verder te leven, dat dit meisje niet bereid was om zijn thuis te zijn.

Toen botste ze ergens tegenaan. Ze tilde haar hoofd op en besefte dat het hier een klein beetje lichter was. En ergens kwam een koelere lucht-stroom vandaan.

In een moment van helderheid besefte ze dat ze niet langer in een gang was, maar in een grotere ruimte – en dat ze tegen de onderkant van een trap was gebotst.

Ze sleepte zich over de houten treden omhoog. Het enige wat ze moest doen, was naar boven zien te komen en rennen, *werkelijk* rennen deze keer. Daarboven was een deur naar de straat, en daarachter was de buitenwereld. Ze kon naar buiten stappen en dan gewoon rechtdoor rennen.

Direct de drukke straat op, zonder links of rechts te kijken. Het was een treurige oplossing, maar wel een werkbare. En het zou Marcus een lesje leren. Wees zorgvuldig in de keuze van het kleine meisje wier lichaam je probeert te stelen.

Niet iedereen laat zich dat welgevallen.

De rechterkant van het vertrek was nu een grote vuurzee. Ik bleef koers zetten naar het midden, ik rook dat mijn haar en jas vlam hadden gevat. Uit de boekenkast duikelde een rij boeken in slow motion omlaag in het vuur. Ik werd bedolven onder een regen van brandend papier en hout en vonken. Ik dook in elkaar en moest steeds beginnende brandjes op mijn lichaam uitslaan. Maar ik bleef in beweging tot ik de deuropening had bereikt.

De gang was tot stikkens toe gevuld met rook, maar ergens voor me hoorde ik kokhalzende geluiden. Met mijn gezicht onder mijn jasje wankelde ik recht de dikke grijze wolken in. De spieren in mijn schouder begonnen te verkrampen en ik voelde hoe nat het er was. Ik had geen enkel gevoel in mijn arm. Ik sloeg er met mijn vuist op om het bloed in beweging te houden en om een pijnscheut naar mijn hersenen te sturen.

Toen ik de kamer had verlaten en bij de onderkant van de trap was aangekomen, viel ik bijna over iemand die ineengedoken op de vloer lag, opgerold als een bal, kotsend en hoestend.

Het was Gary. Ik greep hem bij zijn kraag en trok hem achter me aan tot de onderste trede. Toen schreeuwde ik in zijn gezicht. Uiteindelijk begon hij uit zichzelf te bewegen en we worstelden ons gezamenlijk naar boven. Met mijn stekende, tranende ogen kon ik zijn rug amper zien. Bij de bocht in de trap gleed ik uit en viel op mijn knieën. Fisher kwam weer naar beneden en wrong zijn arm onder de mijne, draaide me om en hees me overeind.

Het laatste stuk strompelden we naast elkaar omhoog.

De gang stond vol rook. Gary rende er direct doorheen naar de straatdeur, die wijd open stond. Ik stapte over Todd Cranes lichaam, maar besefte dat ik hem daar niet kon laten liggen. Ik boog me omlaag en greep hem bij zijn pols. Toen ik hem door de gang naar de deur trok, maakte hij een geluid en ik besefte dat hij nog leefde. Ik voelde een spier in mijn lichaam scheuren, maar bleef hem voortslepen tot ik over de drempel naar buiten viel, rechtstreeks de koude nachtlucht in.

Het was alsof ik opnieuw geboren werd.

Auto's, nachtelijke geluiden, flikkerende lichten. Mensen die van het gebouw vandaan renden, schreeuwend, wijzend. Dikke rookwolken golfden de straat in. Ik hoorde een sirene in de verte. Hij kwam deze kant op.

Ik wankele bij de deur vandaan, liet Crane in elkaar gezakt op de drempel achter. Gary stond ergens in de menigte te schreeuwen, hoewel ik eerst niet kon zien waar hij was. Het leek of iedereen een veel duidelijker beeld van de situatie had dan ik. Het leek of iedereen zich sneller en doelbewuster bewoog dan ik. En wat er daarna gebeurde, ging zo snel dat ik er alleen in mijn herinnering werkelijk bij was.

De man met de revolver liep op het kleine meisje af dat doodstil midden op het trottoir stond. Om haar heen ontstond een leegte doordat steeds meer mensen zich uit de voeten maakten.

Maar Gary sloeg niet op de vlucht.

Hij had de arm van het meisje vastgegrepen en probeerde haar achter een grote suv te trekken, buiten het schootsveld van de man. Hij probeerde haar te redden.

Maar het meisje verzette zich. Ze leverde een fel gevecht, schreeuwde tegen hem, als een bezetene. Gary schreeuwde ook.

'Bethany,' schreeuwde hij. 'Wacht.'

De man richtte zijn wapen rechtstreeks op het meisje.

Gary zag wat er gebeurde en trok haar opnieuw achteruit, rolde zijn eigen lichaam beschermend voor het hare. Het eerste schot van de man ging naast.

De mensen begonnen harder te schreeuwen. Het geluid van sirenes klonk nu dichterbij.

Plotseling had het meisje zich van Gary losgerukt. Ik had geen idee waar ze naartoe dacht te gaan. Ze zat in de val en ze probeerde niet eens te vluchten. Het was alsof ze het de man die achter haar aanzat *makkelijker* wilde maken. Gary moet hebben geweten dat hij haar niet op tijd kon bereiken, dat hij haar niet uit de vuurlinie kon trekken. Maar desondanks wierp hij zich in haar richting. Ze verloor haar evenwicht en hij beschermde haar met zijn lichaam terwijl ze samen vooroverduikelden.

De man vuurde vier keer.

Gary ving alle vier de kogels op. Hij sloeg achterover.

Hij hield het meisje stevig vast en zakte in elkaar. Ze kwamen tegelijk neer, waarbij het voorhoofd van het meisje tegen het plaveisel sloeg met een klap die ik zes meter verderop kon horen.

Op dat moment sprintte ik naar de schutter. Ik wierp me tegen zijn borst toen zijn revolver nog een keer afging, en toen nog twee keer. We vielen samen tegen het portier van een auto.

De man stuiterde terug, maar ik was rondgedraaid en kwam in de goot terecht. Ik draaide mijn hoofd omhoog en zag hoe de politieauto's de straat in kwamen scheuren.

De man met de revolver was alweer op de been. Hij wierp een blik op het meisje en zag dat de plas bloed op het trottoir snel groter werd. Hij aarzelde. Toen draaide hij zich om en glipte weg. Hij verdween gewoon in de menigte.

Ik hees mezelf op het trottoir en ging op handen en knieën zitten. Kroop naar de plek waar Gary lag.

Het meisje bewoog niet. Haar ogen waren gesloten.

Gary's shirt was rood, helemaal, en de plas onder zijn lichaam groeide nog steeds.

Mijn arm begaf het en ik viel naast hem op de grond, mijn gezicht lag niet meer dan zestig centimeter van het zijne vandaan.

Het grootste deel van de achterkant van zijn hoofd was verdwenen. Zijn ogen waren open en leeg en droog.

hoofdstuk
TWEEËNVEERIG

'We hebben hem niet te pakken gekregen,' zei een stem.

Ik zat op een stoel in een ziekenhuiskamer na het laatste van een reeks gesprekken met leden van de sterke arm van Seattle. Ik had een gekuiste versie gegeven van de gebeurtenissen in het gebouw in Belltown. Het was niet de eerste keer dat ik dit verhaal had verteld. Ik betwijfelde of het voor het laatst zou zijn. Ik had brandwonden op mijn gezicht en armen en er was een pluk haar verdwenen. De pijn van de wond in mijn schouder en de bijbehorende steken waren heel goed voelbaar, ondanks een hele batterij pijnstillers. Mijn onderrug voelde alsof er een vrachtwagen tegenaan was gereden en mijn hoofd deed zo'n pijn dat het leek of die nooit meer zou overgaan. Ik was niet geïnteresseerd in welk nieuws dan ook. Ik keek op. Blanchard stond in de deuropening.

'Ik hoop dat je je beter voelt dan je eruitziet,' zei hij.

Hij kwam binnen, leunde tegen de zijkant van het bed, sloeg zijn armen over elkaar en keek op me neer. Ik wachtte tot hij zou zeggen wat hij te zeggen had.

'Je had er een stuk slechter aan toe kunnen zijn,' zei hij ten slotte. 'Je *was* er een stuk slechter aan toe, tot een halfuur geleden. Je hebt geluk gehad.'

'In welk opzicht?'

'Het rapport van het gerechtelijk laboratorium is gearriveerd. De kogels waarmee meneer Fisher gedood is en de kogel die ze uit jouw lichaam hebben gevist, hebben hetzelfde profiel als de kogels die in Bill

Andersons lichaam zijn aangetroffen.'

'Ik zei al dat het dezelfde vent was.'

'Inderdaad. Maar weet je. Ballistische rapporten leggen net iets meer gewicht in de schaal dan het woord van een ex-politieman. Vooral als dat iemand is die toevallig in de buurt was bij elke dodelijke schietpartij die de afgelopen week in Seattle heeft plaatsgevonden.'

'En geen spoor van deze vent? Hij is gewoon midden op straat in rook opgegaan?'

'Zoals hij is weggewandeld nadat hij Anderson had vermoord, en Andersons gezin. De man is duidelijk een beroeps. Een beroeps in *wat*, ik heb geen idee. Het enige wat we weten is dat zijn naam misschien Richard Shepherd is.'

Ik denk niet dat ik meer deed dan met mijn ogen knipperen, maar Blanchard keek me aandachtig aan. 'Klinkt bekend?'

Ik schudde mijn hoofd. 'Hoe kom je aan zijn naam?'

'Dat vertel ik je zo. Ik wil eerst een ding weten. Heb je werkelijk geen idee hoe die brand in de kelder is ontstaan? In deze "opslagruimtes"?'

'Nee.' Dat laatste was waar. 'Hoe ernstig was het?'

'Ernstig. De brandweer kan er nu pas helemaal bij. Alles wat geen steen was, is verdwenen. Ervan uitgaande dat er nog iets anders was?'

Ik trok een gezicht dat aangaf dat ik niets te zeggen had over de zaak. Blanchard glimlachte zuinigjes in zichzelf.

'Kom mee,' zei hij. 'Ik breng je naar de uitgang.'

'Kan ik gaan?'

'Op dit moment wel. Dat wou ik je vertellen,' zei hij terwijl hij opstond. 'Je hebt geluk gehad.'

Ik volgde de rechercheur door de gangen. Lopen deed meer pijn dan zitten. Verpleegsters spanden zich duidelijk in om niet naar ons te kijken. Sinds mijn komst hadden er een paar gewapende agenten bij mijn kamerdeur gezeten. Die waren nu verdwenen.

'Ze kunnen de schutter nog niet ondubbelzinnig in verband brengen met de plaats delict van het gezin Anderson,' zei Blanchard. 'Maar omdat hij zowel Bill als Gary Fisher heeft vermoord – de enige persoon die zijn stem verhief in die zaak – heeft niemand er moeite mee om die moorden ook aan deze vent toe te schrijven. En je hebt geen idee waarom hij dat allemaal gedaan zou kunnen hebben?'

Ik schudde mijn hoofd. Het was nauwelijks een leugen. 'Wat is er met die andere kerel gebeurd? Todd Crane?'

'Privéziekenhuis aan de andere kant van de stad. Heeft een emmer bloed verloren en er moest heel wat gehecht worden, maar hij redt het wel. 'Die trektocht komt er wel.'

'Wat?'

'Daar lag hij over te raaskallen tegen zijn vrouw toen hij van de operatiekamer kwam. Een trektocht door de Olympic Mountains. Dus het lijkt erop dat Shepherd hem heeft neergestoken?'

'Als dat is wat Crane zegt.'

'Druk baasje.'

Ondanks de schone en frisse omgeving had ik het benauwd. Ik was blij dat ik leefde, min of meer. Behalve dat ik niet zeker wist wat ik moest voelen. Ik had de hele nacht niet geslapen, ik had geen oog dicht gedaan en steeds opnieuw de herinnering aan de moord op Gary Fisher beleefd. Ik had tegen mezelf gezegd dat de man in de lange jas, Shepherd, de dodelijke schoten op Gary al had afgevuurd voor ik iets had kunnen doen. Dat was waar. Het had niet veel geholpen. Je hebt altijd het gevoel dat je iets had moeten doen aan gebeurtenissen in het verleden, meer dan aan gebeurtenissen in de toekomst. Ik weet niet waarom dat zo is.

Blanchard stopte in de buurt van de verpleegsterspost. Daar tegenover was een kamer waar een jong meisje tussen de kussens lag. Aan weerszijden van het bed zaten een man en vrouw die over het bed heen elkaars hand vasthielden. Ik besefte dat dit het meisje was dat ik voor het laatst had gezien toen ze onder Gary Fisher had gelegen en overdekt was met zijn bloed.

'Ze is in orde,' zei Blanchard. 'Ernstige hersenschudding, paar brandwonden en schrammen. Maar ze lijkt heel wat vergeten te zijn over de afgelopen week, hele brokstukken zijn verdwenen alsof ze nooit zijn gebeurd. Kan zijn dat ze dingen verdringt, misbruik of zo, maar de psycholoog denkt dat de schade permanent is.'

'Wat deed ze in het gebouw?'

'Dat is het andere waar ik het over had. Madison O'Donnell is vijf dagen geleden ontvoerd uit een strandhuisje in Oregon. Wat er daarna is gebeurd, of hoe ze hier terecht is gekomen, is onduidelijk. Maar er was klaarblijkelijk een man bij betrokken. Het meisje zei dat het de man met de revolver van gisteravond was, van wie *jij* zei dat hij haar probeerde te vermoorden. Haar ouders hebben een goede beschrijving van hem gegeven en de man heeft zelfs een visitekaartje bij hen achtergelaten waardoor we zijn naam kennen. Of in elk geval de naam die hij gebruikt.'

Ik staarde hem aan. 'Hij kidnapt een kind en laat vervolgens een *visitekaartje* achter? Waar slaat dat nou op?'

'Ik weet het niet,' gaf Blanchard toe. 'Maar we kunnen de puzzelstukjes pas samenvoegen als we de man vinden. En daar heb ik niet veel hoop op.'

Ik keek even naar het gezin in de kamer. Het gezicht van het meisje was zwaar gekneusd, maar ze glimlachte. Haar moeder en vader leken ook gelukkig. Erg gelukkig.

Wat fijn om een gezin te hebben, dacht ik. Wat een eenvoudig iets, en toch, wat bof je ermee.

Toen ik me terugdraaide, besefte ik dat Blanchard moeizaam keek. 'Wat?'

'Ik weet niet hoe veel je hiervan weet,' zei hij. 'Dus vertel ik je maar gewoon het hele verhaal. Fishers vrouw en kind waren hier vanmorgen in alle vroegte. Mevrouw Fisher is hier naartoe gevlogen om het lichaam te identificeren. Dat heeft ze gedaan en toen is ze meteen weer naar huis teruggekeerd.'

'Kind? Hij had er twee.'

Hij knikte langzaam. 'Oké, dus je weet het niet. De dochter is gestorven. Drie maanden geleden.'

Ik staarde hem aan. 'Bethany is dood?'

'Ja, dat was haar naam.'

'Hoe? Wat is er gebeurd?'

Blanchards gezicht stond kalm. 'Ze is verdronken. In bad. Meneer Fisher... nou ja, haar vader was op dat moment met haar bezig. Zijn versie van het verhaal luidt dat hij wegliep om haar pyjama uit haar kamer te halen en dat ze in de tussentijd is uitgegleden en haar hoofd heeft gestoten. Hij probeerde haar te beademen. Tevergeefs, hoewel ze niet lang onder water kan zijn geweest.'

'Je wilt toch niet zeggen...'

'Niemand zegt iets. Maar er zijn een paar crises geweest in het kantoor waar meneer Fisher werkte. Hij werd genoemd in een omvangrijke aanklacht wegens nalatigheid in de afhandeling van de erfenis van een of andere vent. Vervolgens is meneer Fisher de weg kwijtgeraakt in zowel zijn werk en als in zijn privéleven. Weigerde om te slapen. Die toestand met dat bad vond plaats. Een paar weken later liep hij op een dag naar buiten en kwam simpelweg niet meer terug. Zijn vrouw wist niet eens dat hij in Seattle was. Hij is meer dan een maand weggeweest.'

Plotseling moest ik naar buiten. Ik wilde niet meer in het ziekenhuis zijn, wilde niets meer horen.

'Wacht hier,' zei ik.

Ik liep naar de kamer waar het gezin O'Donnell bijeen zat. Ze keken op toen ik binnenkwam. Allemaal tegelijk. De ouders fronsten hun wenkbrauwen, twijfelend en ongerust. Ik zag er waarschijnlijk niet uit als het soort persoon dat je graag in je leven verwelkomt.

Maar het meisje zei: 'Ik weet wie jij bent. Geloof ik.'

'Klopt,' zei ik. 'Ik was daar. In het gebouw. Je herinnert je niet veel, heb ik begrepen.'

Ze schudde haar hoofd. Ze leek versuft. 'Niet echt.'

'Herinner je je een man? Niet ik, niet de... niet de man met de revolver? Een andere man?'

'Is dit belangrijk?' vroeg haar vader. Hij wilde haar beschermen en ik nam hem dat niet kwalijk. Zijn vrouw stond klaar om hem uit alle macht bij te staan. Maar ik liet me niet wegsturen.

'Ja,' zei ik. 'Madison – herinner je je hem?'

Het meisje dacht even na en knikte toen.

'Ja,' zei ze. 'Er was een man die me opzij probeerde te trekken.'

'Zijn naam was Gary Fisher,' zei ik. 'Hij heeft je leven gered.'

Blanchard vergezelde me in de lift naar beneden en liep mee tot aan de ingang. Hij staarde de straat in terwijl ik een sigaret opstak.

'Je bent niet van plan om het land te verlaten, toch? Of de staat?'

'Nee,' zei ik.

'Ik denk dat we het prettig zouden vinden als je het zo zou houden. Geluk hebben staat nog niet gelijk aan vrijuit gaan.'

'Wat je wilt.'

Hij knikte, een beetje aarzelend. 'Voel je niet rot over wat er is gebeurd,' zei hij. 'Ik heb het idee dat iedereen zijn eigen plek kiest. Fisher het meest van allemaal.'

'Oké.' Ik had geen zin om erover te praten.

'Goed,' zei hij. 'Nou... O. Hier.'

Hij overhandigde me een stukje papier.

'Wat is dit?'

'Heeft iemand vanmorgen voor jou achtergelaten bij de verpleeg-sterspost. Nou. Beloof me dat je vandaag nergens naartoe zult rijden.'

'Ik rij vandaag nergens naartoe.'

'Brave jongen. Tot ziens, Jack.'

Ik wachtte tot hij weer naar binnen was gegaan voordat ik het papier-tje openvouwde. Het duurde even voor ik het handschrift herkende. Er was iets veranderd. Er stond: *Laten we ergens afspreken.*

hoofdstuk
DRIEËNVEERTIG

Het eerste wat ik deed was met een taxi naar Belltown rijden om mijn auto op te halen. Het gebied rond het gebouw was grondig afgegrendeld. Politie en brandweer deden hun werk. Voorbijgangers stonden stil om een poosje te kijken, maar ze hadden geen idee wat ze zagen. Een van de vele dingen die in de periferie van hun leven plaatsvonden. Zo op het oog leek de constructie van het gebouw niet ernstig beschadigd, maar als de brand de funderingen had aangetast zou het waarschijnlijk wel afgebroken worden.

Dan kwam hier het zoveelste parkeerterrein, en daarna appartementen, die vervolgens weer werden afgebroken om weer iets anders te worden in een of andere toekomstige wereld. Dingen komen op en dan storten ze weer in, en de jaren verstrijken.

Ik haalde de auto op en reed naar Pioneer Square.

Ik kocht een beker koffie in de Starbucks en nam hem mee naar buiten. De metalen tafeltjes waren allemaal vrij. Ik koos het tafeltje met het beste uitzicht over het plein en liet mezelf voorzichtig in een van de stoelen zakken. Het was een pijnlijk proces. Ik had met mezelf afgesproken dat ik een uur zou wachten, daarna zou ik weggaan.

Tijdens het wachten keek ik naar de bomen aan de overkant. Het licht dat tussen de takken door omlaag viel dompelde het plein in een onwerkelijke sfeer. Voor een plek waar zo veel is ontstaan, een hele stad, is het plein eigenlijk tamelijk klein. Alleen die paar bomen, de overdekte

picknicktafels, een drinkkraantje en die totempaal. Zo nietig in de schaduw van de onverschillige stenen gebouwen die het plein als een verde-
digingswerk omringen.

En toch lijkt het niet klein.

Het voelde goed om daar te zitten en na een poosje strompelde ik nog
een keer naar binnen om een tweede beker koffie te halen. Ik keerde terug naar mijn tafeltje en keek weer naar de mensen die langsliepen, toeristen en bewoners die ergens naar op weg waren, daklozen die in het
voorbijgaan even stilhielden op het plein, dan weer verder zwierven.

Ik was halverwege de tweede beker koffie toen ik hoorde dat aan de
andere kant van de tafel een stoel werd bijgetrokken. Ik draaide me om
en zag dat er iemand was gaan zitten.

'Je bent goed,' zei ze.

Ik wist niet wat ik moest zeggen. Ze haalde het dekseltje van haar beker thee zodat die kon afkoelen, stak een sigaret op en leunde achterover
in haar stoel. Ze keek naar me.

'Ben je in orde? Lichamelijk?'

'Ik overleef het wel,' zei ik.

'Nou, dat is goed.'

'Blij dat je er zo over denkt.'

'We hadden je niet voor niets opgesloten in het kantoor op de bovenste verdieping. Het was de bedoeling dat je daar bleef, voor je eigen veiligheid.'

'Jammer dat je dat op dat moment niet hebt uitgelegd. Dan had Gary Fisher misschien nog geleefd.'

Ze haalde haar schouders op. Er was iets veranderd. Het was sterker
dan toen ik haar op de pier in Santa Monica zag, en zelfs sinds afgelopen nacht – hoewel ik toen niet veel gelegenheid had om haar zorgvuldig te observeren. Haar haar was anders geborsteld, op een ouderwetse
manier. Misschien was het minder tastbaar dan dat. Lichaamstaal, het
licht in haar ogen of de afwezigheid daarvan. Wat het ook is dat maakt
dat iemand anders is dan degene die hij of zij daarvoor was, waaruit blijkt
dat haar of zijn relatie met jou is veranderd. Hoe dan ook, ik wist dat deze persoon evenmin mijn vrouw was als het meisje dat vroeger in de
slaapkamer van Natalies huidige huis had geslapen.

Daar begon ik mee. 'Wat heb je meegenomen?' vroeg ik. 'Uit Natalies
huis?'

'Niets belangrijks. Een aandenken.'

'Waaraan?'

'Mijn kindertijd. Ik verborg mijn schatten in die hoek onder de vloer.'

'Waarom ging je het nu halen?'

Ze aarzelde, alsof ze moest beslissen in hoeverre ze me in vertrouwen wilde nemen. Of in hoeverre ik te vertrouwen was.

'Toen ik ongeveer acht jaar oud was,' zei ze ten slotte, 'bijna negen, gingen we op een weekend naar een rommelmarkt in Venice. Ik, mijn moeder en Natalie. We zwierven wat rond, keken naar de gebruikelijke rotzooi, je kent dat wel. En toen zag ik een kraampje en ik wist dat ik daar moest gaan kijken. De vrouw had allerlei hele oude, stoffige spullen.'

Ze reikte in haar handtas, haalde er iets uit en legde het op de tafel. Een klein, vierkant glazen potje met een grote bakelieten deksel. De inhoud was ooit felgekleurd geweest, een warm roze van het soort dat niet meer in de mode is. Het was opgedroogd en gebarsten en zag er nu vooral zwartig en vies uit. Op het verbleekte etiket stond in het soort letters dat je in oude films ziet: JAZZBERRY.

'Nagellak,' zei ik.

'Originele uit de jaren twintig. Ik wist dat destijds niet. Wist alleen dat ik het moest hebben. Mijn moeder dacht dat ik gek geworden was. Ik haalde het af en toe tevoorschijn om ernaar te kijken. Begreep niet waarom. Tot ik achttien was.'

'Wat gebeurde er toen?'

'Dingen veranderden.'

'Je begon te geloven dat je hier eerder was geweest.'

'Dus je denkt dat je het een en ander weet, hè?'

'Ik weet niet precies wat ik denk.'

'Zo te horen heeft je vriend Gary een indrukwekkend luchtkasteel ontworpen. Waar hij in zijn eentje in woonde. Misschien is het maar beter dat het afgelopen nacht is gegaan zoals het is gegaan. Met alle respect.'

'Had hij gelijk? Zat er een kern van waarheid in?'

'Ik weet niet wat hij je heeft verteld. Maar... mensen raden dingen. Soms raden ze goed. De psychiatrische ziekenhuizen in deze wereld zitten vol met gezonde mensen die gewoon niet slim genoeg waren om hun kop te houden.'

'Wat is de Psychomachy Trust?'

'Wat denk jij? Wat is *jouw* gok?'

'Heeft iets te maken met de indringers.'

Ze trok een wenkbrauw op. 'De wie?'

'Zo noemde Gary mensen die per se terug wilden komen.'

'Een naam die hij had ontleend aan jouw boek, neem ik aan. Ik weet zeker dat, als dat soort mensen al bestaat, ze zichzelf liever "teruggekeerden" zouden noemen.'

'Die ruimte onder het gebouw in Belltown,' zei ik. 'Waar was die voor?'
Ze wierp een blik op haar horloge. 'Een vergadering. Een die zeer zelden plaatsvindt, binnenkort. Daarom moest ik hier zo vaak naar toe.'
'Maar nu is het allemaal afgebrand.'
'O, we zouden die plek hoe dan ook niet gebruiken. Hij is lang geleden in gereedheid gebracht. Honderd jaar geleden ging het op die manier. De wereld is nu veel minder formeel. Je moet met je tijd meegaan.'
'Was je niet bang dat iemand hem zou vinden?'
Ze lachte. 'Wat vinden? Een paar stoelen, een tafel? En wat dan nog? Dingen verbergen is voor amateurs.'
'Hoe zit het met de lijken?'
'Dat was iets anders.'
'Wie *was* Marcus Fox?'
'Iemand die vroeger belangrijk was,' zei ze, alsof ze het onderwerp liever vermeed. 'Hij is altijd... lastig geweest. Tijdens zijn meest recente periode van afwezigheid heeft hij het nog veel bonter gemaakt.'
'Afwezig van waar?'
'De plek waar jij naartoe gaat. In de tussentijd. Het is niet ver. Marcus werd erg wreed. Hij deed mensen pijn. Kleine mensen.'
'Dat heb ik gezien. Waarom werden de lijken bewaard?'
'De kans dat ze daar ontdekt zouden worden was niet groter dan wanneer we ze in een bos zouden begraven of in de baai hadden gegooid. Totdat jij en je vriend jullie neus erin begonnen te steken.'
'En Fox?'
'Hij werd te gevaarlijk. Dat is afgehandeld.'
'Je bedoelt dat hij is vermoord. Door de man die Gary heeft neergeschoten.'
'Dat zeg jij.'
'Waarom zei Todd Crane gisteren dat Marcus in het gebouw was?'
'Je hebt goede oren. En je denkt goed na. Dat kan een probleem zijn. Maar ach, we weten waar je woont.'
Ik staarde haar aan. 'Jij woont daar ook.'
'Nee, ik heb daar nooit gewoond, meneer Whalen.' Ze drukte haar sigaret uit en keek me met lege, onverschillige ogen aan. 'Ik dacht dat je het begreep. Je praat niet met Amy. Je praat met Rose.'

Misschien had ik het al geraden. Ergens die nacht had ik beseft dat Amy de afgelopen weken of maanden alle kans had gehad om een nummer voor ROSE in mijn mobiel te programmeren. Ik zou het niet gemerkt hebben tot ze me vanaf dat nummer belde. Waarom zou ze dat doen? Om me te waarschuwen, misschien. Of om me te weerhouden mijn neus te steken in zaken die ik niet begreep. Waarschijnlijk was dat ook de reden waarom de twee mannen me aanvielen in dat steegje met Georj. Mannen die betaald worden door de indringers, wie dat dan ook mogen zijn.

'En wie is Rose dan eigenlijk?'

'Een etiket voor een geestestoestand.'

'Dat geloof ik niet. Ik denk ook niet dat jij dat gelooft. Waarom probeerde Shepherd dat meisje te doden? Dacht hij dat Fox binnen in haar zat?'

'Dat was ook zo. Maar het lijkt erop dat meneer Fox het pand verlaten heeft.'

'Komt dat voor?'

'Heel zelden. Ze was sterk. Ze was ook veel te jong. We maken ons zorgen over de vraag hoe Marcus er überhaupt doorheen gekomen is. Misschien heeft een van onze helpers hem een handje geholpen.' Ze haalde haar schouders op. 'Soms verlaten teruggekeerden het schip. Heel af en toe worden ze eruit geschopt. Iemand zal dat meisje in de gaten moeten houden. We zullen zien.'

Ze zag hoe ik naar haar keek. 'Gaat niet gebeuren. Dat heb ik je op de pier al verteld. Dit is wie ik ben. Hoe ik altijd ben geweest, onder de oppervlakte.'

Ik merkte een grijze limousine op die vijftig meter verderop in Yesler geparkeerd stond. Er stapte een man uit. Hij was oud, Afro-Amerikaans, en had een gedistingeerd uiterlijk. De auto reed weg en de man liep in de richting van het plein. Hij ging in zijn eentje op een bankje zitten. Op de een of andere manier vond ik dat vreemd.

Ik werd afgeleid doordat Amy een nieuwe sigaret opstak. Het zijn de eenvoudige dingen die het minst kloppen. Hoewel ik maar al te goed wist dat ik niet begreep wie de persoon tegenover mij was, wilde ik niet dat ze vertrok. Hoe ze zichzelf nu ook mocht noemen, zodra ze vertrokken was zou ik helemaal alleen zijn. Dus begon ik opnieuw vragen te stellen.

'Wat was die geestmachine van Anderson voor een ding?'

Ze zuchtte. 'Dat had je ook niet mogen weten.'

'Jammer dan. Ik weet het wel. Wat was zo belangrijk dat een man als Bill erom vermoord moest worden? En zijn vrouw en kind?'

'Hij is bij toeval gestuit op iets waarmee je een glimp kunt opvangen van bepaalde zaken.'

'Jezus, Amy – speel open kaart met me. Wat voor zaken?'

'De aanwijzing zit in de titel, meneer Whalen.'

'Het was een machine waarmee je *geesten* kon zien?'

'Zielen. Wachtend om terug te keren. Ze zijn overal om ons heen, ze leven in een... geloof me, het was een slechte machine. Er zou niets goeds van zijn gekomen. Mensen zijn beter af als ze bepaalde dingen niet weten.'

'Dus Cranfield betaalde Bill om zijn onderzoek te staken.'

'Joseph was een vriendelijk man. Hij was rijk en machtig geworden en gewend om de dingen op zijn eigen manier aan te pakken. Zelfs mensen met zijn levenservaring vergeten af en toe om naar het grotere plaatje te kijken. Het was een vergissing. Het had door De Negen besproken moeten worden.'

'Wie zijn dat?'

'De mensen die toezicht houden. Strategische beslissingen nemen. De eersten onder gelijken. Je weet wel.'

Ik zag dat er nog een man op het bankje op het plein was gaan zitten. Hij praatte niet met de eerste man, hij zat een eindje bij hem vandaan en keek hoe de wereld aan hem voorbijgleed. Aan de andere kant, in de buurt van de totempaal, stond een vrouw van eind vijftig in haar eentje.

'Helaas deed het geld Anderson beseffen dat hij iets belangrijks had ontdekt,' zei Rose. 'Via het internet liet hij dingen doorschemeren over wat hij had ontdekt.'

'Was dat zijn grote misdaad? Dingen laten doorschemeren?'

'Er komt een tijd dat het internet onze grootste bondgenoot is. Vroeg of laat is daar alles gezegd wat er gezegd kan worden, elke gekte bewezen. Dan zal er geen onderscheid meer zijn tussen wat waar is en wat niet. Maar zo ver zijn we nog niet.'

'Dus hebben jouw mensen Anderson laten vermoorden.'

'Zijn gezin had erbuiten moeten blijven.'

'Maar nu weet *ik* een paar dingen. Dus...'

'Je *denkt* iets te weten, dat is alles. En ik weet zeker dat je beseft hoe het overkomt. Hoe serieus nam jij Gary toen hij vertelde wat hij dacht te weten?'

'Dus wat gaat er met mij gebeuren?'

'Daar moeten we het nog over hebben – hoewel niet met jou.' Ze aarzelde. 'Ik ben zelf niet in staat om opdracht te geven tot de gebruikelijke procedure. Amy is nog steeds tamelijk sterk. Maar dat gaat wel over.'

'Ik zou er maar niet op rekenen,' zei ik. Mijn stem voelde bibberig. 'Ze is behoorlijk taai.'

'We weten over die avond in Los Angeles, toen jij zogenaamd bij toeval op verdachte activiteiten stuitte. We weten dat je collega's en Interne Zaken besloten om jouw versie van de gebeurtenissen te accepteren omdat je je tot dan toe voorbeeldig had gedragen en omdat de vier mannen die je hebt doodgeschoten zelfs door hun eigen moeders niet gemist worden. Maar ik weet ook, omdat Amy dat weet, dat de werkelijkheid anders was. Je was die avond op zoek naar twee van de vier mannen en je nam wel je revolver mee, maar niet je radio of je politiepenning. Het was een vooropgezet plan. Amy zou dat kunnen getuigen.'

'Dat zou ze niet doen,' zei ik.

'Misschien niet. Maar ik wel.'

'En in dat geval zou ik beginnen te praten.'

'En alles wat je dat oplevert, is een cel met gecapitonneerde muren. In dit geval is je dossier niet bepaald je beste vriend. Evenmin als je persoonlijkheid in het algemeen.'

Er was nu een kilte in haar stem geslopen die me deed beseffen dat ik minstens een keer eerder met deze vrouw had gesproken. Die keer dat ik met Amy had afgesproken op de pier. Toen had ik minstens een deel van de tijd tegenover Rose gestaan. En daarvoor? Waarschijnlijk ook. Misschien al vanaf de dag dat we elkaar hadden ontmoet, alle keren dat mijn vrouw een fractie anders leek, onverklaarbaar, niet helemaal zichzelf. Zoals we dat allemaal wel eens zijn van tijd tot tijd.

Wanneer was Rose begonnen om de controle over te nemen? Toen we het kind verloren dat ons bij elkaar zou hebben gehouden? Kon zo'n gebeurtenis voor Amy de aanleiding zijn geweest om zich dieper in zichzelf terug te trekken, het toneel leeg achter te laten? Of was het gewoon voorbestemd, een machtsovername die volgens een vaststaand, onvermijdelijk schema verliep?

'Wie is de man op de foto in je mobieltje?'

Ze glimlachte. Een warme, intieme glimlach, een glimlach die elke echtgenoot treurig zou stemmen. 'Zijn naam is Peter, als je het per se wilt weten.'

'Ik vroeg niet naar zijn klotenaam. Ik vroeg wie hij is.'

'O, sorry. Hij is computerprogrammeur, Jack. Hij woont in San Francisco. Hij is vierentwintig. Hij speelt gitaar in een band. Hij is erg goed. Is dat meer in de richting van wat je bedoelt?'

Ik wist niet wat ik bedoelde. 'Hoe lang ga je al met hem om?'

'We hebben elkaar slechts een keer ontmoet, eergisteravond, in L.A.'

'Was hij de reden dat je daar was?'

'Ja.'

'Ik snap het niet,' zei ik. 'Hoe kun je foto's van hem hebben als je hem nog nooit hebt ontmoet?'

'Een van onze helpers heeft hem opgespoord. Ze nam een paar foto's, stuurde ze naar mij. Ze heeft het voorbereidende gesprek met hem gevoerd, een van de taken die helpers vervullen. Daarna hebben we berichten uitgewisseld.'

'Ik snap het nog steeds niet. Wat bedoel je met opgespoord?'

De glimlach lag nog steeds op haar lippen, en dat deed me beseffen hoe lang geleden het was dat ik zo'n gloed op haar gezicht had gezien. Ik vroeg me af in hoeverre dat mijn fout was, en in hoeverre het buiten mijn macht had gelegen.

'Lang geleden,' zei ze, 'was er een jonge vrouw die erg, erg verliefd was. Op een jazzmuzikant. Een ongelooflijk getalenteerde man, iemand die muziek kon scheppen als geen ander, die... nou ja, ik denk dat je erbij had moeten zijn. Maar deze man was ook iemand die geen vrede kon vinden met wie hij was, met hoe de dingen in zijn hoofd werkten. Hij vocht tegen zichzelf. Hij dronk te veel. Hij stierf erg jong. Maar nu heb ik hem teruggevonden, en deze keer zal het anders zijn.'

'Is hij hier? In Seattle?'

'Nee. Hij heeft tijd nodig om te wennen. Maar de eerste ontmoeting verliep erg goed. Ik denk dat hij snel hiernaartoe zal komen. Ik hoop het.'

'Hou je van hem?'

'Dat is nooit overgegaan.'

Een moment lang haatte ik haar intens, natuurlijk, maar ik wilde nog steeds niet dat ze wegging. Ik had de afgelopen zeven jaar van mijn leven doorgebracht met iemand die op z'n minst op deze vrouw leek. Ik wist dat als ik opstond, dat de eerste stap zou zijn in een volkomen onbekende wereld.

Ze wierp nu vaker een blik over het plein. Er stonden nu vijf of zes mensen, er was geen contact, ze deelden de ruimte.

Ik keek naar haar gezicht, herinnerde me alle manieren waarop ik het had gezien, alle plekjes.

'Heb je nog aan Annabels verjaardag gedacht?'

Ze lachte, en even was het anders. In haar ogen zag ik iets van de vrouw die ik placht te kennen. Meer dan een beetje. Heel veel.

'Bingo,' zei ze. 'Precies op dit moment gaat dat meisje helemaal uit haar dak, kleding kopen in de Banana Republic.'

Toen was ze weer weg. 'Maak je geen zorgen,' zei Rose kordaat. 'Amy blijft haar plichten vervullen, blijft haar rollen spelen in andermans leven. Niemand zal het ooit weten, behalve jij.'

'En hoe zit het met mij?'

'Met *jou*?' zei ze, en daarmee was het gesprek afgelopen. Haar bekertje was leeg. Mijn tijd was bijna voorbij.

'Wat is er met deze plek?' vroeg ik desondanks. 'Dit plein? Waarom voelt het zoals het voelt?'

'Er zijn plekken waar de muur dunner is,' zei ze. 'Dit is er een van. Dat is alles.'

Ik telde de mensen die nu onder de bomen stonden. Acht vreemden die allemaal een andere kant op keken. In de verte, dat zag ik nu pas, stond Ben Zimmerman.

'Ik zie er maar acht.'

'Joe was de negende,' zei ze. 'Er is al een vervanger gekozen.'

Ik knikte. Ik begreep het. Onze verhuizing naar Birch Crossing was kort na het overlijden van Cranfield in gang gezet, besefte ik nu, hoewel de voorbereidingen waarschijnlijk al veel eerder waren begonnen: toen Amy betrokken werd bij de eigendomsoverdracht van het gebouw in Belltown.

Misschien was het al begonnen op het moment dat ze achttien werd, toen ze iemand ontmoette die Shepherd heette en die haar leven een andere richting op stuurde.

'Wat gaat er nu gebeuren?'

'Ik neem afscheid.'

Ze stond op en liep naar het begin van Yesler, in de richting van het plein.

'Amy,' riep ik. De vrouw aarzelde. 'We zullen elkaar weerzien.'

Toen liep ze weer door. Ze stak de straat over, betrad het plein onder de bomen en ging tussen de anderen staan. Niemand sprak, maar even bogen ze allemaal het hoofd. Het konden nog steeds willekeurige voorbijgangers zijn die even stilhielden op een plek die hier lang voor deze moderne stad al was geweest, de ware reden, misschien, waarom de stad hier ontstond.

Deze stad, in wat ooit een afgelegen wildernis was, zouden sommige mensen hun eigendom kunnen noemen: een plek die lang voordat zij hun weg hiernaartoe hadden gevonden speciaal was en vereerd werd. Tijdens de vlucht naar L.A. had ik een stukje gelezen in het boek over de lokale geschiedenis van Seattle dat ik slechts een paar blokken hiervandaan had gekocht. Ik wist dat er op deze plek ooit een dorp had gestaan met de naam Djijila'letc, meestal vertaald als 'de kleine oversteekplaats'.

Oftewel, neem ik aan, de plaats waar je kunt oversteken. Van hier naar ergens anders. En misschien terug.

Ik liet mijn blik omhoogdwalen naar de weinige blaadjes die nog aan de bomen hingen. Een zacht windje speelde met de takken. Op de plek waar ik zat kon ik het niet voelen, vlak achter me was een gebouw en de middag was hoe dan ook nogal koud.

Ik keek een poosje naar de blaadjes, luisterde naar hun droge, fluisterende geluiden. Toen leek het alsof het regende terwijl het niet regende, alsof het allebei tegelijk kon: alsof veel dingen en omstandigheden op dezelfde plek konden bestaan, samen, slechts verborgen door de schittering van het licht.

Toen ik weer omlaag keek was het plein verlaten.

hoofdstuk
VIERENVEERTIG

Zodra ik het huis binnenstapte, wist ik dat alles veranderd was. Huizen zijn pragmatisch en ze zien niets door de vingers. Als er iets verandert in jouw relatie tot hen, verschuiven ze, wenden ze zich af. Ik zag dat Amy's computer weg was, net als enkele van haar boeken en een paar kledingstukken. In zekere zin was het verontrustend om te zien hoe weinig er was verdwenen, hoe weinig van het leven dat ze hier had geleefd blijkbaar waardevol genoeg was om mee te nemen.

Ik strompelde weer naar de woonkamer en bleef in het midden stilstaan. Ik haalde mijn sigaretten tevoorschijn en stak er eentje op. Uitdagend, daar hoefde ik ook geen rekening meer mee te houden. Maar ik hield het niet vol. Ik opende de deur naar het dakterras en liep naar buiten.

Mensen vertrekken nooit helemaal. Dat is de ergste misdaad van iedereen die vertrekt, en van iedereen die sterft. Ze laten echo's van zichzelf achter die de mensen die van hen hielden de rest van hun leven met zich meedragen.

Ik sliep nauwelijks die nacht, noch de volgende. Als mijn geest al in staat was geweest om rust te vinden, dan had de pijn in mijn schouder me wel weerhouden om me te ontspannen. Op mijn rug liggen deed pijn. Op mijn buik of mijn zij liggen ook. Zitten ook. Het bestaan in het algemeen, in elke houding, deed pijn.

Ik sleet de dagen in de woonkamer of buiten op het dakterras. Ten slotte sleepte ik een van de stoelen naar buiten en ging helemaal niet meer naar binnen. Behalve als ik probeerde te slapen. Het was veel te koud om buiten te slapen.

Twee dagen later begon het eindelijk te sneeuwen.

Het kwam allemaal tegelijk, 's nachts. Ik miste het begin, want ik was er eindelijk in geslaagd om iets van rust te vinden. Toen ik mezelf de volgende morgen naar het dakterras sleepte, snakte ik hardop naar adem. Alles was wit. Alles wat ik kon zien. Ik wist dat alles er nog was, daaronder, natuurlijk. Maar even zag de wereld eruit alsof ze opnieuw gemaakt was, zoals altijd als het heeft gesneeuwd.

Ik ben gek op sneeuw. Altijd geweest. En daarom wilde ik zo graag dat Amy in het huis was, om haar te kunnen wekken, haar in een badjas te kunnen wikkelen en haar naar buiten, naar het dakterras te slepen, om samen met mij de sneeuw te zien. Om daar met haar te staan bibberen, onverschillig voor de kou, te kijken naar al dat wits en ons herboren te voelen, herboren in een nieuwe wereld die we zelf konden inrichten.

En eindelijk, en ongeremd, begon ik te schreeuwen.

's Middags dwong ik mezelf tot nadenken over een tochtje naar de stad. Sommige dingen waar ik trek in had, begonnen op te raken, zoals koffie en sigaretten. Terwijl ik in mijn portemonnee keek of ik nog geld had, besefte ik dat er iets anders tussen de biljetten zat. Een klein blauw plastic rechthoekje, nauwelijks dikker dan een creditcard en veel kleiner.

Het was de geheugenkaart die Gary me had gegeven, uit de camera waarmee hij die foto's van Amy had genomen in Belltown. Ik was het helemaal vergeten.

Ik liep naar de werkkamer en stopte het kaartje in een kaartlezer die verbonden was met mijn laptop. Er stonden maar vier files op de kaart. De eerste twee waren de foto's die ik al had gezien. Zelfs in een grotere vergroting en met het voordeel van kennis achteraf was Ben niet duidelijk herkenbaar. Ik kon mezelf niet kwalijk nemen dat ik dat niet eerder had ontdekt, hoewel ik het wel had geprobeerd. De volgende file was een Worddocument. Toen ik er dubbel op klikte leek er in eerste instantie niets te gebeuren. Ik dacht dat het document kapot was en dat de computer daardoor was vastgelopen. Toen er ten slotte toch iets op het scherm verscheen, besefte ik dat de vertraging werd veroorzaakt door het feit dat het een gigantisch document was. Tienduizenden woorden, bezaaid met diagrammen.

Ik scrolde erdoorheen in de hoop dat ik er zo achter zou komen hoe het document in elkaar zat. Maar ik besefte al snel dat er geen enkele structuur in zat. Het begon met een lijst namen van mensen die volgens Gary indringers waren geweest (Frank Lloyd Wright, J.S. Bach, de Wandelende Jood, Nikola Tesla, Osiris, vampiers, de bouwers van Stonehenge, Thomas Jefferson, alle Dalai Lama's, om er maar een paar te noemen). En de profeten van het Oude Testament, met hun uitzonderlijk lange levens – vier-, vijf-, achthonderd jaar. Natuurlijk waren ze niet al die tijd een en dezelfde persoon, schreef Gary: het was dezelfde ziel die steeds opnieuw terugkeerde in een ander lichaam. Toen vervolgde hij met een andere quasihistorische figuur: een die op de ochtend van zijn geboorte drie gasten ontving die 'giften' bij zich hadden – symbolen van de ervaringen van dit kind in vorige levens. Gary beweerde dat de moeder van de jongen had vernomen dat de Heilige Geest niet over *haar* zou komen, zoals de Bijbel zei; maar over haar *zoon*.

De belofte van het eeuwige leven. De Heer, onze herder. Vader, Zoon, Heilige Geest.

'O, Gary,' zei ik.

Maar ik ging door met lezen, en besefte al spoedig dat hij zelfs op zijn sterfdag nog de waarheid voor me verborgen had gehouden. De manier waarop hij toen gesproken had, suggereerde dat hij dacht dat de indringers een geïsoleerd fenomeen waren, een paar individuen die een manier hadden gevonden om gedurende vele generaties aanwezig te blijven, een samenzwering die losstond van de rest van de wereld. Maar dat was absoluut niet wat hij had geloofd.

Hij schreef dat het woord *nachtmerrie* afkomstig is uit de Scandinavische legende van 'nacht-maras' – demonen die de borst van slapende mensen binnendringen. En dat mensen lange tijd geloofden dat nare dromen werden veroorzaakt door kwade geesten die zich met geweld een weg naar binnen probeerden te banen. Volgens Gary hadden vroedvrouwen oorspronkelijk de taak om op zoek te gaan naar gezonde zwangere vrouwen wier baby's waarschijnlijk lang zou blijven leven en die daardoor een goede toekomstige gastheer of -vrouw zouden zijn voor indringers die bijna uit hun huidige lichaam moesten vertrekken. Hij schreef dat niemand weet hoe antidepressiva precies werken en poneerde de stelling dat ze een slecht geïntegreerde indringer maskeren – en dat de aanvankelijke voordelen daardoor dikwijls omslaan in een nog ernstigere depressie of neiging tot zelfverwonding. Zelfmoord als onbewuste poging om een indringer te doden, dat ding dat zich binnen in je heeft genesteld en je leven in de war schopt. Volgens Gary verklaarde dit ook de voorliefde van onze soort voor drugs en alcohol, omdat die de hoofdpersoonlijkheid doen vervagen waardoor de indringer even op de voorgrond kan treden, een kans krijgt om ons gedrag een tijdlang te sturen. De indringer kende minder remmingen, had meer ervaring en was in alle opzichten een andere persoon en geneigd om ervoor te zorgen dat we ons gedroegen op een manier die niet overeenkwam met onze persoonlijkheid. Dat was waarschijnlijk ook de reden waarom Gary was gestopt met drinken, en waarom men zegt dat God omziet naar de dronkaards en de kleine kinderen. Dat is niet God, natuurlijk. Het is de verborgen persoon binnenin.

De persoon die, volgens Gary, in elk van ons schuilt.

Slechts een klein deel van die indringers was zich bewust van het feit dat ze waren teruggekeerd. Om onszelf gezond te houden, zeker van onze identiteit, waren de meesten van ons maar al te blij dat we die tweede ziel konden afschermen, de mond snoeren, buiten onze bewuste geest houden. Alles wat door de muur in ons hoofd heen lekte – een déjà vu, een droom over een plaats waar we nooit zijn geweest, een verwarrend lichaamsbeeld, onverwachte talenten in een vreemde taal of op een muziekinstrument, het gevoel dat we ergens anders zouden moeten zijn en een ander leven zouden moeten leiden – classificeerden we zo snel mogelijk als 'nu eenmaal behorend tot de menselijke staat': verward, versnipperd, nooit helemaal meester over onze eigen geest.

Gary had zelfs een wetenschappelijk verklaring. Het was een aanpassing, zei hij – en de werkelijke oorzaak van het feit dat mensen over de aarde heersen. Op de kale grazige vlakten in Afrika of in de koude bergen in Europa had onze soort op een bepaald moment evolutionaire voordelen ontleend aan het feit dat we in staat zijn om twee zielen in een lichaam te herbergen. De moderne ziel wist dat niet, maar kon wel intuïtieve beslissingen nemen – die levensreddend waren en dus bijdroegen aan de natuurlijke selectie – op basis van ervaringen uit de vorige levens van de binnengedrongen ziel. Maar daar hing een prijskaartje aan. Als de zielen samenwerkten kon de persoon goed functioneren. Als ze dat niet deden raakten ze allebei beschadigd. De betrokkene ging eraan kapot, hij of zij functioneerde niet meer en werd gewelddadig of alcoholist. Daarom zijn sommige mensen geestesziek of hebben een bipolaire stoornis, of ze krijgen gewoon geen greep op hun leven, ogenschijnlijk al vanaf hun geboorte.

De zielen gaan een poosje ergens anders naartoe, maar ze komen terug en dringen met geweld binnen bij een jong kind, bij onze baby's. Dan wachten ze, versterken hun positie, worden machtiger, tot de tijd daar is. Waarom weten we niets over het leven van Jezus voordat hij halverwege de dertig is, vroeg Gary zich af. Omdat dat het moment was waarop de indringer volwassen was, gereed om de macht over te nemen. Elke interne bedreiging van de veiligheid van het systeem wordt efficiënt weggewerkt. Dat was wat Salieri volgens Gary met Mozart had gedaan toen de laatste moe en gedesillusioneerd werd en in zijn werk toespelingen begon te maken, vermomd als geheime verwijzingen naar de vrijmetselarij. En waarom was Jezus nooit teruggekeerd, zoals Hij had beloofd? Omdat Hij verdwaald is aan de andere zijde, een van de vele schaduwen die we met Bill Andersons machine hadden kunnen zien als die niet vernietigd was.

En zo ging het maar door.

En er was nog meer. Te veel om te lezen of te geloven, veel te veel bewijzen om waar te kunnen zijn. Ik wist niet wat ik van de persoon die mijn vrouw was geweest moest denken, wat de oorzaak van haar verandering was. Maar tegen beter weten in vroeg ik me af of ik met mijn opmerking op de atletiekbaan, jaren geleden, soms onbedoeld had bijgedragen aan het ontstaan van Gary's obsessie. Of mijn domme uitspraken al die jaren in zijn achterhoofd hadden liggen gisten, zoals Donna's dood had gedaan, en geleidelijk zijn geest hadden overgenomen. Ik sloot het document.

De laatste file op de geheugenkaart was een foto. Toen hij op het scherm verscheen, stokte mijn adem. Het was een foto van Gary, met Bethany. Volgens een insigne op haar borst was ze die dag twee geworden, wat betekende dat de foto maar een paar weken voor haar dood was genomen. Ze had een groot stuk cake in haar hand en haar hele gezicht en haren zaten onder de slagroom. Ze keek lachend op naar haar vader, haar ogen gevuld met de heldere glans van iemand die opkijkt naar een van de twee trotse zielen die haar hele wereld uitmaakten.

De foto was binnenshuis gemaakt, met de flitser, en hij was erg scherp. Ik vergrootte het beeld en scrolde naar het gebied naast Bethany's rechteroog. Ik zat er een hele tijd naar te kijken.

Ze had daar een litteken. Klein, in de vorm van een half maantje.

Toen ik mijn ogen sloot wist ik, net als Gary, waar ik dat litteken eerder had gezien.

Ik liep naar de stad. Dat duurde een hele tijd. Ik moest door vijftien centimeter sneeuw ploegen en dat joeg met elke stap een scherpe pijnscheut door mijn schouder en nek. Maar tegen die tijd had ik de pijn geaccepteerd. Er was geen ontkomen aan.

In Birch Crossing reden bijna geen auto's, maar Sam's Market was open. Ik dwaalde in mijn eentje door de gangpaden, staarde zonder iets te begrijpen naar alle dingen die je kon kopen. Mijn hand zweefde een poosje boven een blik zuurkool, maar toen besefte ik dat ik niet wist waarom ik het lekker vond, dus liet ik het staan waar het stond.

Toen ik bij de kassa kwam stond Sam daar. Zonder iets te zeggen stopte hij de weinige boodschappen die ik had verzameld in een tas. Maar toen ik naar de uitgang schuifelde, opende hij zijn mond.

'Had de jongen ook kunnen vragen om de dingen bij je huis af te leveren,' zei hij. 'Als je had gewild.'

Ik stopte, draaide me om. Ik herinnerde me de laatste keer dat ik hem had gezien, bij de vergadering in Bobbi Zimmermans huis. Ik bedacht dat het onwaarschijnlijk was dat ik ooit nog iets in Birch Crossing zou kopen, maar ik knikte.

'Bedankt.'

'Pas goed op met die schouder,' zei hij.

Ik had tot aan de oprit van ons huis lopen piekeren wat hij daarmee bedoelde, maar ik was er niet uitgekomen. En toen zag ik dat het hek wijd open stond, en dat er verse bandensporen over onze oprit liepen.

Een auto die ik nooit eerder had gezien stond naast de suv. Ik liet mezelf binnen en bleef boven aan de trap stilstaan om naar beneden te kijken.

Op mijn bank zat een man.

Ik liep terug naar de keuken. Pakte een kop koffie uit de pot. Ik had het tijdens de wandeling behoorlijk koud gekregen. Ik nam de koffie mee naar beneden en ging in de stoel tegenover de bank zitten. De man had een kopje op de tafel voor zich staan.

'Doe alsof je thuis bent,' zei ik.

'De sleutels,' zei de man die Shepherd werd genoemd met een knikje naar de tafel. 'Rose heeft ze niet meer nodig.'

'Waarom ben je hier?'

Hij reikte in zijn jaszak en haalde mijn revolver en mobieltje tevoorschijn. Legde die ook op het salontafeltje. Ten slotte pakte hij het magazijn van de revolver. 'Hoe is het met de schouder?'

'Wat denk je?'

'Het was niets persoonlijks. Je zag er gewoon uit als het soort man dat in de weg zou lopen.'

'Je hebt een vriend van mij vermoord.'

'Zoals ik al zei. Niets persoonlijks.'

'Je bent de tweede die vanmiddag belangstelling toont voor mijn schouder.'

'Ik neem aan dat je hebt uitgevogeld dat deze stad een van hun plaatsen is? Een hoofdkwartier?'

'Dat begon tot me door te dringen. Ik liep toevallig binnen bij een voor-de-vergaderingfeestje, denk ik, bij mijn buren. Zijn er veel van dit soort steden?'

'Dit land telt er maar twee. Er zijn alles bij elkaar niet veel van dit soort mensen.'

'En wie zijn dat precies?'

'Ik neem aan dat Rose je de mesjoche versie heeft gegeven. Ze vind het soms leuk om spelletjes te spelen. Het is gewoon een club, meneer Whalen. Net als de vrijmetselaars. De Rotary. De Bohemian Grove. Succesvolle mensen die elkaar een beetje vermaken. Sommigen hebben iets met mythologie. Betekent helemaal niks. Het is een excuus, net zoals we de Kerstman gebruiken om elkaar cadeautjes te geven. Niets meer dan dat.'

Ik keek naar de dingen op de tafel. 'Waarom krijg ik die terug?'

'Ze zijn van jou, en de grote vergadering is voorbij. Ze hebben het natuurlijk ook over jou gehad.'

Hij reikte opnieuw in zijn jaszak, haalde een klein doosje tevoorschijn dat hij op het salontafeltje naast de andere spullen legde. 'Als je het accepteert, loop dan de heuvel op en praat met meneer Zimmerman. Hij zal je uitleggen wat de overeenkomst inhoudt.'

'Wat het ook is. Ik doe het niet.'

Hij stond op. 'Dat is aan jou.'

Ik keek hoe hij de trap opliep. Bij de voordeur hield hij stil, draaide zich om.

'Laat ik een ding duidelijk stellen,' zei hij. 'Deze mensen accepteren alleen ja en nee. Als het nee is, krijg je bezoek. Niets persoonlijks.'

Hij vertrok.

Ik pakte eerst de mobiele telefoon op. Amy's nummer was verwijderd, net als dat van Rose, en alle ontvangen gesprekken waren gewist. Ik kon Amy's nummer natuurlijk makkelijk opzoeken, maar ik wist dat het geen zin had. Als ik haar ooit nog eens zou zien, gebeurde dat niet door middel van een telefoongesprek. Op dat moment had ik geen idee wat ik nog kon doen.

Ik legde de telefoon terug en trok het kleine doosje naar me toe. Er zaten visitekaartjes in, gedrukt op een puur witte ondergrond. Er stond niets anders op dan een naam, of misschien een functieomschrijving.

Jack Shepherd

Ik liet de kaartjes op de tafel liggen en liep naar buiten, naar het dakterras. Ik schoof de schuifpui achter me dicht. De wereld klonk doods en leeg.

En heel erg stil.

Ik liep naar het eind van het dakterras en daalde de trap af. Ik zette geen koers naar ons terrein maar draaide me om en klom langs de zijkant van het huis de helling op. Ik duwde de met sneeuw bedekte struiken voorzichtig opzij. Toen ik bij de voorkant kwam, ging ik dichter bij de muur lopen en schoof mijn hoofd voorzichtig naar voren.

De auto stond nog steeds op onze oprit.

Ik duwde het magazijn in mijn revolver en schoof de veiligheid eraf. Ik liep gebukt naar de achterkant van de auto, kwam snel overeind en liep door naar de bestuurderskant. De auto was leeg. Alleen een zwarte koffer op de achterbank.

Ik liep naar de deur van ons huis, drukte me ernaast tegen de muur en duwde ertegenaan. Hij gleed langzaam open. Ik sprong tevoorschijn, mijn revolver in de aanslag. Mijn schouder deed geen pijn meer. Ik duwde de deur met mijn voet verder open en stapte naar binnen.

Het huis was onbeweeglijk en doodstil. Ik zette vier stappen, vijf, tot ik twee meter van de bovenkant van de trap vandaan was. Daar wachtte ik.

Even later kwam Shepherd uit Amy's werkkamer tevoorschijn. Hij liep naar het midden van de woonkamer, hij bewoog zachtjes, snel, op zijn gemak in iemand anders huis. Hij had een revolver in zijn hand.

Ik vuurde drie keer.

Toen ik afdaalde naar de woonkamer leefde hij nog. Hij lag scheef op zijn rug. Het leek alsof hij naar iets keek dat zich achter me bevond, hij staarde langs me heen als een man die op een menigte neerkeek. Hij probeerde zijn revolver op te tillen. Ik dacht niet dat hij dat voor elkaar zou krijgen, maar nam het zekere voor het onzekere.

Ik schoot opnieuw, en het was voorbij.

Ik stond vijf, misschien tien minuten op hem neer te kijken terwijl zijn bloed zich over de houten vloer verspreidde. Het was ook over het salontafeltje gespat, en over de sofa waar Amy had gezeten toen ik haar hier voor de laatste keer had gezien. Ze was aan het werk geweest, zoals ze zo vaak had gedaan. Ik herinnerde me de manier waarop ze naar me opkeek en glimlachte als ik de trap af kwam, me het gevoel gaf dat ik thuis was. Ik herinnerde me ook dat zij/Rose had gezegd:

We maken ons zorgen over de vraag hoe Marcus er überhaupt doorheen is gekomen. Misschien heeft een van onze helpers hem een handje geholpen.

Ik begon me af te vragen of Rose Shepherd hierheen had gestuurd omdat ik een los eindje was dat moest worden opgeruimd of dat ze had gehoopt dat het andersom zou werken. Alsof ik al bij ze in dienst was getreden.

'Je hebt een vriend van mij vermoord,' zei ik opnieuw tegen de man aan mijn voeten. Maar diep in mijn hart wist ik dat dat niet de reden was waarom ik het had gedaan.

Hij was gekomen om me te vermoorden. Ik had geen keus.

Ik ben geen moordenaar. Niet Jack Whalen. Niet mijn vaders zoon. Maar iets binnen in me is dat wel, en met elk jaar dat verstrijkt voel ik het harder worstelen om tevoorschijn te komen.

Ik ben op de weg nu. Ik rij in Shepherds auto. Ik heb niets meegenomen uit het huis behalve een foto van mezelf met een vrouw van wie ik eens gehouden heb, en opnieuw kan houden, als ik haar ooit weerzie. Ik heb in de koffer op de achterbank gekeken. Er zit een schoon stel kleren in dat me waarschijnlijk wel past en een grote som geld. Zowel de koffer als de inhoud is nu van mij, denk ik.

Het wordt donker en de hemel is dreigend. Later zal het opnieuw gaan sneeuwen. Ik zal er in mijn eentje naar kijken. Tegen die tijd hoop ik hier ver vandaan te zijn. Ik weet niet waar ik naartoe ga.

Dat heb ik nooit geweten.

WOORD VAN DANK

Hartelijk dank aan mijn redacteuren Jane Johnson en Carolyn Marino, voor al hun hulp en begeleiding bij het maken van dit boek; ook aan Sarah Hodgson, Lisa Gallagher, Lynn Grady en Amanda Ridout; aan Jonny Geller en Ralph Vicinanza voor voorspraak en advies; aan Sara Broecker en Jon Digby voor research; aan Ariel voor het werk op het net; aan Stephen Jones, Adam Simon, David Smith (en The Junction) voor steun – en aan Andriea 'Peppa' Passos voor al het andere.
Ongelooflijk veel dank, zoals altijd, aan mijn steunpilaar Paula, en aan de kleine, N8. Blijf allemaal mijn redders in de nood!